Frances Tustin
Autistische Barrieren bei Neurotikern

Veröffentlichungen des Klein Seminars Salzburg
Herausgegeben von Karl und Ruth Mätzler

Band 2

Frances Tustin

Autistische Barrieren bei Neurotikern

Mit einem Vorwort von Maria Rhode

edition diskord

Titel der Originalausgabe:
Autistic Barriers in Neurotic Patients
London 1986, 2. Auflage 1994, Nachdruck 2003

Nachdruck der 1988 bei Nexus / Stroemfeld, Frankfurt am Main erschienenen Ausgabe, übersetzt von Kevin O'Keeffe, unter Berücksichtigung des 2003 bei Karnac Books erschienenen Reprints. Die Übersetzung wurde bearbeitet von Elisabeth Vorspohl.

Umschlaggestaltung: Uli Gleis, Tübingen
Titelabbildung: Porzellankopf nach der Lehre von Franz Joseph Gall, Porzellanmanufaktur Alt-Wien 1859, Privatbesitz.
Titelfoto: Hannes Auer

www.edition-diskord.de
Satz: psb, Berlin
Druck: Stückle, Ettenheim
Gedruckt auf alterungsbeständigem Papier
(holzfrei, chlor- und säurefrei)
ISBN 3-89295-755-x

Inhalt

Dieses Buch ist den traurigen und
verängstigten Kindern gewidmet,
von denen ich so viel gelernt habe,
und nicht weniger ihren Eltern,
die mich so tapfer unterstützten.

Vorwort zur Neuauflage

Frances Tustin (1913–1994) hat in der psychoanalytischen Behandlung des Autismus Pionierarbeit geleistet. Dank ihres lebendigen, ausdrucksstarken Stils, der auf jeden Jargon verzichtet, sind ihre vier Bücher und zahlreichen Artikel für interessierte Eltern ebenso wie für Fachleute verständlich. Mit ihren Schriften, die in viele Sprachen übersetzt wurden, und durch ihre Lehrtätigkeit hat Frances Tustin einen gewaltigen, weltweiten Einfluß auf Psychoanalytiker und Psychotherapeuten ausgeübt. Ich freue mich, daß die vorliegende Übersetzung ihres dritten Buches, das 1986 unter dem Originaltitel *Autistic Barriers in Neurotic Patients* erschienen ist, ihr Denken nun auch den deutschsprachigen Lesern erneut erschließt.

Tustin absolvierte ihre kinderpsychotherapeutische Ausbildung an der Londoner Tavistock Clinic und wurde von W. R. Bion analysiert. Kurz nach Beendigung der Ausbildung ging sie für ein Jahr nach Amerika, wo ihr Mann lehrte. Sie selbst arbeitete in dieser Zeit am Putnam Centre und fand dort Gelegenheit, die Fallgeschichten zahlreicher autistischer Kinder eingehend zu studieren und die kleinen Patienten zu Hause aufzusuchen, um die Familie zu unterstützen. Dies hat zweifellos zu ihrem pragmatischen, ausgewogenen Verständnis dessen, was solche Kinder – und ihre Familien – brauchen, beigetragen: keine übertriebene Nachgiebigkeit, aber auch ganz gewiß nicht die manchmal grausame Strenge, die durch das Verhalten autistischer Kinder provoziert werden kann. Tustin plädierte dafür, eine vernünftige und realistische Einstellung mit Empathie und intuitivem Verständnis zu verbinden. Damals, in den fünfziger und sechziger Jahren des 20. Jahrhunderts, neigten manche Kinderanalytiker im Gefolge von Kanner und Bettelheim dazu, die Eltern autistischer Kinder zu kritisieren. Frances Tustin hat sich wiederholt gegen diese Tendenz ausgesprochen und immer betont, daß die Eltern der Kinder, mit denen sie arbeitete, Mitgefühl und therapeutisches Engagement in ihr hervorriefen: Statt sie zu verurteilen, müsse man versuchen, sie zu verstehen und zu unterstützen. Sie war der Meinung, daß zwischen mütterlichen/väterlichen Faktoren und kindlichen Faktoren – einschließlich neurologischer Besonderheiten – grundsätzlich eine komplizierte und subtile Wechselwirkung bestehe, die ebenso geduldig und gründlich erforscht zu werden verdiene wie die organischen Faktoren, denen sich Ärzte und Biologen widmen.

Tustins erster Beitrag über den Autismus wurde 1966 veröffentlicht. In dieser Arbeit beschrieb sie die Behandlung ihres berühmten Patienten John, der ihr von dem »schwarzen Loch mit dem ekelhaften Stachel« erzählte, den er in seinem Mund zu fühlen glaubte, als ihm bewußt wurde, daß die Brustwarze oder der Sauger zur nährenden Brust beziehungsweise zur Flasche gehörte und nicht Teil seines eigenen Körpers war. (Ein leicht modifizierter Bericht über Johns Behandlung ist auch im vorliegenden Buch enthalten.) Dies war eine ungemein wichtige klinische Erfahrung, die in der kleinianischen Theorie, die Tustin im Rahmen ihrer Ausbildung kennengelernt hatte, nicht beschrieben war. Wie sie später berichtete, suchte sie nach anderen Beschreibungen der von ihr beobachteten Phänomene und fand sie in den Werken von Donald Winnicott und Margaret Mahler. In deren Beschreibungen erkannte sie ihre eigenen klinischen Erfahrungen wieder, und sie übernahm auch einen Teil ihres theoretischen Bezugsrahmens. So verstand sie den Autismus als das Resultat einer Unterbrechung einer primären Mutter-Kind-Einheit, die allzu früh eintritt, so daß das Kind sie nicht zu bewältigen vermag. Sehr viel später ließ sie sich durch die Erkenntnisse der Entwicklungsforschung (zum Beispiel Trevarthens Untersuchungen oder Sterns Beobachtungen) davon überzeugen, daß Babys keineswegs in jenes undifferenzierte Kontinuum hineingeboren werden, das sie als »normalen primären Autismus« bezeichnet hatte, sondern bereit und fähig sind, Beziehungen zu unterschiedlichen Bezugspersonen aufzunehmen. Es ist typisch für Tustins Aufgeschlossenheit und Integrität, daß sie ihre Meinung in Reaktion auf die sich ansammelnden wissenschaftlichen Beobachtungen änderte, statt dieser oder jener doktrinären Richtung oder autoritativen Meinung zu folgen. In einem ihrer letzten Beiträge, »The perpetuation of an error« [»Die Perpetuierung eines Irrtums«], analysierte sie die Gründe, die sie zu ihren früheren Ansichten veranlaßt hatten, und formulierte neue Hypothesen, um die klinischen Beobachtungen zu erklären. Sie verstand autistische

Verhaltensweisen nun als eine dem Selbstschutz dienende Reaktion auf eine traumatische Erfahrung (welcher Art auch immer) – eine Reaktion allerdings, die das Kind von menschlichen Beziehungen, in denen es Verständnis finden und ein stabileres Sicherheitsgefühl entwickeln könnte, abschneidet und seine Entwicklung infolgedessen massiv behindert.

Tustin selbst war der Ansicht, daß ihr Verständnis der selbsterzeugten, autosensorischen Rückzüge autistischer Kinder es ermöglichte, einen Kontakt zu ihnen herzustellen. Sie beschrieb die Verwendung »autistischer Objekte«, mit deren Hilfe sich diese Kinder stark und »da« fühlen können, und »autistischer Formen«, mit denen sie sich beruhigen. Autistische Objekte sind charakteristischerweise harte oder scharfe Gegenstände, die das Kind fest umklammert oder mit sich herumträgt: bei einem normalen oder neurotischen Kind könnten solche Objekte symbolische oder kommunikative Funktionen erfüllen, während das autistische Kind sie lediglich als eine Quelle von Sensationen benutzt, um sich seiner fortdauernden Existenz zu vergewissern. Autistische Formen wiederum sind weiche Sensationen wie jene, die das Kind sich selbst verschaffen kann, zum Beispiel mit seinem eigenen Atem, dem Flatus oder dem Speichel: entscheidend ist auch hier nicht ein bestimmter Phantasieinhalt, sondern die sensorische Erfahrung. Tustin hat immer wieder die extreme Existenzangst autistischer Kinder betont, ihre panischen Ängste, nicht mehr zu existieren, zu fallen, sich ins Leere zu verströmen und zu verschwinden, sich in eine Flüssigkeit oder ein Gas zu verwandeln, zu verbrennen oder zu erfrieren. Als einigermaßen »normale« Erwachsene haben wir vielleicht Schwierigkeiten, uns solche Erfahrungen vorzustellen, auch wenn Analytikerinnen und Analytiker wie Esther Bick, Donald Winnicott und Henri Rey sie für Babys sowie für erwachsene psychotische und Borderline-Patienten beschrieben haben. Eines der großen Verdienste des vorliegenden Buches besteht darin, diese Erfahrungsebene bei neurotischen Kindern und Erwachsenen zu beschreiben, denn dies erleichtert uns den imaginativen Zugang. In den Kapiteln »Fallen«, »Zerfließen und Auflösung« und »Das Gefühl der Ichheit« werden Tustins Gedanken für jeden Leser nachvollziehbar, gleichgültig, ob er selbst jemals ein autistisches Kind kennengelernt hat oder nicht.

Darüber hinaus enthält das Buch zahlreiche Beispiele für die »autistischen Nischen« in der Persönlichkeit von neurotischen Patienten im Kindes- wie auch im Erwachsenenalter. Sydney Klein (1980) hat in seinem wegweisenden Beitrag »Autistic phenomena in neurotic patients« betont, wie wichtig die Analyse autistischer, in der Persönlichkeit des Patienten eingekapselter Ängste ist. Solche Patienten sind unter Umständen durchaus erfolgreich und beliebt, werden aber durch diesen eingekapselten Teil ihrer Persönlichkeit von einem genuinen Kontakt zu anderen Menschen – und zum Analytiker – abgeschnitten. Im vorliegenden Buch zeigt Tustin, welch zentrale Rolle die »autistische Nische« bei einer breiten Vielfalt von Fällen spielt, die von ihr selbst oder von Kollegen behandelt wurden – anorektische Patienten, Patienten mit Lernschwierigkeiten, mit Phobien oder mit psychosomatischen Erkrankungen. Dieses Thema wurde von anderen Autoren im Zusammenhang mit unterschiedlichsten Störungen weiter erforscht (vgl. zum Beispiel Mitrani, 1993; Barrows, 1999). Ich persönlich bin überzeugt, daß die Vertrautheit mit autistischen Phänomenen unser klinisches Verständnis unermeßlich bereichert und daß auch jene Kliniker, die selbst nicht mit autistischen Kindern arbeiten, beträchtlich davon profitieren können.

Dies ist nicht allein darauf zurückzuführen, daß zahlreichen psychischen Problemen ein autistischer Kern zugrunde liegt. Vielmehr ist Tustins Erforschung des Autismus auch für elementare Fragen über das, was uns zu Menschen macht, aufschlußreich. Sie beschreibt die Kommunikation mit anderen Menschen, die wie wir, aber anders sind, die Art und Weise, wie wir ein stabiles Identitätsgefühl entwickeln, wie unsere Sinneserfahrungen uns in die Welt anderer Menschen hinein- oder aus ihr herausführen und wie wir Teil der menschlichen Familie werden.

Als Therapeutin und als Lehrerin besaß Frances Tustin eine wunderbare Fähigkeit, sich in das Körpererleben des Kindes einzufühlen und diese primitiven Ebenen gleichzeitig in die emotionale Sprache des normalen menschlichen Lebens zu übersetzen. (Ihr Verständnis uranfänglicher körperlicher Zustände ist von der französischen

Psychoanalytikerin Geneviève Haag weiterentwickelt worden, die sich auf Erkenntnisse aus der Arbeit mit autistischen Kindern und auf die Säuglingsbeobachtung stützte und ein Entwicklungsschema für den Erwerb des Körperbildes entwarf.) Als ich das Glück hatte, meine Behandlung eines zwölfjährigen Kindes mit schwerem Autismus von Frances Tustin supervidieren zu lassen, fragte ich sie, ob es bestimmte grundsätzliche Prinzipien gebe, an denen ich mich orientieren sollte. Sie antwortete: »Versuchen Sie sich vorzustellen, wie sein Körper sich anfühlt.« Ich habe oft überlegt, daß ein Aspekt ihrer außergewöhnlichen therapeutischen Gabe in ihrer Fähigkeit bestand, sich darauf zu konzentrieren, wie sich etwas für das Kind anfühlt, und dies mit großer Geduld und Aufmerksamkeit zu beschreiben – ohne nach voreiligen und überstürzten Erklärungen zu suchen. Ein weiterer Aspekt war zweifellos ihre gesunde, vernünftige Vorstellung von den Dingen, wie sie sein sollten, und dem Platz, der dem Kind in der Welt zusteht: Kinder brauchen Aufmerksamkeit und Verständnis, aber sie sollen nicht diejenigen sein, die die Kontrolle in der Hand haben. Immer wieder betonte sie, wie wichtig es für Kinder sei, das Gefühl zu haben, auf angemessene Weise, Schritt für Schritt, groß zu werden – nicht durch omnipotente Wunscherfüllung, sondern indem sie sich von Erwachsenen helfen lassen und das Warten zu tolerieren lernen. In ganz ähnlicher Weise beschreibt sie in ihren detaillierten Falldarstellungen die Entwicklung ihrer Patienten: Wie verblüffend deren Fortschritte häufig auch waren, durch Zauberei kamen sie zweifellos nicht zustande.

Viele Eigenschaften, die Frances Tustin auszeichneten, werden in diesem Buch erkennbar: ihr unbestechliches Denken ebenso wie ihre Imaginationskraft, ihre Großzügigkeit und Aufgeschlossenheit, ihr treffender und evokativer sprachlicher Ausdruck. Diese Eigenschaften sind einer der Gründe für den weltweiten Einfluß, den ihr Werk auch heute noch ausübt. Karl und Ruth Mätzler ist es zu verdanken, daß dieses Buch den deutschsprachigen Lesern nun wieder zugänglich ist, und ich hoffe, daß Übersetzungen ihrer übrigen Werke folgen werden.

Maria Rhode
Dezember 2004

Ein weinend Kind in Finsternis allein,
Ein weinend Kind begehrend hellen Schein,
Und dessen Sprache nur ein Schmerzensschrei

Tennyson, *In Memoriam*, LIII

Einführung

In Worte hülle ich mich ein,
Daß sie wie schützendes Gewand,
Wenn die Sommerswärme längst entschwand,
Mir gegen Kälte Schutz verleihen.

Tennyson, *In Memoriam*, V

Mit dieser Aufsatzsammlung möchte ich einem breiteren Publikum die Erkenntnisse aus meiner Arbeit mit autistischen Kindern, deren Autismus in erster Linie psychischen Ursprungs zu sein scheint, zugänglich machen. Diese Erkenntnisse haben einen versteckten Persönlichkeitsanteil bestimmter neurotischer Patienten, Erwachsener wie Kinder, erhellt, der die Entfaltung ihres emotionalen und intellektuellen Lebens verhindert hat. Aus diesem Grund wird dieses Buch eine breitere klinische Relevanz besitzen als meine beiden ersten, die sich in erster Linie auf das Studium psychogen autistischer Kinder beschränkten. Einige der Aufsätze sind in verschiedenen psychoanalytischen und psychotherapeutischen Zeitschriften veröffentlicht worden, andere wurden speziell für dieses Buch verfaßt. In einer Aufsatzsammlung ist ein gewisses Maß an Wiederholung unvermeidlich. Auf der anderen Seite aber kann sich das als Vorteil dabei erweisen, den Leser mit einem vielleicht ungewohnten Zugang zum Problem, mit bestimmten schwer erreichbaren neurotischen Patienten in Beziehung zu kommen, vertraut zu machen.

Obgleich die Aufsätze mit einem »verrückten« Teil der Persönlichkeit zu tun haben, bedeutet das nicht, daß dies ein »verrücktes« Buch sei. Es ist ein Versuch, an eigentümliche vorsprachliche Stadien heranzukommen und sie in den Bereich menschlicher Kommunikation einzubeziehen. Ich habe bei Dichtern und Schriftstellern Hilfe gesucht. Ich meine, wir sollten uns ihre integrierende Ästhetik zunutze machen, während wir durch die Phasen der Unintegriertheit und Desintegration gehen, die in diesem Buch zur Sprache kommen. Ich habe den Versuch unternommen, eine Art »poetischer Wissenschaft« zu bemühen, in der Hoffnung, daß sie Autorin wie Leser durch jene Phasen äußerster Verletzbarkeit tragen möge, wie sie erfahren werden, wenn der schützende Autismus wegfällt. Folglich hoffe ich, obgleich dies unausweichlich ein beunruhigendes Buch sein wird, daß es sich als therapeutisch erweisen werde.

Auf einen weiteren wichtigen Punkt möchte ich Wert legen. Ich bin der Meinung, daß es nützlicher ist, die psychische Störung, der wir bei psychogenem Autismus begegnen, detailliert zu erforschen, als den Eltern oder den Kindern »Schuld« zuzuweisen. In einer solchen Studie muß man versuchen, gleichsam in der Haut eines autistischen Kindes zu leben, um zu erfahren, wie es dort zugeht. Der Fähigkeit eines Menschen, so etwas zu tun, sind Grenzen gesetzt. Die Tatsache aber, daß viele Mütter autistischer Kinder mir gegenüber geäußert haben, daß das, was ich in meinen beiden ersten Büchern über denAutismus geschrieben habe, einleuchtend klinge, hat mich ermutigt zu glauben, daß es mir bis zu einem gewissen Grad gelungen ist. Mit jedem Buch glaube ich dem Wesen des psychogenen Autismus ein wenig nähergekommen zu sein.

Dieses Buch besteht aus zwei Teilen. Teil 1 behandelt das Wesen des psychogenen Autismus in erster Linie auf der Grundlage meiner Arbeit mit autistischen Kindern. Da die daraus gewonnenen Erkenntnisse zum Verständnis des psychogenen Autismus bei erwachsenen neurotischen Patienten beitragen, wird Teil 2 des Buches vorrangig jene autistische Kapsel behandeln, auf die wir bei ihnen stoßen.

In einem auf seiner Arbeit mit autistischen Kindern fußenden Aufsatz *Autistic phenomena in neurotic patients* macht uns Sydney Klein auf diesen versteckten autistischen Persönlichkeitsanteil bei bestimmten Neurotikern aufmerksam. Er führt diesbezüglich aus: »Anläßlich einer periodischen Rückschau auf den Fortschritt meiner analytischen Tätigkeit, näherhin auf die habituellen Kommunikationsweisen meiner Patienten, wurde ich darauf aufmerksam, daß bestimmte Patienten, die ich zunächst für nur leicht neurotisch gehalten hatte – darunter auch mehrere analytische Ausbildungskandidaten –, im Verlaufe der Behandlung Phänomene zeigten, die uns aus der Behandlung autistischer Kinder vertraut sind. Diese

Patienten waren hochintelligent, fleißig, erfolgreich, ja sogar beruflich wie gesellschaftlich renommiert, und gewöhnlich angenehm und sympathisch. Sie kamen entweder aus beruflichen Gründen in Analyse, oder weil es ihnen nicht gelang, eine zufriedenstellende Beziehung zum Ehepartner aufrechtzuerhalten. Es wurde jedoch allmählich klar, daß es trotz einer scheinbaren Bewegung in der Therapie, der regelmäßigen Produktion von Träumen sowie der Berichte über Fortschritte beim Patienten einen Persönlichkeitsbereich gab, zu dem ich keinen Zugang hatte. Ich gewann den Eindruck, daß keine wirklich fundamentalen Veränderungen stattfanden« (Klein, S., 1980, S. 395).

Ich habe diese längere Passage aus der Einführung in Sydney Kleins Aufsatz zitiert, weil sie so treffend den eingekapselten, nahezu undurchdringlichen autistischen Persönlichkeitsanteil jener neurotischen Patienten beschreibt, die den Eindruck machen, daß sie niemals bereit sein werden, die Analyse zu beenden, weil ein entscheidender leerer Teil von ihnen nicht erreicht worden ist.

Manche Leser werden vielleicht Schwierigkeiten haben, die These zu akzeptieren, daß neurotische Patienten autistische Behinderungen haben können. Das kann daran liegen, daß sie niemals selbst mit psychogen autistischen Kindern gearbeitet haben und es daher schwierig finden zu akzeptieren, daß solche seltsamen Kinder eine Ähnlichkeit haben sollen mit Menschen, mit denen sie sich sehr viel eher identifizieren können. Diejenigen unter uns jedoch, die mit solchen Kindern arbeiten, finden gewissermaßen einen Widerhall in sich selbst. Andere Leser, insbesondere solche mit einer psychiatrischen Orientierung, werden Vorbehalte gegen diese These haben, weil sie den Autismus als ein irreversibles diskretes Syndrom betrachten, das sie oft mit Gehirnverletzungen und immer mit einem angeborenen kognitiven Defekt in Zusammenhang bringen. Das kann ich aus eigener Erfahrung nicht bestätigen. Manche autistischen Kinder leiden zweifellos unter Hirnläsionen. Aber es gibt andere Kinder, deren Autismus psychischen Ursprungs zu sein scheint. Es sind diese letzteren Kinder, die die Ergebnisse inspiriert haben, die sich in diesem Buch niederschlagen. Es wird sich zeigen, daß sich mein Denken im Verlaufe der Arbeit mit diesen Kindern in einem kontinuierlichen Entwicklungsprozeß befunden hat. Die einzelnen Stationen dieses Weges werden in Kapitel 2 nachgezeichnet.

Frances Tustin
März 1986

Vorwort zur 2. Auflage

Ich danke Cesare Sacerdoti von Karnac Books, der mir die Gelegenheit gab, für diese zweite Auflage von *Autistic Barriers in Neurotic Patients* ein neues Vorwort zu schreiben, weil ich seit der Erstveröffentlichung des Buches aufgrund bestimmter Erfahrungen zu tieferen Einsichten in das Wesen des Kindheitsautismus gelangt bin. Was ich zu sagen habe, ist zwangsläufig ein wenig anekdotisch, denn ich möchte einige dieser neueren Erfahrungen schildern, durch die meine Überlegungen in bestimmte Richtungen gelenkt wurden.

Revision meiner Ansichten über den normalen primären Autismus

Nachdem ich die Hypothese, daß die autistische Erkrankung eine Regression auf eine frühe infantile Phase des normalen primären Narzißmus darstelle, fallengelassen habe (»Revised understandings of psychogenic autism«, 1991, und »The perpetuation of an error«, 1994), habe ich meine frühen Fallgeschichten über autistische Störungen noch einmal gründlich geprüft. Auf dieser Grundlage habe ich die alternative Hypothese formuliert, daß es sich beim frühkindlichen Autismus um eine zweiphasige Erkrankung handelt: Die erste Phase ist durch eine übertrieben enge Bindung zur Mutter charakterisiert, die in vielen Fällen mit einer faktischen Abwesenheit oder einem Ausschluß des Vaters einhergeht. Solche Kinder, deren Funktion darin besteht, das Loch der mütterlichen Depression und Einsamkeit zu verschließen, wurden als »Korkenkinder« (Joyce McDougall, 1986, 1989) beschrieben. Die zweite Phase beginnt unweigerlich, sobald diese überaus verwundbaren, im »Treibhaus« gehaltenen Kinder sich ihrer körperlichen Getrenntheit bewußt werden. Dies geschieht völlig unvorbereitet und auf eine derart schmerzhafte Weise, daß es für das Kind einer lebensbedrohlichen Katastrophe gleichkommt. Es ist eine traumatische Erfahrung.

Das Trauma als Auslöser

Die übertriebene Nähe zwischen Mutter und Kind hatte zur Folge, daß der Säugling von Geburt an die Illusion hegte, nach wie vor ein

Teil des mütterlichen Körpers zu sein. Diese Illusion verhinderte die Entfaltung des normalen Bindungsprozesses. Das plötzliche Gewahrwerden der Getrenntheit wurde vom Kind wie ein gewaltsames Zerreißen der Einheit erlebt, die es mit der Mutter bildet – ein tödlicher, katastrophischer Verlust.

Im Anschluß an diese traumatische »psychische Geburt« des Kindes (Tustin, 1981) war die Mutter nicht in der Lage, den »mentalen Uterus« zur Verfügung zu stellen, den das Baby benötigte. Das Fehlen einer sicheren Bindung an eine Brust als Quelle sensueller Befriedigung, extra-uteriner Ernährung und Sicherheit hat die gesamte psychische Entwicklung dieser Kinder beeinträchtigt. In Reaktion auf dieses unerträgliche, fundamentale Trauma der Getrenntheit haben sich autistische Prozesse entwickelt: die Abtötung der Responsivität als eine Reaktion, die für jede Art von Trauma spezifisch ist.

Mörderische Impulsivität als Folge von Trauma und Bindungslosigkeit

In meiner Überzeugung von der Angemessenheit dieser Hypothese, die einen Zusammenhang zwischen der Auslösung des Autismus und einer traumatischen Erfahrung herstellt, haben mich ein Fernsehfilm und eine Rundfunksendung über Serienmörder bestätigt.

Die Autoren des Fernsehberichts (ITV Channel 4, Sonntag, 12. Dezember 1993) sprachen nicht nur mit den Eltern eines Serienmörders, sondern erhielten auch die einzigartige Gelegenheit, die auf Tonband aufgezeichneten Interviews zu verwenden, die ein Gerichtspsychologe mit ihm geführt hatte.

Sie stellten fest, daß die Untersuchung von mehr als 200 Serienmördern es den Gerichtspsychologen ermöglicht hatte, das Modell der typischen Serienmörder-Persönlichkeit zu konstruieren. Dabei war deutlich geworden, daß das Verhalten mancher dieser Täter auf Traumata zurückgeführt werden konnte, die sie in ihrer Kindheit erlitten hatten. Erwähnt wurden körperliche Mißhandlung und sexueller Mißbrauch sowie das leidvolle Scheitern der Ehe der Eltern. Das grundlegende Trauma des Gewahrwerdens der schmerzenden körperlichen Getrenntheit, das meiner Erfahrung nach den autistischen Kindern widerfahren war, wurde nicht erwähnt; John Bowlbys Arbeit aber kommt diesem Aspekt nahe. In seinem frühen Artikel über »Forty-four juvenile thieves: their characters and home-life« führt Bowlby (1944) die Delinquenz der von ihm beschriebenen Jugendlichen auf frühe Traumata wie die räumliche Trennung von der Mutter, etwa infolge eines Krankenhausaufenthalts, zurück. Er beschrieb *reale* Trennungen von der Mutter, die allerdings in einem höheren Alter erfolgten als die von mir untersuchten Trennungserfahrungen autistischer Kinder.

In der zweiten Sendung über »Serienmörder« (Radio 4, 3. Dezember 1993) berichtete die Psychiaterin Janice Morrison über die Gespräche, die sie während Hunderter von Stunden mit einigen der berüchtigtsten amerikanischen Mörder geführt hatte. Besonders beeindruckt hat mich ihre Beobachtung, daß diese Mörder zwischen belebten und unbelebten Objekten keinen Unterschied machten. Dies ist das charakteristische Merkmal autistischer Kinder. So schreibt Peter Hobson (1993) in seinem Buch *Autism and the Development of Mind* über autistische Kinder: »Sie bewältigen die Ich-Es-Entwicklungslinie relativ erfolgreich ... Die charakteristischen Auffälligkeiten des ›Autismus‹ beobachten wir vor allem im Bereich der interpersonalen Ich-Du-Bezogenheit« (S. 197).

Als Morrison die frühe Lebensgeschichte der Mörder erforschte, stellte sie fest, daß viele von ihnen im Säuglings- und Kleinkindalter eine übertrieben enge Bindung an die Mutter gehabt hatten und relativ undifferenziert von ihr gewesen waren.

Vergleich zwischen autistischen Kindern und Serienmördern

Obwohl ihre Störung durch unterschiedliche Traumata ausgelöst wurde, weisen autistische Kinder und Kriminelle (einschließlich Serienmörder) wichtige Gemeinsamkeiten auf. Beide Gruppen hatten Schwierigkeiten mit dem »Bonding«, wie Bowlby die Entwicklung der frühen Beziehung in Anlehnung an die Verhaltensforschung genannt hat. Das Konzept der »Bindung« ist mittlerweile in die Alltagssprache eingegangen und wurde auch von den Autoren des Fernsehfilms über Serienmörder herangezogen. Das Fehlen einer primären Bindung beeinträchtigt die Entwicklung zwischenmenschlicher Beziehungen – das Auftauchen des »Ich-du«-Ansatzes. Meine klinische Arbeit hat mich, wie ich in diesem Buch zeige, veranlaßt, die Phase der primären Bindung als eine Zeit zu verstehen, in der sensuelle Gegensätze wie harte und weiche oder männliche und weibliche Elemente zusammenkommen, wenn sich die Aufmerksamkeit des Säuglings in einer zufriedenstellenden Beziehung auf die Stillmutter zu konzentrieren beginnt. Die Apathie einer depressiven Mutter und möglicherweise auch eines depressiven Kindes verhindert diesen tragfähigen Kontakt.

Sowohl autistische Kinder als auch Serienmörder finden keine Verbindung zu anderen Menschen. Die Autoren des von mir zitierten Fernsehfilmes sagten: »Der künftige Mörder wehrt Traurigkeit ab, indem er alle Gefühle gegenüber Familienangehörigen und Freunden unterdrückt und sich immer stärker isoliert. Zuflucht findet er in Phantasien, in denen er Situationen imaginiert, die seiner Kontrolle gehorchen« (Beitrag in Radio Times, 11.–17. Dezember 1993, S. 5).

Autistische Kinder haben keine Phantasien und wurden bereits zu einem früheren Zeitpunkt traumatisiert. Andere Besonderheiten aber sind autistischen Kindern und Serienmördern gemeinsam. Beiden fällt es schwer, ihre intensiven Gefühle zu regulieren. Da sich beide Gruppen überdies ungemein schwach und hilflos fühlen, haben sie ein starkes Macht- und Kontrollbedürfnis. Interessanterweise stellten die Gerichtspsychologen fest, daß manche dieser Mörder ihre Taten begingen, nachdem eine ihnen wichtige Person gedroht hatte, sie zu verlassen.

Ein autistisches Kind, das beinahe zum Mörder wurde

Die Serienmörder waren im allgemeinen erleichtert darüber, verhaftet und eingesperrt worden zu sein. Die Autoren führten dies darauf zurück, daß sich die Mörder nach ihrer Inhaftierung beträchtlicher Aufmerksamkeit erfreuten. Vielleicht aber waren diese Täter auch deshalb erleichtert, weil ihr Gewaltpotential im Gefängnis contained wurde. Anders als bei den autistischen Kindern wurde ihre Gewaltbereitschaft nicht durch das »Gefängnis des Autismus« unter Kontrolle gehalten.

Vor etlichen Jahren sah ich einen BBC-Film über Bruno Bettelheims »Orthogenic School«, in dem ehemalige Schüler ihre Erfahrungen schilderten. Einer von ihnen (er ist heute Professor!) erzählte von einem autistischen Mitschüler und berichtete voller Traurigkeit, daß jener Junge schizophren und extrem gewalttätig geworden sei, nachdem er seine autistischen Kontrollen aufgegeben hatte. [Die Tatsache, daß sich eine schizophrene Erkrankung entwickeln kann, wenn die autistischen Kontrollen zusammenbrechen, spricht meiner Ansicht nach dafür, den Autismus als Bestandteil eines psychotischen Kontinuums zu begreifen (siehe auch Tustin, 1990).] Die ursprüngliche Suizidalität des Jungen – die er mit den meisten Autisten teilte – schlug in eine lebensbedrohliche Gefährdung anderer Menschen um. Bettelheim konnte ihn nicht länger in der Schule behalten. Er wurde in eine staatliche Anstalt eingewiesen, wo man eine Lobotomie durchführte. Dieser Bericht machte mir bewußt, wie gefährlich es ist, die autistische Barriere einzureißen, solange sich in einer psychoanalytischen Therapie keine »infantile Übertragung« hergestellt hat. Diese nämlich aktiviert gutartige Gefühle und ein umgängliches Verhalten gegenüber den Menschen in der Außenwelt. Selbst die mörderischen Gefühle können an reale Menschen gebunden werden und verlieren so ihre überlebensgroßen Dimensionen. Bis diese Bindungen das Gewaltpotential eindämmen, fürchten sich die Kinder instinktiv vor einer Freisetzung ihrer intensiven destruktiven Gefühle, die der Autismus unter Kontrolle hält. Die Arbeit mit autistischen Kindern unterstreicht, wie wichtig soziale Beziehungen für die menschliche Entwicklung sind. Sie gebieten der Gewalt Einhalt und gewähren Schutz. Es ist grundsätzlich besorgniserregend, wenn autistische Prozesse durch Methoden unterlaufen und ihrer Effizienz beraubt werden, die der Wichtigkeit früher Beziehungen nicht Rechnung tragen.

Eine psychoanalytische Behandlung

Eine weitere einschlägige Erfahrung sind für mich die Gespräche, die ich einmal wöchentlich mit einer sehr erfahrenen Kinderpsychotherapeutin über die dreistündige psychoanalytische Behandlung eines nicht sprechenden autistischen Jungen führe, der die Therapie vor einem Jahr als Dreizehnjähriger aufgenommen hat.

Die Eltern des Patienten sind kooperativ und intelligent. Sie haben sich bereits um psychoanalytische Hilfe bemüht, als Denis (wie ich den Jungen nenne) noch wesentlich jünger war, konnten damals aber keinen Therapeuten finden. Denis ist kein autistisches Kind im klassischen, von Kanner beschriebenen Sinn. Seine ersten Lebensmonate und -jahre verliefen ausgesprochen schwierig. Kurz vor der Geburt vermuteten die Ärzte, daß sein Kopf zu klein sei und er möglicherweise mit einer neurologischen Störung zur Welt kommen würde. In den ersten drei Lebensmonaten schrie er unaufhörlich und ließ sich durch nichts beruhigen. Er war ein »schwieriges« Baby. Im Alter zwischen eineinhalb und drei Jahren sprach er erstaunlich viel, um dann im Anschluß an wiederholte traumatische Krankenhausaufenthalte vollständig zu verstummen. Mehrere Psychologen haben ihn als »autistisch« diagnostiziert und ihm einen Wert von 49 auf der CARS-Skala bescheinigt. Dieser Wert entspricht einem »schweren Autismus«. Denis summt unaufhörlich vor sich hin und vollführt charakteristische, stereotypisierte Handbewegungen. Etwa ein Jahr vor Beginn der Behandlung bekam er erste Krampfanfälle (die medikamentös nicht unter Kontrolle gebracht werden konnten); seit er sich aber in Therapie befindet, treten diese Krämpfe immer seltener auf. Er scheint seine Entwicklungsschwierigkeiten mit Hilfe psycho-physischer Methoden zu bewältigen.

Als wir versuchten, diesen Jungen zu verstehen, wurde uns klar, daß wir direkt mit seinem moralischen Problem konfrontiert waren. Indem wir mit Denis arbeiten, erforschen wir offenbar die Triebkräfte der Moral – die »angeborene Moral« des Kindes, die Winnicott (1958) beschrieben hat und die sich vermutlich aus der Tatsache herleitet, daß Menschen soziale Herdentiere sind. Wichtig für unser Verständnis dieses Jungen war, daß wir begriffen, wie wichtig die autistischen Prozesse für ihn waren. Wir haben erkannt, daß Denis schreckliche Angst vor seiner Verwundbarkeit und vor seinen mörderisch-destruktiven Impulsen hat. Der Autismus scheint ihm eine stabile äußere Haut zu vermitteln, die ihn in seiner Verwundbarkeit schützt und gleichzeitig seine mörderischen Impulse eindämmt. Er ist eine Abwehr gegen die Depression, die John (siehe 4. Kapitel) als »schwarzes Loch« bezeichnet hat. Das bedeutet, daß der Autismus

Denis vor der Desintegration und dem Chaos des »schwarzen Lochs« schützt, ihn aber zugleich für unsere Versuche, ihm zu helfen, unzugänglich macht.

Denis bringt seine Gewalt in abgeschwächter Form zum Ausdruck. Zum Beispiel kneift er seine Therapeutin, wenn sie ihn an der Tür zum Behandlungszimmer in Empfang nimmt. Seine schrecklichen, teuflischen Grimassen lassen jedoch keinen Zweifel an der Intensität seines Gewaltpotentials. Sobald er das Zimmer betritt, erwehrt er sich mit Beiß- und Schnappbewegungen mutmaßlicher Bedrohungen, die ihre Spuren hinterlassen haben – Gerüche oder irgendwelche Überbleibsel, die auf Stühlen liegen geblieben sind und die er mit der Hand auf den Boden fegt. Mit den Fingern vollführt er Putzbewegungen an seinem Gebiß, so als wolle er die Reißzähne für einen Angriff schärfen. Manchmal kann er seine Gefühle nur unter Kontrolle bringen, indem er im Zimmer hin und herläuft. Sein Gewaltpotential äußert sich jedoch nie in der Form, daß er sich an Gegenständen vergreift; aber er schlägt, wenn man ihn nicht daran hindert, seinen Kopf aufs grausamste gegen harte Oberflächen.

Normalerweise ignoriert Denis die Spielsachen, die die Therapeutin für ihn bereitlegt, doch kürzlich, an einem aufregenden Tag, griff er nach dem Spielzeugkrokodil. Er betastete die harte Haut und das geöffnete Maul, das er sich danach in den Mund schob. Dann drehte er das Krokodil um, so daß der weiche, verletzliche Bauch oben lag. Danach setzte er sich auf die Couch und nahm sich ein Kissen. Er wickelte sich in die Decke ein, so daß nur noch sein Kopf und ein Kissenzipfel zu sehen waren.

Aufgrund meiner Erfahrungen mit anderen Patienten nahm ich an, daß Denis den harten Rücken als Schutz der weichen Vorderseite empfand. In seiner Beschreibung eines erwachsenen Patienten hat Sydney Klein (1984) die Gefühle, die Denis in uns weckte, in Worte gefaßt: »Er vermittelte auf mich den Eindruck, als sei er von einer ledrigen Haut bedeckt, in der sich kleine Klappen öffneten, um meine Deutungen aufzunehmen, die sodann spurlos verschwanden und keinerlei erkennbare Reaktion auslösten« (S. 307).

In der »Krokodil-Sitzung« öffnete sich tatsächlich eine der »kleinen Klappen« in Denis' harter autistischer Haut. Zumindest vorübergehend schien er seinen intensiven destruktiven Gefühlen nicht völlig ausgeliefert zu sein. Mit Hilfe eines Spielzeugs hatte er ein Bild für sie gefunden, um sie darzustellen und sich über sie zu verständigen. Das symbolische Spiel rückte in den Bereich des Möglichen. Doch unsere Freude währte nicht lang. In den anschließenden Sitzungen verschloß sich Denis erneut. Vielleicht machte es ihm angst, daß er uns seine Verwundbarkeit offenbart hatte?

Zumeist schienen in seinen Muskeln und Adern überaus intensive Sensationen zu wüten, die ihn zu ungeschlachten Aktionen zwangen. Sein ganzer Körper wirkte angespannt und verkrampft, was ihm offenbar das Gefühl vermittelte, diese destruktiven Sensationen unter Kontrolle zu haben. Schwäche- und Hilflosigkeitsgefühle wecken in autistischen Kindern ein starkes Kontrollbedürfnis. So erklärte mir eines dieser Kinder: »Ich bin der Manager.« Die autistischen Prozesse der »autistischen Empfindungsobjekte« und »autistischen Empfindungsformen« (die ich in diesem Buch beschreibe) können ihnen das Gefühl vermitteln, schmerzhafte Gewaltsensationen ausgeblendet zu haben. Die Einsicht in diese Funktion der autistischen Prozesse hat uns geholfen, sie in einem etwas günstigeren Licht zu sehen. Wir wollen sie nicht zerschlagen, sondern versuchen vielmehr, sie zu modifizieren und Denis die Fähigkeit zu vermitteln, auf eine weniger primitive Weise mit der Verwundbarkeit und den mörderischen Gewaltimpulsen fertigzuwerden, die ihn mit völliger Desintegration und Chaos bedrohen.

Die Arbeit mit diesen Kindern hat mir vor Augen geführt, daß am Beginn des psychischen Lebens Empfindungen stehen. Freud paraphrasierend, könnte man daher sagen: »Das Ich ist zuallererst ein Empfindungs-Ich.«

Wir alle haben »Empfindungsobjekte« und »Empfindungsformen« benutzt. Erst wenn wir sie auf eine zwanghafte und süchtige Weise verwenden, so daß sie uns daran hindern, sensationsgetriebene Impulse auf eine in höherem Maß sozialisierte Weise zu bewältigen, kann man von »*autistischen* Empfindungsobjekten« und »*autistischen* Empfindungsformen« sprechen. Autistische Kinder haben ihre sensuellen Empfindungen nicht auf normale Weise verarbeitet. Sie haben sie zu perversen Zwecken verwendet.

Denis hat von Zeit zu Zeit das Gefühl, die Gewaltsensationen aus seinem Innern zu entleeren, indem er sie in einer Zimmerecke ausfließen läßt, sie dort ausspuckt, herausschleudert oder durch Starren aus sich herausbefördert. Daraufhin formen sie einen Schatten auf der Wand, der ihm angst macht (die Anfänge der Projektion). In dieser Phase scheint mir das Jungsche Bild des »Schattens« hilfreich und relevant zu sein. Der Schatten entsteht aus den stürmischen Sensationen gewalterfüllter Triebkräfte. In der psychoanalytischen Psychotherapie kann die »infantile Übertragung« diese stürmischen Gefühle binden. Vorher hatte Denis den Eindruck gehabt, daß es niemanden gab, der sie angemessen hätte bündeln und containen können. Er hatte auch in der Überzeugung gelebt, daß niemand um den Inhalt seiner Ängste wußte, denn es gab für ihn kein Beziehungsnetzwerk, in dem er sich hätte sicher fühlen können. Statt dessen verließ er sich voll und ganz auf die Zwangsjacke seines Autismus.

Die Anfänge der Phantasie

Ein wichtiger Unterschied zwischen der Gewalt autistischer Kinder und der Gewalt von Serienmördern besteht darin, daß autistische Kinder, wie bereits erwähnt, keine Phantasien im eigentlichen Sinn haben. Wenn sie Phantasien zu entwickeln beginnen, ist dies als Fortschritt zu werten.[1] Dies hat mir bewußt gemacht, daß die Zeit, in der Phantasien bei autistischen Kindern aufzutauchen beginnen, eine entscheidende Phase darstellt. Diese Entwicklung muß von einem erfahrenen und einsichtigen Therapeuten begleitet werden, der die »infantile Übertragung« zu handhaben weiß, damit das Kind das infantile Trauma des Gewahrwerdens der Getrenntheit erneut durchleben und die damit verbundenen intensiven Gefühle in Gegenwart eines Menschen empfinden kann, der sie versteht und ihm hilft, sie zu ertragen. All dies wird im 4. Kapitel erläutert. Die Bearbeitung dieser frühen Situation gegenüber der Stillmutter ist von entscheidender Bedeutung. Sie beeinflußt die Entwicklung von Beziehungen, aber auch die Phantasien, die das Kind ausbildet. Was ich zu sagen

1 Tustin geht es hier nicht um unbewußte, sondern um bewußte Phantasien. (Anm. d. Hg.)

versuche, ist folgendes: die primäre Beziehung (die »Bindung«) muß sicher verankert sein, bevor die rigiden autistischen Kontrollen gefahrlos modifiziert werden können. Andernfalls könnte das autistische Kind, statt seine eigene Psyche zu morden, zum Mörder an anderen Menschen werden, wie es im Fall des Kindes in Bettelheims »Orthogenic School« geschah. Wenn das Kind seinen Therapeuten im Zusammenhang mit Trennungen zu vermissen beginnt, ist dies ein Anzeichen für das Auftauchen der mit Beziehungen einhergehenden, elementaren infantilen Gefühle. Die mit diesen Bedürfnissen verbundene Gewalt muß besonders einsichtig und verständnisvoll bearbeitet werden. (Es ist erfreulich, daß Denis in der letzten Zeit zweimal vor Beginn der Ferien seine Arme um den Hals seiner Therapeutin schlang, um sie liebevoll zu umarmen, während er sie früher eher in eine Art Würgegriff zu nehmen pflegte.)

Hirnverletzung und genetische Veranlagung

Die Gerichtspsychologen erklärten, daß die Entwicklung der für Serienmörder charakteristischen Persönlichkeit durch bestimmte Faktoren begünstigt werde, nämlich unter anderem durch Hirnverletzungen und durch eine genetisch bedingte Gewaltbereitschaft. Auch manche autistischen Kinder haben Hirnläsionen erlitten, doch meiner Erfahrung nach konnten mit Hilfe der verfügbaren Untersuchungsmethoden nicht in allen Fällen Hirnverletzungen nachgewiesen werden. (Ich selbst habe lediglich Kinder behandelt, bei denen keine Hirnverletzung diagnostiziert wurde.) Wenngleich organische Faktoren für Denis' Entwicklung zweifellos eine wichtige Rolle spielten, konnten sie für sich allein genommen seinen Autismus nicht erklären. So war er im Alter von sechs Jahren in der Lage, einen vollständigen Satz zu formulieren, auch wenn er ihn nicht zu wiederholen vermochte. In seiner Therapie bewies er einen beträchtlichen Humor, der allerdings nur beschränkt, in seiner Zeichensprache, Ausdruck fand.

Schwieriger nachzuweisen ist ein genetisch bedingtes Gewaltpotential autistischer Kinder. Die Tatsache, daß nicht alle Babys mit einer übertrieben engen Beziehung zu einer depressiven Mutter autistisch werden, wirft die Frage auf, ob bei den Kindern, die einen

Autismus entwickeln, eine genetische Prädisposition beteiligt ist. Möglicherweise sind auch individuell unterschiedliche Faktoren aktiv. Der kindliche Autismus ist ein seltenes Syndrom, dem wahrscheinlich eine seltene Kombination von Faktoren zugrunde liegt; die Wahrscheinlichkeit, daß sie gemeinsam auftreten, ist nur gering. Wir sollten auch nicht vergessen, daß die Versuchung groß ist, Störungen, die im frühen Säuglingsalter auftreten, auf genetische Faktoren zurückzuführen. Ob bei bestimmten Formen des Autismus tatsächlich genetische Faktoren im Spiel sind, ist eine der Ungewißheiten, mit denen wir leben müssen.

»Psychogen« oder »psychobiologisch«?

Meine Ansichten haben sich in einem weiteren Punkt verändert, der erwähnt werden muß. In diesem und in anderen Büchern habe ich den Begriff »psychogener Autismus« verwendet, um autistische Kinder, bei denen keine gravierende Hirnverletzung diagnostiziert werden konnte, von solchen autistischen Kindern zu unterscheiden, bei denen organische Faktoren nachweisbar eine Rolle spielen. Charlotte Rileys (1993) Rezension von *Autistic States in Children* (Tustin, 1992) zeigte mir jedoch, daß die Formulierung »psychogener Autismus« irreführend ist. Riley schreibt: »Der Begriff ›psychogen‹ wird zu einem roten Tuch für die Leser, die die derzeit populäre Überzeugung vertreten, daß der Autismus eine diskrete diagnostische Entität mit rein biologischen Ursprüngen darstelle.«

Weiter schreibt sie, daß wir »keineswegs sicher sagen können, ob ein spezifisches Krankheitsbild psychischen *oder aber* biologischen Ursprungs« sei. Sie weist darauf hin, daß die Aufteilung des Menschen in »psychische« und »somatische« Anteile ein Artefakt unserer Untersuchungsmethoden und akademischen Disziplinen darstellt.

Völlig zu Recht sagt Riley, daß ich die Komplexität des Ineinandergreifens biologischer und psychologischer Faktoren dargestellt habe. Dies hat mich veranlaßt, meine Terminologie zu revidieren. Ich bin zu der Ansicht gelangt, daß die Bezeichnung »psychobiologischer Autismus« zutreffender wäre. Deshalb halte ich es für hilfreich, wenn die Leser dieses Buches dies berücksichtigen, wann immer ihnen die Formulierung »psychogener Autismus« in den folgenden Kapiteln begegnet.

Dem Leser wird auch klar werden, daß ich mit »Autismus« nicht länger eine spezifische, diskrete Krankheit bezeichne. Auf der Grundlage der Erkenntnisse, zu denen ich in meiner Arbeit mit Kindern mit ausgeprägtem Autismus gelangte, bezeichne ich als »Autismus« vielmehr eine spezifische Kombination von Prozessen, die das Bewußtsein abtöten und die auch an anderen Psychopathologien beteiligt sein können, in denen ein elementares Trauma und die damit einhergehenden autistischen Reaktionen abgespalten wurden und latent erhalten blieben, um zu einem späteren Zeitpunkt an die Oberfläche zu treten. Ich habe dieses Thema in einem weiteren Buch mit dem Titel *The Protective Shell in Children and Adults* ausgearbeitet, das ebenfalls bei Karnac Books erschienen ist.

Ich danke Maria Rhode für ihre Hilfe bei der Zusammenstellung dieses Vorworts.

Frances Tustin
Januar 1994

Teil I
Psychogener Autismus

»Autistische Kinder werden auf der Grundlage ihres Verhaltens oder auch manchmal dessen Fehlens diagnostiziert. Im schwersten Stadium sprechen sie gar nicht oder wiederholen nur mechanisch, was andere gesagt haben, entweder sofort oder nach einer gewissen Zeit (verzögerte Echolalie). Wenn sie sich umherbewegen (manche sitzen den ganzen Tag bewegungslos oder vollführen eine einzige Handlung, wie zum Beispiel das Aufheben und Fallenlassen eines Gegenstandes), scheinen sie gewöhnlich an ihrer Umgebung desinteressiert zu sein.
Im Gegensatz zu Kindern allgemein, mit Ausnahme der Kinder mit schwersten Hirnverletzungen, scheint das Verhalten autistischer Kinder in schweren Fällen tatsächlich ziellos zu sein; es hat eine bemerkenswerte Ähnlichkeit mit dem Verhalten von Tieren, die in strenger Isolation aufgezogen wurden.
Versuchen, ihr Interesse für andere Verhaltensweisen zu wecken, gehen sie gewöhnlich aus dem Wege, oder sie setzen ihnen aktiven Widerstand entgegen; solche Versuche können heftige Wutanfälle oder Fluchtreaktionen hervorrufen. Diese Kinder scheinen kein Identitätsgefühl zu haben und in einer leeren Welt zu leben.«

Brian Roberts, Einleitung zu: Furneaux und Roberts (Hg.), *Autistic Children*, S. 10.

1. Kapitel
Das Wesen des psychogenen Autismus: ein Überblick

Meine Mutter stöhnte, mein Vater weinte,
In die Welt voller Gefahr sprang ich:
Hilflos, nackt, laut brüllend:
Ein Unhold, in einer Wolke versteckt

Ich sträubte mich in den Händen meines Vaters,
Ringend gegen die Gefangenschaft meiner Windeln.
Angebunden und erschöpft hielt ich's für's Beste,
An meiner Mutter Brust zu schmollen.

William Blake, *Kindliche Trauer*

Niemand würde bestreiten, daß es schwierig ist, an psychogen autistische Kinder heranzukommen. Eher könnte der Streit darum gehen, ob es überhaupt möglich ist, an sie heranzukommen. Als ich jedoch mehr und mehr mit ihrer eigentümlichen Funktionsweise in Berührung kam, machte ich die Erfahrung, daß manche autistischen Kinder (wenn auch keineswegs alle) durch eine psychoanalytisch orientierte Psychotherapie erreicht werden konnten. Doch bevor ich den psychogenen Autismus selbst erörtere, möchte ich kurz auf die organische Hypothese eingehen.

Die organische Hypothese

Ich respektiere die Bedenken der »Organizisten«, die meinen, daß es unverantwortlich sei, Hoffnungen bei Eltern zu wecken, die bereits so viel gelitten haben. Es ist leider wahr, daß in den Anfängen, im Überschwang der Begeisterung, die auf Kanners Unterscheidung von »frühkindlichem Autismus« und Schwachsinn folgte, Psychoanalytiker wie Psychotherapeuten ungerechtfertigte Behauptungen hinsichtlich der Möglichkeiten der psychodynamischen Behandlung von Autismus aufstellten. Selbst heute finden sich noch hier und da Psychodynamiker, die weder zwischen psychogenem und organischem Autismus klar unterscheiden, noch zwischen Störungen des autistischen und schizophrenen Typs sowie solchen, die auf einer Vernachlässigung durch die Eltern beruhen.

Manche autistischen Kinder weisen zweifellos eine Hirnverletzung auf und folglich einen kognitiven Defekt. Die organische Hypothese jedoch – wonach sie einen genetischen Defekt im Sinne eines »beschädigten Chromosoms« hätten – scheint sich in Versuchen, die speziell dafür vorgeschlagenen Behandlungsmethoden zu replizieren, nicht bewährt zu haben. Aber diese neurophysiologischen Fragen sind nicht eigentlich mein Thema. Als Psychotherapeutin habe ich mich vielmehr für jene Kinder besonders interessiert, bei denen ich den Eindruck hatte, daß sich ihr Autismus aller Wahrscheinlichkeit nach als psychogen erweisen würde. Für solche Leser, die noch nie eingehend mit psychogen autistischen Kindern gearbeitet haben, folgt nun eine kurze Beschreibung.

Beschreibung psychogen autistischer Kinder

Solche Kinder scheinen sich in einem massiven, ungemilderten »Urtrotz« zu befinden, wie ihn Blake zu Beginn dieses Kapitels schildert. Aber es handelt sich um einen weitaus intensiveren Trotz als den von Blake beschriebenen. Wie wir in späteren Kapiteln noch sehen werden, ist er durchsetzt mit Zorn und einer abgrundtiefen Verzweiflung, wie sie Ted Hughes in *Crow* zum Ausdruck bringt. Dieser Trotz hat eine Beziehung zur Mutter verhindert und daher zu Menschen überhaupt. Solche Kinder vermeiden es, Menschen direkt anzuschauen. Kommunikation durch Sprache, Spiel, Zeichnen oder Modellieren ist spärlich und fehlt oft ganz. Die Kinder, die ich behandelt habe, waren zu Beginn der Behandlung alle stumm. Manche autistischen Kinder jedoch sprechen alles papageienhaft nach und teilen sich so in einer begrenzten, aber bizarren Weise mit. Die letztgenannten Kinder »spielen« auch manchmal in einer beschränkten und zwanghaften Weise. In aufschlußreichen Aufsätzen und Büchern, denen ihre langjährige Erfahrung mit solchen Kindern zugrunde lag, hat die verstorbene Margaret Mahler ihre Aufmerksamkeit auf die Schwierigkeiten autistischer Kinder im Hinblick auf Trennung und Individuation sowie auf deren schwaches Identitätsbewußtsein gerichtet (Mahler, 1958). Solchen Kindern mangelt es an Einfühlung (vgl. Hobson, 1986). Ihnen fehlt es auch an Einbildungskraft (vgl. Frith, 1985). Sie haben kein Innenleben. Ihnen Phantasien zuschreiben ist falsch. Dies alles unterscheidet die Psychotherapie solcher Kinder von der Behandlung anderer Patienten. Alles in allem haben wir es also mit einer gravierenden früh einsetzenden Hemmung der kognitiven und affektiven Entwicklung zu tun, wenngleich die körperliche Entwicklung bei autistischen Kindern gewöhnlich normal verläuft. Ja, sie haben oft ein hübsches Gesicht und einen ebenmäßigen Körper. Lassen Sie mich nun, um konkret zu werden, einen Patienten aus Fleisch und Blut vorstellen, ein Kind, an dem sich viele der Merkmale veranschaulichen lassen, die für den psychogenen Autismus charakteristisch sind.

Erstkontakt mit einem autistischen Kind

Der sechs Jahre alte Stephen wird zu mir in die Sprechstunde gebracht. Er sträubt sich nicht zu kommen. Er trägt einen glänzendweißen Regenmantel aus Plastik mit einem Reißverschluß an der Vorderseite. In der Faust hält er fest umklammert ein Spielzeugauto. Sein leicht geöffneter Mund macht einen welken und kraftlosen Eindruck. Als ich ihn aber ins Zimmer führe, fühlt sich sein Körper angespannt und verhärtet an. Er ist stumm. So steht Stephen vor mir: mit einem wohlgeformten Körper, einem abwesenden Blick, als käme er aus einer anderen Welt, und mit melancholischen Augen, die meinen Blick nicht direkt erwidern. Während ich mit dem Reißverschluß seines Regenmantels kämpfe, um ihn zu öffnen, steht er stocksteif und regungslos da wie eine Statue. Er ist mir in keiner Weise behilflich. Mehr noch, er scheint mich überhaupt nicht zu beachten. Als ich aber seinen Reißverschluß halb geöffnet habe, steigt er plötzlich aus dem Regenmantel aus und zieht sich, immer noch ohne mich direkt anzuschauen, in eine entfernte Ecke des Zimmers zurück. Im Vorbeigehen schnappt er sich einen braunen Buntstift vom Tisch.

In der Ecke beginnt er sofort, mit dem Buntstift große, schwungvolle Linien vor seinen Füßen zu zeichnen. Je mehr Linien er um sich herum zeichnet, desto abgeschnittener fühle ich mich von ihm. Schließlich nehme ich seinen Plastikmantel vom Stuhl und halte ihn vor mich. Obwohl er mich gar nicht wahrzunehmen scheint, bemerkt er das sehr wohl und rennt vor, um im Schutz des Plastikmantels zu verschwinden, wie eine Schnecke, die in ihr Häuschen zurückkehrt.

Stephen zeigt viele der Merkmale, die für autistische Kinder typisch sind, so zum Beispiel das Vermeiden eines direkten Blickkontaktes mit mir, obwohl er am Rande wahrnimmt, was ich gerade mache. Er kooperiert nicht, sondern sondert sich von mir ab. Er verläßt seine Mutter, ohne zurückzublicken, und er zeigt keine der normalen Reaktionen auf Menschen. Sein Körper ist ebenmäßig, und sein Gesicht könnte attraktiv sein, wäre es nicht so ausdruckslos. Eine Ausnahme bilden lediglich seine Augen, die manchmal gequält und melancholisch aussehen. Fest mit der Faust umklammert, trägt er einen harten Gegenstand bei sich.

Ich bezeichne autistische Kinder als »Schneckenhauskinder« oder eingekapselte Kinder. Ihre Eltern sagen oft Dinge wie: »Ich kann nicht an ihn herankommen«, »Mein Kind scheint immer in einem Schneckenhaus zu sein«, »Es ist, als ob er uns nicht sehen oder hören kann oder es nicht will.« Oft werden solche Kinder für taub gehalten. Manche von ihnen versuchen sogar, durch Gegenstände hindurchzugehen, als wären sie blind. Untersucht man aber ihren Wahrnehmungsapparat, so erweist sich dieser als intakt; beeinträchtigt ist vielmehr die Verarbeitung der eingehenden Information. Das könnte auf Hirnverletzungen oder auf eine psychogene Schädigung zurückzuführen sein. (Die klinische Arbeit hat mir Hinweise über die Art der psychogenen Schädigung geliefert. Dies wird Thema verschiedener Kapitel dieses Buches sein.)

Die psychogene Schädigung hat zur Folge, daß autistische Kinder ihre Aufmerksamkeit von den Dingen abwenden, denen sich das Kind in der Entwicklung gewöhnlich zuwendet. Der Grund dafür scheint zu sein, daß sie ihren Körper vor »Nicht-Ich«-Bedrohungen schützen, die als eine überwältigende Gefahr empfunden werden. Bei der Arbeit mit diesen Kindern wird deutlich, daß alles, was ihnen nicht vertraut ist und ein »Nicht-Ich« darstellt, entsetzliche Angst hervorruft. Ein erwachsener Mann, der einer Diagnose Leo Kanners zufolge als Vierjähriger unter frühkindlichem Autismus gelitten hatte, berichtete als Fünfundzwanzigjähriger, daß seine deutlichste Erinnerung an den autistischen Zustand, aus dem er bis zu einem gewissen Grad herausgekommen war, die des »panischen Entsetzens« war (Piggott, 1979).

Bei bestimmten neurotischen Patienten, Kindern wie Erwachsenen, sind die soeben beschriebenen autistischen Merkmale von einem normaleren Funktionieren überlagert. Doch je weiter die Arbeit in die Tiefe vordringt, desto offenkundiger wird es, wie instabil dieses Funktionieren ist.

Die Ursprünge des psychogenen Autismus

Aus der klinischen Arbeit mit psychogen autistischen Kindern, bei denen mit den gegenwärtig verfügbaren Untersuchungsmethoden keine Hirnschädigung entdeckt werden kann, ergeben sich Hinweise darauf, daß sie als Säuglinge heftige Vermeidungsreaktionen entwickelt haben, um mit einem traumatischen Gewahrsein der körperlichen Getrenntheit von der Mutter fertig zu werden. Diese drang in ihr Bewußtsein ein, bevor ihr psychischer Apparat in der Lage war, der Belastung standzuhalten. Sie werden bemerken, daß ich den Entwicklungsstand des Säuglings betone und nicht das Alter, in dem das Trauma ausgelöst wurde. Das hat seinen Grund darin, daß bei einigen Kindern die Belastung im Anschluß an eine allzu enge und lang anhaltende Mutterbindung auftrat, während sie bei anderen im frühesten Säuglingsalter erfolgte. Winnicott (1958) hat letztere Situation wie folgt beschrieben: »... bestimmte Aspekte des Mundes ... verschwinden, vom Standpunkt des Säuglings aus gesehen, zusammen mit der Mutter und der Brust, wenn es zu einer Trennung kommt, bevor [das Kind] in seiner emotionalen Entwicklung ein Stadium erreicht hat, in dem es das Rüstzeug erwerben könnte, um mit einem Verlust fertig zu werden. Derselbe Verlust der Mutter wäre einige Monate später ein Objektverlust ohne diesen zusätzlichen Verlust eines Teils des Subjekts.«

Den neueren Formulierungen Sterns über die Entwicklung des Selbst zufolge (1985) erfolgt das traumatische Gewahrwerden der Trennung im Stadium des »auftauchenden Selbst« und bevor der »Kern des Selbst« sich entwickelt hatte. Mit anderen Worten: Es tritt auf, bevor die stillende Mutter – mit allem, was dies impliziert – als eine innerpsychische Erfahrung verankert wurde und bevor sich ein stabiles Gefühl des »fortdauernden Seins« entwickelt hat. Daher werden diese Patienten von solchen elementaren Ängsten bedrängt wie Auflösung, endlosem Fallen (ein Ausdruck von Winnicott), Fallen mit vernichtendem Aufprall, Zerfließen, Explodieren, Verlust der Kontinuität, die ihre Existenz garantiert. Diese Ängste werden in einem vorsprachlichen, bilderlosen und vorbegrifflichen Stadium erlebt. Sie haben zur Folge, daß die affektive und kognitive Entwicklung des Kindes entweder verlangsamt oder aber praktisch zum Stillstand gebracht wird.

In einem verborgenen Winkel ihrer Persönlichkeit fühlen sich bestimmte neurotische Patienten in hilfloser Weise erstarrt und am Rande des Todes. Sie versuchen ständig, dieser tödlichen Hemmung ihres »fortdauernden Seins« entgegenzuwirken, indem sie sich übernehmen und grenzenlose Erwartungen an sich selbst und andere Menschen hegen. Da sie gewöhnlich hochbegabt sind, bringen sie es sehr weit im Leben, oft auf intellektuellem Gebiet, aber zu einem hohen persönlichen Preis. Zwei Träume eines intelligenten Mannes, der in einem akademischen Beruf sehr erfolgreich war, geben ein lebhaftes Bild von solchen autistischen Behinderungen.

Im ersten Traum stand der Träumende auf der erhöhten Veranda eines Hauses und schaute hinunter auf eine ausgedehnte Wasserfläche, auf der ein Boot sich sehr langsam vorwärts bewegte. Das Boot kam so langsam voran, daß inzwischen die Jahreszeit wechselte. Der Winter kam, und das Boot fror im Eis fest. Dem Träumenden fiel auf, daß die Bootsplanken verrotteten. Er machte sich in einem Schneemobil auf den Weg, um das Boot zu befreien, aber er fuhr so schnell, daß er daran vorbeischoß und an den Rand der Wasserfläche kam, die jetzt von der Größe eines Meeres auf die eines Sees geschrumpft war. Die Grenzen dieses Sees waren ferner durch den Schnee, der gefallen war, unkenntlich geworden, so daß der Unterschied zwischen Land und Wasser verschwamm. Der Träumende setzte seine Bemühungen, das Boot zu erreichen, fort, aber seine Versuche wurden immer wieder durch Hindernisse und ein allgemeines Durcheinander vereitelt.

Im zweiten Traum sah der Träumende einen Mann, der aus einem offenen Fenster hinunterstürzte. Der Boden war hart und verursachte schwere Verletzungen. Bevor ein Chirurg die Behandlung der verletzten Beine abschließen konnte, wurde der Vorgang des Fallens umgekehrt, und, wie das manchmal in Filmen geschieht, schoß der Mann wieder in die Höhe, um wie vorher noch einmal aus dem offenen Fenster zu fallen. Aber jetzt hatte er schwere Gipsverbände an seinen Beinen, die aus Beton zu sein schienen. Sie ließen ihn schneller und wuchtiger fallen als vorher, so daß sich seine verletzten Beine beim Aufprall in den Boden eingruben und er so unbeweglich wurde wie das Boot im ersten Traum.

Die autistische Bewegungsunfähigkeit

Diese beiden Träume führen uns die autistische Einkapselung eindrucksvoll vor Augen, die sich entwickelt, um den geschädigten, für das Verstehen zuständigen Teil der Persönlichkeit einzuschließen und »erstarren« zu lassen. Übertrieben konkretistisches Denken ist die Folge. Die Fähigkeit zu Abstraktionsleistungen als Voraussetzung für phantasievolles und reflexives Denken wird eingeschränkt. Der zweite Traum führt die Vorstellung des katastrophalen Sturzes ein, der diese autistischen Reaktionen hervorgerufen hat. Träume sind die einzige Art und Weise, wie uns neurotische Patienten über diese Katastrophe berichten können. Zum Glück können sie dafür die Bilder hervorbringenden Fähigkeiten des nicht-autistischen Teiles benutzen. Sobald sie jedoch reden können, können uns autistische Kinder noch unmittelbarer über diese Tragödie berichten (siehe das Material über John in Kapitel 4).

Dieser »Fall« aus dem erhabenen Zustand seliger Einheit mit der »Mutter«, die in der frühen Kindheit das von Empfindungen beherrschte Zentrum des kindlichen Universums ist, ist Teil unser aller Erfahrung. Für manche Menschen jedoch ist aus individuell unterschiedlichen Gründen die Desillusionierung des »Auf-die-Erde-Zurückkommens« nach dieser ekstatischen, »paradiesischen« Erfahrung ein so hartes und verletzendes Erlebnis, daß sie behindernde, einkapselnde Reaktionen auslöst. Sie ist der Tropfen, der das Faß zum Überlaufen bringt. Die einkapselnden Reaktionen stützen und beschützen den beschädigten Teil der Persönlichkeit und halten die Furcht vor dem Getötetwerden fern, aber ihr psychisches Funktionieren ist, metaphorisch gesprochen, eingefroren und erstarrt. Es gibt keinen Fluß, keine Bewegung. Hinzu kommt, daß im ersten Traum der Träumende diese Erfahrungen als außerhalb seiner selbst geschehend beobachtet. Er steht über den Dingen und schaut darauf hinab. Im zweiten Traum ist es jemand anderer, der diese Erfahrungen macht. Solche »Außerhalb-des-Körpers«-Erfahrungen wirken der Angst zu sterben entgegen. Doch in den meisten Fällen bedroht sie Schlimmeres als der Tod, nämlich die völlige Vernichtung.

Einkapselnde Reaktionen haben zur Folge, daß in einem isolierten Teil der Persönlichkeit die Aufmerksamkeit von der objektiven, solche Bedrohungen bereithaltenden Welt abgewendet wird zugunsten einer subjektiven, unter ihrer direkten Kontrolle stehenden Welt der Empfindungen. Bei bestimmten neurotischen Patienten (von denen, wie Sydney Klein sagt, einige nur »leicht neurotisch« sind) ist dies zu einer etablierten Lebensweise geworden. Die Vermeidungsreaktionen, die zur Zeit des katastrophalen »Sturzes« notwendig waren, jetzt aber ihre Nützlichkeit verloren haben, sind zu autistischen Barrieren gegen kognitives und affektives Funktionieren geworden. Der Versuch, weiterzumachen und den Anschein der Normalität aufrechtzuerhalten, erweist sich als kraftraubend, und in einem isolierten Bereich ihres Seins spüren solche Patienten, daß sich ihr Leben in zunehmend kleiner werdenden Kreisen abspielt, wie es das Beispiel des zu einem See geschrumpften Meeres veranschaulicht.

Der »Sturz« mit seinen Begleiterscheinungen wiederholt sich oft in späteren Lebenssituationen, wenn sich hochgespannte Erwartungen durch den Kontakt mit der Realität zerschlagen. Er tritt also insbesondere in Lebenssituationen wie Schwangerschaft, Midlife-crisis, nach den Flitterwochen, während einer Psychotherapie oder einer Psychoanalyse auf. Diese Menschen kompensieren ihr uneingestandenes Gefühl, irreparabel geschädigt zu sein, durch perfektionistische Erwartungen an sich selbst und an andere Menschen. Wenn diese unrealistischen Erwartungen enttäuscht werden, wird die infantile Erfahrung einer vernichtenden Desillusionierung wieder wachgerufen. Im Grunde ihres Seins leben sie in einer »Alles-oder-Nichts«-Welt, einer kompromißlosen Schwarzweißwelt, in der Gegensätze nicht toleriert werden können, weil sie sich scheinbar gegenseitig zu zerstören drohen. Diese Ängste führen zu Borniertheit, Bigotterie und Fanatismus. Sie können durch sogenannte »progressive Haltungen«, die oft extrem ideologischer Natur sind, überspielt werden. Doch die Unbeständigkeit dieser Extremhaltungen wird gelegentlich sichtbar, wenn jemand wie aus heiterem Himmel zu einer völlig entgegengesetzten überwechselt.

Primäre psychische Beeinträchtigungen führen auch zu einem zwanghaften Bedürfnis zu spüren, daß man alles im Griff hat, was um einen geschieht. Sie können auch phobische Reaktionen auslösen. Eine Phobie ist die Angst vor einem bestimmten Teil der Außenwelt, gewöhnlich einem Teil, der für das Individuum irgendwann einmal anziehend war, wohingegen Autismus eine Angst vor fast der gesamten Außenwelt ist, insbesondere aber vor der Mutter. Wenn sich Patienten, die an einer Phobie leiden, einer gründlichen Analyse unterziehen, stellt sich zmeist heraus, daß sie die körperliche Getrenntheit von der Mutter als eine unerträgliche Katastrophe erlebt haben. Dies soll noch in verschiedenen Kapiteln deutlicher ausgeführt werden. Diese Katastrophe liegt auch der manischen Abwehr zugrunde. Es gibt sogar einige Borderline-Patienten, die in ihrer panischen Angst so erstarrt sind, daß sie überhaupt nicht wissen, was Gefühle sind, ein Zustand, der heutzutage als »Alexithymie« bezeichnet wird (Grotstein, 1983). Im folgenden möchte ich einen Zusammenhang zwischen dem soeben Ausgeführten und den Ergebnissen anderer Autoren herstellen, damit Leser mit einer anderen Ausrichtung als der meinen sich auf vertrautem Gebiet befinden.

Die Beobachtungen anderer Autoren

Im oben angeführten Zitat beschrieb Winnicott solche katastrophischen Trennungserfahrungen. Seiner Ansicht nach haben sie das zur Folge, was er »psychotische Depression« nennt. Diese Art von Depression ist verbunden mit dem Gefühl, zusammenzubrechen – dem, was Winnicott (1958) »Flop« nennt. Edward Bibring, der sich auf das Gefühl von Kleinheit und Hilflosigkeit konzentrierte, spricht von »primärer Depression« (Bibring, 1953). Spitz spricht von einer »anaklitischen Depression« (Spitz, 1960). Balint hat die »Grundstörung« solcher Patienten beschrieben (Balint, M., 1968). Bion spricht von einer »psychotischen Katastrophe« (Bion, 1962b). Von Bion und natürlich auch von Freud beeinflußt, hat James Grotstein das entscheidende »Defizit« solcher Patienten als das Fehlen eines »Filters« für eingehende und ausgehende Stimuli beschrieben (Grotstein, 1980). Die Behavioristen sprechen von der Unfähigkeit autistischer Kinder, Information zu kodieren und zu verarbeiten, die ihrer Ansicht nach auf einen »angeborenen kognitiven Defekt« zurückzuführen ist.

Erworbene kognitive und emotionale Defekte

In diesem Kapitel habe ich bereits darauf hingewiesen, daß kognitive Defekte (wie auch emotionale Defekte, mit denen sie verwoben sind) nicht immer angeboren sind, sondern auch *erworben* sein können. Alle Kapitel dieses Buches haben damit zu tun, *wie* dies geschehen kann. Die Hauptthese lautet, daß der autistische Zustand eine Reaktion auf ein traumatisches Erleben des Getrenntseins von der stillenden Mutter und den von ihr ausgelösten Empfindungen darstellt. Autistische Reaktionen lenken die Aufmerksamkeit von dieser Mutter ab, die abgewiesen wird zugunsten selbsterzeugter Empfindungen, die stets verfügbar und vorhersehbar sind und daher keinen Schock verursachen können. Dies führt zu einem Zustand herabgesetzter Wahrnehmung, der wiederum vermindertes Denken und Fühlen zur Folge hat. Das autistische Kind und der autistische Anteil eines neurotischen Patienten sind gefühllos und sprachlos. Sie befinden sich in einem scheintodähnlichen Zustand, ähnlich wie die Säuglinge im Erdbeben von Mexiko 1985, die, nachdem sie tagelang verschüttet gewesen waren, noch lebend geborgen wurden. Lassen Sie mich dies als Metapher verwenden: Als Therapeuten solcher Patienten müssen wir uns einen Tunnel durch den Schutt graben, um an sie heranzukommen. Haben wir sie erreicht, müssen wir ihnen all die psychische Wiederbelebung und Heilung zukommen lassen, die uns wachsende Einsicht und Erfahrung zur Verfügung stellen. Aber das ist eine prekäre, heikle Aufgabe. Wir müssen mit ihren autistischen Erfahrungen in Berührung kommen und sie bis in die Einzelheiten verstehen. Dieses Buch will ein Versuch sein, das zu leisten.

Als die psychische »Katastrophe« eines allem Anschein nach unwiederbringlichen Verlustes zuerst auftrat, waren die autistischen Reaktionen angemessen und notwendig. Aber im Laufe der Jahre sind sie zu Hindernissen für das psychische Funktionieren geworden. Der einzige Weg, eine Modifikation des Autismus zu erreichen, liegt im Austausch mit dem Leben und in einem spontaneren Gebrauch der eigenen inneren Möglichkeiten dieser Patienten. Viele Kapitel in diesem Buch beschäftigen sich mit der Frage, wie wir unseren Patienten helfen können, damit einen Anfang zu machen. Bei dieser Art von Psychotherapie liegt das Schwergewicht nicht auf dem Versuch, das, was wir als die Defizite ihrer ersten Lebensjahre erschließen, wiedergutzumachen. (Schließlich waren wir ja nicht dabei und können daher nichts Sicheres darüber wissen.) Das Schwergewicht liegt vielmehr darauf, ihnen zu helfen, jene elementare Trauerarbeit zu leisten, die die Wunde, die ihr zu früh eingetretenes Verlustgefühl geschlagen hat, heilt und die mit dem Trauma einhergehenden Spannungen löst, damit sie beginnen können, die Fähigkeiten zu nutzen, die sie durchaus besitzen. Das ist eine sehr realistische und unsentimentale Vorgehensweise.

Manche Formulierungen in der psychoanalytischen Literatur erwecken den Eindruck, als würde man ausschließlich die Mutter für den psychogenen Autismus ihres Kindes verantwortlich machen. Man hat den Eindruck, als würde das Kind als ein formbarer Lehmklumpen betrachtet und nicht als der Sprengstoff, der das Baby tatsächlich ist. Ein solcher Zugang verzerrt unser Verständnis der Ätiologie ebenso wie den psychotherapeutischen Ansatz. Den natürlichen Anlagen des Patienten zu Wachstum, Heilung und Kreativität wird so nicht genügend Gewicht beigemessen bei dem Versuch, sie von ihren autistischen Behinderungen zu befreien. Erkennt man diese biologischen »Gegebenheiten« an, fällt es einem plötzlich leichter, die therapeutische Arbeit mit größerer Zuversicht in Angriff zu nehmen. Statt zu versuchen, unsere Patienten für das zu entschädigen, was ihnen unserer Meinung nach gefehlt hat, versuchen wir vielmehr, sie mit strengem, aber einfühlendem Verstehen von ihren autistischen Praktiken zu befreien, auf daß sie anfangen können, ihre oft reichlich vorhandenen Fähigkeiten zu nutzen. Um dies zu schaffen, müssen sie spüren, daß wir an ihre Fähigkeit dazu glauben. Implizit liegt diesem Buch daher die Ansicht zugrunde, daß das Wesen der Patienten und ihre Reaktionsfähigkeit ebenso wie die äußeren Pflegebedingungen bei psychogen induzierter autistischer Pathologie eine Rolle spielen, ob sie nun nahezu total ist wie beim autistischen Kind, oder partiell wie bei bestimmten neurotischen Patienten.

Die Wichtigkeit der frühen Stillerfahrung

Um solche Patienten zu verstehen, ist es notwendig, mit dem Wesen der frühen Stillerfahrungen des Säuglings vertraut zu sein, in denen das Fundament für Beziehungen gelegt wird. Die klinische Arbeit legt nahe, daß die *Empfindung* der Brustwarze im Mund (oder des Saugers der Flasche, der einer »angeborenen Gestalt« der Brust entspricht) das Zentrum der Entwicklung der Psyche bildet. Zusammen mit den Umarmungen der Mutter, ihren leuchtenden Augen und der gegenseitigen Aufmerksamkeit füreinander wird sie zum Kern des Selbst. Diese Empfindung wird assoziiert mit Regulierung, mit dem Aushalten der Bedürfnisspannung, dem Ertragen menschlicher Unzulänglichkeiten, mit Grenzen und mit dem Auseinanderhalten unterschiedlicher Empfindungen. Die Art und Weise, wie die »Brust« gegeben und wie sie angenommen wird, hinterläßt einen Stempel zum Guten oder Schlechten auf der sich entwickelnden Psyche. Dies wird wiederum beeinflußt durch die Reaktionen des Kindes, durch die Qualität der Beziehung der Mutter zum Vater des Kindes und durch die Kindheit der Eltern selbst.

In der normalen Entwicklung haben die erhöhte Responsivität und die besondere Qualität der Aufmerksamkeit sowohl der stillenden Mutter als auch ihres Kindes Anteil am Erhabenen und sogar am »Mystischen«, eine psychische Erfahrung, die im Körper gründet. Diese Empathiegemeinschaft ist die früheste Form der Kommunikation. Sie fördert das Wachstum der Psyche. Bei Patienten, die zu autistischen Verhaltensweisen neigen, ist dieses frühe Stadium der Gemeinschaft traumatisch gestört worden. Sie haben infolgedessen anstatt eines psychischen Kerns, der sie zusammenhält, ein nicht durch Trauer bewältigtes Verlustgefühl – ein »schwarzes Loch mit einem scheußlichen Stachel«, wie John, der in Kapitel 4 vorgestellt wird, es so plastisch beschrieben hat.

Heilung für das »schwarze Loch«

Dieses »schwarze Loch« kann weder mit »autistischen Objekten« aufgefüllt noch durch »autistische Formen« verdeckt werden. (Autistische Objekte und autistische Formen werden in späteren Kapiteln erläutert.) Es kann nur durch die Kooperation mit Menschen und durch eine schöpferische Auseinandersetzung mit der Außenwelt geheilt werden. Dadurch wird das biologische Potential für psychische Entwicklung und Heilung stimuliert. Autistische Zustände führen dazu, daß solche Patienten das Vorhandensein dieser Anlagen nicht erkennen, weil sie Angst vor allem haben, was sie nicht unter ihre tyrannische Kontrolle bringen können. Die Anlagen sind verborgen und geheimnisvoll. Doch wenn sie ins Spiel kommen, erweisen sie sich für unsere Lebenspraxis als viel einflußreicher als unsere armseligen Bemühungen, das, was uns widerfährt, zu kontrollieren. Sie arbeiten in uns, ohne daß wir etwas dazu beitragen. Die Effektivität von Psychotherapie hängt davon ab, daß sie freigesetzt werden. Wir wissen nie wirklich, wie das letztlich zustande kommt. Aber wir sehen, daß autistische Patienten, die allmählich ihr Erleben der Getrenntheit verarbeiten und anfangen, Beziehungen zu Menschen aufzunehmen, die sie als von sich selbst getrennt und unterschieden wahrnehmen, in die Lage versetzt werden, zuzulassen, daß unsichtbare, unbestimmbare und außerhalb ihrer Kontrolle liegende Kräfte in ihnen zu arbeiten beginnen. Hoffnung und Vertrauen beginnen sich zu entwickeln. Das führt dazu, daß eine Basis für realitätsorientierte *Überzeugungen* über sich selbst und die äußere Welt entsteht. Kurz gesagt: Es kommen angeborene Kräfte ins Spiel, die vorher blockiert waren.

Modifizierung des Autismus

Bevor das aber erreicht werden kann, muß die autistische Blockade modifiziert werden. Autistische Patienten sind weder mit ihrem eigenen Menschsein noch mit dem anderer Menschen in Berührung. In diesem Zustand können sie die für Phantasie und Empathie nötigen Abstraktionsleistungen nicht erbringen. Sie sind gefangen in einem von Empfindungen beherrschten, überaus konkretistischen Verhaltensmodus, der ein großes Hindernis für die psychoanalytische Arbeit darstellt. In solchen Zuständen leiden die Patienten unter einer Fehlleitung der Motivation. Sie haben der allgemein anerkannten Realität den Rücken gekehrt. Statt sich den lebensfördernden Möglichkeiten zuzuwenden, die ihnen sowohl in ihnen selbst als auch in der Außenwelt zur Verfügung stehen, ist ihre Aufmerksamkeit auf autochthone (selbstgenerierte) Empfindungsobjekte und -formen fixiert. Die Patienten sind kreativ und einfallsreich, aber diese Gaben haben eine sterile Ausrichtung. Sie haben Artefakte erzeugt, die weder mitgeteilt werden noch mitteilbar sind. Unsere Aufgabe besteht darin, ihnen zu helfen, sich von diesen automatistischen, idiosynkratischen Verhaltensweisen abzuwenden und zu beginnen, Traurigkeit und Frustrationen auszuhalten und die Freude tiefer zwischenmenschlicher Beziehungen zu erleben. Diese Patienten können aus ihren vereinfachenden, isolierenden Verhaltensweisen weder herausgeprügelt noch herausgeschwatzt werden. Diese können nur dann modifiziert werden, wenn wir begreifen, warum sie für solche Menschen unentbehrlich sind; der Patient muß die Erfahrung einer warmherzigen, stabilen, gesunden, sorgenden, disziplinierten und disziplinierenden Beziehung machen, die mit jenem Teil ihrer selbst in Berührung kommt, der ungehindert seinen launischen und exzentrischen Weg hatte gehen können. Die Heilung der psychischen Wunden aus ihrer frühen Kindheit setzt mit dieser Erfahrung ein. Das geschieht durch das Medium der infantilen Übertragung, in der sie die Situation jener tragischen Desillusionierung wiederholen. Wir müssen uns dieser Art der Übertragung bewußt sein und einiges davon verstehen, wenn wir diese autistischen Zustände erreichen und modifizieren wollen. Neurotische Patienten können so von ihrer Angst vor einem Zusammenbruch befreit werden, der bereits stattgefunden hat (vgl. Winnicott, 1974).

Die heilende und disziplinierende Art von Psychotherapie, die Patienten mit einer solchermaßen verletzten Psyche benötigen, wird in Kapitel 16 erläutert. Es hat für mich den Anschein, daß autistische Kinder, indem sie uns über die idiosynkratische, beschränkte Welt, in der sie leben, aufklären, uns zugleich in die Lage versetzen, uns in einer realistischen und bedeutungsvollen Weise neurotischen Patienten mit einem erstarrten, eingefrorenen Persönlichkeitsanteil zu nähern. Sie demonstrieren uns die autistische Wirkungsweise des vor-bildlichen, vorsprachlichen und vorbegrifflichen Verhaltens. Sie zeigen uns, daß dieses Verhalten den Gebrauch ihrer Fähigkeiten verhindert und sie übertrieben unsicher und in viel zu geringem Maße selbstbewußt hat werden lassen.

2. Kapitel
Die Entwicklung von Verstehen: ein persönliches Wort[1]

Niemand kann dir sagen, wie du dein Leben zu leben hast
oder was du zu denken hast
oder welche Sprache du zu sprechen hast,
daher ist es absolut entscheidend,
daß der einzelne Analytiker für sich selbst
die Sprache formen muß,
die er kennt,
die er zu gebrauchen versteht
und deren Wert er kennt.

W. R. Bion, *Evidence*

Peter Medawar, der bekannte britische Forscher, den ich in diesem Kapitel hin und wieder zitieren werde, hat zu Recht die Rolle betont, die Glück und günstige Bedingungen bei neuen Entdeckungen spielen, wie unbedeutend sie auch immer sein mögen (Medawar, 1979). Dieses Kapitel wird eine Darstellung der vielen Privilegien sein, die ich genoß und die mich ermutigten, die schwierige Aufgabe in Angriff zu nehmen, mit diesen scheinbar unzugänglichen Kindern in Kontakt zu kommen. Medawar zitiert den Ausspruch Fontenelles: *Ces hasards ne sont que pour ceux qui joient bien!* (»Diese glücklichen Zufälle gelten nur denen, die das Spiel meistern!«) Aber um das Spiel zu meistern, müssen wir uns zugleich an die Worte Pasteurs erinnern, wonach Fortuna den »vorbereiteten Geist« begünstige. Mein Beitrag muß daher all den vielen Menschen Anerkennung zollen, die

1 Überarbeitete Fassung eines Aufsatzes, den ich für die französische psychoanalytische Zeitschrift *Patio* verfaßt habe (1984, 3, S. 109–121). Ursprünglich war der Aufsatz für eine Ausgabe vorgesehen, die neuen Entwicklungen in der Psychoanalyse gewidmet werden sollte. Der Herausgeber bat mich, in einem schriftlichen Interview die Entwicklung meines Denkens im Hinblick auf die Behandlung psychogen autistischer Kinder zu beschreiben. So schilderte ich, wie ich dazu kam, mich mit diesen Kindern zu beschäftigen und was mich dazu brachte, sie verstehen zu wollen.

meinen Weg erhellt und mir geholfen haben, mich auf die entmutigende Aufgabe vorzubereiten, mich so in das autistische Kind hineinzuversetzen, daß Veränderungen seiner Weltsicht eingeleitet werden können.

Zunächst wurde mir dadurch Hilfe und Unterstützung zuteil, daß ich mit einem Physiker verheiratet bin, der in seinem Fachgebiet selbst Neuerungen einführte. (Während des Krieges hat er mit seiner Arbeit über automatische Kontrollsysteme den Weg für die frühen Formulierungen dessen gebahnt, was man heute Systemtheorie oder Kybernetik nennt.) Meine persönliche Analyse bei W. R. Bion machte mich ebenfalls mit einem kreativen Denker bekannt. Während meiner Ausbildung als Kinderpsychotherapeutin an der Tavistock Clinic in London hatte ich außerdem das große Glück, Esther Bick und John Bowlby zu meinen Lehrern zählen zu können, die beide von ihrem jeweiligen Standpunkt aus ihren Studenten den Wert detaillierter Beobachtungen einschärften und ihnen verdeutlichten, wie wichtig es ist, beim Formulieren dem Besonderen den Vorzug gegenüber dem Allgemeinen zu geben. Auch die Supervision bei Herbert Rosenfeld und Donald Meltzer erwies sich als eine sehr wichtige Vorbereitung auf meine Aufgabe.

Nach Beendigung meiner Ausbildung an der Tavistock Clinic hatte ich das Glück, im Jahre 1954 meinen Mann für die Dauer eines Jahres in die Vereinigten Staaten zu begleiten. Dem Rat Bowlbys folgend, nahm ich Arbeit am Putnam Children's Center in Boston, Massachusetts, an. Zur damaligen Zeit handelte es sich um ein Forschungs- und Behandlungszentrum für »atypische« Kinder (wie man sie nannte), unter denen sich eine Anzahl autistischer Kinder befand, deren Störung in erster Linie psychogen und nicht organisch zu sein schien. Dort betreute ich neben meiner Arbeit als Psychotherapeutin einige der autistischen Kinder in ihrer häuslichen Umgebung. Die Tragödie, mit der die Eltern dieser unresponsiven Kinder zu ringen hatten, hat mich tief bewegt, und ich verspürte ein starkes Bedürfnis herauszufinden, ob sich etwas tun ließe, um diesen Kindern eine größere Offenheit zu ermöglichen. Nach meiner Heimkehr nach England hatte ich wieder einmal insofern Glück, als mir Mildred Creak, die auf dem Gebiet der Kindheitspsychosen überaus qualifiziert und eine ausgezeichnete Diagnostikerin war, mehrere autistische Kinder als Privatpatienten überwies. Es ergab sich in der Folgezeit, daß ich im Great Ormond Street Children's Hospital in London mit ihr zusammenarbeitete. Natürlich wären alle diese Gelegenheiten an mir vorübergegangen, hätte ich nicht aufgrund meines eigenen Temperaments und meiner eigenen Pathologie für schüchterne, behinderte Kinder ein besonderes Interesse gehabt. Nicht zuletzt möchte ich erwähnen, daß ich schon immer eine Neigung zur Grundlagenforschung hatte, wie eine meiner frühen Arbeiten, eine Studie über Pflanzenbewegungen und Tropismen, zeigt.

Die Privilegien, die glücklichen Umstände, die innere Bereitschaft, die Motivation und die Gelegenheiten waren folglich vorhanden. Worauf es nun ankam, war die Fähigkeit, geduldig zu sein und hart zu arbeiten. Ich war schon immer sehr ausdauernd gewesen, was mir sehr zugute kam. Nach zwanzigjähriger Beschäftigung mit psychogen autistischen Kindern und als Folge einer tiefgreifenden Störung meines eigenen Gefühlslebens, aus der ich sehr viel über die Wurzeln der phobischen Hemmung lernte, empfand ich schließlich das starke Bedürfnis, *Autismus und Kindheitspsychose*, mein erstes Buch, zu schreiben. Es war das Resultat eines starken inneren Drangs. Mein zweites Buch, *Autistische Zustände bei Kindern*, das ich zehn Jahre später verfaßte, war emotional weniger geladen. Es ging aus Vorlesungen hervor, die ich im Rahmen jährlicher Besuche über einen Zeitraum von fünf Jahren am Institut für Kinder-Neuropsychiatrie der Universität Rom gehalten hatte. Dort gibt es unter der unermüdlichen und zutiefst menschlichen Obhut von Professor Adriano Giannotti, mit Professor Giovanni Bollea als Institutsleiter, eine Spezialabteilung zur psychoanalytischen Behandlung autistischer und schizoider Kinder. Nach der Gründung der Abteilung flogen beide Chefpsychotherapeuten, Guilianna De Astis und Eleonora Fé D'Ostiani, über einen Zeitraum von zwei Jahren je einmal im Monat nach England, um über jedes einzelne Kind, das sie in Behandlung hatten, zu sprechen. So konnte ich miterleben, wie psychotherapeutische Arbeit in einer Einrichtung durchgeführt wurde, der weit mehr Hilfsmittel zur Verfügung standen als mir in meiner Privatpraxis. Insbesondere die Beziehung der Eltern zueinander und das

Mutter-Kind-Paar konnten sehr viel eingehender erforscht werden, als ich es bislang hatte tun können.

Meiner Ansicht nach hat sich die wissenschaftliche Strenge und Systematik der Kleinschen psychoanalytischen Technik als überaus geeignet für die Behandlung autistischer Kinder erwiesen. Da aber Melanie Kleins Ergebnisse an schizophrenen Kindern gewonnen worden waren, war es unumgänglich, daß die Arbeit mit autistischen Kindern zu neuen Einsichten führen mußte. Das einzige autistische Kind, das Melanie Klein je zu Gesicht bekam, war der Junge, den sie Dick nannte und in ihrem Aufsatz *Die Bedeutung der Symbolbildung für die Ich-Entwicklung* (siehe 3. Kapitel) beschreibt. Klein verfaßte ihre Arbeit im Jahre 1930, also vierzehn Jahre vor Kanners Differentialdiagnose des frühkindlichen Autismus. Obgleich sie viele der Ergebnisse Kanners vorweggenommen hat, war sie natürlich unsicher hinsichtlich der Diagnose von Dicks Zustand. Widerstrebend und nach erheblichen Zweifeln deutete sie Dicks Psychopathologie schließlich auf dem Hintergrund der Fälle schizoider Kinder, die sie bereits studiert hatte. Melanie Klein hat uns ein bedeutendes Vermächtnis hinterlassen, aber man würde ihrer Arbeit wie auch der wissenschaftlichen Forschung einen äußerst schlechten Dienst erweisen, wollte man ihre Ergebnisse blindlings auf autistische Zustände übertragen, denen sie zumindest im frühen Stadium der Behandlung nicht angemessen sind.

Ich mußte diesen Lernprozeß durchmachen, in dessen Verlauf ich immer wieder mein Gewissen befragte, ob ich nicht einen Menschen verriet, dem ich so viel verdanke. Aber John, der vierjährige autistische Junge, den ich im 1. Kapitel bereits erwähnt habe, belehrte mich über das »schwarze Loch mit dem scheußlichen Stachel« (Tustin, 1972), das ich auch in mir selbst entdeckte. So wurde mir bewußt, daß es noch frühere Stadien gibt als diejenigen, die Melanie Klein so mutig beschrieben hat. Später entdeckte ich, daß Michael Balint (1968), Winnicott (1958) und Mahler (1961) das Phänomen des »schwarzen Loches« schon beschrieben hatten, wenngleich mit anderen Worten: Balint spricht von einer »Grundstörung« (*basic fault*), Winnicott von einer »psychotischen Depression«, Mahler von »Verlust und Wiederherstellung des symbiotischen Liebesobjekts«.

Im Anschluß an Mahler und auch James Anthony, dessen klassischer Aufsatz über Autismus der Forschung neue Wege wies (Anthony, 1958), begann ich, den Begriff »autistisch« für das früheste Stadium der normalen frühkindlichen Entwicklung und für pathologische Zustände zu verwenden. Zu der Zeit, als Mahler und Anthony schrieben, war es durchaus angemessen, »Autismus« in dieser Weise zu verwenden. Der Begriff »Autismus«, zuerst von Bleuler 1913 unter Hinweis auf seine Etymologie verwendet, ist aber seither so sehr mit pathologischen Konnotationen überfrachtet worden, daß er kaum mehr als sinnvolle Bezeichnung für *normale* Stadien herangezogen werden kann. Würden wir zum Beispiel das Adjektiv »autistisch« für frühkindliche Entwicklungsphasen verwenden, entstünde unweigerlich der Eindruck, als betrachteten wir sie als untätig-passiv und nicht als die Phasen »bewußten« Suchens, die sie ja offenkundig sind. Aus diesem Grund bin ich dazu übergegangen, die sehr frühen, normalen infantilen Zustände als »autosinnlich« (*autosensuous*) zu bezeichnen und »Autismus« für die pathologischen Phasen zu reservieren. Ich werde dies an späterer Stelle ausführlich erörtern. Lassen Sie mich hier zunächst die Einsichten besprechen, die sich meiner Erfahrung nach in der Psychotherapie autistischer Zustände als mutativ erwiesen haben.

Mutatives Verstehen

Mein spezifischer Beitrag zum Verständnis psychogen autistischer Kinder besteht darin, die taktile, von Empfindungen dominierte Natur ihrer Welt erkannt sowie die Art und Weise hervorgehoben zu haben, wie »autistische Objekte« und »autistische Formen« (die an späterer Stelle beschrieben werden) das kognitive und emotionale Funktionieren, das Identitätsgefühl und die zwischenmenschlichen Beziehungen solcher Kinder behindern. Diese Ergebnisse meiner Arbeit mit autistischen Kindern haben bestimmte Stellen aus Peter Medawars *Advice to a Young Scientist*, einem Buch, das wissenschaftliche Methoden und Entdeckungen erörtert, für mich sehr bedeutungsvoll werden lassen. Obwohl Medawar in erster Linie die biologischen Wissenschaften im Auge hat, sind seine Ausführungen auch für die psychologische Forschung von einiger Relevanz.

Im Zusammenhang mit Thomas Kuhns *Die Struktur wissenschaftlicher Revolutionen* und *Die grundlegende Spannung* heißt es beispielsweise bei Medawar: »Die ›grundlegende Spannung‹, auf die sich Kuhn im Titel seines neuesten Buches bezieht, besteht zwischen unserem Erbe von Doktrin und Dogmen, insoweit sie die Wissenschaften beeinflussen, und den gelegentlichen Umwälzungen, die ein neues ›Paradigma‹ einführen ...« (S. 92). Medawar betrachtet den wissenschaftlichen Forschungsprozeß als Dialog »zwischen zwei Stimmen, einer schöpferischen und einer kritischen, zwischen Mutmaßung und Widerlegung, wie es Popper ausdrückt« (S. 85). (In meinem Fall hat mein Mann oft die kritische Stimme verkörpert!) An späterer Stelle sagt Medawar: »... wissenschaftliche Forschung ist, wie auch andere Erkenntnisweisen, letztendlich ein kybernetischer Vorgang – ein Steuerungsprozeß, ein Mittel zur Orientierung, mit dessen Hilfe wir einer komplexen und verwirrenden Welt einen Sinn abzugewinnen versuchen« (S. 86).

Im Falle autistischer Kinder müssen wir versuchen, einer verwirrenden elementaren Welt einen Sinn abzugewinnen, einer Welt, die von Urgewalten heimgesucht wird. Bei der Erforschung dieser Welt dürfen wir uns noch einmal von Medawar leiten lassen, wenn er sagt: »Heroische Taten des Verstandes sind selten erforderlich. Die ›wissenschaftliche Methode‹, wie sie mitunter genannt wird, ist im Grunde eine Potenzierung des gesunden Menschenverstandes« (S. 86). Noch nie ist gesunder Menschenverstand dringender nötig gewesen als bei der Erforschung der Welt des psychogen autistischen Kindes. Wir brauchen keine esoterischen Theorien, sondern wir müssen uns selbst eingehend darin üben, das Offensichtliche nicht außer acht zu lassen.

Ferner bin ich der Meinung, daß wir uns zu Anfang unserer Arbeit nicht durch zu viel Lektüre der Ansichten anderer verwirren lassen sollten. Manche Abhandlungen leiden an einer babylonischen Sprachverwirrung, in der die eigene Stimme des Verfassers untergegangen zu sein scheint. Glücklicherweise fand die kinderpsychotherapeutische Ausbildung an der Tavistock Clinic in relativer Abgeschlossenheit statt. Wir bearbeiteten Freud und Klein, und Bowlby führte uns in die Verhaltensforschung und in Forschungen zur Kindesentwicklung ein (wobei sich die kritische Stimme Bowlbys mit der schöpferischen von E. Bick die Waage hielt). Die kleinianische psychotherapeutische Technik mit ihrer Einfachheit und ihrer Betonung des dynamischen transformierenden Einflusses der infantilen Übertragung ist ein hervorragend geeignetes Instrument zur Erforschung dessen, was in der Psyche des Kindes vor sich geht. Es ist so, als würden wir die kindliche Psyche unter unser geistiges und empathisches »Mikroskop« legen, um sie in ihren Einzelheiten zu studieren. Solange wir dabei keinen »Tunnelblick« entwickeln, werden wir nicht ausschließlich kleinianische Phänomene zu Gesicht bekommen.

Ausgehend von dieser festen Grundlage einer soliden Ausbildung in Beobachtungs- und psychotherapeutischen Techniken, führte mich die Arbeit mit autistischen Kindern allmählich zu den Werken anderer Psychoanalytiker, die nicht der Kleinschen Schule angehörten, in der ich meine Ausbildung erhalten hatte. Das ging folgendermaßen vor sich. Im Jahre 1966 schrieb ich meinen ersten Aufsatz über Autismus, in dem ich Johns Beschreibungen des »schwarzen Loches« erörterte. Mir gingen die Augen auf, als mir ein Kollege erzählte, daß Winnicott bereits 1958 in einem Aufsatz mit dem Titel »The mentally ill in your case-load« diesen frühen Depressionstyp, welcher auftritt, wenn der Verlust der Mutter als Verlust eines Körperteils erfahren wird, beiläufig erwähnt hatte (Winnicott, 1958). Ich erfuhr auch, daß Margaret Mahler darüber einen Aufsatz verfaßt hatte, in dem sie sich ausdrücklich auf den Kindheitsautismus bezog (Mahler, 1961).

Nachdem ich meinen ersten Aufsatz über autistische Formen beendet hatte und er zur Veröffentlichung angenommen worden war, hörte ich von einem Vortrag von Piera Aulangier aus Paris, in dem sie auf dem Hintergrund ihrer langjährigen Erfahrung mit erwachsenen schizophrenen Patienten ein Phänomen beschrieb, das sie als »taktile Halluzination« bezeichnete (Aulangier, 1985) und vom üblichen Typus schizophrener Halluzinationen unterschied. Ihrer Beschreibung nach erinnerten mich diese taktilen Halluzinationen sehr an die taktilen autistischen Formen, die ich durch die autistischen Kinder kennengelernt hatte. In einem Aufsatz, der im Jahre 1984 in der *International Review of Psycho-Analysis* erschien, hatte ich selbst bereits ausgeführt, daß diese autistischen Formen eine Art von »taktiler Halluzination« zu sein scheinen (vgl. Kapitel 7).

Ich erfuhr weiter, daß Michael Fordham (1976) für ähnliche Phänomene den Begriff »Selbstobjekt« geprägt und daß Winnicott sie als »subjektives Objekt« bezeichnet hatte (Winnicott, 1958). (Obwohl jedoch das Selbstobjekt und das subjektive Objekt gewisse Merkmale mit autistischen Objekten gemeinsam haben, halte ich es für notwendig, zwischen normalen und pathologischen Manifestationen zu unterscheiden. An normalen autosinnlichen Objekten wird gelutscht, wie zum Beispiel an Fingern, der Faust, den Knaufen des Kinderbettes, einem Zipfel vom Schal usw. Sie stehen in Zusammenhang mit einem sich entwickelnden Selbstgefühl. Autistische Objekte dagegen sind pathologisch. An ihnen wird nicht gelutscht, sondern es sind harte Gegenstände, die mit der Hand fest umklammert werden. Sie stehen in Zusammenhang mit Zuständen, in denen es kein Gefühl gibt, ein Selbst zu sein.)

Für mich waren diese voneinander unabhängigen Bestätigungen aus verschiedenen Quellen mit einer anderen Ausrichtung als der meinen sehr beruhigend. Sie zeigten mir, daß ich mit meinen Ergebnissen nicht alleine dastand. Es war Spitz, der gesagt hatte, daß eine solche Bestätigung die einzige Validierung darstellt, die wir bei psychoanalytischen Untersuchungen erwarten können. Schizoide oder »verwirrt-verstrickte« Kinder, wie ich sie lieber nenne, sind sehr offen und berichten uns in klarer Weise über ihre seltsamen Vorstellungen. Die eingekapselten autistischen Kinder dagegen sind darin ganz anders, sie sind verschlossen und reserviert. Es ist schwierig, sich sicher zu fühlen, was die eigenen Schlußfolgerungen betrifft, und die Bestätigung der eigenen Einsichten durch andere ist daher unerläßlich. Die Tatsache, daß ich auf diesem Gebiet nicht die erste war, wurde aufgewogen von der Erleichterung darüber, daß andere Forscher dasselbe gesehen hatten wie ich, wenngleich in jeweils anderem Kontext. Die Entwicklung wissenschaftlicher Ideen ist, wie es Medawar so bildhaft ausdrückt, ganz und gar nicht mit den vielen Köchen zu vergleichen, die den Brei verderben. Bei der Gewinnung neuer Erkenntnisse entwickeln wir, ohne uns dessen bewußt zu sein,

Ideen, die sozusagen »in der Luft liegen« und nur darauf warten, weiterentwickelt zu werden. Um das Bild von Medawar aufzugreifen: Der »Brei« wartet nur darauf, von erfahrenen Küchenmeistern umgerührt zu werden (1979, S. 33).

Es hat sich gezeigt, daß meine Aufgabe in der Schaffung einer Synthese und Harmonie bestand. Mir ist es gelungen, das Phänomen des »schwarzen Loches« mit autistischen Objekten und autistischen Formen als Bestandteilen des pathologischen Netzwerkes, welches wir psychogenen Autismus nennen, in Beziehung zu setzen. Diese Phänomene sind in ein Gesamtverständnis integriert worden, das uns hilft, uns in die eingekapselten Zustände von autistischen Kindern und in die autistische Kapsel neurotischer Patienten in taktvoller, feinfühliger und Veränderung ermöglichender Weise hineinzuversetzen, um eine normalere psychische Funktionsweise zu fördern.

Ich habe nicht nur von meinen Patienten, sondern natürlich auch von den Psychotherapeuten und Psychoanalytikern, die ihre klinische Arbeit mit mir diskutiert haben, sehr viel gelernt. Ich würde all diese Menschen gerne namentlich aufzählen, aber das ist nicht möglich. Um die Bereicherung meiner Einsichten aus dieser Quelle zu illustrieren, zitiere ich eine Passage aus einem kürzlich veröffentlichten Aufsatz von Sheila Spensley, einer Psychotherapeutin, die hin und wieder ihre Arbeit mit mir diskutiert. Der Aufsatz trägt den Titel »Mentally ill or mentally handicapped? A longitudinal study of a severe learning disorder« (1985b).

In diesem Beitrag beschreibt Spensley die traurige Geschichte von A., einer 27jährigen Frau, die infolge einer Fehldiagnose als Siebenjährige ständig zwischen der Psychiatrie und Anstalten für geistig Behinderte hin- und hergeschoben worden war, wovon sich nichts als angemessen oder hilfreich erwies. Sie hatte schließlich großes Glück, von Mrs. Spensley entdeckt zu werden, die bereits Erfahrung in der Behandlung psychogen autistischer Kinder hatte.

Zur Überraschung und ungläubigen Skepsis aller Beteiligten schlug Mrs. Spensley eine Individualtherapie für A. vor. In der Zusammenfassung ihres Aufsatzes schildert sie diese Patientin wie folgt: »Die Psychotherapie hat einen signifikanten autistischen Persönlichkeitsanteil ans Licht gebracht, zu dem regelmäßig Zuflucht genommen wird und der die Patientin in eine passive Annahme ihres Halblebens hineinzuziehen scheint, was sie auf die leichte Schulter zu nehmen versucht.« Mrs. Spensley fügt hinzu: »Im Verlaufe von ca. 18 Monaten psychoanalytischer Psychotherapie zeigte sich diese 27jährige junge Frau, die bereits mit sieben Jahren als hirnverletzt angesehen wurde, in der Lage, eine Psychotherapie mit einer Wochenstunde durchzustehen. Entgegen allen Erwartungen übernahm sie selbst die Verantwortung für ihre Anwesenheit und fuhr selbständig mit öffentlichen Verkehrsmitteln zu ihren Sitzungen. Sie ergriff auch die Initiative, für sich selbst eine Arbeit zu suchen.«

Hinzuzufügen wäre, daß sie imstande war, friedlich zu Hause mit ihren Eltern zu leben, die sie vorher unerträglich gefunden hatten.

Spensleys Bericht über diese Patientin ließ mich den Wert der Einsichten erkennen, die aus der klinischen Arbeit mit psychogenem Autismus gewonnen werden. Sie ermöglichen präzisere Diagnosen, so daß weniger Patienten ihre Zeit in unangemessenen Einrichtungen bei unangemessener Behandlung verschwenden müssen.

Profitiert habe ich auch von der konstruktiven Kritik einiger meiner britischen Kollegen, die mir geholfen haben zu sehen, wo ich mich in *Autistische Zustände bei Kindern* unklar ausgedrückt hatte und wo ich einige meiner Ideen zur frühkindlichen Entwicklung modifizieren mußte. Wieder einmal drückt es Medawar am treffendsten aus: »Der erfahrene Wissenschaftler fühlt sich viel eher geehrt, wenn er sieht, daß seine Ansichten Gegenstand ernsthafter Kritik sind, als wenn man ihm eine kriecherische und mitunter offensichtlich geheuchelte Ehrerbietung erweist« (S. 55). (In diesem Zusammenhang möchte ich Anne Alvarez danken, die trotz eines vollen Terminkalenders die Zeit gefunden hat, mit mir brieflich in eine Diskussion einzutreten.)

Diese Art von konstruktiver Kritik und weitere Forschungsergebnisse haben zur Folge gehabt, daß das Denken, welches sich in meinen beiden Büchern über Autismus niedergeschlagen hat, sich in einem fortwährenden Revisionsprozeß befand. Medawar drückt es so aus: »Was Revolutionen betrifft, so schreiten sie unablässig voran. Ein Wissenschaftler behält nicht exakt die gleichen Ansichten über seine Forschungsarbeit von einem Tag auf den nächsten bei, denn die Lektüre, das Nachdenken und die Diskussionen mit Kollegen bewirken hier und dort eine Akzentverlagerung und möglicherweise sogar eine radikale Neubewertung seiner Denkweise« (S. 93).

Aufklärung und Revision früherer Ansichten

Lassen Sie mich einige der Klärungen und Revisionen meiner Ansichten skizzieren, die ich seit der Abfassung von *Autistische Zustände bei Kindern* vorgenommen habe. Wie weiter oben in diesem Kapitel erwähnt, bestand eine dieser Revisionen darin, den Begriff »autosinnlich« für normale frühkindliche Entwicklungen zu verwenden und »autistisch« für pathologische zu reservieren. Indem ich diese Unterscheidung einführte, erhellte sich für mich schlagartig die gegenwärtige psychoanalytische Kontroverse über das Gewahrsein der körperlichen Getrenntheit in den ersten Lebensmonaten. Ich möchte dies erläutern.

Die Arbeit von Beobachtern wie Trevarthen (1979), Tom Bower (1977) und Brazelton (1969) impliziert, daß das Baby beim normalen Verlauf der frühen Differenzierungen wahrscheinlich bereits von Geburt an aufflackernde Augenblicke des Gewahrwerdens des körperlichen Getrenntseins von der Mutter erlebt. Als Ergebnis ihrer Arbeit mit autistischen Kindern haben auch De Astis und Giannotti darauf hingewiesen, daß bei normal verlaufender Entwicklung die Zäsur der Geburt durch »responsive« Interaktionen zwischen Mutter und Kind geheilt wird (De Astis und Giannotti, 1980). Sie haben gezeigt – und meine eigene Arbeit bestätigt dies –, daß diese Heilung bei autistischen Kindern nicht eingetreten ist. Meiner Erfahrung nach reaktiviert jedes nachfolgende Gewahrwerden des körperlichen Getrenntseins von der Mutter die ungeheilte Primärwunde körperlicher Trennung. Psychotherapie heilt diese »Wunde«, die bei autistischen Kindern oft als ein »Loch« erlebt wird, weil sie die körperliche Trennung von der Mutter als eine traumatische Loslösung von einem leblosen »Ding« erfahren haben und nicht als einen allmählichen Differenzierungsprozeß von einem lebendigen Menschen.

Ein Grund für diese traumatische Loslösung liegt darin, daß die Mutter eines autistischen Kindes in den ersten Lebensmonaten ihres Kindes oft deprimiert und reaktionsarm war. Vielleicht hat sie das

Kind im Mutterleib als Trost für ein Gefühl innerer Einsamkeit erlebt. In solch einer Situation glaubt die Mutter, mit der Geburt des Kindes einen trostspendenden Teil ihres Körpers verloren zu haben. Auch das Kind scheint eine Neigung zu dieser elementaren Depression, dem Gefühl des »schwarzen Lochs«, zu besitzen. (Dies wird ausführlicher in Kapitel 4 erörtert und sollte dann Lesern, die noch Verständnisschwierigkeiten haben, klarer werden.) In diesem Zustand ist das Bedürfnis nach einer ständig fühlbaren körperlichen Präsenz sehr groß, und genauso auch die Enttäuschung darüber, daß das nicht möglich ist.

Ich möchte annehmen, daß es bei *normaler* frühkindlicher Entwicklung ein Gewahrwerden der Getrenntheit gibt, das durch autosinnliche Aktivitäten wie dem Saugen und durch körperliche Interaktionen mit anderen Menschen, insbesondere der Mutter, erträglich gemacht wird. Aber bei der pathologischen autistischen Entwicklung ist als Folge des Fehlens »responsiver« Interaktionen jegliche Bewußtheit körperlicher Trennung, wie gering auch immer, unerträglich. Es entsteht eine Bewußtseinsagonie. Dieses schmerzliche Gewahrsein wird durch autistische Objekte und autistische Formen gedämpft und begrenzt. Die autistischen Manipulationen und Stereotypen ersetzen die normalen »responsiven« Interaktionen zwischen Mutter und Kind und vereiteln so das Zustandekommen normaler Differenzierungs- und Integrationsprozesse. Meinem Eindruck nach ist das Verschmelzen mit der Mutter, die als lebloser Teil des eigenen Körpers des Subjekts erlebt wird, eine *pathologische* Reaktion, die sowohl ersehnt als auch gefürchtet wird.

Weiteres Nachdenken über die Arbeit mit psychogen autistischen Kindern hat mich auch in die Lage versetzt, eine weitere Klärung vorzunehmen. Zu meiner eigenen Zufriedenheit zumindest gelang es mir, zwischen dem »Ich« und dem »Selbst« klarer zu unterscheiden. Frühe Ich-Aktivitäten scheinen zunächst aus dem neuromentalen System hervorzugehen. Anfangs kann das neugeborene Kind, das keine Erfahrung mit der Außenwelt besitzt, nur in Form angeborener neuromentaler Anlagen reagieren, die sich in autosinnlichen Aktivitäten ausdrücken. Das frühe Ich ist ein autosinnliches Ich. Diese Sichtweise stimmt mit der Aussage Freuds überein, daß »das Ich zuerst und vor allem ein körperliches« sei (Freud, 1923b, S. 253). Bei normaler Entwicklung fördert die wachsende Erfahrung mit der Außenwelt die Reifung und Differenzierung dieses elementaren Ichs. Aber das traumatisierte autistische Kind blendet jedes Gewahrsein der Außenwelt aus. Infolgedessen ist seine Ich-Entwicklung in krankhafter Weise auf einer primitiven, unreifen Ebene frühzeitiger, überaus konkretistischer und hypertrophierter Reaktionen fixiert. Dies führt zu dem Gefühl, aus den eigenen Körperaktivitäten des Subjekts eine angeschwollene, leere Schale gebildet zu haben. Sie stellt eine Barriere gegen den Verkehr mit der Außenwelt dar.

Patienten in eingekapselten autistischen Zuständen fehlt auch ein Gefühl für das Selbst und für individuelle Identität. Das liegt daran, daß Selbstgefühl und individuelle Identität von zwischenmenschlichen Beziehungen abhängen. Autistische Kinder wenden sich von solchen Beziehungen ab und haben daher kein Gefühl, ein Selbst zu sein. Aus diesem Grund bin ich zu der Erkenntnis gelangt, daß ich mich irrte, als ich psychogen autistischen Kindern ein »falsches Selbst« im Winnicottschen Sinn zuschrieb (Winnicott, 1960). Ich bin auch zu der Erkenntnis gelangt, daß autistische Zustände nicht narzißtisch sind. Das liegt daran, daß das Selbstgefühl offensichtlich eine Voraussetzung für die Entwicklung des Narzißmus ist. Patienten des schizophrenen Typs und vernachlässigte Kinder haben Beziehungen zu Menschen entwickelt, wenn auch nur instabile und gestörte. Deshalb kann man sagen, daß sie ein »falsches Selbst« haben und narzißtisch sind. Das psychogen autistische Kind und neurotische Patienten in einem autistischen Zustand meiden menschliche Beziehungen. Sie haben folglich kein Selbstgefühl, und man kann auch nicht sagen, daß sie ein »falsches Selbst« hätten oder narzißtisch seien. (Bereits 1963 hat Enid Balint in einem Aufsatz mit dem Titel »Über innere Leere« einen solchen Zustand beschrieben.)

Aus diesen Gründen stimme ich mit Sydney Klein überein, der neurotische Patienten mit autistischen Phänomenen wie folgt charakterisiert: »Es gibt eine deutliche Parallele zu dem, was Winnicott … das ›falsche Selbst‹ genannt und wofür Rosenfeld (1978) den Begriff ›psychotische Inseln‹ in der Persönlichkeit geprägt hat. Aber ich glaube nicht, daß diese Ausdrücke dem gerecht werden, was als eine fast undurchdringliche zystische Einkapselung ... beschrieben werden kann, die den Patienten sowohl von seiner übrigen Persönlichkeit als auch vom Analytiker abschneidet« (Klein, S., 1980). Ich möchte annehmen, daß die »undurchdringliche zystische Einkapselung« Ausdruck eines hypertrophierten, primitiven körperlichen »Ichs« ist, das durch den Stoß eines unaufgefangenen Gewahrwerdens des körperlichen Getrenntseins von der Mutter gleichsam »aufgeschreckt« und zu einer verfrühten und abweichenden Entwicklung gebracht worden ist. Dieses aufgeblähte Ich ist kein »wahres« Ich, das durch erträgliche Außenweltkontakte geformt wird. Es ist Vortäuschung und Eigendünkel zugleich. Da dem psychogen autistischen Patienten Objektbeziehungen fehlen und folglich auch ein Selbstgefühl, kann man es am besten so umschreiben, daß er eine »leere Imitation« oder »hohlen Trug« als Ich besitzt. Er hat kein Selbst, das »falsch« sein könnte.

Eine weitere Revision meines Denkens liegt in der Erkenntnis, daß psychogener Autismus eine Abwehr der Verwirrung und Verstrickung in der Psychose und nicht die Psychose selbst darstellt. Ich halte es für zutreffender, ihn als allgemeine Hemmung der geistigen und affektiven Entwicklung zu verstehen. Wenn der Autismus weicht, kommt ein verletzliches, anklammerndes, verwirrtes, hilfloses Kind zum Vorschein, das psychotisch werden kann, wenn wir sein Bedürfnis nach Sicherheit und Schutz nicht wahrnehmen und aufgrund unseres Verständnisses nicht in der Lage sind, ihm zu geben, was es braucht. Der Autismus war für dieses unglückliche Geschöpf ein Schutz. Wir haben eine große Verantwortung, wenn wir solchen Patienten ihre autistischen Schutzmechanismen nehmen. Wir müssen ihnen helfen können, etwas Besseres als Ersatz zu entwickeln. Je besser wir solche Patienten verstehen, desto größer ist die Möglichkeit, daß sie ein Grundvertrauen zu anderen Menschen fassen und Selbstvertrauen aufbauen können. Diese Entwicklungen sind unerläßlich, denn die autistische Einkapselung bedeutet, daß sie von der Außenwelt abgeschnitten und folglich der Gefahr ausgesetzt sind, einen psychotischen Zusammenbruch zu erleiden.

Michael Faraday, jener große Pionier auf dem Gebiet elektrischer Phänomene, hat gesagt, Innovation bedeute, herauszufinden, wie die

Dinge funktionieren. Mit der Unterstützung der Kinder, ihrer besorgten Eltern und hilfreicher Kollegen bin ich in die Lage versetzt worden, etwas vom »Funktionieren« der autistischen Entwicklung zu verstehen. Es bleibt viel Unverstandenes übrig. Aber die Einsichten, die in dieser Abhandlung umrissen werden, und die anderer psychodynamisch orientierter Forscher haben es uns ermöglicht, uns auf therapeutische Weise in die Welt psychogen autistischer Kinder hineinzubegeben, um ihnen zu ermöglichen, die Außenwelt wahrzunehmen und auf andere Menschen zu reagieren. Gelingt dies, können sie etwas von der Freude erleben, »geboren« zu sein, physisch wie psychisch. Lassen Sie mich mit einem Zitat von Medawar abschließen, dessen Worte in diesem Aufsatz immer wieder zur Illustration herangezogen worden sind. Er schreibt: »Wer genug Hoffnung hat, wird sich gerne der Überzeugung anschließen, daß die Suche [nach Erkenntnis] eine Via lucis, ein Weg des Lichts ist« (S. 106).

Ein alternativer Titel für diesen Aufsatz hätte sein können: *Die Dämmerung der Aufklärung*. Es ist eine lange Dämmerung gewesen, aber die Mühen hingebungsvoller Praktiker, von denen ich einige im Literaturverzeichnis erwähnt habe, stellen sicher, daß dieses dämmernde Licht stärker werden wird, damit immer mehr Patienten, die in autistischen Reaktionsweisen eingefangen sind, zu einem normalen Leben verholfen werden kann. Dies setzt Therapeuten voraus, die das Verhalten solcher Patienten nicht in das Prokrustesbett theoretischer Konstrukte hineinzwängen, die für andere Psychopathologien entwickelt worden sind. Wir müssen erkennen, daß diese Patienten anders sind als alle anderen Patienten, mit denen wir es zu tun haben, weil sie keine zwischenmenschlichen Beziehungen entwickelt haben. Wir müssen ferner darauf bedacht sein, einhergehend mit der Vertiefung unserer Erkenntnisse eine Sprache zu entwickeln, die den von uns beobachteten Phänomenen besser gerecht wird. Ich hoffe, daß mir dies im weiteren Verlauf dieses Buches gelingen wird.

3. Kapitel
Überlegungen zum psychogenen Autismus unter besonderer Berücksichtigung eines Beitrags von Melanie Klein

»Es gab seinerseits keine affektive Bindung an Menschen. Er verhielt sich so, als ob Menschen als solche keine Rolle spielten oder überhaupt nicht existierten. Es war einerlei, ob man in einem freundlichen oder barschen Ton zu ihm sprach. Er sah sich die Gesichter der Menschen niemals an. Hatte er überhaupt jemals mit Menschen zu tun, so behandelte er sie, oder vielmehr Teile von ihnen, als ob sie Gegenstände wären.«

Paul, fünf Jahre alt, von Leo Kanner (1943, S. 217) in seinem ersten Aufsatz über autistische Störungen des affektiven Kontakts beschrieben.

Folgendes Kapitel[1] hat einen Aufsatz von Melanie Klein mit dem Titel: *Die Bedeutung der Symbolbildung für die Ich-Entwicklung* (1930a) zum Gegenstand. Sie beschreibt darin ihre Analyse eines vierjährigen Jungen, den sie Dick nennt und den wir heute als autistisch bezeichnen würden. Im folgenden möchte ich Melanie Kleins Arbeit in der Perspektive der autistischen Pathologie diskutieren.

Als Melanie Klein im Jahre 1930 ihren Aufsatz schrieb, lag Leo Kanners klassische Abhandlung, in der er das Syndrom des »frühkindlichen Autismus« beschrieb und von Schwachsinn unterschied, noch nicht vor. Wir mußten bis 1943 warten, bis uns seine Ergebnisse zur Verfügung standen. Es kennzeichnet Kleins Originalität und ihren Scharfsinn, daß sie in ihrem Aufsatz viele der Ergebnisse Kanners vorwegnahm. Zum Beispiel schreibt sie über Dick, daß viele Fälle dieser Art als »Debilität« klassifiziert werden (1930a, S. 365). Vergleichen Sie auch Kleins Beschreibung des Jungen Dick mit Leo Kanners Beschreibung Pauls, die dieses Kapitel einleitet. Klein

1 Überarbeitete Fassung eines ursprünglich im *Journal of Child Psychotherapy* (1983, 9, S. 119–131) veröffentlichten Aufsatzes.

schreibt: »Weitgehend affektlos, war Dick auch gleichgültig gegen die Anwesenheit oder Abwesenheit von Mutter und Nurse. Angst war seit jeher nur selten und in abnorm geringem Maß aufgetreten. ... Er hatte kaum irgendwelche Interessen oder Spieltätigkeit und auch keine Verständigung mit der Umwelt entwickelt. Dick reihte meist nur in sinnloser Weise Laute aneinander, wobei er einzelne Klänge fortgesetzt wiederholte, und wendete auch seinen geringen Wortschatz meist nicht richtig an. Es lag aber nicht nur eine Unfähigkeit zur Verständigung vor, sondern es mangelte auch der Wunsch danach. Mehr als das, es war für die Mutter deutlich ein Gegenwille fühlbar, der sich darin ausdrückte, daß Dick oft das *Gegenteil* dessen, was von ihm erwartet wurde, tat. ... Dick bewies ferner, wenn er sich beschädigte, eine weitgehende Unempfindlichkeit gegen Schmerz und empfand auch gar nicht das sonst bei kleinen Kindern so allgemeine Bedürfnis, nach einer solchen Beschädigung getröstet und geliebkost zu werden. ... Er lief wiederholt auch rund um mich herum, wobei er keinen Unterschied zwischen mir und den Möbelstücken machte ...« (1930a, S. 354 f.).

Als Säugling hatte Dick große Schwierigkeiten mit dem Trinken. Klein schildert, wie ihn seine Mutter zu stillen versuchte, er sich aber zu trinken weigerte und fast verhungerte (S. 355). Frühe Stillprobleme sind für alle autistischen Kinder, mit denen ich näher zu tun hatte, charakteristisch. Das gilt ebenso für alle Fälle, die ich supervidiert habe.

Auch Dicks Entwöhnungsprobleme sind für autistische Kinder typisch. Klein berichtet: »Als er zu festerer Nahrung übergehen sollte, weigerte er sich, sie zu zerbeißen, und lehnte alle nicht breiige Nahrung völlig ab« (S. 356). Wiederholt haben mir die Eltern autistischer Kinder Dinge erzählt wie: »Er nimmt nur weiche Nahrung zu sich und lehnt feste Stücke ab«, oder: »Er nimmt nur halbflüssige Nahrung an.« Wäre Dick heute untersucht worden, hätte die Diagnose aufgrund der Übereinstimmung mit der Beschreibung Kanners sicherlich auf Autismus gelautet. Dieser Autismus des Kannerschen Typs muß vom Autismus unterschieden werden, der von inkonsequenten Erziehungspraktiken, einer nachweisbaren Hirnverletzung, von Klinikaufenthalten, chirurgischen Eingriffen im Säuglingsalter oder anderen Störungen der infantilen Entwicklung herrührt.

Da er bereits einige Fortschritte gemacht hatte, bevor er zu Melanie Klein kam, würde man Dick heute wahrscheinlich eine gute Prognose stellen. Er war zum Beispiel trocken und sauber und wandte einige Worte richtig an. Er reagierte auch sehr schnell auf Kleins einzigartige therapeutische Fähigkeit, auf ein zurückgezogenes und verängstigtes Kind, selbst wenn sich diese Angst nicht offen zeigte, zuzugehen. Melanie Klein sagt selbst dazu: »Die Tatsache, daß es der Analyse … gelang, eine Verständigung herzustellen und ein Stück Entwicklung zu erzielen, läßt es allerdings als möglich erscheinen, daß schon vorher nebst der erkennbaren geringfügigen Entwicklung auch noch ein Stück latenter Entwicklung bestanden habe« (S. 366, Fußnote). Sie führt weiter aus: »Aber selbst unter dieser Voraussetzung war die bei Dick vorliegende Entwicklung eine so abnorm geringe, daß es kaum angängig ist, hier eine Regression nach schon vollzogener Entwicklung anzunehmen« (ebd.). Sie sagt dies, weil sie über die Diagnose von Dicks Zustand verwirrt war, Leo Kanners Abhandlung stand ihr noch nicht zur Verfügung. Sie erkannte, daß Dick anders war als die schizophrenen Kinder, die sie bereits analysiert hatte, und schrieb: »Gegen die Diagnose Dementia praecox spricht der Umstand, daß im wesentlichen eine *Entwicklungshemmung* und keine *Regression* vorliegt« (S. 365, Hervorh. F. T.).

Schließlich entschied sie sich jedoch, in Dicks Krankheit eine Variante der Schizophrenie zu sehen, obwohl ihr diese Diagnose Unbehagen bereitete. Das geht aus einer späteren Stelle der Abhandlung hervor, wo sie sich folgendermaßen über Dicks Krankheit äußert: »Sein Fall unterscheidet sich von der typischen Schizophrenie im Kindesalter dadurch, daß bei ihm eine Entwicklungshemmung vorlag, während es in den meisten Fällen zu einer Regression nach einem Stück schon vollzogener Entwicklung kommt« (S. 366). Das deckt sich mit meiner eigenen Erfahrung. Auf der Grundlage einer Verstrickung mit der Mutter hat das schizophrene Kind eine dürftige psychologische Entwicklung gemacht, von der es regrediert, sobald es Schwierigkeiten ausgesetzt ist, die es überfordern. Das autistische Kind scheint von der Mutter abgeschnitten zu sein und weist in einem frühen Stadium eine fast vollständige Hemmung der affektiven und kognitiven Entwicklung auf. Um es mit Winnicott auszudrücken: Das autistische Kind ist »unintegriert«, das schizophrene Kind hingegen »desintegriert«.

Wenn wir so zwischen Kindheitsautismus und Kindheitsschizophrenie unterscheiden, hat das Folgen für unsere Ansichten über die frühkindliche Entwicklung und die dort vorauszusetzenden Prozesse, ferner für unsere Ansichten über die Ätiologie des Autismus und für unsere Deutungen in den frühen Stadien der Analyse. In diesen Frühstadien jedoch sind die therapeutische Ausstrahlung der Persönlichkeit des Analytikers und das disziplinierte therapeutische Setting genauso wichtig wie das, was man dem Kind gegenüber sagt. So ist es zum Beispiel wichtig, daß dem Kind nicht erlaubt wird, mit dem Therapeuten im Schlepptau von Zimmer zu Zimmer zu wandern, wie das bei einigen Psychotherapierichtungen geduldet wird. Diejenigen von uns, die Melanie Kleins Technik der Kinderanalyse anwenden, lehrten uns, ihr Verfahren zu schätzen. Die durchdachte Ordnung, die sich zum Beispiel darin äußert, daß jedes Kind seine eigene Schublade oder seine eigene Spielzeugkiste hat, ist, bildlich gesprochen, eine Schutz und Geborgenheit bietende »Wiege«, in der Kind und Analytiker gemeinsam »schaukeln«. Dieses Containment ist wichtig für alle Kinder, vor allem aber für das unintegrierte autistische Kind.

Melanie Klein war vor fünfzig Jahren ihrer Zeit insofern voraus, als sie erkannte, daß nicht nur Erwachsene, sondern auch Kinder psychotisch sein können. Sie begriff auch, daß eine präzisere psychoanalytische Differentialdiagnose der verschiedenen Typen der Kindheitspsychose vonnöten war. So schrieb sie: » Ich sehe eine der vornehmsten Aufgaben der Kinderanalyse in der Aufdeckung und Heilung der Psychosen im Kindesalter. Die dabei sich ergebenden theoretischen Erkenntnisse dürften einen Beitrag zur Kenntnis der Struktur der Psychosen liefern und auch dazu verhelfen, die diagnostische Abgrenzung der einzelnen Erkrankungen gegeneinander zuverlässiger zu gestalten« (S. 366).

Die orthodoxe Psychiatrie hat inzwischen akzeptiert, daß Kinder psychotisch sein können; mit ihrer Annahme aber, daß manche psychotischen Kinder auf eine psychoanalytische Therapie ansprechen können, ist Klein der heutigen orthodoxen Meinung immer noch voraus. Ihre optimistische Sichtweise ist von einzelnen Kinderanalytikern und Kinderpsychotherapeuten bestätigt worden. Unzweifelhafte Bestätigung erlangte sie aber durch die Arbeit am Institut für pädiatrische Neuropsychiatrie der Universität Rom, die die Ergebnisse ihrer psychoanalytischen Arbeit mit 39 psychotischen Kindern, die in der betreffenden Spezialabteilung der Klinik behandelt wurden, statistisch ausgewertet haben. Ihre Ergebnisse sind eindrucksvoll und lesenswert.

An späterer Stelle nimmt Klein noch einmal Kanner vorweg, wenn sie zu Dicks Fall ausführt: »Ich habe Grund anznehmen, daß auch dieser Fall nicht vereinzelt dasteht, da ich in letzter Zeit zwei analoge Fälle (ungefähr im gleichen Alter wie Dick stehend) kennenlernte. Die Annahme liegt also nahe, daß bei geschärfterem Blick die Kenntnis auch solcher Fälle sich vergrößern dürfte« (S. 366 f.). Wie schade, daß Melanie Klein keine Gelegenheit hatte, ihren »geschärften Blick« auf eine größere Zahl autistische Kinder zu richten. Ihre Theorien wären vielleicht erweitert und bestimmte bedauerliche Kontroversen vermieden worden. So jedoch interpretierte sie Dicks klinisches Material schließlich im Sinne der Theorien, die sie auf der Grundlage ihrer Arbeit mit anderen Psychopathologien entwickelt hatte. Klein bringt das in folgender Passage ziemlich offen zum Ausdruck: »Hier möchte ich betonen, daß ich in diesem Falle eine Modifizierung meiner sonstigen Technik vorgenommen habe. Im allgemeinen deute ich das Material erst dann, wenn es in mehrfacher Darstellung zum Ausdruck gekommen ist. In diesem Fall hingegen, wo die Darstellungsfähigkeit fast vollständig fehlte, sah ich mich genötigt, auf Grund meiner allgemeinen Kenntnisse auf relativ vage Darstellungen hin zu deuten« (S. 363).

Infolgedessen scheinen ihre Deutungen in den frühen Stadien der Analyse Dicks eher auf schizophrene als auf autistische Kinder zuzutreffen. Ich selbst habe zehn autistische Kinder analysiert und mehrere Psychoanalytiker mit weiteren solchen Kindern supervidiert. Auch habe ich autistische Kinder über lange Zeiträume beobachtet, einige davon in ihrer häuslichen Umgebung. Ich habe ferner zwei schizophrene Kinder analysiert und andere Psychoanalytiker mit Kindern dieses Typs supervidiert. Diese Arbeit hat mir sehr klar vor Augen geführt, daß bei näherem Hinsehen die Psychopathologie eines autistischen Kindes völlig verschieden von der eines schizophrenen Kindes ist. Daher halte ich es für entscheidend, den Kindheitsautismus als eigenständige Erkrankung zu erforschen und ihn nicht, wie es häufiger geschieht, mit Kindheitsschizophrenie in einen Topf zu werfen.

Lassen Sie mich nun einige der meiner Erfahrung nach wesentlichen Unterschiede zwischen einem autistischen und einem schizophrenen Kind skizzieren. (Ich verwende lieber die Begriffe »verworren« bzw. »verstrickt« als »schizophren«, da sie die vorherrschenden Merkmale ihrer Pathologie beschreiben.)

Unterschiede zwischen autistischen und schizophrenen Kindern

Die Beziehung des schizophrenen Kindes zur Mutter ist »verworren-verstrickt«. Mahler spricht in diesem Zusammenhang von einer »pathologischen Symbiose«. Da das Kind trotz der gegenseitigen Durchdringung von Mutter und Kind die körperliche Trennung von der Mutter verworren wahrnimmt, findet ein gewisses Maß an trügerischer psychischer Entwicklung statt. Infolgedessen sind die von Klein beschriebenen projektiven Identifizierungsprozesse sehr aktiv und offenkundig. Ein solches Kind weiß um das »Innen« und »Außen« und um Objekte, die es unbewußt, um es mit Klein zu sagen, als innerhalb des Körpers der Mutter befindlich »phantasiert«. Es ist zu Beziehungen einer bizarren Art fähig. Ein solches Kind ist »objektsuchend«. Es kann gewöhnlich sprechen, obgleich seine Sprache undeutlich sein kann, die Sätze unvollständig gebildet werden oder Worte fehlen können. Es schaut andere Menschen an, aber seine eigenen Augen sind oft verschleiert und leer.

Das Verhalten des autistischen Kindes unterscheidet sich davon erheblich. In seiner von Empfindungen beherrschten Welt sucht das autistische Kind *Empfindungen* und nicht Objekte als solche. Es reagiert nicht auf Menschen als Menschen, sondern primär auf die Empfindungen, die sie hervorrufen. Der Zustand des autistischen Kindes ist ein Urzustand des Suchens nach sinnlichen Entsprechungen in der Außenwelt, die mit seinen angeborenen Strukturen übereinstimmen. Alles, was seinen angeborenen Mustersuchetendenzen nicht entspricht, wird ausgeblendet, weil das Kind das Gefühl aufrechterhalten muß, mit der Außenwelt eine Einheit zu bilden und nicht von ihr getrennt zu sein.

Das autistische Kind lebt in einer Welt der Formen, Gestalten und Strukturen. Wenn sich solch ein Kind überhaupt auf psychologische Tests einläßt, dann auf solche, die mit Formen zu tun haben. Es scheint sich in einer Phase des nachahmenden »Identischseins« mit der Umwelt zu befinden, wie wir es bei einem normalen Säugling beobachten können, der, wenn die Mutter die Zunge herausstreckt, darauf reagiert, indem er dasselbe tut. Beim autistischen Kind ist dieser Zustand pathologisch geworden; es ist in ihm steckengeblieben. Bei dieser nachahmenden Fusion mit Objekten der Außenwelt bezieht sich das Kind so auf Objekte, als wären sie gleichsam die Konturen seiner eigenen Körperteile. Schränke und Kommoden werden etwa mit dem Magen »gleichgesetzt«, um es mit Hanna Segal zu formulieren. Öffnungen von Gegenständen werden mit dem Mund gleichgesetzt. Ich habe immer wieder beobachtet, daß Bleistiftspitzer vom Kind als identisch mit seinem eigenen grausamen, beißenden Mund erlebt werden. Es kommt beispielsweise vor, daß es einen Teil eines Spielzeugs in den »Mund« eines Bleistiftspitzers steckt, während es gleichzeitig kreisende Beißbewegungen mit seinem Mund ausführt.

So sagte auch Dick beim Anblick von Bleistiftspänen: »Arme Frau Klein!« Für ihn stellten sie eine zerschnittene Frau Klein dar. Diese »Frau Klein«, die er ausschließlich in bezug auf seine eigenen Aktivitäten und nicht als eigenständige Person wahrnahm, tat ihm leid. Tatsächlich sah er sie überhaupt nicht als Person, sondern als ein unbelebtes Ding an. (Klein sagte, daß er um sie herum rannte, als gehörte sie zum Mobiliar.) Wie ich später zeigen zu können hoffe, spielte Dicks Unfähigkeit, solche vorzeitig hervorgerufene »Sorge« zu verarbeiten, eine Hauptrolle für seine autistische Störung. Es hat den Anschein, als ob diese Kinder die von Klein beschriebene »depressive Position« bereits in einem Stadium erreicht haben, in dem menschliche Wesen noch nicht deutlich von unbelebten Objekten unterschieden und lediglich als harte und weiche Empfindungen erfahren werden.

Es ist für uns als differenzierte Menschen schwierig, solche undifferenzierten Stadien, in denen »Ich« und Nicht-Ich kaum unterschieden werden, zu begreifen. Alles wird gleichsam als »Ich« erfahren, wobei »Ich« der Fluß der Körperempfindungen ist, die das frühe Seinsgefühl des Kindes konstituieren, noch bevor das Nicht-Ich klar erkennbar geworden ist – wenngleich wir annehmen müssen, daß es gleichsam aufflackernde Augenblicke gibt, in denen das Kind das Nicht-Ich wahrnimmt. Die Arbeit mit autistischen Kindern hat mich davon überzeugt, daß dieses Urgefühl von »Ichheit« fest verankert sein muß, bevor eine länger anhaltende Wahrnehmung des Nicht-Ich ertragen werden kann. Ohne dieses Urgefühl von »Ichheit« fehlt das notwendige Selbstvertrauen.

Bei autistischen Kindern ist dieses Urgefühl von »Ichheit« gestört worden. Daher fühlen sie sich unter der undurchdringlichen Decke ihres Autismus äußerst verletzbar. Um das auszugleichen, glauben sie, daß sie hervorstehende Teile abbeißen. In späteren Phasen der Analyse wird ersichtlich, daß sie glauben, sich dadurch beschützen und ihr Überleben sichern zu können, daß sie diese zusätzlichen »Häppchen« an ihre Körperoberfläche anheften. (Dem körperlichen Überleben gilt ihre vorrangige Sorge.) Aber dieses Gefühl, »Häppchen« abgebissen zu haben, hat in aufflackernden Augenblicken der Wahrnehmung ihres körperlichen Getrenntseins von der Mutter zur Folge, daß sie sich von zerschnittenen, kaputten Dingen umgeben fühlen. Das erste Wort des autistischen Kindes ist oft ein traurig-wehleidiges »Kaputt!« Um es mit Winnicott zu formulieren: Das Kind hat »Anteilnahme und Besorgnis« in einer Lebensphase empfunden, die eine Vorphase zur »Besorgnis« hätte sein müssen. Es fürchtet sich vor dem Beißen, das das Saugen vorzeitig verdrängt hat, und wagt es daher nicht, die Brust in der energischen, »unbesorgten« Weise des normalen Säuglings anzunehmen. Während der Entwöhnung vermeidet es das Kauen fester Nahrung.

Diese Kinder beschäftigen sich hauptsächlich mit Oberflächen, an die sie sich klammern, um sich körperlich definieren zu können. Ein solches Kind lebt primär in einer zweidimensionalen Welt. Klettert es in eine Kiste, unter einen Teppich oder in einen Schrank, so ist für das Kind die Empfindung wichtig, *versteckt* bzw. *geschützt* zu sein, und nicht etwa das Hineingehen als solches. Zumeist nimmt es den Unterschied zwischen Außen und Innen sowie Raum und Zeit kaum wahr. (Manche Kinder versuchen sogar, durch Gegenstände hindurchzugehen, als existierten diese nicht.) Daher zeigt das autistische Kind im Unterschied zum schizophrenen Kind kaum Interesse für das Körperinnere der Mutter – ein Interesse, das nach Melanie Klein der Ausgangspunkt aller Lernprozesse ist. Das könnte daran liegen, daß es entweder zu früh das Innere wahrgenommen oder dieses Stadium gar nicht erst erreicht hat. Jedenfalls wird aus ihrer Entwicklungsgeschichte klar ersichtlich, daß bei solchen Kindern das Erleben des mütterlichen Körpers sehr eingeschränkt gewesen ist. Sie haben sehr wenig gesaugt, und wenn, dann nur kraftlos. Sie haben infolgedessen wenig gelernt und wirken geistig zurückgeblieben.

Das autistische Kind meidet den Blickkontakt mit anderen Menschen. Es stellt zu Menschen keine normalen Beziehungen her. Sie sind nur als unbelebte Objekte bedeutsam. Wenn diese Objekte – und Menschen sind hier einbezogen – eigenwillig erscheinen (das heißt wenn sie sich nicht so verhalten, wie es das Kind von ihnen erwartet), rufen sie Wutanfälle und Panik hervor. Das Kind reagiert darauf, indem es entweder das erzürnende Objekt völlig ignoriert oder indem es das Objekt so manipuliert, daß es als Teil seines autosinnlichen Erlebnisflusses erscheint. Daher machen solche Kinder die meiste Zeit über einen »affektlosen« Eindruck, wie Dick in Melanie Kleins Bericht. Abgesehen von diesen primitiven Affekten wie Wut und Entsetzen zeigen autistische Kinder nicht die mit zwischenmenschlichen Beziehungen einhergehenden Gefühle, die wir bei neurotischen und sogar bei schizophrenen Kindern beobachten können. Wenn sie die körperliche Getrenntheit im Laufe der Behandlung zu tolerieren lernen, manifestieren sich allmählich sozial bedeutsame Gefühle wie Liebe, Haß, Neid und Eifersucht. Zu Beginn der Behandlung aber, wo sich das Kind von zwischenmenschlichen Beziehungen abwendet, sind sie nicht erkennbar.

Da ihm der Kontakt zu Menschen als Menschen fehlt, ist ein solches Kind kaum motiviert, in der uns vertrauten Weise zu kommunizieren. Fehlt die Fähigkeit zu sprechen nicht gänzlich, so ist ihre Sprache spärlich oder besteht im endlosen Wiederholen von Silben oder Wörtern (Echolalie). Alle Energien des Kindes konzentrieren sich darauf, eine schützende Hülle aus ›Ich‹-Empfindungen zu erzeugen, um das Nicht-Ich in Schach zu halten. Die Tatsache, daß Dick ein paar kommunikative Worte beherrschte (beispielsweise sagte er »geschnitten« zu Melanie Klein), zeigt, daß er nicht so vollständig von menschlichem Kontakt abgeschnitten war wie viele dieser Kinder. Ihre Bezugspersonen haben das Gefühl, zu ihnen nicht durchdringen zu können, und sprechen davon, daß sich solche Kinder in einem »Schneckenhaus« befänden. In der Behandlung wird ersichtlich, daß auch das Kind glaubt, eine harte, schneckenhausartige Körperoberfläche zu haben. Oft wendet es einem beispielsweise seinen harten Rücken zu, um die weiche Vorderpartie zu schützen. Aus diesem Grund habe ich sie als »eingekapselt« bzw. als »Schneckenhauskinder« bezeichnet. Aber es gibt immer eine Öffnung, wie klein auch immer, in dieser scheinbar undurchdringlichen Fassade, und sie ist es, die psychoanalytische Arbeit überhaupt erst möglich macht. So verstehen solche Kinder gewöhnlich ein wenig von dem, was man ihnen sagt, und reagieren auf die Stimmungen und Haltungen des Analytikers, wie sie sich im Tonfall, in Muskelanspannungen, Körperbewegungen und dergleichen äußern.

Ein weiteres, für autistische Kinder einzigartiges Merkmal ist ihr Gebrauch von »autistischen Objekten«. Diese werden in Kapitel 6 beschrieben. Für das Kind sind sie nicht Gegenstände, wie wir sie sehen. Entscheidend sind vielmehr die Empfindungen, die sie bei ihm hervorrufen. Da das Kind genau die Empfindungen, die es will, unverzüglich bekommt, kann es sich einbilden, daß diese Objekte Teil seines Körpers seien. Mittels dieser Empfindungsobjekte fühlt es sich autark. Es hat kein Bedürfnis nach anderen Menschen.

Diese Kinder versetzen harte Gegenstände in kreiselnde Bewegungen, oder sie tragen harte Gegenstände, zum Beispiel Spielzeugautos, mit sich in der Hand herum. Sie klammern sich hartnäckig an diese Objekte und lassen sich nicht von ihnen trennen, weil sie sonst einen Teil ihres Körpers verlören. Dick interessierte sich eingehend für Autos und Türgriffe, aber er ließ es immerhin zu, daß Mrs. Klein sie als Mittel verwendete, um mit ihm zu kommunizieren. Das ist nicht mehr möglich, wenn der Gebrauch eines autistischen Objekts sich »eingeschliffen« hat, wie das bei vielen autistischen Kindern der Fall ist. Der Versuch, diese Objekte zu benutzen, um mit dem Kind in Kontakt zu kommen, wird dann mitunter so empfunden, als wolle man ihnen einen wichtigen Körperteil wegnehmen.

Bei autistischen Kindern hat die Manipulation pathologischer autistischer Objekte Vorrang vor dem Saugen an normalen autosinnlichen Objekten wie den Daumen, der Faust oder den Fingern. Im undifferenzierten Stadium der ersten Lebensmonate werden auch die Finger der Mutter, die Brustwarze oder der Flaschensauger als autosinnliche Objekte erlebt. Wenn sie zum ersten Mal zur Behandlung kommen, fällt bei autistischen Kindern vor allem auf, daß sie nicht an ihren Fingern oder an anderen Objekten lutschen. Sie stehen damit in deutlichem Kontrast zu den schizophrenen oder umweltdeprivierten Kindern, die gewöhnlich gierig lutschen. Statt zu saugen, manipulieren autistische Kinder bedeckte Teile ihres Körpers. Dies wehrt die Angst vor dem unvertrauten Nicht-Ich ab.

Aber warum hat das autistische Kind eine solche Angst vor dem Nicht-Ich? Es ist mir klar geworden, daß ein entscheidender Faktor für die Entstehung des Autismus die Erkenntnis war, daß die Brustwarze nicht Teil des Mundes, sondern etwas davon Geschiedenes war, und daß sie somit »weg« sein konnte. Diese Erfahrung weckte Wut und Angst. Wie bereits erwähnt, wurde ich hierauf zum ersten Mal durch den vierjährigen autistischen Jungen, den ich John genannt habe, aufmerksam gemacht (siehe 4. Kapitel). Ich wurde aufgeschreckt, als mir der Junge von dem »schwarzen Loch mit dem scheußlichen Stachel« erzählte. In meiner kleinianischen Ausbildung hatte ich dergleichen nicht gehört. Später, nachdem ich darüber einen Aufsatz verfaßt hatte, berichteten mir andere Therapeuten, daß Winnicott dieses Phänomen in einem seiner Aufsätze erwähnt und daß Margaret Mahler gerade einen Aufsatz zu diesem Thema veröffentlicht hatte. Ich ging den Hinweisen nach und entdeckte, daß Mahler den »Kummer und die Trauer« des autistischen Kindes über den Verlust dessen, was sie das »symbiotische Liebesobjekt« nennt, beschrieben hatte (Mahler 1961, S. 332). Winnicott (1958, S. 222) hatte geschrieben: »Dieser Verlust wurde als Verlust eines Körperteils erlebt und nicht als Verlust der Mutter und ihrer Brust.« Sowohl Winnicott als auch Mahler sahen darin den Ausgangspunkt des Kindheitsautismus. Mahler (1961, S. 332) schreibt: »Was wir selten sehen und was kaum in der Literatur beschrieben wird, ist die Phase des Kummers und der Trauer, von der ich glaube, daß sie dem vollständigen psychotischen Bruch mit der Realität vorausgeht und ihn ankündigt.« Wer je die traurigen Augen eines autistischen Kindes gesehen hat, wird gewiß nicht in Frage stellen, daß es von Gram erfüllt ist.

Ich bin zu der Einsicht gelangt, daß dieser Verlust, der in einem so frühen Zustand der psychischen Organisation erlebt wird, daß das Kind nicht in der Lage ist, den nachfolgenden Kummer und die Trauer ausreichend zu verarbeiten, wesentlich zur Entstehung des psychogenen Autismus beiträgt. Angemessene Trauerarbeit führt zum Verzicht auf das verlorene Objekt und zu dessen Verankerung als psychisches Konstrukt. Hanna Segal hat gezeigt, wie wichtig die Verarbeitung des Verlustgefühls für die Symbolbildung ist (Segal, 1957). Das autistische Kind ist unfähig zu trauern, da die Brustwarze, die es verloren zu haben glaubt, kaum den Status eines Objekts erreicht hatte; sie wurde in erster Linie als ein Bündel von Empfindungen erlebt.

Ein Wendepunkt

Meine Erfahrung mit Johns »schwarzem Loch mit dem scheußlichen Stachel« markierte einen Wendepunkt nicht nur für John, sondern auch für mich selbst. Die Entdeckung, daß andere Therapeuten ähnliche Erfahrungen gemacht hatten, ermutigte mich, auch außerhalb der Grenzen der theoretischen Schule, in der ich ausgebildet worden war, auf Entdeckungsreise zu gehen. Ich erkannte, daß es noch andere Stadien gibt als diejenigen, die Melanie Klein mit so viel Mut und Scharfsinn erkundet und beschrieben hat. Da Klein zum Beispiel Dicks Krankheit für eine Schizophrenie hielt, lokalisierte sie deren Fixierungsstelle im Narzißmus. Vieles aber spricht dafür, daß die Wurzeln des psychogenen Autismus im früheren, vornarzißtischen Stadium liegen, über das Freud (1914c) im folgenden Zitat aus seiner Abhandlung über Narzißmus sagte: »Die autoerotischen Triebe sind aber uranfänglich; es muß also irgend etwas zum Autoerotismus hinzukommen, eine neue psychische Aktion, um den Narzißmus zu gestalten« (S. 142).

Ich möchte diese Aussage dahingehend modifizieren, daß undifferenzierte Autosinnlichkeit »uranfänglich« ist und daß sich diese bei normaler Entwicklung allmählich ausdifferenziert in Autoerotik und Autosadismus. Ich nehme an, daß bei fehlgeleiteter Entwicklung Autoerotik und Autosadismus sich verfrüht herausgebildet haben und infolgedessen Erotik und Sadismus nicht in angemessener Weise auf äußere Objekte gerichtet werden. Das ist beim psychogenen Autismus der Fall, der, wie im vorangegangenen Kapitel ausgeführt, nicht mit Narzißmus zusammenhängt, weil dem autistischen Kind ein Selbstgefühl fehlt. Kohuts Annahme eines weiteren Faktors, welcher die »psychische Aktion, um den Narzißmus zu gestalten«, in Gang setzt, trägt zum weiteren Verständnis bei. Er schreibt: »Wir können daraus schließen, daß die glückliche Reaktion der Mutter auf das ganze Kind (wenn sie es z. B. beim Namen nennt, während sie sich seiner Gegenwart und an seinem Tun erfreut) in der entsprechenden Phase die Entwicklung vom Autoerotismus zum Narzißmus unterstützt« (Kohut [1971] 1976, S. 143).

Die Mütter psychogen autistischer Kinder berichten fast einhellig, daß sie um die Zeit der Geburt des betreffenden Kindes bzw. vor dem Auftreten des Autismus, wenn dieser einige Zeit nach der Geburt auftrat, deprimiert gewesen sind. Für solche Mütter wäre die von Kohut beschriebene lebhafte, »freudige Reaktion« gegenüber ihren Kindern nicht möglich. Daher werden solche Kinder von einem fehlgeleiteten autoerotischen und autosadistischen Zustand gefangen genommen. Dies hat eine mit panischem Entsetzen verwobene Vorzeitigkeit und Künstlichkeit zur Folge, die nicht Teil der normalen Entwicklung sind. Nicht zu bewältigende erotische Erregungen und sadistisches Beißen lassen den Drang zu saugen fast völlig in den Hintergrund treten.

Mütterliche Depression als Faktor in der Entwicklung des psychogenen Autismus

Hinsichtlich der Auswirkung der mütterlichen Depression auf den Säugling beeindruckte mich ein Bericht Brazeltons, der einen normalen drei Wochen alten Säugling beobachtete, als die Mutter ihm absichtlich ein Gesicht zeigte, das Brazelton als »regloses, reaktionsloses Gesicht« charakterisiert. Brazelton hielt die Reaktionen des Säuglings wie folgt fest: »... er wird sichtbar unruhig, seine Bewegungen werden ruckartig, er wendet sein Gesicht ab, versucht sodann, sie zur Interaktion zu bewegen. Wenn wiederholte Versuche fehlschlagen, zieht er sich schließlich in eine Haltung der Hilflosigkeit zurück, das Gesicht abgewendet, der Körper zusammengerollt und unbeweglich« (Brazelton, 1969, S. 137). Diese Beschreibung könnte die eines autistischen Kindes sein. Das »reglose, reaktionslose Gesicht« könnte das einer depressiven Mutter sein, die sich selbst wie eine »Unperson« fühlt, wie manche Mütter ihre Depression beschrieben haben.

Der normale Säugling erholt sich bald von solch einer vorübergehenden Erfahrung der Reaktionsunfähigkeit der Mutter. Aber für »streßanfällige« autistische Kinder ist sie eine sich ständig wiederholende Erfahrung gewesen, die tragischste Konsequenzen für ihre weitere geistige und affektive Entwicklung gehabt hat. Ich bin zu der Erkenntnis gelangt, daß die fehlende psychische Verbindung mit der Mutter sie veranlaßt hat, die *physische*, körperliche Verbindung zu ihr mittels der Brustwarze (oder des Flaschensaugers, den das Kind infolge angeborener Reaktionen wie die Brust wahrnimmt) überzubewerten. Für ein solches Kind ist die Frustration der unausweichlichen Erkenntnis, daß Brustwarze / Sauger nicht Teil seines eigenen Mundes ist, ein schwerer Schlag, von dem es sich nicht erholt.

Ich stimme mit Meltzer (1975) und Tischler (1979) darin überein, daß die Depression der Mutter am Zusammenbruch normaler Beziehungen zwischen ihr und ihrem autistischen Kind beteiligt ist. Ich empfinde tiefes Mitleid mit diesen Müttern. Meiner Ansicht nach hat Kanner eine bedauerliche Mode eingeführt, als er sie als »kalt und intellektuell« bezeichnete. Um sie zu charakterisieren, sind seitdem Phrasen wie »Eisschrankmütter« in Umlauf gebracht worden.

Ich teile eine solche Sichtweise nicht. Die Depression dieser Mütter ist gewöhnlich keine klinische, die einen Krankenhausaufenthalt nach sich zöge. Sie steht mit Ereignissen in Zusammenhang, die zu den normalen Wechselfällen des Lebens gehören, die jedoch auf eine sensible Mutter zu einem besonders kritischen Zeitpunkt hereinbrechen. Typische Beispiele sind: Wohnungswechsel, der Vater lebt längere Zeit von zu Hause fort, die Mutter lebt in einem fremden Land, es handelt sich um eine Mischehe (rassisch oder religiös oder beides), der Tod eines emotional bedeutsamen Familienangehörigen, Verwandte, die sich einmischen, oder die Wiederkehr eines wichtigen Todestages zum Zeitpunkt der Geburt des Kindes usw.

Ein Teil der Schwierigkeiten einer solchen Mutter scheint von dem Gefühl herzurühren, vom Vater keine Unterstützung zu erhalten. (Das könnte eine Wiederholung der Gefühle ihrer frühen Kindheit sein.) Daher klammert sie sich an ihr Kind, als ob es noch Teil ihres Körpers wäre. Sie tut dies, um trotz ihrer Depression und ihres fehlenden Selbstwertgefühls weitermachen zu können. Das kann der Fall sein, wenn das Kind noch im Mutterleib ist wie auch nach der Geburt. Sie fürchtet das »schwarze Loch«, das darin besteht, sein Getrenntsein von ihr anzuerkennen. Wenn das Kind aus verschiedenen Gründen sein Getrenntsein von ihr erlebt, ist sie nicht in der Lage, ihm in seinen Angstphasen beizustehen, weil sie zu sehr mit ihren eigenen zusammenfallen. Doch nicht nur in Angstzuständen braucht das Kind ihre Unterstützung; auch unkontrollierbare lustvolle Erregungszustände sind bedrohlich. Der Vater eines autistischen Mädchens beschrieb einmal, daß es Zustände des »Entzückens«, wie er es nannte, nicht aushalte.

Dennoch werden viele relativ normale Mütter infolge bestimmter verstörender Ereignisse vorübergehend depressiv, ohne daß ihre Kinder autistisch würden. Ich bin davon überzeugt, daß es in der Natur des Kindes etwas gibt, das es für den Autismus prädisponiert. Das ist der Grund, warum es mir fruchtbarer zu sein scheint, den Beitrag des Kindes zu dieser Störung zu untersuchen, als mich auf die Mutter zu konzentrieren. Wir können vielleicht etwas für das Kind tun, die Mutter seiner frühen Kindheit hingegen können wir nicht mehr ändern. Wenn ein autistisches Kind in Analyse ist, besteht die sinnvollste Arbeit mit den Eltern darin, dem Vater dabei zu helfen, die Mutter zu unterstützen, die sowohl ihr Selbstvertrauen als auch ihre Liebe zu ihrem jetzt genesenden Kind wiedergewinnen muß.

Kritische Faktoren, die das Kind mitbringt

Die jüngsten Forschungsbeiträge von Tom Bower (1977) sowie Meltzoff und Barton (1979) haben einige dieser kritischen Faktoren erhellt. Sie haben darauf hingewiesen, daß bei normaler Entwicklung in Verbindung mit bestimmten signifikanten »Gestalten« die Integration der taktilen und visuellen Wahrnehmungen in den ersten Lebenstagen des Säuglings stattfindet. Das Kind, das später autistisch wird, scheint hypersensibel zu sein und unverhältnismäßig stark zu Panikreaktionen zu neigen. Bei diesen Kindern scheint die »Schreckreaktion« übermäßig stark ausgeprägt zu sein. Die normale Integration der Sinnesmodalitäten scheint durch Anfälle einer ungemilderten Urpanik verhindert worden zu sein. Der ungenügend abgemilderte Schock der körperlichen Trennung von der Mutter führt zum Stillstand der normalen Integration von Berühren und Sehen, und das Kind lebt in einer flachen, von taktilen Reizen beherrschten Welt bloßer Oberflächen.

Die Erfahrungen eines solchen Kindes sind oberflächlich und begrenzt und schließen das Interesse an »Innenräumen« nicht ein. Im Gegensatz zu den von Melanie Klein erforschten Kindern schizophrenen Typs, die glauben, daß ihr Inneres voller Objekte sei, die aufs lebhafteste miteinander interagieren, fühlt sich das autistische Kind leer und »objektlos«. Die harten taktilen Empfindungen autistischer Objekte auf Körperoberflächen und die weichen Empfindungen autistischer Formen dominieren seine Welt. (Autistische Objekte und Formen werden in späteren Kapiteln diskutiert.) Für diese Kinder ist Berührung magisch. Nur was man berühren kann, hat für sie Wirklichkeit. Das autistische Kind ist gefangen in einer »Sackgasse«, wie Spitz zu Recht sagt, aber für das Kind lauern dort in allen Schatten die urtümlichsten Schrecken.

Urängste

Woher stammen diese Urängste? Lassen sie mich hierzu einige vorsichtige Vermutungen anstellen. So wie der Fötus im Mutterleib einige der körperlichen Formen unserer evolutionären Vergangenheit durchläuft, erscheint es vorstellbar, daß im postnatalen »Mutterleib« der »primären Mütterlichkeit« (ein Ausdruck Winnicotts) der Säugling Stadien durchläuft, die mit unserem evolutionären Erbe zu tun haben. Einige dieser atavistischen Phasen scheinen mit der angeborenen Furcht vor Raubtieren in Zusammenhang zu stehen, die in vergangenen Zeiten das Überleben sicherte, jetzt aber rudimentär ist. Bei normaler Entwicklung wird das Kind durch die ultrasensibel reagierende Mutter, die solche Schocks absorbiert, vor dem akuten Erleben dieser atavistischen Schrecken geschützt. Ein Säugling, dem solche »schockabsorbierenden« Bezugspersonen fehlen, ist daher Urängsten ausgeliefert, die nicht das Los des normal behüteten Säuglings sind.

John Bowlby (1973) entdeckte diese Furcht vor Raubtieren bei Kindern, die in frühen Jahren eine traumatische räumliche Trennung von der Mutter erlitten hatten. Sie zeigt sich ebenfalls in der psychoanalytischen Arbeit mit autistischen Kindern, die in der frühen Kindheit eine pathologische Trennung von der Mutter erlitten haben. Ihre Furcht vor Raubtieren scheint nicht immer von einer aktiven Projektion ihrer eigenen Raubtierimpulse herzurühren. Vielmehr scheinen sich diese passiven Kinder Schrecken ausgeliefert zu fühlen, deren hilflose Opfer sie sind.

Das Vorhergehende ist ein Versuch, sich von den wilden Schrekken, denen man in der therapeutischen Arbeit mit autistischen Kindern begegnet, ein Bild zu machen. Phylogenetische und ontogenetische Faktoren scheinen bei diesen Kindern verflochten zu sein. Die atavistischen Schrecken haben die Beziehung des Kindes zu seiner Mutter vergiftet. Die einsichtige professionelle Intervention kann dieses Gift durch die Anerkennung der Rolle, die autistische Objekte und autistische Formen in der Pathologie dieser Kinder spielen, neutralisieren. Autistische Objekte und Formen sind Schutzreaktionen gegen die Bedrohung ihres Überlebens, die von den rudimentären Schrecken ausgeht, denen sie sich in anormaler Weise ausgeliefert sehen. Aber diese Schutzreaktionen haben die Beziehung des Kindes zur Mutter zerstört, weil die leblosen taktilen autistischen Objekte und autistischen Formen stets in genau jener Weise verfügbar sind, wie sie das Kind haben will. Wenn ihr Gebrauch zu einem Teil des Kindes geworden ist, scheint die menschliche Mutter im Unterschied dazu absolut unbefriedigend zu sein. Infolgedessen erwarten autistische Kinder von ihrer Mutter (und ihrem Therapeuten) eine unrealistische mechanische »Perfektion«. Sie erwarten beispielsweise, daß sie immer bei ihnen ist, ihnen immer gibt, was sie wollen und genauso, wie sie es wollen, und daß sie ausschließlich für sie da ist. Lustvolle autistische Praktiken und ihre scheinbare Unverletzbarkeit haben die Beziehung dieser Kinder zu einer realen Mutter, die ihnen mit Hilfe des Vaters Sicherheit und Befriedigung von dauerhaftem Wert vermitteln könnte, vereitelt und vollständig ersetzt. Von Erkenntnissen der eben geschilderten Art geleitet, kann der Therapeut durch die infantile Übertragung die Entwicklung einer mehr auf Vertrauen basierenden Beziehung zwischen autistischen Kindern und ihren Eltern zustande bringen. In dem Maße, wie dies gelingt, findet die Sehnsucht der Eltern nach spontaner Interaktion mit ihren Sprößlingen ein Echo in den Kindern selbst.

Der Gebrauch von autistischen Formen und autistischen Objekten, die entwickelt wurden, um mit einer Situation geistiger und emotionaler Loslösung von der Mutter fertig zu werden, führt dazu, daß diese Loslösung intensiviert wird. Das »Loch« der Getrenntheit wird zu einem »schwarzen Loch«, wenn das Kind die Mutter »verleugnet«, weil sie nicht immer im selben Maße verfügbar ist, wie seine autistischen Sensationen. Auch seine Abhängigkeitsbedürfnisse werden verleugnet, und dies führt zu einer pathologischen, sich auf Furcht gründenden Selbstgenügsamkeit. Obwohl sie es zu Beginn der Behandlung nicht offen zeigen, haben autistische Kinder panische Angst vor dem »schwarzen Loch« oder der ausgeblendeten Mutter. Je weiter die Behandlung voranschreitet, desto offensichtlicher wird ihre Furcht, von ihr ausgeblendet zu werden. Es handelt sich hierbei um schwerwiegende Mißverständnisse auf seiten solcher Kinder, die in den Anfängen der psychodynamischen Forschung einige Therapeuten zu der Annahme bewogen, daß die Mutter die »Schuld« am tragischen Zustand ihres Kindes trage. Das heißt soviel, wie Salz in die Wunde der Mutter zu streuen, die jahrelang unablässig von ihrem Kind zurückgewiesen wurde. Zu sagen, wie es Bettelheim tut, daß eine solche Mutter vor und nach der Geburt einen »Todeswunsch« gegenüber ihrem Kind gehegt hätte, ist sowohl grausam als auch falsch. Kann man sich darüber wundern, wenn nach Jahren mutigen Sichabmühens mit ihrem eigenen Leid und mit ihrem reaktionsarmen Kind sie es in einem flüchtigen Gedanken aus der Welt wünschte? Aber die Eltern autistischer Kinder verstoßen ihr Kind ja nicht, sondern suchen ganz im Gegenteil zahlreiche Einrichtungen um Hilfe auf. Wenn sie einen Psychotherapeuten aufsuchen, bevor das Kind sieben Jahre alt ist, und wenn es keine feststellbare organische Schädigung gibt, versprechen diese Einsichten in autistische Objekte und autistische Formen meiner Erfahrung nach, die verschlossenen Tore des Autismus zu öffnen.

Es gibt andere Erkenntnisse, die dem Leser schwieriger verständlich zu machen sind. Sie betreffen die taktilen, sinnlichen Extreme, in denen ein solches Kind lebt und sich bewegt. Sie sind für uns deshalb schwierig zu verstehen, weil die vorwiegend taktilen Reaktionen dieser Kinder so verschieden sind von unserer eigenen Erlebnisweise, in der Berühren und Sehen eng verknüpft sind und innere Zustände von berührbaren »Dingen« unterschieden werden. Der Schock der unvermittelten Erkenntnis der körperlichen Getrenntheit von der Mutter scheint die sinnlichen Erfahrungen des Kindes auf einem taktilen Niveau polarisiert und fixiert zu haben. Es lebt in einer Welt, in der taktile, sinnliche Gegensatzpaare wie »hart« und »weich«, »hell« und »dunkel«, »groß« und »klein«, »voll« und »leer«, »lieb« und »böse« usw. so empfunden werden, als bekämpften sie einander. Im nicht-kooperativen Zustand, in dem es eingeschlossen ist, herrscht wilde Rivalität. Das Kind fürchtet, daß eine konkurrierende Empfindung ihr Gegenstück vollständig zerstören wird, etwa, daß »Dunkelheit« das »Licht« auslöschen, daß die »Leere« die »Fülle« vernichten, daß »Größe« die »Kleinheit« zerschmettern, daß »Bosheit« das »Liebsein« vergiften würde. Wenn die »bösen« Empfindungen die »lieben« zunichte machen, fürchtet es selbst, zu einem »Nichts« zu werden – wobei der Verlust des Gefühls, zu existieren, die größte Furcht des autistischen Kindes ist. Eine solche Katastrophe wäre tödlich. Es gäbe keine Hoffnung, sich davon zu erholen. Es ist schwer, sich in diese Zustände einzufühlen, in denen Eigenschaften als Flüssigkeiten und Festkörper erlebt werden. Ein autistischer Junge glaubte beispielsweise, daß, indem er hohe Türme zeichnete, er ihre »Größe« in sich selbst hereinziehen könne und daß diese »Größe« seiner eigenen »Kleinheit« entgegenwirken könne. Und ähnlich, daß »Kleinheit« »Größe« vernichten könne. In diesen Zuständen scheinen sinnliche Wahrnehmungen als berührbare »Dinge« erfahren zu werden, die kontrolliert und manipuliert werden müssen, damit sie nicht zusammenprallen und sich gegenseitig zerstören. Versagt es bei dieser rigiden manipulativen Kontrolle, glaubt das Kind, daß es zu existieren aufhören müsse. Nur wenn sich allmählich ein Bereich der Kooperation und Reziprozität entwickelt, können diese entgegengesetzten Pole eine kreative Verbindung eingehen, sich gegenseitig verwandeln und modifizieren, damit andere, subtilere Zustände auftauchen können.

Abschließende Bemerkung

Die erneute Lektüre der bahnbrechenden Abhandlung von Melanie Klein hat mir klargemacht, wie viel diejenigen von uns, die mit Kindheitspsychosen umgehen, ihrer Weitsicht verdanken (Klein, 1930b). In erster Linie infolge ihres guten Beispiels und ihrer Inspiration haben manche von uns dazu überhaupt erst den Mut gefunden.

4. Kapitel
Ein signifikantes Element in der Entwicklung des psychogenen Autismus

Schwarz war das Auge außen
Schwarz die Zunge innen.
Schwarz auch die Muskeln,
Bemüht, ans Licht zu kommen.
Schwarz die Nerven, schwarz das Gehirn
Mit seinen begrabenen Visionen;
Schwarz auch die Seele, das große Stammeln
Des Schreies, der, anschwellend,
Seine Sonne nicht aussprechen konnte.

Ted Hughes, »Zwei Legenden«, *Crow*

Dieses Kapitel[1] beschäftigt sich mit einer bestimmten Form elementarer Depression, die bei autistischen Kindern vorkommt. Rank und Putnam (1953) verwendeten für diesen Depressionstyp den von Edward Bibring (1953) stammenden Terminus »Urdepression«. Winnicott (1958) nannte sie »psychotische Depression«, Margaret Mahler (1961) sprach vom »Kummer« solcher Kinder. Meine eigene Arbeit hat bestätigt, daß diese elementare Depression bei der schweren Hemmung der affektiven und kognitiven Entwicklung, unter der psychogen autistische Kinder leiden, eine entscheidende Rolle spielt. Ich möchte an dieser Stelle klinisches Material beschreiben, das die spezifischen Charakteristika des Kummers autistischer Kinder illustriert und zugleich demonstriert, wieso er ihrer psychischen Entwicklung einen so großen Schaden zufügen konnte.

Fallmaterial

Johns Eltern begannen sich wegen seiner Sprachlosigkeit und der Tatsache, daß er anders und in seiner Entwicklung langsamer zu sein schien als andere Kinder in seinem Alter, Sorgen zu machen. Mit

1 Überarbeitete Fassung eines im *Journal of Child Psychology and Psychiatry* (1966, 7, S. 53–67) veröffentlichten Aufsatzes.

zweieinhalb Jahren wurde er von einem Psychiater untersucht, der die Befürchtung äußerte, John könnte unter einer geistigen Behinderung leiden. Bei einer Nachfolgeuntersuchung zehn Monate später zeigte sich, daß John eine kleine, hoffnungerweckende Entwicklung gemacht hatte, die sich darin äußerte, daß er Spielzeugautos richtig hinstellte. (Vorher hatte er sie immer verkehrt herum hingestellt, um die Räder drehen zu können.) Auf dieser Grundlage wurde John zwecks Heranziehung eines zweiten Gutachtens an Dr. Mildred Creak am Great Ormond Street Children's Hospital überwiesen, die als Diagnostikerin auf dem Gebiet der Kindheitspsychosen international angesehen war. Ihre Diagnose lautete auf Autismus, und sie überwies John, nun drei Jahre und sieben Monate alt, für eine intensive Psychotherapie an mich. In ihrem Bericht heißt es: »Fast von Geburt an hat er keine Entwicklungsphase ohne Schwierigkeiten zurückgelegt, als ob es in jedem Stadium Widerstreben und Hemmung gegeben hätte. Er zeigt heute viele der Haltungen, die wir mit Autismus verbinden. Seine Hauptbeschäftigung scheint darin zu bestehen, auf verschiedenartige Oberflächen zu klopfen oder Gegenstände zum Drehen zu bringen. Bewegliche mechanische Teile faszinieren ihn; in der Ausführung neuer Körperbewegungen ist er schon immer sehr geschickt gewesen. Er kann gut laufen, ißt aber immer noch nicht selbständig – er scheint es nicht zu wollen. Das meine ich, wenn ich sage, daß er Entwicklungsschritte bockig verweigert. Manchmal gerät er in große Angst und schreit tagelang, aber dieser Aspekt ist viel weniger augenscheinlich. Er verfügt über keine brauchbare Sprache und kommuniziert nur sehr zögernd, indem er versucht, jemandes Hand zu benutzen. Ich war mir dennoch sicher, daß er in der Lage war, auf dieser Ebene einen primitiven Kontakt herzustellen, und daß es folglich etwas gab, worauf sich ein Therapieversuch aufbauen ließ. Meine größte Befürchtung ist, daß alldem eine angeborene geistige Behinderung zugrunde liegen könnte.«

Im Bericht war von einem »unerfreulichen Familienhintergrund« väterlicherseits die Rede. Die einzige Schwester des Vaters war schizophren und lebte in einer Klinik, und es gab weitere exzentrische und psychotische Verwandte. Im Bericht hieß es weiter, daß zwischen der Mutter des Kindes und einer Tante, die für den Vater in den ersten

Lebensjahren die wichtigste Bezugsperson gewesen war, ein »ungeheuer gespanntes Verhältnis« bestehe. John war das erste Kind. Physisch gesehen verliefen Schwangerschaft und Geburt normal, aber die aus einem abgelegenen Dorf auf dem Kontinent stammende Mutter war beunruhigt gewesen über die ihrer Ansicht nach befremdlichen Praktiken in der englischen Entbindungsklinik.

Sie glaubte auch, daß die Krankenschwestern sie und ihr Kind daran hindern würden, eine gute Stillbeziehung herzustellen. Sie hatte viel Milch und war sehr enttäuscht, als das Stillen nicht klappte. Das Baby scheint schlecht getrunken zu haben, und die Mutter berichtete, daß es nach der Geburt eine Woche lang die Augen nicht öffnete. Nach Verlassen des Krankenhauses lebten Mutter und Kind mit der Tante des Vaters zusammen. Wieder glaubte die Mutter, daß sie daran gehindert würde, eine Beziehung zum Kind herzustellen, dieses Mal durch die Einmischung der Tante. Während der ersten Lebensmonate des Kindes arbeitete der Vater in einer anderen Stadt, und die Mutter fühlte sich während dieser Zeit unsicher und unglücklich, aber ihre Depression war nicht behandlungsbedürftig.

Als ich die Eltern besuchte, berichteten sie, daß John keine traumatischen Erfahrungen wie Trennungen oder ernsthafte Krankheiten gehabt habe. Er hatte mit achtzehn Monaten kaum eine Reaktion auf die Geburt seiner Schwester gezeigt und war immer schon ein ruhiges Kind gewesen. Sie konnten keine Einzelheiten aus der Zeit berichten, in der er zum ersten Mal seinen Kopf aufrecht hielt oder sich aufrecht hinsetzte. Im lokomotorischen Bereich jedoch scheint seine Entwicklung normal verlaufen zu sein. Sie machten sich erst Sorgen, als er nicht sprechen lernte und eine seltsame Art zu spielen zeigte. Sie berichteten von bizarren Handbewegungen; er bewegte seine Finger in einer sonderbaren, steifen Weise vor seinem Gesicht. Er ließ sich auch nicht dazu bewegen, mit Bleistift oder Wachsstift auf Papier zu zeichnen. Er nahm flüssige Nahrung zu sich, lehnte aber feste Speisen ab. Den Mund seiner Mutter schien er mit dem eigenen zu verwechseln. Kontrolle über Darm und Blase hatte er noch nicht erreicht. Mein Eindruck war, daß die Mutter besondere Schwierigkeiten mit diesem Aspekt der Kindererziehung gehabt hatte. Sie erinnerte sich an ihre eigene Kindheit, in der sie nach dem Tod ihres Vaters ein eigenes Zuhause entbehrte und meist in einer Einrichtung leben mußte, und sprach von ihrer Ungeduld darüber, noch ein Kind sein zu müssen, und ihrer Sehnsucht, endlich erwachsen zu sein.

Die überweisende Psychiaterin gab den Eltern gelegentliche, aber wichtige Hilfestellungen (die leider nicht mehr zur Verfügung standen, als sie sich zur Ruhe setzte). Sie waren auf diese Unterstützung angewiesen, denn wenn die therapeutische »Haltesituation« (Winnicott, 1958) anläßlich verschiedener unglücklicher Umstände unterbrochen wurde, hatte John Schreianfälle und Schlafstörungen, die sie nur schwer ertragen konnten. Die Eltern waren sensible, intelligente Menschen, und es sagt viel über ihre Besorgnis um John aus, daß sie während solcher Phasen seine Behandlung weiterhin unterstützten und ihn regelmäßig zu mir brachten. Andernfalls hätte das jetzige, relativ zufriedenstellende Ergebnis nicht erreicht werden können.

Behandlungsverlauf

John war drei Jahre und sieben Monate alt, als die Behandlung aufgenommen wurde. Zuerst wurde er einmal, später dreimal und schließlich fünfmal wöchentlich zu mir gebracht. Bei seinem ersten Besuch war er ausdruckslos. Er ging an mir vorbei, als ob ich nicht existierte. Das eine Mal, wo dies nicht so war, geschah im Sprechzimmer, als er meine Hand in Richtung des Brummkreisels zog, den ich für ihn in Gang setzte. Dabei errötete er stark und lehnte sich vor, um die Drehungen des Kreisels zu beobachten. Währenddessen vollführte er durch seine Hose hindurch mit einer Hand kreiselnde Bewegungen mit seinem Penis und ließ die andere Hand um die Mundpartie herumkreisen. Dies brachte mich zu der Annahme, daß er kaum einen Unterschied zwischen den Bewegungen des Kreisels und den eigenen Körperbewegungen machte. Er vermittelte den Eindruck hitziger, sinnlicher Erregung. Das überzeugte mich von der Notwendigkeit, am analytischen Setting und der deutenden Arbeit festzuhalten, um allmählich von seinen primitiven Illusionen unterschieden zu werden und meine Arbeit als Therapeutin tun zu können, die darin bestand, ihm zu helfen, mit seiner sinnlichen Erregung und den zu erwartenden Desillusionierungen umzugehen. Von jetzt an ging ich nur minimal auf seinen Wunsch ein, bestimmte Handlungen auszuführen. Ich gab einfache Deutungen und streute dabei die paar Worte ein, die er laut Auskunft der Eltern vielleicht verstehen könnte. Diese Worte waren: »John«, »Mutti«, »Vati«, »Nina« (seine Schwester), »Pipi«, »Baby«, »Töpfchen«, »Drehen«, »drehend«. Ich wiederholte diese Deutungen in verschiedener Abwandlung, und gelegentlich benutzte ich Handlungen, um das Gemeinte zu verdeutlichen – obgleich ich diese auf ein Minimum reduzierte, wenn ich spürte, daß er sie als verführerisch oder bedrohlich erlebte.

Es folgen nun Auszüge aus detaillierten Notizen, die Johns Reaktionen auf meine Deutungen illustrieren. Die erste Sitzung, von der berichtet wird, ist die, in der er mir gegenüber zum ersten Mal ein Wort gebrauchte. Sie fand nach den Weihnachtsferien statt (die Behandlung hatte im November 1951 begonnen). John kannte keine Pronomina, was zusammen mit seinem beschränkten Wortschatz dem, was ich ihm in meinen Deutungen sagen konnte, enge Grenzen setzte. Gleichwohl hatte ich den Eindruck, daß er weit mehr verstand als aufgrund des eingeschränkten Vokabulars, das er laut Bericht beherrschen sollte, anzunehmen war.

Freitag, 10. Januar 1952, 9. Sitzung: John kam jetzt dreimal die Woche. Dies war die letzte Sitzung der Woche. Ich zitiere wörtlich aus meinen Notizen: »Wie er es seit der zweiten Sitzung getan hatte, begann er, indem er mit dem Brummkreisel spielte. Aufgrund früheren Materials und der Art, wie er in dieser Sitzung spielte, sagte ich ihm, daß er seine Hand benutze, um den Tustin-Kreisel so zu drehen, daß er glauben könne, daß John Tustin sei und Tustin John. So habe er das Gefühl, daß wir immer zusammen wären.«

Unmittelbar danach nahm er die Mutterpuppe heraus und betastete das Knöpfchen, das ihre Handtasche mit ihrer Hand verband, mit denselben kreisenden Bewegungen, mit denen er während der Episode mit dem Brummkreisel seinen Penis betastet hatte. Nachdem er auf die Mutterpuppe geklopft hatte, warf er sie zu Boden und sagte recht deutlich: »Weg.« (Ich deutete das so, daß John das Knöpfchen der Mutti drehte, als ob es sein »Pipi« wäre, um glauben zu können, daß er in die Tasche der Mutter hineingehen könne, aber dann spürte, daß sie das »weg« machte.) Er hob sofort die kleine Mädchenpuppe auf, drehte sie um und um und machte dabei laute, knirschende Geräusche mit den Zähnen. (Ich deutete, daß sich John in die Handtasche der Mutter hineinwand, um das Mädchen zu beißen, aber dann spürte, daß er das Mädchen und die Mutter »weg« machte.)

Er nahm jetzt die Babypuppe und steckte sie ins Kinderbett, das er dann auf den Kopf stellte, so daß das Baby herausfiel. (Ich deutete, daß er sich in die Tustin-Mutti-Tasche hineindrehte, um ihre Babys herauszuwerfen, weil er ihr einziges Baby sein wollte.) Anschließend betätigte er den Kreisel in dem Koffer, der für sein Spielzeug bestimmt war, und drückte dabei die Spitze in Streifen von Knetmasse, die sich auf dem Kofferboden befanden. Einmal berührte er die Babypuppe und sagte: »Baby« oder »Pipi«, ich kann es nicht genau sagen. (Ich deutete, daß John glaubte, sein Drehen würde eine sanfte Mutti erzeugen, die ihm erlaubte, sich in ihrem Innern zu drehen, um ihre Babys »wegzumachen«, und daß sie dies zu einer »weg«-Mutti werden ließ.)

(Ich entdeckte, daß meine Gedanken bei solchem Material wanderten und ich Gefahr lief, irgendeinem unausgesprochenen Wunsch nachzugeben und mich zu verhalten, als ob ich Teil seines Körpers oder ein Spielzeug sei und nicht eine reife, denkende Person, die ihm bei der Bewältigung seiner Gefühle zu helfen versuchte. Auch andere Therapeuten haben die Erfahrung gemacht, daß dies bei solchen »atmosphärischen« Kindern nicht selten vorkommt. Später fand ich es hilfreich, John zu sagen, daß er glaubte, sich in meinem Kopf zu drehen, um meine »Gehirnkinder« »wegzumachen«, so daß er glauben konnte, ich sei ein »Weichling«, mit dem er machen konnte, was er wollte.)

Im vorliegenden Material sehen wir den Beginn seiner Desillusionierung, die daher rührte, daß ich »weg« sein konnte, sowohl in dem Sinne, daß ich nicht auf ihn hörte, als auch im tatsächlichen körperlichen Sinne, daß ich etwas von ihm Getrenntes war und folglich nicht unter seiner Kontrolle stand. Vier Wochen später konnte an diese Desillusionierung wieder angeknüpft werden, als John zwei neue Worte sprach. Es war wieder die letzte Sitzung der Woche.

Freitag, 9. Februar 1952, 23. Sitzung: John und seine Mutter hatten mehrmals geklingelt, bevor ich es schaffte, zur Tür zu kommen und sie zu öffnen. Als sie in der Türöffnung standen, machten sie einen durchgefrorenen Eindruck. John hatte aufgehört, mit dem Deckel des Briefkastens zu klappern. Bei früheren Gelegenheiten hatte ich den Eindruck gehabt, daß er glaubte, mich damit zum Öffnen der Tür bewegen zu können, als stünde ich unter seiner Kontrolle. Klagend sprach er seiner Mutter mehrmals ›schmutzig‹ nach, als sie in seine Ohren schaute. Im Sprechzimmer versuchte er, den Brummkreisel auf dem weichen Teppich zum Drehen zu bringen. Er drehte sich nicht. John griff heftig nach meiner Hand und versuchte, sie als Verlängerung seiner eigenen Hand zu benutzen, um den Kreisel zum Drehen zu bringen. Es klappte nicht. Schäumend vor Wut und schwer atmend warf er den Kreisel, der ihn erzürnte, an die Decke. Er verfehlte knapp den Lampenschirm, fiel mit einem Knall zu Boden und brach in zwei Hälften auseinander. Die Innenteile fielen heraus. Schockiert ging John darauf zu und sagte tiefbekümmert: »Kaputt!« und »Oh je!«. Er verbrachte den Rest der Sitzung erfolglos damit, ihn zu reparieren. Es schien, daß deprimierende Realitäten den Autismus durchdrangen.

Es folgte nun eine Phase der Verwirrung in der Analyse (Februar–April 1952). Währenddessen machte er Versuche, Menschen und Dinge zu Verhaltensweisen zu bewegen, die ihrer Natur widersprachen, wie beim Vorfall mit dem Brummkreisel. Die Spielsachen und ich selbst schienen Manipulationen ausgesetzt zu sein, als ob wir seine Ausscheidungen oder Teile seines Körpers wären. Während dieser Zeit verbrachte er die meisten Sitzungen auf der Couch liegend und spielte mit seinem Penis, seinen Fäzes und hin und wieder mit Stückchen Knetmasse, die er kaum von Kot zu unterscheiden schien. Er bohrte auch in der Nase und spuckte.

Nach den dreiwöchigen Osterferien im April hörte das auf. Das war für ihn die zweite längere Unterbrechung in der Behandlung. Er entwickelte jetzt eine zwanghafte Gewohnheit, auf einen Kissenknopf zu klopfen und dabei zu sagen: »Vati!, Vati!« (Sein Vater lebte zu dieser Zeit fern von zu Hause.) Der Kissenknopf und das Spielzeug, das er den »roten Vati-Bus« nannte, spielten zu dieser Zeit in der Analyse eine größere Rolle. Es kam zu Wutanfällen, wenn ihm bewußt wurde, daß sie nicht Teil seiner selbst waren und daher weggehen und ihn im Stich lassen konnten. Im Anschluß an solche Episoden klagte er dann: »Kaputt!«, »Weg!«, »Oh je!« (Mai–Juni 1952). Nachdem er in einem solchen Anfall den »roten Vati-Bus« kaputtgemacht hatte, verwendete er zum ersten Mal ein Personalpronomen. Er sagte: »Ich mache ihn heil! Ich mache ihn heil!« (118. Sitzung)

Montag, 26. November 1952, 130. Sitzung: Inzwischen waren Änderungen in Johns Transport zu den Sitzungen eingetreten. Eines Tages war er tief betrübt, als sein Vater, der jetzt wieder zu Hause lebte und ihn zur Sitzung gebracht hatte, beim Abschied auf der Stufe zur Eingangstür stolperte und beinahe gestürzt wäre. Während dieser Sitzung schien es, als würde John den Glauben aufrechtzuerhalten versuchen, daß seine Körperbewegungen seinen Vater am Leben erhalten könnten. (So hüpfte er zum Beispiel auf der Couch und sagte dabei: »Vati heile! Vati heile!«) Am Schluß der Sitzung, als er sah, daß seine Mutter und nicht sein Vater auf ihn wartete, schrie er: »Vati! Vati weg! Vati kaputt!« Nach diesem Vorfall hatte er einen heftigen nächtlichen Schreianfall. Man erzählte mir, daß er dabei Dinge gesagt hatte wie: »Ich will es nicht! Fiel herunter! Knopf kaputt! Laß es nicht beißen! Laß es nicht fallen!«

Im nachhinein erkannte ich, daß diese Alptraumschreie infantile Ängste ausdrückten, die er in der Beziehung zum Vater, zum roten Spielzeugbus und dem Knopf des Kissens erlebt hatte, die allesamt als miteinander identisch empfunden wurden. Sie waren nicht Symbole für den Vater, sondern er glaubte, sie *seien* der Vater, den er nicht von seinen Körperteilen unterschied. (Hanna Segal (1957) hat solche *symbolische Gleichsetzungen* beschrieben.) Aber solange sich die Ängste in dieser fragmentarischen Weise zeigten, verstand ich sie kaum, und ich konnte ihm bei deren Bewältigung nicht helfen.

Ich möchte jetzt eine Sitzung, die fünfzehn Monate nach Beginn der Behandlung stattfand, detailliert schildern. In dieser Sitzung traten Ängste, die sich in vorangegangenen Sitzungen angedeutet hatten, zusammenhängend auf, und John erwies sich als fähig, Worte und Spielzeug als Repräsentationen zu verwenden, um mir darüber etwas mitzuteilen. Das gelang ihm nun, da er Menschen als Menschen unterschied und sie nicht mehr als leblose Gegenstände wie Spielzeugautos, Knöpfe und dergleichen zu gebrauchen versuchte. Der Autismus war erheblich schwächer geworden und John begann, Repräsentationen aufzubauen.

25. Januar 1953, 153. Sitzung: (Bevor ich die Sitzung beschreibe, sollte ich darauf hinweisen, daß John das Stillen eines Kindes beobachtet und großes Interesse gezeigt hatte. Das Wort »Brust« hatte ich noch nicht gebraucht, da ich nicht wußte, ob er es kannte. Jetzt tauchte es in seinem Material auf.)

Er legte vier Buntstifte in Form eines Kreuzes sorgfältig zusammen und sagte dazu: »Brust.« Er berührte seinen Mund und sagte: »Knopf in der Mitte!« (Ich interpretierte, daß Baby John den Wunsch hatte, für sich eine Brust aus seinem eigenen Körper herzustellen.) Dann verteilte er hastig und unbekümmert weitere Buntstifte, um das Kreuz in ungeschickter Weise zu erweitern. Darauf sagte er: »Größere Brust machen! Größere Brust machen!« (Diese Kinder fühlen sich berufen, außergewöhnlich zu sein, so daß sie glauben, eine außergewöhnliche Brust zu benötigen. In der Sitzung interpretierte ich Baby Johns Wunsch, eine größere Brust, als sie tatsächlich existiert, haben zu wollen.) Zornig warf er alle Buntstifte durcheinander, so daß sie sich kreuz und quer über den Tisch verteilten. Er sagte: »Kaputte Brust.« (Ich deutete seinen Babyzorn darüber, keine so große Brust bekommen zu können, wie er wollte.) Er sagte: »Ich mache sie heil! Ich mache sie heil! Loch weg! Knopf weg! Loch weg! Knopf weg!« (Ich deutete seinen Babywunsch, eine Brust zu haben, die er nach Belieben herstellen oder zerstören könnte.) Wieder verstreute er zornig die Stifte über den gesamten Tisch und sagte: »Kaputt!« Dann öffnete und schloß er mehrmals mit einem ohrenbetäubenden Knall eine Holzkiste. (Ich deutete seinen Babyzorn darüber, daß er keine Brust bekam, mit der er machen konnte, was er wollte.)

Er sagte noch einmal: »Kaputt!« und ging hinüber zum Regenschirmständer, der sich im Sprechzimmer befindet; er steckte seine

Hand in das Handschuhfach, das im dunklen Schattenbereich liegt. Er schauderte und sagte: »Keine gute Brust! Knopf weg!« (Ich interpretierte, daß sein Zorn auf die Brust, die sich nicht so verhielt, wie er es wollte, ihn glauben lasse, er habe eine »schlechte Brust« mit einem Loch anstatt eines Knopfes.) Er ging zum Kasten und holte ein Stück schmutziggrauer Pappe und ein Krokodil hervor. Er stellte sie auf die Truhe, auf die er vorher geschlagen hatte. Er zeigte auf den Klebestreifen am Rand der Pappe und sagte: »Eisig! Eisig!« Dann sagte er: »Keine gute Brust! Knopf kaputt!« Er schob das Krokodil auf der Pappe umher, als ob es auf Eis gleiten würde. Sein Gesicht wurde kalt und wie erfroren. (Ich sprach über sein Gefühl, daß das Zerbrechen der Brust eine eisige, nicht-gute Brust entstehen lasse, die ihn nicht tröstete, wenn er alleine war.)

Da die frühkindliche Übertragung nun sicher hergestellt war und die Ängste in der Analyse »contained« wurden, zeigte sein Verhalten auch außerhalb eine deutliche Verbesserung. Er freute sich darauf, in die Analyse zu kommen, und zeigte trotz Krankheit in der Familie, Veränderungen bei seinem Transport zu den Sitzungen und Todesfällen in der Familie gute Fortschritte. Er begann, seine Abhängigkeit und Hilflosigkeit zuzugeben, und sagte, wenn etwas außerhalb seiner Macht stand: »Ich schaffe es nicht! Hilf mir, bitte!« Dieser Fortschritt ließ auch dann nicht nach, als seine Mutter und seine jüngere Schwester ins Ausland reisten und er mit seinem Vater alleine blieb. Doch dann trat eine bedauerliche Unterbrechung in der »Haltesituation« (Winnicott, 1958, S. 268) ein.

Freitag, 5. April 1953, 194. Sitzung: Ich zeigte John anhand eines Diagramms den Tag, an dem er nach den zweiwöchigen Osterferien wieder zur Analyse kommen würde. Familiäre Umstände verhinderten dies jedoch, so daß sein Vater ihn erst eine Woche später wieder zu mir bringen konnte. Hinzu kam, daß er eine Woche bei der Tante gelassen worden war, mit der sie zusammenlebten. Als ich ihn wieder sah, war ich entsetzt. Er machte einen traumatisierten und erstarrten Eindruck. Er bewegte sich steifbeinig, wie ein Roboter. Ein Stammeln war alles, was an Sprache übriggeblieben war. Er schien in der Tat im Griff der »eisigen, nicht-guten Brust« zu sein. Diese hatte dem »armen kleinen Baby John« keinen Trost geboten, als er »ganz alleine auf einer Insel« war, wie er es später ausdrückte.

Als die körperliche Anspannung nachließ, traten die nächtlichen Schreianfälle so regelmäßig auf, daß die überweisende Psychiaterin ein Schlafmittel verschrieb. Während der Schreiattacken halluzinierte er Vögel in verschiedenen Teilen des Schlafzimmers, und er wiederholte einige Sätze, die er während des ersten Anfalls gebildet hatte. Die Vögel, die ihn mit dem Schnabel zu picken drohten, waren eine Quelle entsetzlicher Ängste.

Er begann jedoch allmählich, die infantilen Ängste erneut in die Analyse einzubringen. Er setzte die Differenzierungen weiter fort, die er seit »weg«, seinem ersten Wort, machte. Er begann zu seinem Vater eine realistischere Beziehung zu entwickeln und ihn weniger als »Ding« zu sehen, etwa als Knopf, den man kaputtmachen konnte. Er akzeptierte, daß ihn Raum und Zeit von mir trennten. Er ordnete Erfahrungen in die Kategorien »schön« und »häßlich« ein, und er klassifizierte Menschen als »ungezogen« oder »vernünftig«, je nachdem, ob sie taten, was er wollte oder nicht. Er fing an, zwischen Tatsachen und Phantasie zu differenzieren. Manchmal sagte er: »Das ist ein Märchen«, oder: »Es ist nicht wirklich wahr.« Er erzählte mir jetzt detaillierter von den phantasierten Schrecken, die zu den rätselhaften Sätzen während der Schreianfälle geführt hatten.

Er begann, den Mißbrauch von Objekten mit ihrem Zerbrochensein in Zusammenhang zu bringen. Zum Beispiel sagte er über den Brummkreisel: »Er ist kaputt! Kreisel laufen nicht auf dem Teppich.« Gegen Ende der Sitzungen deutete er manchmal an, daß er glaubte, ich würde ihn deshalb verlassen, weil ihm ein Körperteil fehlte oder weil er ein »Ferkel« sei. Manchmal tat er so, als ob er seine »Stinker« abbrechen würde (sein Wort für die harten Exkremente, die seinem Anus weh taten), und tat so – eine signifikante Entwicklung –, als würde er sie vorn an meinem Kleid herunterfallen lassen. Manchmal befreite er sich vom Gefühl, dumm zu sein, indem er seinen Vater »dumm« und »ungezogen« nannte, und seiner Schwester Nina und mir all die scheußlichen Erfahrungen zuschrieb, die er selbst nicht haben wollte. So zeigte sich deutlich die Phantasie, ungewollte Teile seiner selbst abzuspalten und in andere Menschen hineinzuzwingen.

Dienstag, 28. Januar 1954, 360. Sitzung: Wie sich das Containment seiner Projektionen durch mein Verstehen auf seine psychische Entwicklung auswirkte, zeigte sich erneut in der Art, wie er seine Buntstifte anordnete, um eine »Brust« darzustellen. Es war das erste Mal, daß er dies tat, seit jener Gelegenheit vor acht Monaten vor den bedauerlichen Trennungserfahrungen. Er zeigte auf die sorgsam angeordneten Stifte und sagte: »Brust!« Dann berührte er seinen Mund und sagte: »Knopf in der Mitte!« Er stellte sodann in der Mitte einen Bleistift aufrecht hin und sagte: »Rakete!« Das Ganze nannte er eine »Feuerwerksbrust«. Damit stellte er einen Zusammenhang her mit der Zeichnung eines kuppelförmigen Gegenstands mit hervortretenden braunen und roten »Stinkern«, die er nachher als »Feuerwerkskörper« bezeichnete. (Er hatte diese Zeichnung nach einem Wutanfall angefertigt, den er bekam, weil ich ihm nicht erlaubt hatte, meine Hand zu gebrauchen, als ob sie seine wäre.) Er legte die Hand auf den Mund, als ob er dort Schmerzen hätte, und sagte dabei: »Stachel im Mund!« Dann: »Fällt herunter!«, »Knopf kaputt!«, »Häßliches, schwarzes Loch in meinem Mund!« Dann faßte er aufgeschreckt nach seinem Penis und sagte: »Pipi noch da?«, als ob er dächte, ihn verloren zu haben. (In der darauffolgenden Sitzung sagte er über den kaputten Brummkreisel: »Kaputter Kreisel! Böse Menschen kommen da heraus, um mich in die Luft zu sprengen!«)

Mittwoch, 29. Januar 1954, 361. Sitzung: Es folgte Material bezüglich seiner »Stinker«, die den Knopf verbrannten und durchbohrten und »ein schwarzes Loch in meinem Mund« entstehen ließen. Ich fragte ihn nach dem schwarzen Loch. Darauf erwiderte er schlicht: »Wenn schlimme Dinge verbrannt werden, werden sie schwarz.« Dann sagte er traurig: »Meine schönen Träume werden zu schlimmen Träumen«, und lächelnd: »Meine schlimmen Träume habe ich bei Tustin.« Eines Tages traten die Schreianfälle, die rätselhaften Sätze und einige der früheren Phantasien allesamt in einer Sitzung auf.

Donnerstag, 6. Februar 1954, 367. Sitzung: Als ich die Haustür öffnete, hatte er gerade einen Schreianfall, weil er gefallen war und sich den Kopf gestoßen hatte. Es gab keine Anzeichen für eine Verletzung, aber er schien nicht nur wütend zu sein, sondern auch panische Angst zu haben. Als er zu weinen aufhörte, brachte ich ihn ins Sprechzimmer. Ohne etwas aus der Spielzeugkiste herauszunehmen, ging er zum Tisch, um mit mir zu sprechen. Er sagte: »Roter Knopf weg! Er fiel mit einem Schlag!« Er machte dann mit einer halben Kreisbewegung auf seine Schultern aufmerksam und sagte: »Ich habe einen guten Kopf auf den Schultern. Kann nicht herunterfallen. Auf meinen Schultern festgewachsen.« Und dann sagte er: »Es war das böse Straßenpflaster, es hat mich geschlagen!« (Ich sagte ihm, daß ich glaubte, daß er mir von seinen Ängsten beim Sturz zu erzählen versuche.) Er berührte seinen Mund und sagte: »Nina hat ein schwarzes Loch. Sie hat einen schwarzen Stachel in ihrem Mund. Knopf kaputt! Scheußliches schwarzes Loch!« (Ich hätte ihm an dieser Stelle die Deutung geben sollen, daß dies seine eigenen bösen Erfahrungen waren, von denen er sich befreite, indem er sie Nina zuschrieb, aber ich verpatzte die Gelegenheit.)

Er griff nach dem Plastiktraktor, einem Spielzeug, das verschiedentlich Gegenstand unbarmherziger Angriffe gewesen war, berührte die Achse aus Plastik, die in Wirklichkeit nicht spitz ist, schauderte sehr und sagte: »Böser harter Traktor, er sticht!« Er spuckte, als würde er etwas Widerliches ausspucken. Dann kauerte er sich zusammen und fing an, laut zu schreien. (Ich machte mir Vorwürfe, daß ich nicht versucht hatte, seine Gefühle in Worte zu fassen, und ihm so möglicherweise erspart hätte, sie in gewalttätigen Handlungen auszudrücken.) Während er schrie, erwehrte er sich fliegender Schnäbel mit den Händen. Ich hatte Angst, daß er von seinem Stuhl herunterfallen könnte, also nahm ich ihn auf meinen Schoß und deutete gegen seine Schreie an. Die Deutungen betrafen sein Gefühl, daß der Knopf Teil seines Mundes sei, sowie seine destruktiven Gefühle, als er herausfand, daß das nicht der Fall war. Er glaube dann, ein »schwarzes Loch« und einen »scheußlichen Stachel« zu haben statt eines freundlichen Knopfes. Er glaube, das häßliche Ding in das Mädchenbaby »hineingespuckt« zu haben, von dem er annahm, es hätte ihm seinen Knopf weggenommen. Aber dann glaube er, daß es versuche, es ihm zurückzuspucken, und ihr scheußlicher Mund komme ihm vor wie fliegende Vögel. (Es hatte vorher bereits Material gegeben, in dem er fliegende Vögel mit Mündern gleichgesetzt hatte.) Ohne den »Knopf« glaubte er, daß sie ihn verletzen könnten. Er hatte Angst, daß er seinen Kopf oder seinen Penis verlieren könnte, wie er seinen Knopf verloren zu haben glaubte.

Für die Dauer von zwei Sitzungen danach hatte er Angst vor bestimmten Gegenständen im Sprechzimmer: dem dunklen Handschuhfach, einem wie ein Penis aussehenden Rohr nahe der Decke und dem »schmutzigen Wassereimer«. (Da dieses Zimmer kein fließendes Wasser hatte, gab es dort einen Wasserkrug und einen Eimer für Schmutzwasser.) Nach diesen Sitzungen hörte das nächtliche Schreien auf. (Es trat nach einem besonders besorgniserregenden Urlaub erneut auf und als die Beendigung der Behandlung besprochen wurde.) Die Halluzinationen hörten auf und belästigten ihn meines Wissens in der Folgezeit nicht mehr.

Abschließende Bemerkung: Die Behandlung wurde beendet, als John sechs Jahre und fünf Monate alt war. Das war früher und unvermittelter, als mir lieb war, aber die Eltern drängten auf einen Abschluß, besonders weil eine Psychotherapie bei John jetzt nicht mehr so dringlich zu sein schien. Er besuchte eine Schule für normale Kinder, schloß Freundschaften, hatte Freude an der Schule und lernte begierig. Er hatte einen größeren Wortschatz als die meisten Kinder seines Alters, aber das war nicht verwunderlich, da seine Eltern intelligente Menschen waren.

John blieb ein wählerischer Esser. In Streßzeiten neigte er zum Stottern und zu Schlafstörungen. Diese verbleibenden Symptome waren der Grund, warum ich weitermachen wollte, aber da es Anzeichen dafür gab, daß er in die Latenzphase eintrat, und da ich spürte, daß die Eltern ihn gerne für sich haben wollten, stimmte ich der Beendigung der Behandlung zu – unter dem Vorbehalt, daß es ratsam sein könnte, während der Adoleszenz weitere Hilfe in Anspruch zu nehmen.

Nachtrag: Es ist mir nur auf Umwegen möglich gewesen, etwas über Johns weiteren Werdegang in Erfahrung zu bringen. Die Eltern eingekapselter autistischer Kinder scheinen die ganze Sache, sobald sie vorbei ist, vergessen zu wollen. Dies steht in deutlichem Kontrast zur Haltung von Eltern von symbiotischen (»verwirrt-verstrickten«) Kindern, die den Kontakt zum Therapeuten aufrechterhalten. Johns Eltern wollten keine weitere Hilfe. Ich hörte, daß John die seinem Alter entsprechende öffentliche Tagesschule besuchte und gut vorankam. Später schloß er die Universität mit einem guten Examen ab. Er hat sich zu einem sensiblen, sehr musikalischen jungen Mann entwickelt.

Diskussion

Johns Kummer und Verzweiflung: Es ist wahrscheinlich nicht möglich, anders als durch die Mitteilungen eines solchen jungen autistischen Kindes näher an jene einschneidenden, Panik auslösenden Erfahrungen heranzukommen, die den Kummer über den Verlust des lebenswichtigen Objektes betreffen, das John den »Knopf« nannte. So erlebte er die Brustwarze, die er als selbstverständlich hingenommen, ja von deren Existenz er nichts gewußt hatte, bis er entdeckte, daß sie nicht immer verfügbar war. Als er merkte, daß sie nicht da war, wurden durch diese Desillusionierung überwältigende Emotionen geweckt. Das Wesen dieser von Verzweiflung erfüllten Situation wurde mit seinen ersten Worten »Weg!«, »Kaputt!«, »Oh je!« angedeutet. Diese Ausrufe brachten die Erinnerung aus der Zeit seiner frühen Kindheit zum Ausdruck, als er geglaubt hatte, daß der Verlust und die scheinbare Zerstörung des »Knopfes« ein »schwarzes Loch mit einem scheußlichen Stachel« hinterlassen würde. Dies war Johns aktuelle Formulierung für die einstige undifferenzierte, unformulierte und unerträgliche Erfahrung des sinnlichen Verlustes, der den Autismus auslöste. Als er das Stillen des Säuglings beobachtete, wurde er an das gesamte Illusionssystem erinnert, das seine autistischen Reaktionen in Gang gesetzt hatte. Er war jetzt in der Lage, sich soweit auf diese Erfahrung einzulassen, um auch mir Einblick darin zu gewähren. Da sie vorsprachlich ist, läßt sie sich nur schwer in Worte fassen und erörtern. Um sie zu beschreiben, erscheint mir eine assoziative Sprache angemessener als eine theoretische.

Wenn wir die beiden Sitzungen ins Gedächtnis zurückrufen, in denen er die Brust durch Stifte darstellte (Sitzungen 156 und 360), erinnern wir uns, daß die »nicht gute Brust« mit dem Loch zu einer »Feuerwerks-Brust« wurde, mit »Stinker«-Raketen, die er selbst dort hineinschleuderte. Die Feuerwerkskörper, raketenähnliche Geschosse, gingen, wie er glaubte, in ein »Loch« – in ein Nichts –, anstatt von einer menschlichen Präsenz angenommen zu werden, die angemessen darauf reagierte und ihm half, damit umzugehen. Wir haben es hier mit sehr frühen infantilen Erfahrungen zu tun, bei denen »Gefühle« in körperlich-taktiler Weise als Empfindungen unterschiedlicher Art erlebt werden. Wenn der »Knopf« nicht in seinem Mund bleiben will, um so unter seiner Kontrolle und verfügbar zu sein, wann immer und wie immer er es will, gerät John in heillose Verwirrung. In Panik und Wut glaubt er, daß der immer »ungezogener« werdende Knopf wie Spucke oder Fäzes von seinem Körper ausgestoßen wird. Dies scheint da, wo der »Knopf« gewesen war, ein »Loch« in der Brust zurückzulassen. Da sein Mund von der Brust nicht differenziert wurde, hinterläßt er auch ein »Loch« in seinem Mund. Die Empfindungen von brennender Wut lassen es zu einem »schwarzen Loch« werden. (Wie es John ausdrückt: »Wenn häßliche Dinge verbrannt werden, werden sie schwarz.«) Wenn man diese präverbalen Erfahrungen in Worte faßt, wird ihr ursprüngliches Wesen verzerrt, aber sowohl John als auch ich spürten, daß es geschehen mußte, wollten wir überhaupt damit zu Rande kommen. Das »Agieren« ist oft die erste Art und Weise, solchen Urdramen Ausdruck zu verleihen. Aber nachdem sie auf diese Weise in der Psychotherapie dramatisiert wurden, sind Worte vonnöten, damit die impulsiven Ausbrüche durch das Nachdenken darüber contained werden können. Dabei spürt der Patient, daß ein Teil seiner selbst, der vorher impulsiv mit mächtigen Illusionen reagiert hatte, in den Bereich nachdenklicher Aufmerksamkeit und verstehender Sorge einbezogen wird.

Autistische Patienten wie John glauben, von unaussprechlichen Gefahren heimgesucht zu werden, von denen einige in späteren Kapiteln zur Sprache kommen sollen. Um diese Gefahren in Schach halten zu können, müssen sie das Gefühl haben, alles im Griff zu haben, was mit ihnen geschieht. Wenn sie erkennen, daß sie keine Kontrolle darüber haben, sondern in Wirklichkeit schwach und hilflos sind, sind sie am Boden zerstört. Das wird in der 367. Sitzung deutlich, als das »böse« Straßenpflaster außer Kontrolle geriet und John »schlug«. In dieser Sitzung war es klar, daß John einen Körperteil verloren zu haben glaubte. In seinem relativ undifferenzierten Zustand war er sich nicht sicher, welcher Teil »weg« war. War es sein Kopf? Sein Penis vielleicht? Oder war es jener sinnlich-erregende »Knopf«? Ich hatte den Eindruck, daß er seine Schreie als feste, stechende, berührbare Gegenstände erlebte, die sein Mund als rundes schwarzes Loch hervorstieß. In späteren, hier nicht vorgestellten Sitzungen erzählte er mir, daß er es »wegen des schwarzen Lochs in der Mitte« vermied, die Augen von Menschen anzuschauen. Als diese vom »schwarzen Loch« verursachten Qualen und Schrecken in der Analyse durchgearbeitet wurden, fing John an, wie ein normales Kind die Gesichter der Menschen zu betrachten.

Dieses Material impliziert, daß in seinem relativ undifferenzierten Zustand phallische und anale Empfindungen in die primäre orale Erfahrung hereingezogen wurden, was sich auf jede Körperöffnung des Jungen auszuwirken schien. Sein mit wunden schwarzen Löchern übersäter Körper schien einer mit ähnlichen schwarzen Löchern durchsetzten Außenwelt gegenüberzustehen. Meine empathische Identifizierung mit John ließ mich die wortlosen elementaren Dramen erkennen, die den psychogenen Autismus ausgelöst hatten. Diese illusorischen Dramen erwuchsen aus Körperempfindungen, und auch der »Knopf« war ein Produkt dieser Körperempfindungen.

Wenden wir uns jetzt dem »Knopf« zu sowie der Rolle, die er in der Entwicklung des psychogenen Autismus bei John spielte.

Der Knopf: Es ist naheliegend, bedenkt man Johns frühe sinnliche Erfahrung, daß der »Knopf« mehr darstellte als die faktische Brustwarze oder den Flaschensauger. Andere Gegenstände, die ähnliche Formen hatten oder ähnliche Empfindungen weckten, hatten sich fest mit ihm verbunden. Er war eine Illusion, die verschiedene Dinge zu verschiedenen Zeiten sein konnte. Den Kern der sinnlichen Erfahrung bildete eine »Brustwarze-Zunge«-Kombination. Diese kam zustande, weil er seinen Mund von der Brust nicht deutlich unterschied. (In den Begleitnotizen zur Überweisung wird berichtet, daß

John den Mund seiner Mutter mit seinem eigenen verwechselte.) Später wurden sein Penis, sein Kopf, seine »Stinker«, ein roter Spielzeugbus, ein Kissenknopf und sogar sein »Vati« in diese »Brustwarze-Zunge«-Verbindung einbezogen, wahrscheinlich aufgrund der ihnen gemeinsamen Eigenschaft, eine Empfindung der Härte auszulösen. Es ist schwierig für uns als differenzierte Individuen, uns in solche undifferenzierten Funktionsweisen hineinzuversetzen. In diesen Zuständen werden Objekte, die hinsichtlich der ausgelösten Empfindungen einen auch nur entfernten »Gleichklang« haben, zusammengruppiert und so behandelt, als wären sie ein und dasselbe.

In Zuständen der Undifferenziertheit werden tendenziell eher Ähnlichkeiten als Unterschiede wahrgenommen. Daher werden Gegenstände, die für unsere differenzierte Wahrnehmung sehr unähnlich scheinen, vom relativ undifferenzierten Kind als gleichartig empfunden. Für ein kleines Kind können ein dampfender Teekessel und eine Dampflokomotive ein und dasselbe sein, weil das für das Kind Bedeutsame der Dampf ist. Ich möchte im Falle Johns annehmen, daß die *Härte* für ihn bedeutsam war, weil ihn Härte vor den schrecklichen Gefahren, von denen er sich bedroht fühlte, schützen konnte. Daher riefen die Brustwarze, sein Penis, sein Kopf, seine »Stinker«, das Rohr im Therapiezimmer, der Kissenknopf, der rote Spielzeugbus und sein »Vati« alle dieselben Reaktionen hervor.

Es ist nun nicht so, daß sie tatsächlich ähnlich wären und somit verwendet werden könnten, um sich gegenseitig zu *repräsentieren.* Vielmehr werden sie als ein und dasselbe *empfunden.* Im undifferenzierten Zustand Johns rufen der Kissenknopf und der rote Spielzeugbus dieselben Empfindungen hervor wie sein Vater. Sie *repräsentieren* nicht »Vati«, sondern das Kind glaubt, daß sie Vati *sind,* weil sie dieselben harten Sinneseindrücke hervorrufen wie er (130. Sitzung), wobei Härte die auslösende Empfindung ist. Doch soweit es John betrifft, hatten diese Objekte außer der Eigenschaft, hart zu sein, ein weiteres gemeinsames Merkmal – sie konnten alle kaputtgemacht werden. Die Tatsache, daß sie zwar hart, aber nicht unzerstörbar waren, erfüllte John mit Kummer und Verzweiflung. Seine verzweifelten Versuche, sich selbst vollkommen geschützt zu halten, haben versagt. Keiner von uns mag kaputte Dinge, aber für das hypersensibilisierte autistische Kind ist etwas Kaputtes nicht bloß eine Panne, sondern eine Katastrophe.

Johns Verhalten erscheint nicht rätselhaft, wenn wir uns vor Augen führen, daß wir unsere Erfahrungen in erster Linie durch Klassifikation organisieren. Wir sortieren Gegenstände nach den ihnen gemeinsamen Merkmalen. Johns Klassifizierungsmethode kommt uns deshalb seltsam vor, weil er Dinge als gleichartig betrachtet, die für unsere differenzierte Wahrnehmung deutlich verschieden sind. Er sortiert Gegenstände nach ihrer Härte oder Weichheit. Aus dieser Perspektive gesehen, fällt es uns leichter, Johns Verhalten zu begreifen. Im Hinblick auf seine sinnlichen Reaktionen sind seine seltsamen Verhaltensweisen und rätselhaften Aussagen nicht ohne Logik. Wollen wir ihn verstehen lernen, müssen wir versuchen, wie er zu denken.

Das Klassifizieren von Objekten und Erfahrungen nach den ihnen gemeinsamen, für die Empfindung signifikanten Merkmalen scheint auch verantwortlich zu sein für die Verwechslung von »Brustwarze-in-Mund«-, »Stuhl-in-Gesäß«- und »Penis-in-Vagina«-Konfigurationen beim relativ undifferenzierten autistischen Kind. Infolge des Fehlens einer angemessenen Differenzierungsfähigkeit sowie des frühzeitigen Erwachens von Autoerotik bei solchen Kindern geraten orale, anale und phallische Konstellationen in polymorpher Weise durcheinander. Dies führt bei unbehandelten autistischen Kindern zu homosexuellen Tendenzen. Die Psychotherapie besteht zu einem erheblichen Teil im Auseinandersortieren solcher Verwechslungen.

Beim Studium des Autismus erkennen wir, daß wir die Anfänge der Wahrnehmung studieren. Das Phänomen des »Knopfes« scheint durch angeborene, die Brustwarze suchende Reaktionsmuster hervorgerufen zu werden, die in der Behandlung wieder Gestalt annehmen. Offensichtlich fördert ein solches die Brustwarze suchendes Muster das Stillen oder die Flaschenfütterung. Die Beobachtungen Piagets bei seinen eigenen Kindern ergänzen und bestätigen die in der psychoanalytischen Arbeit diesbezüglich gemachten Schlußfolgerungen (Piaget, 1954). Als zum Beispiel Piaget eine Babyflasche oder einen Spielzeugstorch so versteckte, daß verschiedene Teile noch sichtbar waren, machte er die Beobachtung, daß das Kleinkind nur dann nach dem Objekt suchte, wenn der Flaschensauger oder der Schnabel des Storches sichtbar blieben; das heißt, die brustwarzenähnlichen Objekte förderten seine Reaktion. Die klinische Arbeit hat mich zu der Erkenntnis geführt, daß solche angeborenen Reaktionen wie »Fühler« sind, die in die Außenwelt hinausgreifen, um sie zu formen und von ihr geformt zu werden. In meinem ersten Buch *Autismus und Kindheitspsychose* (1972) schlug ich dafür den Terminus »angeborene Formen« vor. Der »Knopf« ist das Ergebnis einer solchen angeborenen Form.

Angeborene Formen: Auf sie werden wir im 9. Kapitel noch einmal zurückkommen. Es scheint sich dabei um flexible sinnliche »Gußformen« zu handeln, in die auf einer elementaren psychischen Entwicklungsstufe die Erfahrung »gegossen« wird und die zugleich durch die solcherart geformte Erfahrung selbst modifiziert werden. Wenn eine angeborene Form mit einer Entsprechung in der Außenwelt zusammenzufallen scheint, entsteht beim Kind die Illusion, daß alles mit seiner eigenen Körpersubstanz synonym und identisch sei. In primitiven Zuständen sind mustersuchende Tendenzen aktiv, doch da noch kaum Differenzierungen vorgenommen werden, können alle Körperpartien des Subjekts oder anderer Menschen oder Gegenstände der Umwelt als gleich erscheinen. Die Brustwarze kann also als Teil von Johns Körper empfunden werden, weil Finger mit der angeborenen Form der Brustwarze gleichgesetzt werden können; der Griff des Brummkreisels kann mit dieser Form zusammenpassen; Penis, Zunge, »Stinker« usw. können alle damit und untereinander gleichgesetzt werden. Solche unmodifizierten Äquivalente führen zu körperlichen Verwirrungen, die spätere mentale ankündigen. In diesem Zustand wurden lebendige und leblose Gegenstände in fast gleicher Weise behandelt. Zum Beispiel konnte der Vater ein Kissenknopf sein, und ihm konnte es genauso ergehen wie einem solchen Knopf. In der verworrenen Phase, aus der dieses Material stammt, schien John Teile seines Körpers – und Objekte der Außenwelt, als ob sie Teile seiner Körpersubstanz wären – zur Manipulation dessen zu benutzen, was später zu geistigen Begriffen abstrahiert werden konnte; in ganz ähnlicher Weise verwenden Kinder ihre

Finger oder Stöcke für arithmetische Operationen, die sie später »im Kopf« ausführen werden.

In den Anfängen, als sich ihm die Tatsache aufdrängte, daß er von mir getrennt war, schien John Worte als feste Gegenstände zu erleben. Erzählte man ihm, daß eine Sitzung bald zu Ende sei oder daß die Behandlung wegen einer Urlaubspause unterbrochen werden müsse, zuckte er zusammen, als ob man ihn mit etwas gestochen hätte. Er schien diese Trennungen ganz konkret als kaputte Dinge, die seinen Körper durchbohrten, zu erleben. Es ist schwierig zu wissen, wie man solche Zustände zur Sprache bringen soll, wo das alles entscheidende Merkmal darin besteht, daß Gefühle gleichsam als physische Entitäten erfahren werden. Nicht-da-Sein war »Wegheit« – »Wegheit« war ein kaputtes Ding –, ein »schwarzes Loch«, versehen mit einem »scheußlichen Stachel«. Der Betrachter könnte hier von einer »Depression« sprechen, aber für John handelte es sich um ein »schwarzes Loch«; »Verfolgung« war ein »scheußlicher Stachel«; »Verzweiflung« wurde erlebt als die Aufnahme eines Objekts, das er irreparabel kaputt glaubte, in den eigenen, irreparabel kaputten Körper. Er »dachte« nicht über die Dinge »nach«; er glaubte sie in seinen Körper aufzunehmen. Als der allmächtige, kontrollierende »Knopf« fort war, drängten unkontrollierbare Gefahren in einer unkontrollierbar schmerzvollen Weise herein. Diese Gefahren wurden als berührbare Dinge erfahren. So wurde auch der Schmerz des vorsprachlichen, vorbegrifflichen Verlusts als körperlicher und nicht als seelischer Schmerz empfunden.

Das »schwarze Loch«: Diese Illusion war das signifikante Element, das Johns autistische Reaktionen in Gang gesetzt hatte. Sie war es, was übrig zu bleiben schien, nachdem der »Knopf« mit allem, wofür er stand, »weg« war. Erst wenn alles überstanden ist, ist der Patient in der Lage, uns von seinem Erleben zu berichten; solange es andauert, läßt es ihn erstarren. Die Erfahrung des »schwarzen Loches« wurde bei John wieder wachgerufen, als er das Stillen des Säuglings beobachtete. Dies versetzte ihn in die Lage, seine Reaktionen auf die eigenen Stillerfahrungen zu bearbeiten. Als er das tat, offenbarten sich mir die zahlreichen Bedeutungen des »Knopfes«. Das Fehlen des

»Knopfes« war nicht bloß das Fehlen von »schönen« Dingen, wie wir es von unserer intellektuellen Warte aus vielleicht erwarten könnten, sondern es war eine böse physische Gegenwart – ein »schwarzes Loch«. Als ich John danach fragte, sagte er: »Wenn scheußliche Dinge verbrannt werden, werden sie schwarz.« Der unkontrollierbare »Knopf« war ein »scheußlicher« Knopf, der in den Flammen seiner impulsiven Wut, mit der angemessen umzugehen man ihm niemals beigebracht hatte, verbrannt und schwarz geworden war. Solche Kinder haben weder im psychischen noch im physischen Sinne eine Reinlichkeitserziehung durchlaufen.

Das »schwarze Loch« steht nicht nur in Zusammenhang mit Gefühlen, die John nicht beherrschen konnte, sondern auch mit Dingen, die sich nicht unter seine Kontrolle bringen ließen und deshalb seinen unbändigen Zorn erregten. Es ist mit dem Kreisel assoziiert, der sich nicht drehen will, mit meiner Hand, die ihn nicht zum Drehen bringen will, mit dem »Knopf«, der nicht Teil seines Körpers bleiben will. Diesen Kindern fehlt eine ausreichende Erfahrung harter, »väterlicher« Disziplin, gepaart mit beruhigender, mütterlicher Sanftheit. Sie mußten alleine mit ihrer Frustration und den dadurch ausgelösten Zornausbrüchen fertig werden. Im Wutausbruch, durch den sie sich entlasten, glauben sie, einen lebenswichtigen Körperteil wegzusprengen. In ihrem undifferenzierten Zustand wissen sie nicht sicher, um welchen Teil es sich handelt oder ob es ein Teil von ihnen selbst oder von jemand anderem sei. Als folglich Johns jähzornige Wut den »bösen« Gegenstand, der ihm nicht gehorchte, »verbrannte«, glaubte er, daß auch ein Teil seines Körpers »geschwärzt« würde. War es sein Penis? Sein Kopf? War es jenes sinnliche »Häppchen«, der »Knopf«? Wurde er abgebrochen wie seine »Stinker«? War es das harte »Vati«-Stück? In seinem alles übertreibenden hypersensibilisierten Zustand wurden die Folgen seiner grenzenlosen Wutanfälle als eine »Katastrophe« erlebt. Bion (1926b) hat gezeigt, daß die kritische Entscheidung, was die psychische Entwicklung betrifft, letztlich damit steht und fällt, ob Frustrationen lediglich vermieden werden oder ob man den Versuch unternimmt, damit umzugehen. Winnicotts »Übergangsbereich« der Fertigkeiten, der »So-tun-als-ob«-Spiele, des Humors und gestalterischer Aktivitäten entsteht, wenn diese Katastrophe zu einer Erfahrung von Depression führt und das Kind zugleich versucht, seine Frustrationsgefühle zu beherrschen. Dadurch lernt das Kind, Spannung auszuhalten und das Handeln aufzuschieben.

Im hier vorgestellten Material sehen wir Johns Versuche, durch explosive Projektion Frustration zu vermeiden. Andererseits zeigen seine ersten Worte »Weg!«, »Kaputt!« und »Oh je!«, daß er im selben Augenblick Sprache zu entwickeln begann, wo er eine, wenn auch nur begrenzte Fähigkeit entwickelt hatte, sich auf das »schwarze Loch« einzulassen (23. Sitzung). Später war er in der Lage, seine emotionale Situation zu repräsentieren (153. und 360. Sitzung). Solche Repräsentationen setzten den Beginn der Fähigkeit voraus, seine Impulsivität unter Kontrolle zu halten und die Tatsache der Getrenntheit bis zu einem gewissen Grad ertragen zu können.

Das »schwarze Loch« war Johns Erfahrung der »Ur«- bzw. »psychotischen Depression«. Wir werden im 14. Kapitel ein magersüchtiges Mädchen kennenlernen, dessen Heilung entscheidend von seiner Fähigkeit abhing, sich auf diese Depression einzulassen und sie zu bearbeiten. Sich darauf einzulassen ist für die Überwindung autistischer Zustände entscheidend. Ein erwachsener Patient drückte es einmal so aus: »Sie hielten mich fest, daß ich nicht ›ausbrach‹, und mein ›Zusammenbruch‹ zu einem ›Durchbruch‹ werden konnte.« Die Arbeit mit autistischen Kindern hat mir eindringlich gezeigt, daß solche Patienten die Geborgenheit einer festen, aber verständnisvollen »Haltesituation« (Winnicott, 1958, S. 268) brauchen.

Die »Haltesituation«: In den ersten Lebensmonaten stellt das Zusammenfallen der angeborenen Formen mit passenden Entsprechungen in der Außenwelt die beste »Haltesituation« dar. Dies bringt Winnicott zum Ausdruck, wenn er sagt: »Die Mutter bietet im rechten Augenblick die wirkliche Brust genau da, wo der Säugling bereit ist, sie zu erschaffen« (Winnicott, 1958, S. 238). Bion bringt den gleichen Gedanken zum Ausdruck, wenn er sagt: »Eine Präkonzeption paart sich mit einer Realisierung« (Bion, 1962b). Mutter und Kind, Brustwarze und Zunge arbeiten zusammen, um die Illusion von Kontinuität hervorzurufen und zu bestätigen. Die »Knopf«-Illusion scheint Mutter und Kind »zusammenzuknöpfen« und beiden das Gefühl zu ermöglichen, rundum geschlossen, »zugeknöpft« zu sein; auseinanderzufallen ist lebensbedrohlich und weckt existentielle Angst.

Sowohl Winnicott (1958, S. 238) als auch Milner (1956, S. 100) haben die Bedeutung ausreichender Gelegenheiten zu solcher Illusion in der frühen Kindheit sowie die Gefahr einer unheilvollen Einwirkung der körperlichen Trennungserfahrung betont. Solche Entsprechungen können aber nicht immer exakt sein und treten auch nicht immer ein. Bion hat zum Verständnis dieses frühen Vorgangs beigetragen, als er die Rolle der Mutter als »Container« für den als körperliche Abfuhr erlebten brennenden Zorn des Kleinkindes beschrieb. Da dem autistischen Kind ein angemessener »Container« fehlte, wurden seine brennenden Leidenschaften von der Eisdecke des Autismus überdeckt. Ein solches Kind ist wie ein Vulkan kurz vor dem Ausbruch. Wenn ein autistisches Kind die ersten Wutanfälle bekommt, hat seine Genesung schon begonnen. Die Art und Weise, wie es durch diese Anfälle hindurch »gehalten« wird, ist wichtig, wenn die Genesung unterstützt werden soll. Man darf das Kind damit niemals allein lassen. Wir müssen es mit unserem Zureden begleiten. Wutanfälle, die so »gehalten« werden, können sich als Beginn kreativer Reaktionen erweisen. In Nordengland pflegen Mütter die Wutanfälle eines Kindes mit folgender Wendung zu umschreiben: »Da hat er wieder Schreckliches *hervorgebracht.*« Was für eine vernünftige Art und Weise, auf Wutanfälle zu reagieren!

In der frühen Kindheit dienen die Unterscheidungsunfähigkeit des Kindes und die sich aus empathischer Identifizierung, einer Art »träumerischen Ahnungsvermögen« oder Reverie ergebende mütterliche Anpassung dazu, die zu Ausbrüchen führende Kluft zwischen primitiven Illusionen und Realität auf ein Mindestmaß zu verringern. Diese empathische Reziprozität fördert zunächst die Illusion körperlicher Einheit und gewöhnt sodann das Stillpaar allmählich an die undeutlich erfaßte Tatsache der Getrenntheit. Sie versetzt die Mutter in die Lage, ihr Kind durch von der Trennungserfahrung hervorgerufene Turbulenzen hindurch zu unterstützen, wobei Trennung als Abbruch der körperlichen Einheit erfahren zu werden scheint –

als Verlust eines Körperteils. Zustandsveränderungen, etwa von »Knopf-in-Mund« zu »Knopf-weg«, führen unausweichlich zu Spannungen, die als körperliche Anschwellung erfahren und körperlich abgeführt werden. Eine Mutter, die unter unerträglichen, aus der eigenen Kindheit stammenden und niemals angemessen zur Sprache gebrachten Unsicherheiten leidet und der wenig Unterstützung zuteil wird, sie auszuhalten, wird es schwer haben, solche Projektionen des Kindes in sich aufzunehmen. In gewisser Weise sind sich Mutter und Kind in ihren Reaktionsweisen allzu ähnlich.

Eine solche Mutter unterliegt leicht den Angriffen, denen ihre Fähigkeit, ihrem Säugling Aufmerksamkeit zu widmen – das Kind nicht zu vergessen – ausgesetzt ist. Derartige Angriffe stammen vielleicht von den »Entbehrungen« ihrer eigenen Kindheit, von äußeren Ereignissen und Außenstehenden oder aber von den »atmosphärischen Reaktionen« ihres Kindes her; meist handelt es sich um eine Kombination sämtlicher Faktoren. Sie haben zur Folge, daß ihre Aufmerksamkeit erlischt, ihre Gedanken wandern, wie meine eigenen in einer der oben geschilderten Sitzungen (9. Sitzung). Wenn eine Mutter ohne eigenes Verschulden geistesabwesend ist, scheint die »Haltesituation« (Winnicott, 1958, S. 268) genauso zu zerbrechen wie etwa durch eine traumatische räumliche Trennung von Mutter und Kind. Es ist wahrscheinlich, daß die »Haltesituation« von der Beziehung der Eltern zueinander beeinflußt wird, weil diese die Reaktionen der Mutter auf das gemeinsame Kind beeinflußt.

Ein Zusammenbruch in der »Haltesituation« hat zur Folge, daß der Säugling unerträglichen Gefühlen ausgeliefert wird. Es hat den Anschein, als würden sich diese ins Leere entladen, um mit geballter Kraft auf das Kind zurückzustürzen. So baut sich ein wachsender Druck auf. Fährt es fort, den eigenen Körper als Fremdkörper und Körperteile anderer Menschen zu benutzen, als wären sie leblose Teile des eigenen, hat das zur Folge, daß es undifferenziert bleibt, und keinen Kontakt zu lebendigen Menschen findet, die ihm in seiner Not beistehen könnten. Statt dessen werden andere Menschen als leblose Dinge erlebt, die das Kind je nach seinen Bedürfnissen und Launen zu manipulieren sucht. So wurde John mehr und mehr in die Schrecken und Leiden verstrickt, die mit der Illusion des »schwarzen

Loches« einhergingen. Echte Todesangst verblaßt beinahe im Vergleich mit diesen illusorischen Qualen.

Der Autismus war eine Reaktion auf Johns explosive Gefühle in bezug auf den verlorenen »Knopf« gewesen, wobei in seinen Augen keine Hilfe von den Menschen seiner Umgebung zu kommen schien. Sie schienen ebenso große Angst zu haben wie er selbst. Aber John hatte sich ja bereits von der Hilfe, die potentiell da war, abgeschnitten. Er hatte sich sozusagen trotzig »ins eigene Fleisch geschnitten«. Das brachte ihn in ernsthafte Schwierigkeiten. Als sein Autismus zerbröckelte, wurden diese ungestümen, als körperliche Abfuhr erlebten Anfälle aus ihrem autistischen Schlummer geweckt. Mit ihrer Freilassung kamen andere Elemente der Depression, die wir als »schwarzes Loch« bezeichnen, zum Vorschein, nämlich Gefühle der Trauer.

Trauergefühle: Als mir zum ersten Male solche Gefühle begegneten, fiel es mir schwer zu glauben, daß sie auf einer so primitiven Ebene der psychischen Entwicklung möglich sein sollten. Schließlich jedoch waren die Belege so zwingend, daß ich der Tatsache ins Gesicht sehen mußte. Und ich mußte John helfen, die Tatsache zu akzeptieren, daß er über den Verlust des besonderen »Knopfes« trauerte, den es in Wirklichkeit niemals geben konnte. Der Knopf war eine Illusion, aber eine wichtige Illusion. John fühlte sich eines lebenswichtigen Gegenstandes beraubt. Er fühlte sich wie verwaist. Margaret Mahlers Abhandlung *On sadness and grief in infancy and childhood: loss and restoration of the symbiotic love object* (1961) bestätigte mich in meiner Annahme, daß ich keine Gefühle in das Kind hineininterpretierte, die es gar nicht gab. Mir wurde klar, daß der »Knopf« Johns »symbiotisches Liebesobjekt« war, dessen Verlust ihn erstarren und sprachlos werden ließ. Als wir dies gemeinsam durcharbeiteten, erkannten wir, daß der »rabenschwarze« Trotz wegen des Verlustes ihn daran gehindert hatte, die Desillusionierung zu verarbeiten, daß der »Knopf«, wie er es ausdrückte, in der äußeren Welt nicht verfügbar war. *Ein anders veranlagtes Baby hätte anders reagiert.* Als John seine unrealistischen Hoffnungen, den absolut vollkommenen »Knopf« in der Außenwelt zu finden, aufgab, wurde dieser als psychisches Konstrukt verankert. Dies schien die Grundlage für eine vertrauensvollere, auf realistischeren Erwartungen gründende Beziehung zu mir zu schaffen. Die therapeutische »Haltesituation« schien eine »Wiege« bereitzustellen, in der Johns Baby-Selbst frühe unbewätigte psychische Situationen bearbeiten und seine unrealistischen, perfektionistischen, übertriebenen Anforderungen an sich selbst und andere Menschen modifizieren konnte.

Schlußbetrachtung

Bei oberflächlicher Betrachtung können organisch bedingte und psychogen autistische Störungen gleich aussehen. Die sorgfältige Überprüfung jedoch zeigt, daß der organisch bedingte Autismus die Folge einer schweren Hirnverletzung ist, wohingegen nach unserem gegenwärtigen Kenntnisstand psychogener Autismus hauptsächlich auf psychische Verletzungen zurückzuführen ist. Meiner Ansicht nach müssen psychische Verletzungen ebenso gründlich untersucht werden, wie es die Neurophysiologen bei Hirnverletzungen tun. Globale Erklärungsversuche nach dem Muster »unresponsive Mutter und unresposive Kinder« sind unzureichend. Sollen wir in die Lage versetzt werden, Kindern mit einer psychogenen autistischen Behinderung zu helfen, brauchen wir detaillierte Einblicke in die Art dieser Störung. Bei der Erforschung des psychogenen Autismus wird deutlich, daß wir die elementaren Gefühle studieren, die mit den Anfängen der Wahrnehmung sowie mit der Art und Weise, wie Wahrnehmung blockiert und verzerrt werden kann, zusammenhängen. Johns »Erläuterungen« bieten uns einen ersten Einblick. Spätere Kapitel werden mehr zum Verständnis beitragen.

Psychotherapie bei psychogenem Autismus: Ein Verständnis des psychogenen Autismus wird durch die Tatsache erschwert, daß psychische Verletzungen in dem elementaren, relativ undifferenzierten Zustand als eine Verletzung des Körpers erlebt werden. Da Subjekt und Objekt noch kaum voneinander unterschieden werden, scheint die Beeinträchtigung sowohl das Kind als auch das Objekt zu betreffen. Mutter und Kind scheinen den lebenswichtigen »Vati-Knopf«, der beide zusammenhält, zu verlieren. John, ein kleines, unter psychogenem Autismus leidendes Kind, zeigt uns die Einzelheiten dieser psychischen Verletzung. Ein solches Kind befindet sich in einem Schockzustand. Es fühlt sich beschädigt, schwach und hilflos. Seine Reaktion bestand darin, Praktiken zu entwickeln, die ihm die Illusion vermittelten, undurchdringlich und unverletzbar zu sein und über alles eine absolute Kontrolle auszuüben. Obwohl diese Kinder einen so passiven Eindruck machen, sind sie in Wirklichkeit kleine Tyrannen. Sie sind sozusagen kleine Aufschneider, die ein festes, aber verständnisvolles »Containment« brauchen, gepaart mit Mitgefühl und gesundem Menschenverstand. Das wissen sie wohl zu schätzen, denn sie sind über ihren Zustand nicht minder unglücklich als die besorgten Menschen ihrer Umgebung.

Aus dem, was sie mir berichtet hat, gewann ich den Eindruck, daß Johns Mutter durch das hübsche Kind, das sie mit der Geburt als Teil ihrer selbst verloren zu haben glaubte, wie betäubt war. Es war für sie kein wirkliches, lebendiges Kind, sondern ein kostbares Stück Meißner Porzellan. Wie verletzend wäre es für sie gewesen und wie weit von der Realität entfernt, hätte ein »Experte« ihr gesagt, sie hege gegenüber ihrem Kind einen »Todeswunsch« und dies sei die Ursache seiner Probleme! Manche Psychodynamiker haben in ihrer Herangehensweise an den Autismus große Fehler begangen. Dieses Kapitel ist der Versuch, einige dieser Irrtümer mit Hilfe von Fallmaterial richtigzustellen.

Es ist auch ein Versuch, mit den elementaren Gefühlen, die den psychogenen Autismus auslösen, in Berührung zu kommen. In Wirklichkeit war das, was den Kindern passierte, ein Malheur der Sinne, ein Unglück, das jedoch im hypersensibilisierten, von Illusionen beherrschten Stadium der ersten Lebensmonate als Katastrophe erlebt wurde. Die Gefühle, die diese Illusion begleiteten, waren traumatisierend. Wie es ein Patient ausdrückte, wußte er sehr wohl, daß es sich um eine Illusion handelte, doch die Angst war real. Meiner Erfahrung nach kann diese frühe, scheinbar katastrophische Verletzung durch eine Psychotherapieform geheilt werden, die eine realistische Auffassung vom Wesen der zu behandelnden Störung hat. Ich habe zudem festgestellt, daß die in einer solchen Psychotherapie gewonnenen Einsichten die autistischen Barrieren, auf die wir bei bestimmten neurotischen Patienten treffen, in ein neues, erhellendes Licht rücken.

5. Kapitel
Situationen, die einen psychogenen Autismus in Gang setzen können

Er nahm also seinen Geburts-Schnupfen in die eine Hand
Und seine Todesschauer in die andere
Und ließ sich vom Lebensfunken zu Asche verglühen.

Ted Hughes, Crow improvisiert, *Crow*

Der Autismus ist ein pseudoautarker Zustand, in dem das Kind mit grimmiger Beharrlichkeit seinen eigenen exzentrischen Weg geht, ohne den Versuch zu machen, sich auf die Gewohnheiten anderer Menschen einzustellen oder sich ihnen anzupassen. Die Berichte der Eltern deuten darauf hin, daß dies zum Teil darauf zurückzuführen ist, daß das Selbstvertrauen der Mutter in den ersten Lebensmonaten ihres Kindes untergraben wurde. Es war für das Kind leicht, sie als manipulierbares, lebloses Objekt, als Teil seines eigenen Körpers, zu behandeln. Nicht selten fehlte der Einfluß des Vaters, oder er wurde ausgeschlossen. Lassen Sie mich nun einige typische Situationen anführen, die dazu geführt haben, daß die Mütter der von mir behandelten autistischen Kinder ihr Selbstvertrauen einbüßten.

Faktoren, die die Situation der Mutter erschweren

Viele Mütter berichten, daß sie vor oder nach der Geburt ihres Kindes deprimiert gewesen sind. In einigen Fällen konnte der Vater zur Zeit der Entbindung nicht anwesend sein, und die Mutter fühlte sich im Stich gelassen. In anderen Fällen mischten sich Verwandte in die Ehe ein und untergruben das Selbstvertrauen der Mutter. Einige Eltern zogen gerade um, als das Kind zur Welt kam. Oder die Mutter lebte fern von ihrer Heimat und fühlte sich einsam und unsicher. Manchmal gehörten Mutter und Vater verschiedenen religiösen Konfessionen an. Manche Mütter berichteten vom Tod eines früheren Kindes, oder sie hatten bereits eine Fehlgeburt erlitten, deren emotionale Folgen noch nachwirkten, als das später autistische Kind im Mutterleib war und zur Welt kam. Bei anderen Müttern war eine emotional bedeutsame Person um die Zeit der Geburt ihres Kindes gestorben. Von solchen Müttern, die kaum Selbstvertrauen haben und zutiefst niedergeschlagen sind, wird verlangt, mit einem Säugling fertigzuwerden, der aus einer Reihe von Gründen eine besonders entschlossene und selbstbewußte Behandlung benötigt. Die eben genannten Situationen sind keineswegs selten und führen beim Kind gewöhnlich nicht zu Autismus. Autismus ist die Folge einer außergewöhnlichen Verkettung bestimmter unglücklicher Umstände.

Das psychische Befinden der primären Bezugspersonen und der übrigen Familienmitglieder beeinflußt die sich entwickelnde Psyche des Kindes. Eine Mutter, die sich einsam und im Stich gelassen fühlt, ist nicht selten unfähig, auf ihr Kind angemessen einzugehen. Sie ist kaum in der Lage, die unvermeidlichen Erschütterungen, denen das Kind ausgesetzt ist, zu absorbieren. Solche Erschütterungen treten beispielsweise auf, wenn das Kind feststellt, daß die Brustwarze nicht Teil seines Mundes ist, bei Übergängen von einer biologischen Entwicklungsstufe in die nächste (beim Zahnen) oder bei Veränderungen der äußeren Lebensumstände (Wohnungswechsel, neuer Babysitter usw.). Ein genesendes autistisches Kind bezeichnete einmal seinen Autismus als »schocksichere Behausung«. Sie verhinderte das Hereinstürmen von unangenehmen Erlebnissen und hielt ihn geschützt, wobei »Schutz« geradezu das Schlüsselwort ist. Autismus ist eine Reaktion, die das Gefühl von Geborgenheit vermittelt, wenn das Kind spürt, daß ihm die Außenwelt keine Geborgenheit zu bieten vermag.

Wie wir wissen, braucht das neugeborene Kind eine besondere Art von Aufmerksamkeit. Winnicott (1958) hat das in seinem Begriff der »primären Mütterlichkeit« zum Ausdruck gebracht. Bion (1962a) spricht von *Reverie* und Masud Khan (1964) beschreibt einen »Schutzschild«. Diese besondere Art der Aufmerksamkeit kann auf verschiedene Weise beeinträchtigt werden. Depression oder quälende Sorgen der Mutter beeinflussen die Phantasien, die sie vor und nach der Geburt über das Kind hat. Das Baby kann ihre Erwartungen enttäuschen, es kann als das Ungeheuer oder behinderte Geschöpf erscheinen, das hervorzubringen sie gefürchtet hatte, oder es kann in so hohem Maße idealisiert werden, daß die Mutter glaubt, angesichts eines solch wunderbaren Wesens völlig untauglich zu sein. Mütter, die gerade einen schmerzlichen Verlust erlitten haben, sprechen bisweilen mehr mit den Seelen der Verstorbenen als mit ihrem lebendigen Kind. Das ist für das Kind verwirrend, denn es soll etwas verstehen, das jenseits seines Verständnishorizonts liegt. All dies sind unvermeidliche menschliche Reaktionen auf seiten von Mutter und Kind. Wir müssen versuchen, sie zu verstehen, statt voreilige moralische Urteile zu fällen. Wenn in einem solchen Fall ein Kind autistische Tendenzen aufweist, ist die Bühne für das Drama bereitet, in dem Mutter und Kind voneinander abgeschnitten werden. Es gibt auch Fälle, in denen dem Kind etwas Bestürzendes zustößt, das autistische Reaktionen in Gang setzt. Sind diese erst ausgelöst worden, ist es schwierig, die Entwicklung rückgängig zu machen. Die Folge ist ein Kind, das schwierig großzuziehen ist.

Soweit die für die Mutter schmerzlichen Situationen. Betrachten wir jetzt die für das Kind beunruhigenden Situationen, die in Verbindung mit anderen Faktoren Autismus zur Folge haben können.

Situationen, die vom Kind nicht bewätigt werden

In manchen Fällen tritt der Autismus nach oder während einer schwächenden Krankheit auf oder nach einem chirurgischen Eingriff in der frühen Kindheit, insbesondere wenn die Gliedmaßen längere Zeit ruhiggestellt werden müssen (Olin, 1975). Aber es gibt offensichtlich viele Kinder, die solche Erfahrungen gemacht haben und nicht autistisch geworden sind. Es liegt auf der Hand, daß erst eine besondere Verkettung von Umständen zur Verankerung autistischer Reaktionen führt. Wichtige Faktoren sind eigene angeborene Tendenzen des Kindes und das emotionale Klima in der Familie, in dem es aufwächst.

Es spricht einiges dafür, daß die schmerzvolle Erfahrung der körperlichen Getrenntheit in biologischen Übergangsphasen wieder wachgerufen wird und autistische Reaktionen auslöst. De Astis und Giannotti (1985) berichten von mehreren Fällen, in denen der Autismus mit Beginn des Zahnens manifest wurde, wenngleich sie auch vermuten, daß die Mutter-Kind-Beziehung vorher schon brüchig gewesen ist. Interessante Beobachtungen von Shirley Gault (1983) haben die Rolle bestätigt, die in einer ungeschützten Pflegesituation der Beginn des Zahnens beim Hervorrufen autistischer Reaktionen spielen kann. Diese sorgfältig dokumentierten Beobachtungen betreffen ein scheinbar normales Kind und eine Mutter, die aufgrund äußerer Umstände nach und nach in eine Depression abglitt. Bei der Entwöhnung und mit Beginn des Zahnens schien es, als ob dem Kind das Schicksal des Autismus nicht erspart bleiben würde. Man suchte viele Spezialisten auf, und die Diagnose lautete schließlich auf Taubheit (fälschlicherweise, wie sich später herausstellte).

Dies stürzte die ohnehin deprimierte Mutter in eine noch tiefere Depression. Das Baby reagierte nicht mehr auf Menschen, sondern nahm zu unbelebten Objekten wie Blättern und dem Zipfel eines Baumwolltuchs Zuflucht. Doch die ermutigende Tatsache bei dieser Folge von Beobachtungen während des ersten Lebensjahres des Kindes liegt darin, daß das Kind durch seine eigene Lebhaftigkeit und dank der Vitalität des Vaters sowie des großen Bruders vor dem Abgleiten in den Autismus bewahrt wurde. Mutter und Kind begannen wieder, sich miteinander zu befassen, das Baby machte nicht länger einen tauben Eindruck; heute scheint die Entwicklung dieses Kindes unter einem guten Stern zu stehen. Neben anderen vorzeitigen Entwicklungen, die durch das Trauma der körperlichen Trennung hervorgerufen wurden, hat sich das Beißen beim autistischen Kind zu früh entwickelt. Aus verschiedenen Gründen scheinen diese Kinder Angst vor ihren wilden Beißimpulsen zu haben, und dies könnte teilweise ihr zögerlicheses Saugen erklären.

Josephine Klein beschreibt ein mögliches Zusammentreffen von Faktoren, die zur Entstehung des Autismus beitragen könnten. Sie weist auf die Möglichkeit hin, daß der Sinnesapparat des Babys bei der Geburt für die Existenz außerhalb des Mutterleibs unter Umständen noch nicht reif ist, aber in den ersten Tagen oder vielleicht Wochen und Monaten allmählich zu einem normalen Zustand heranreift. Sie nimmt an, daß bis zur Vollendung dieses Reifungsprozesses das Selbstvertrauen der Mutter durch die seltsame Reaktionsarmut ihres Kindes so geschwächt sein könnte, daß Mutter und Kind nicht zueinander finden können.

Andere autistische Kinder scheinen intrauterin bereits Störungen erlitten zu haben und kommen mit einem erhöhten Autismusrisiko auf die Welt. Grotstein (1983) weist darauf hin, daß manche von ihnen infolge der mütterlichen Depression bereits »im Fruchtwasser eine biochemische Schädigung« erlitten haben könnten. Rubinfine (1962) vertrat die Ansicht, daß es im Mutterleib oder kurz nach der Geburt zu einer exzessiven »Stimulierung der Wahrnehmung der körpereigenen Reize« gekommen sein könnte. Natürlich werden die Phantasien der Mutter über ihr ungeborenes Kind den sich entwickelnden Fötus erheblich beeinflussen. Die Tatsache, daß intrauterine Störungen zu autismusähnlichen Reaktionen nach der Geburt führen können, wurde mir durch einen Fall, den ich kürzlich supervidiert habe, eindringlich nahegebracht. Es handelte sich um ein kleines Mädchen, das mit drei Jahren zur Psychotherapie überwiesen wurde, weil es vorübergehende autismusähnliche Episoden erlebte, in denen es wie in panischer Angst erstarrte und für die Umwelt völlig unzugänglich wurde. Die bedeutsamen Tatsachen aus der frühen Geschichte waren, daß die Mutter gegen Ende der Schwangerschaft depressiv geworden war und daß das Kind noch im Mutterleib zu atmen und den Darm zu entleeren begonnen hatte, ein Verhalten, das eine Notlage im fötalen Stadium anzeigt. Es liegt auf der Hand, daß ein solches Kind später »schwierig« sein wird.

Sehr verschiedene situative Bedingungen können Autismus auslösen. In der Vergangenheit wurden urteilende und allzu vereinfachende psychogene Hypothesen vertreten. Es ist klar, daß verschiedene Faktorenkombinationen zu autistischen Krankheitsbildern von unterschiedlicher Intensität führen können. In allen Fällen jedoch ist der Autismus ein Versuch, mit einer intensiven elementaren Angst fertig zu werden. Das Kind erstarrt wie ein erschrecktes Tier. In jedem Fall liegt die Crux der Situation darin, daß Mutter und Kind am Zusammenkommen gehindert werden, weil ihr Interesse aneinander und ihre gegenseitige Aufmerksamkeit durch die eben genannten Faktoren beeinträchtigt werden. Betrachten wir nun einige Konsequenzen der Unfähigkeit von Mutter und Kind, zueinander zu finden.

Folgen der Unfähigkeit von Mutter und Kind, zueinander zu finden

Verschiedene Autoren haben beschrieben, wie sich eine glückliche Mutter und ihr responsives Neugeborenes gegenseitig durch ihre sinnlichen Interaktionen von der Zäsur der Geburt heilen (De Astis und Giannotti, 1980). Aber aus verschiedenen Gründen kann es vorkommen, daß sie jene besondere psychische Atmosphäre nicht erfahren, die für die Mutter wahrscheinlich genauso wichtig ist wie für das Kind. Fehlt sie, entsteht für beide wie auch für den Vater, dessen Rolle darin besteht, diese psychische Heilung und Geborgenheit zu fördern, eine tragische Situation. All die kleinen Details des Familienlebens und der Kinderpflege erzeugen zusammen eine heilende Atmosphäre, und ihr Fehlen hat zur Folge, daß das Kind keine emotionale Bindung an die Eltern aufnimmt. Es schlägt gleichsam keine emotionalen Wurzeln und erleidet, von allen responsiven, das psychische Wachstum fördernden Interaktionen abgeschnitten, die Vereinsamung der autistischen Selbsteinkerkerung. Die relevanten Interaktionen in den ersten Lebensmonaten, das Saugen, der Blickkontakt, das gemeinsame Spiel und Zärtlichkeiten, bilden die physische Grundlage jener *Verbindung* zwischen Mutter und Kind, die die Urform von *Kommunikation* überhaupt darstellt. Ohne sie bleibt das Kind emotional ungeschliffen und unterernährt. Da sein psychisches Leben beschränkt ist und ihm angemessene Erinnerungen fehlen, wird es von quälenden Ängsten davor ergriffen, sein Seinsgefühl – sein »Gewahrsein des fortdauernden Seins«, wie es Winnicott so treffend ausgedrückt hat – zu verlieren.

Einige dieser Ängste drehen sich um die angeborene Angst vor dem Fallen. Es gibt eine Angst davor, »fallengelassen« zu werden oder »unendlich zu fallen« (wie es Winnicott ausdrückt), »auseinanderzufallen«, »in Stücke zu fallen«, mit einem vernichtenden Aufprall zu fallen. Weitere Ängste sind die Angst vor dem »Zerfließen«, der »Auflösung«, dem »Weggesprengtwerden« oder davor, das Gefühl der *physischen* Verbundenheit mit einer Entität zu verlieren, die für die Ewigkeit steht und von der das Kind glaubt, daß sie seine Existenz garantiere. Diese »namenlosen« Ängste, wie Bion sie nennt, werde ich an anderer Stelle ausführlich zur Sprache bringen.

Für diese Kinder wird zudem die ungeheilte ursprüngliche Wunde der körperlichen Trennung von der Mutter noch einmal aufgerissen, wann immer sie weitere Trennungserfahrungen machen. Zum Beispiel dann, wenn sie wahrnehmen, daß die Brustwarze (oder deren Ersatz) kein fester Bestandteil ihres Mundes ist – das war die Erfahrung Johns, der im 4. Kapitel vorgestellt wurde. Wenn es zu keiner Heilung kommt, bildet sich auf diesen traumatischen Wunden der »Schorf« autistischer Praktiken, die das Kind immer weiter von den heilenden und vermenschlichenden Einflüssen der eigenen Familie und der eigenen Kultur forttreiben. Wie David Rosenfeld (1981) gezeigt hat, *konserviert* der Autismus die traumatischen Erfahrungen, so daß sie bearbeitet werden können, sobald dafür günstige Voraussetzungen gegeben sind, aber er fördert nicht die *Integration.* Das Kind bleibt in einem primitiven, unintegrierten Zustand gefangen. Es entwickelt keine Arbeitsmodelle oder innere Simulation der Realität, die notwendig ist, um mit den Erfordernissen der Außenwelt und mit den eigenen inneren Zuständen zurechtkommen. Diesen Gedanken möchte ich vertiefen.

Die Repräsentation der Realität

Wie wir wissen, nehmen wir niemals die Wirklichkeit an sich wahr. Wir bilden eine Art von Analogie, die uns ermöglicht, uns erfolgreich in der Welt zurechtzufinden. Ein wichtiger Bestandteil der kognitiven und affektiven Entwicklung besteht in der Schaffung von immer effektiveren Arbeitsmodellen der Realität. Bei relativ normaler Entwicklung nimmt das Kind auf der Grundlage seiner eigenen angeborenen »Schemata« die von der Familie und der Kultur geschaffenen Konstrukte in sich auf. Zunächst geschieht dies durch die Interaktionen mit den primären Bezugspersonen in allen auch noch so winzigen Details der Kinderpflege. Daher ist das psychische Befinden des Kindes wie auch der Bezugspersonen von äußerster Wichtigkeit für die Entwicklung fortschreitender und effektiver Arbeitsmodelle. Infolge des Zusammentreffens verschiedener unglücklicher Umstände sind autistische Kinder in primitiven, aus ihren eigenen angeborenen »Gestalten« und aus den körperlichen Vorgängen stammenden Arbeitsmodellen steckengeblieben. Ihr Verhalten nimmt einen automatistischen, mechanischen Charakter an.

Ich bin ferner zu der Erkenntnis gelangt, daß derselbe Vorgang in einem isolierten Persönlichkeitsanteil normaler Menschen auftreten kann.

Der autistische Persönlichkeitsanteil neurotischer Patienten

Ich stimme mit den Ergebnissen von Sydney Klein überein, die zeigen, daß viele neurotische Patienten einen abgespaltenen autistischen Persönlichkeitsanteil haben. Wenn sie damit in Kontakt kommen, werden die ungeheilten psychischen Wunden der ursprünglichen Trennung offengelegt. Diese haben sie auf den Weg des psychogenen Autismus gebracht, allerdings in einer weniger ausschließlichen Weise als beim autistischen Kind. Möglicherweise heilen solche Wunden selbst bei normaler Entwicklung niemals völlig aus, aber durch das ganze Leben hindurch fördern schöpferische Interaktionen ihre Heilung, um den Menschen auf die endgültige Trennung im Tod vorzubereiten. Die Wunden mit autistischen Formen oder autistischen Objekten zu »verbinden« verhindert die natürliche Heilung, denn solche manipulativen Handlungen stehen den unerläßlichen schöpferischen Interaktionen im Wege. Neurotische Patienten mit solchen autistischen Barrieren werden im II. Teil dieses Buches vorgestellt. Lassen Sie mich zum Abschluß einige optimistische Worte zur Psychotherapie von psychogen autistischen Zuständen sagen.

Die Psychotherapie des psychogenen Autismus

Die hier beschriebenen Ereignisse und Umstände, die zur Entwicklung des psychogenen Autismus beitragen, sind nur insofern relevant, als sie die psychische Situation des Patienten beeinflußt haben. Sie gehören der Vergangenheit an. Wir können sie nicht aus der Welt schaffen. Doch wir können vielleicht etwas für die Psyche des Patienten tun. Ich bin zu dem Schluß gekommen, daß für jene Form von Autismus, die entwickelt wurde, um mit den ungeheilten Wunden der frühen Kindheit fertig zu werden, eine Psychotherapie genau das richtige ist. Eine solche Psychotherapie aber muß auf einem gründlichen Verständnis des Wesens und der möglichen Ursachen des psychogenen Autismus beruhen. In der psychotherapeutischen Behandlung autistischer Zustände, ob sie nun partiell oder eher total sind, öffnet sich vor unseren Augen die Büchse der Pandora. Wenn Patient und Therapeut den Mut haben, in ihre Tiefe zu schauen, und wenn sie die Entschlossenheit und die Geduld aufbringen, vor den notwendigen Einsichten nicht zurückzuschrecken, taucht aus dem dunklen Innern von Pandoras Büchse die Hoffnung auf.

6. Kapitel
Autistische Objekte[1]

Es war einmal ein Mensch
Fast ein Mensch
Irgendwie konnte er nicht richtig sehen
Irgendwie konnte er nicht richtig hören
Er konnte nicht richtig denken
Irgendwie setzte zum Beispiel
Sein Körper aus.

Ted Hughes, Eine Gutenachtgeschichte, *Krähe*

Mir ist bei der Arbeit mit autistischen Kindern ihr beharrlicher, von sensorischen Wahrnehmungen beherrschter Gebrauch bestimmter Gegenstände aufgefallen. Solche jedem einzelnen Kind eigentümlichen Gegenstände, die seine geistige und affektive Entwicklung behindern, bezeichne ich als autistische Objekte.

Autistische Objekte

Anhand von zwei klinischen Beispielen soll nun das Wesen autistischer Objekte verdeutlicht werden:

Zu Beginn der Behandlung pflegte David, ein zehnjähriger autistischer Junge, zu jeder Sitzung ein kleines Spielzeugauto mitzubringen. Dieses Auto umklammerte er so fest mit der Hand, daß es beim Loslassen auf der Handinnenfläche einen tiefen Abdruck hinterließ. Bei der gemeinsamen Arbeit wurde mir bewußt, daß das Spielzeugauto für David magische, vor Gefahr schützende Eigenschaften besaß, wie ein Talisman oder Amulett. Der Unterschied zwischen diesem Auto und einem Talisman lag darin, daß David glaubte, seinem Körper ein hartes Stückchen hinzuzufügen, wenn er es fest in die Handinnenfläche preßte. Selbst wenn er das Auto auf den Tisch stellte, blieb die Wahrnehmung der tiefen Einprägung erhalten, so daß

1 Überarbeitete Version eines Aufsatzes, der zuerst in *The International Review of Psycho-Analysis* erschienen ist (1980, 7, S. 27–39).

das Auto immer noch Teil seines Körpers zu sein schien und ihn beschützte.

Peter, ein anderes autistisches Kind, das zu Beginn der Behandlung sechs Jahre alt war, brachte regelmäßig einen großen Schlüsselbund mit mehr als fünfzig Schlüsseln zu den Sitzungen. Es zeigte sich, daß er den Schlüsselbund als harten, zusätzlichen Körperteil empfand.

Solange sich diese Kinder aber durch ihre autistischen Objekte geschützt glaubten, erwiesen sie sich als unzugänglich für meine Versuche, ihnen zu helfen. Deshalb hielt ich es für wichtig, das Wesen dieser Objekte und den möglichen Ursprung ihres Gebrauchs zu verstehen.

Das Wesen autistischer Objekte

Ein hervorstechendes Merkmal autistischer Objekte besteht darin, daß sie zweckentfremdet werden. Sie werden von jedem Kind in individuell charakteristischer Weise benutzt. David beispielsweise schob sein Auto nicht auf dem Tisch umher und spielte mit ihm auch nicht auf dem Fußboden, wie es ein normales oder neurotisches Kind getan hätte; Peter verwendete die Schlüssel nicht, um Schränke oder Türen zu öffnen, sondern er trug sie einfach bei sich. Aus der Perspektive des Betrachters gesehen, wurden sie in einer nutzlosen Weise gebraucht. Es zeigt sich aber, daß sie für das Kind selbst absolut lebenswichtig waren.

Ähnlich werden die harten Züge und Autos aus Metall, die manche autistischen Kinder mit ins Bett nehmen, um sie unter ihr Kopfkissen zu legen, nicht als Spielsachen verwendet. Man kann auch nicht sagen, daß sie für Phantasiezwecke gebraucht würden, denn das Phantasiespiel besitzt eine »Als-ob«-Qualität und ist mit dem Wissen um die körperliche Getrenntheit vom Objekt verbunden. Beim Objektgebrauch des autistischen Kindes ist weder das eine noch das andere der Fall. Für das autistische Kind haben diese Objekte eine bizarre und rituelle Qualität, und das Kind ist mit ihnen unausgesetzt und unbeirrbar beschäftigt, wie es bei Phantasiespielen nicht vorkommt Die Gegenstände, die manche autistischen Kinder zwanghaft kreisen lassen, haben eine ähnliche Qualität.

Das führt mich zu einem weiteren Merkmal der autistischen Objekte, die von autistischen Kindern benutzt werden. Sie sind nicht Teil des Phantasielebens. Psychogener Autismus ist ein von sensuellen Empfindungen beherrschter Zustand, und autistische Objekte sind von solchen Empfindungen beherrschte Objekte. Infolge der fehlenden Phantasie werden sie in einer extrem kanalisierten und repetitiven Weise gebraucht. Sie sind statisch und können ausgestaltet werden, um als Grundlage der Entwicklung neuer Assoziationsketten zu dienen. Sie sind das Ergebnis repetitiver, zirkulärer Aktivitäten und halten diese gleichzeitig in Gang, so daß sie zu festen Eigenschaften der Persönlichkiet werden.

Ein weiteres typisches Merkmal autistischer Objekte ist die augenscheinliche »Promiskuität« ihrer Verwendung. Der Schlüsselbund, den Peter mit sich herumtrug, hatte viele Schlüssel. Ging einer verloren, gab es immer einen anderen, der ihn ersetzte. David brachte jedesmal ein anderes Spielzeugauto mit. Zu Beginn seiner Behandlung war es die harte Empfindung in der Handinnenfläche, die für ihn wichtig war. Aber viele Spielzeugautos vermittelten ihm dieselbe Empfindung, so daß es keine Rolle spielte, welches er benutzte. Wenn er ein bestimmtes Auto nicht fand, tat es auch ein anderes. Manche autistischen Kinder haben ein spezifisches autistisches Objekt, das sie eine Zeitlang in einer stereotypen und ritualisierten Weise benutzen. Dann wird es weggelegt und durch ein anderes ersetzt, das in ähnlicher Weise benutzt wird. Während eines bestimmten Zeitraums kann es eine ganze Reihe von Gegenständen geben, die nacheinander mit einer Intensität verwendet werden, die die Wahrnehmung von irgend etwas anderem ausschließt. Sie werden gebraucht, verworfen und ersetzt. Wenn ein autistisches Objekt weg ist, ist das autistische Kind so niedergeschlagen, als ob es einen Teil seines Körpers verloren hätte; doch bald schon wird der Gegenstand durch einen anderen ersetzt, der als identisch erlebt wird.

Es ist wichtig zu erkennen, daß die Unfähigkeit des autistischen Kindes, einen tatsächlichen Verlust zu ertragen, aus seiner tiefen Verzweiflung über den scheinbaren Verlust eines Teils der stillenden Mutter herstammt, der für die Befriedigung seiner Triebstrebungen unverzichtbar ist, aber als Teil des eigenen Körpers erlebt wurde

(Winnicott, 1958; Mahler, 1961; Tustin, 1972). Dieser Verlust wurde als Verlust eines Teils seines Körpers erlebt und nicht als Verlust der Mutter und ihrer Brust. Diese Wahrnehmung führt zum zwanghaften Gebrauch von Objekten, die als Teile des eigenen Körpers empfundenen werden.

Die vorangegangene Erörterung deutet ein weiteres charakteristisches Merkmal autistischer Objekte an. Der von Empfindungen beherrschte Zustand des autistischen Kindes hat zur Folge, daß solche Kinder in einer global wahrgenommenen Welt leben, die ganz anders ist als die unsrige. Wir unterscheiden Objekte nicht nur aufgrund ihrer Form. Wir ziehen weitere Anhaltspunkte heran, autistische Kinder aber nicht. Sie reagieren allein auf der Basis von Konturen und Umrissen, Bedeutung und Funktion werden nicht in Betracht gezogen. Deshalb glaubte Peter einmal, daß ein *boiler* (Heißwasseraufbereiter) ein Junge sei (*boy*) mit einem zusätzlich angehefteten Körperteil. Das war keineswegs spaßig gemeint. Was für uns eine belustigende Begriffsverwirrung ist, war ihm sehr ernst. Segal (1957) beschreibt einen erwachsenen schizophrenen Patienten, der ebenfalls auf der Grundlage bedeutungsloser Klangähnlichkeiten handelte. Für diesen Patienten war das Möbelstück »Stuhl« und der fäkalische »Stuhl« ein und dasselbe, weil für beides dasselbe Wort benutzt wird.

Ein weiterer Faktor, der hier ins Spiel kommt, ist die Tatsache, daß die Sinnesmodalitäten bei autistischen Kindern nicht immer klar voneinander unterschieden werden. Sehen und Hören etwa werden vom Kind oft in taktiler Weise als *Berührtwerden* von einem Gegenstand erlebt. Geschriebene Wörter mit ungefähr gleicher Form werden als gleich *empfunden.* Dasselbe gilt für Gegenstände, Bilder und Geräusche. Das führt zu jenem Phänomen, das wir aus der Beobachterperspektive als *konkretistischen* Charakter der autistischen Wahrnehmungsweise bezeichnen.

Im Laufe seiner Behandlung brachte David Belege für Begriffsverwirrungen, die aus der unpräzisen taktilen Wahrnehmung von Wortformen herrühren. Zum Beispiel glaubte er, daß in seinem Aston-Martin-Spielzeugauto das Wesen seines Heimatdorfes Martin enthalten war. Ein Austin-Auto enthielt für ihn das Wesen von

Tustin. Für Menschen, die niemals mit autistischen Kindern gearbeitet haben, scheint es sich hierbei um Beispiele für Reime oder Wortspiele zu handeln; dies aber sind höhere Ausdrucksformen, die sich erst entwickeln, wenn der Mensch ein Gewahrsein der körperlichen Getrenntheit von anderen Objekten erworben hat, und diese normal wahrnimmt. Als er aus seinem Autismus auftauchte, konnte David mir erklären, daß die Worte »Tustin« und »Austin« seiner Meinung nach identisch gewesen waren, weil sie die gleiche Form hatten, wenn sie seine Ohren und seine Augen »berührten«.

Bei der Arbeit mit David war es nötig, ihm die Erkenntnis beizubringen, daß das Umhertragen eines Aston-Martin-Spielzeugautos weder bedeutete, ein Stück von seinem Dorf bei sich zu tragen, noch, daß das Mit-sich-Herumtragen des Austin-Autos bedeutete, Tustin mit sich zu führen. Ein neurotisches Kind hätte diese Autos benutzt, um seine Gefühle über sein Dorf und sich selbst zu *repräsentieren.* Für David aber *repräsentieren* sie nicht seine Gefühle – er hielt sie für reale Teilchen des Dorfes Martin bzw. Tustins. Dies hat zur Folge, daß wir in der psychoanalytischen Situation mit solchem Material ganz anders umgehen müssen, als wir es bei einem neurotischen Patienten täten. Als David sein körperliches Getrenntsein von der Außenwelt bewußter wahrzunehmen begann, konnten wir über sein Heimweh nach Martin sprechen (er lebte in einem kleinen Internat für autistische Kinder) und über seine Sehnsucht, mich immer bei sich zu haben (»bei sich« ist wörtlich zu nehmen, etwa: »in seiner Hosentasche«). Es wäre für David bedeutungslos gewesen, hätte ich zu Beginn der Behandlung mit ihm darüber gesprochen, denn damals waren die Spielzeugautos noch autistische Objekte, die das Gefühl, Martin oder mich zu vermissen, ausblendeten.

Die Erkenntnis der Bezugspersonen, daß diese Objekte vom Kind nicht als *Ersatz* für ersehnte Menschen erlebt werden, scheint eine nicht unbedeutende Rolle bei der Modifizierung der pathologischen Verwendung seiner autistischen Objekte zu spielen. Für das Kind *sind* sie diese Personen, weil sie ihm die ersehnten Empfindungen vermitteln, wobei für das Kind die sensuelle Empfindung des Objekts eine alles überragende Bedeutung hat. Die ersehnte Empfindung ist nicht auf einen bestimmten Körperteil beschränkt. Wenn das

Spielzeugauto beispielsweise in der Handfläche angenehme Empfindungen hervorruft, ist das dasselbe, als wenn es sich im Mund befände. Die Verwendung des Wortes »ersehnt« ist in diesem Kontext bereits irreführend. Autistische Kinder können keine Bedürfnisse, Wünsche und Sehnsucht empfinden, denn ihre psychische Ausrüstung reicht nicht aus, um die Frustrationen zu ertragen, die solche Gefühle nach sich ziehen. Statt dessen gebrauchen sie autistische Objekte, durch die sie die Erwartungsspannung vermeiden. Die Art, wie diese Kinder andere Menschen in ihrer Umgebung dazu bringen, sich ebensosehr wie sie selbst darum zu kümmern, daß immer ein autistisches Objekt zur Hand ist, ist ein beeindruckendes Beispiel für ihre Macht, den Autismus in Gang zu halten und andere Menschen in eine Kollusion mit ihm zu verstricken.

Autistische Objekte befriedigen fast augenblicklich und verhindern so jene Verzögerung zwischen Erwartung und Verwirklichung, die, sofern die Spannung erträglich ist, zu symbolisierenden Aktivitäten wie Phantasien, Erinnerungen und Gedanken führt. Daher lebt das autistische Kind zwar physisch weiter, aber sein geistiges Leben ist erheblich eingeschränkt. Darum gelten viele dieser Kinder als geistig behindert, wenn sie zum ersten Mal klinisch untersucht werden. Unmotiviertheit und fehlendes Urvertrauen in eine »fördernde Umwelt« sind das Ergebnis der pathologischen Verwendung autistischer Objekte. Nur eine von Einsicht geleitete Fürsorge, die zu ihm durchdringt, kann das Kind in die Lage versetzen, auf diese Objekte zu verzichten.

Ein charakteristisches Merkmal der meisten autistischen Objekte ist ihre »Härte«. Sie vermittelt dem Kind das Gefühl, daß sie es beschützen. Da ihnen humanisierende zwischenmenschliche Beziehungen fehlen, fühlen sich autistische Kinder fortwährend in Gefahr, angegriffen und verletzt zu werden. Sie glauben, daß ihre hilflosen Körper ein ständiges Ziel für wilde und brutale Angriffe sind. Insbesondere glauben sie, daß die hervorstehenden Körperpartien in barbarischer Weise abgebissen würden. Die Kastrationsangst neurotischer Kinder ist harmlos im Vergleich zu den Gefahren, denen sich autistische Kinder ausgesetzt fühlen. Der Hauptzweck autistischer Objekte (Objekte also, die als Körperteil verwendet werden und beruhigende und ablenkende sensuelle Empfindungen vermitteln) besteht darin, die Gefahren körperlicher Angriffe, ja der völligen Vernichtung, auszublenden. Die Härte gibt dem schwachen, verletzlichen Kind das Gefühl, in einer Welt voller entsetzlicher Gefahren, vor denen es unaussprechliche Angst hat, beschützt zu sein. Diese Objekte helfen, das Bewußtwerden des körperlichen Getrenntseins zu verhindern und den Wahn zu fördern, daß Außenwelteinflüsse ausgesperrt würden. Eine der Methoden, das zu tun, besteht darin, die Aufmerksamkeit auf vertraute Körperempfindungen zu richten anstatt auf die fremde »Nicht-Ich«-Außenwelt.

Aber dies ist die differenzierte Sichtweise des Beobachters; um mittels des differenzierten Mediums Sprache Klarheit in die Erörterung der undifferenzierten Zustände zu bringen, ist es unerläßlich, die Erfahrung des Beobachters von der ganz anders gearteten Erfahrung des relativ undifferenzierten Kindes zu unterscheiden. Für das Kind ist das autistische Objekt in erster Linie eine *Empfindung*. Der Beobachter dagegen weiß um den Gegenstand, der die Empfindung hervorruft. Er nimmt Unterschiede an Gegenständen wahr, die für das Kind, das sie nur im Hinblick auf die Empfindungen unterscheidet, die es hat, wenn sie seinen Körper zu berühren scheinen, alle gleich sind.

Der Pseudoschutz, den autistische Objekte (oder Empfindungsobjekte) bieten, hält das Kind davon ab, realistischere Schutzmaßnahmen zu entwickeln und zu gebrauchen. Insbesondere hält er es davon ab, mit den fürsorglichen Menschen in seiner Umgebung in Berührung zu kommen, die ihm helfen könnten, seine Ängste zu bewältigen. Das Kind wird gefangengehalten in einem vereinsamten Zustand voller phantastischer Schrecken, ohne eine reelle Chance, sie zu lindern oder zu modifizieren.

Mich haben schon immer Berichte verblüfft, wonach manche psychogen psychotischen Kinder von Geburt an zurückgezogen gewesen sein sollen. Als ich diesen Aufsatz schrieb, kam mir in den Sinn, daß diese Kinder vielleicht schon sehr früh im Leben zufällig auf autistische Objekte gestoßen sind und infolgedessen an der Hinwendung zur stillenden Mutter gehindert wurden. Eine depressive Mutter oder eine Mutter ohne Selbstvertrauen ist nicht in der Lage, genügend Entschlossenheit und Hartnäckigkeit aufzubieten, um ihr Kind von den illusorischen Vergnügen seiner Empfindungsobjekte ab- und den wirklichen Genüssen an ihrer Brust zuzuwenden, die es allmählich als etwas von sich selbst Getrenntes zu benutzen lernt. In einer solchen Situation kann sich die Verwendung autistischer Objekte einschleifen und pathologisch werden.

Die Ursprünge pathologischer autistischer Objekte

Wir können die Ursprünge autistischer Objekte besser verstehen, wenn wir uns klarmachen, daß für das Brustkind zunächst nicht die Milch von Bedeutung ist, sondern die »mundumschlossene Brustwarze« als Bündelung sensueller Empfindungen. Die Natur legt sozusagen einen Köder aus und sorgt dafür, daß die lebensfördernde Triebaktivität lustvoll ist. Aber hier kann aus den verschiedensten Gründen, die in den unterschiedlichsten Konstellationen auftreten können, etwas schiefgehen. Dann wird der Säugling genötigt, aus seinem eigenen Körper eine fast immerwährende Trance erzeugende Ekstase zu gewinnen, um seine Aufmerksamkeit von dem unaussprechlichen Schmerz, den die Außenwelt bereitet, abzulenken.

Die klinische Arbeit zeigt, daß pathologische autistische Objekte ihren Ursprung in verborgenen, in der frühen Kindheit beginnenden autosinnlichen Aktivitäten haben. Autistische Kinder beißen sich oft auf die zusammengerollte Zunge oder in die Wangeninnenwand. Oder sie winden ihr Gesäß, um die Fäzes im Anus zu spüren. Alle diese Beobachtungen entstammen der psychoanalytischen Situation, in der die Kinder dem Therapeuten vorführen, was sie tun, oder es ihm erzählen, sofern sie sprechen können. Vermutlich gibt es noch weitere Verhaltensweisen, auf die ich nicht aufmerksam geworden bin. In der Regel nehmen die erwachsenen Bezugspersonen diese Aktivitäten kaum wahr, da sie für sie nicht sichtbar sind. Da Außenstehende sie nicht wahrnehmen und folglich auch nicht modifizieren können, werden die autosinnlichen Aktivitäten immer anormaler und perverser. Die Säuglinge, die solche Aktivitäten entwickeln, werden zunehmend seltsam und exzentrisch. Die autistischen Objekte, die solche Kinder später so gebrauchen, als wären sie Teile ihres Körpers, scheinen in dieser früheren Pathologie zu wurzeln. Das erklärt den idiosynkratischen Charakter pathologischer autistischer Objekte.

Das für das autistische Kind charakteristische Bedürfnis, die Außenwelt weitgehend auszuschließen, entsteht aus einer Reihe von Situationen, die allesamt in der frühesten Kindheit aufzutreten scheinen. Nach meinen Beobachtungen ist eine häufig vorkommende, psychogenen Autismus auslösende Situation die, in der ein besonders verletzlicher Säugling eine Reihe von Schocks zu einem Zeitpunkt erleidet, wo der neuromentale Apparat noch nicht genügend entwickelt ist, um der Belastung standzuhalten. Sie treten beim Stillpaar zum Beispiel in Phasen auf, in denen die Mutter aus verschiedenen Gründen nicht in der Lage ist, dem Säugling zu helfen, mit solchen Belastungen umzugehen, bzw. nicht in der Lage ist, stellvertretend für das Kind damit fertig zu werden. Eine traurige Konstellation, die oft Ausgangspunkt für den autistischen Rückzug zu sein scheint, sind eine Mutter und ihr Kind, die ihr körperliches Getrenntsein als ein gewalttätiges Auseinandergerissenwerden und als Verwundung erleben (Bick, 1968). Autistische Objekte scheinen die Lücke in der Paarbeziehung zu füllen, damit die körperliche Trennung nicht wahrgenommen werden muß. Leider verhindern diese Wahnbildungen aber auch die Entwicklung einer wechselseitig heilenden Beziehung zwischen beiden. Sie haben zur Folge, daß sich das Kind leblosen, von Empfindungen beherrschten Artefakten zuwendet, die seinen Kontakt zur Außenwelt *blockieren*, anstatt Menschen, die die allmähliche Entwicklung eines differenzierten und differenzierenden Kommunikations- und Interpretationsmediums fördern.

Die entwicklungsschädigenden Folgen des Gebrauchs autistischer Objekte

Erikson (1951) weist auf die schädlichen Auswirkungen von pathologischer Autosinnlichkeit (*auto-sensuousness*) hin, wenn er schreibt, daß der Säugling »seinen Daumen finden und die Welt verdammen wird«. Aber das gilt nicht für autistische Kinder. Wie Winnicott (1958) gezeigt hat, führt das Finden des Daumens zur Entdeckung der Welt außerhalb des kindlichen Körpers und zur Freude an ihr. Lutschen am Daumen oder den Fingern wird mit reichen Phantasien und Ideen assoziiert, die das Kind in die Lage versetzen, zu warten, bis sich eine angemessenere und authentischere Befriedigung einstellt. Das ist beim Säugling, der Anzeichen von psychogenem Autismus zeigt und bei dem das Saugen durch das krampfhafte Festhalten harter autistischer Objekte ersetzt worden ist, nicht der Fall.

Die ständige Zuflucht zu autistischen Objekten hat zur Folge, daß sich autistische Kinder in einem undifferenzierten, psychisch und geistig unterernährten Zustand befinden, der durch die humanisierenden Elemente der Pflegesituation kaum modifiziert wurde. Sie sind elementaren angeborenen Mustern ausgeliefert, die durch Erfahrung nicht modifiziert werden. Diese werden weder reguliert noch in normaler Weise koordiniert. Sie scheinen zudem atavistische Elemente zu enthalten. Solche Kinder fühlen sich von räuberischen Mäulern und Kreaturen bedroht oder glauben, daß man sie wie Insekten mit dem Fuß zertreten kann. Sie glauben auch, mit anderen Kreaturen in einem verzweifelten Überlebenskampf zu stehen. In diesem »Kampf bis aufs Blut« scheinen die harten autistischen Objekte ihre verlängerten Klauen und Zähne zu sein.

Der ständige Gebrauch autistischer Objekte hat zur Folge, daß das autistische Kind wenig Chancen hat, eine Frustrationstoleranz zu entwickeln. Jede Versagung weckt Wutanfälle, die sein Innerstes erschüttern und Angst vor völliger Vernichtung hervorrufen. Um dieser tödlichen Angst entgegenzuwirken, umklammert das Kind das harte autistische Objekt. Es lernt niemals, in einer denkenden Weise mit Frustrationen umzugehen.

Einem solchen Kind fehlt die »Übungsphase« der normalen frühen Kindheit, die ausgelebt wird, wenn die Mutter abwesend ist. Ricks (1975) hat bei der Erforschung der Sprachentwicklung autistischer Kinder festgestellt, daß viele von ihnen die kindliche Phase des Lallens und Brabbelns nicht durchlaufen. Meine eigenen Beobachtungen haben gezeigt, daß viele von ihnen die normale Saugphase ausgelassen haben, in der das Kind ein Arbeitsmodell der Brust erschafft. Diese Simulation ermöglicht ihm eine geschicktere und effizientere Nutzung der Mutterbrust, wenn sie da ist. Kurz, ihnen fehlen die frühen Lernerfahrungen, die mit dem Spielen einhergehen. Ein solches Kind erwartet, daß es mit dem ersten Versuch alles erreicht, ohne irgendwelche Übung außerhalb der realen Situation. Wenn es scheitert, gibt es den Versuch auf. Dies scheint eine wichtige Komponente der Passivität und des fehlenden Selbstvertrauens autistischer Kinder zu sein. Sie haben die schöpferische Arbeit ausgelassen, die darin besteht, Illusionen der Wirklichkeit anzupassen und Phantasien zu entwickeln, die, wie Winnicott (1958) in seiner Arbeit über Übergangsobjekte und Übergangsphänomene gezeigt hat, eine *Brücke* zur Realität schlagen. Statt dessen verwenden sie pathologische autistische Objekte, die eine *Barriere* gegen die Realität bilden. Sie blockieren die Wahrnehmung einer Wirklichkeit, die mit anderen Menschen in der gemeinsamen Kultur geteilt werden kann. Nichts kann herein gelangen, aber was noch wichtiger ist, es kann auch nichts heraus.

Solche Objekte sind das Ergebnis einer ursprünglichen Kreativität, die fehlgeleitet worden ist. Die vorzeitige und schmerzliche Desillusionierung solcher Kinder bedeutet, daß sie ungenügende Gelegenheiten für *Illusionen* haben. Erträgliche Bedürfnisse rufen antizipatorische Bilder (normale Halluzinationen) hervor, die das Kind auf das Kommende vorbereiten. Dies ist der Anfang der Hoffnung. Statt ein Arbeitsmodell der Mutterbrust zu erschaffen, das es ihnen ermöglicht, die reale Brust zu nutzen, wenn sie da ist, entwickeln autistische Kinder Artefakte, die die Brust *ersetzen* und auf die sie nicht warten müssen. (In der neurotischen Entwicklung kann der Schnuller, ein »Tröster«, zu einem solchen pathologischen autistischen Objekt werden, wenn er über die normale Schnullerphase hinaus übermäßig gebraucht wird.)

Winnicott schreibt: »Die Mutter bietet im rechten Augenblick die wirkliche Brust genau da, wo der Säugling bereit ist, sie zu erschaffen« (Winnicott, 1958). Die »ausreichend gute Mutter« jedoch versagt, wie Winnicott sehr wohl sieht, unausweichlich bei dieser Anpassungsleistung an ihr Kind. Für das sich normal entwickelnde Kind stellt ein solches »Versagen« der Mutter die Gelegenheit dar, antizipatorische Bilder und neuartige Reaktionen auf die Mutter zu »erschaffen«. Genauso wie in Zeiten der Abwesenheit der Mutter hat es in solchen Augenblicken, in denen die Mutter seine Bedürfnisse nicht vollständig versteht und befriedigt, Gelegenheit, seine antizipatorischen Bilder und seine wechselnden Wahrnehmungen der Mutter anzupassen. Das Baby lernt abzuwarten. Es lernt, seine Impulsivität zu kontrollieren. Es beginnt, Vorstellungen zu erschaffen, die ein *Ersatz* für die Mutter sind, aber sein Bedürfnis nach ihr nicht in Vergessenheit geraten lassen oder seine Triebreaktionen auf sie nicht unterdrücken. Es beginnt, Beziehungen einzugehen und auf Menschen und Situationen zu reagieren, auch wenn sie *realiter* nicht gegeben sind. Dies führt zur Entwicklung von Phantasie und Denken.

Die Frustration einer unerträglichen Enttäuschung hat zur Folge, daß das Kind, statt gesunde Illusionen und Halluzinationen zu bilden, die eine Vorstufe des Träumens, der Phantasien und Ideen sind, in übermäßigem Umfang autistische Objekte zu manipulieren beginnt. Da sie berührbar, von Empfindungen beherrscht und allgegenwärtig sind, halten diese Objekte das Kind auf einer primitiven Ebene eines überaus konkretistischen mentalen Funktionierens gefangen. Gegenstände werden ungebührlich wichtig, weil sie ekstatische Körperempfindungen stimulieren. Autistische Objekte werden zum Mittel, um mit unerträglicher Frustration fertig zu werden, aber sie verhindern die Entwicklung von Gedanken, Erinnerungen und Vorstellungen, die in der normalen Entwicklung bis zu einem gewissen Grad für die unausweichliche, zum Menschsein dazugehörige Tatsache entschädigen, daß vollständige Befriedigung unmöglich ist. Eine weitere Folge ist, daß die Kinder selbst Gefahr laufen, als autistische Objekte manipuliert statt als menschliche Wesen behandelt zu werden. Ein extremes Beispiel hierfür ist die Echopraxie mancher psychotischer Kinder.

Die Echolalie ist die Manipulation von Worten und Geräuschen, als ob sie berührbare Gegenstände wären, um sie in »Ich« zu verwandeln. Daher können Worte autistische Objekte sein. Solches echolalisches Verhalten wird oft von den Erwachsenen verstärkt, weil sie wegen der Unresponsivität der Kinder das Gesagte viele Male wiederholen, um ihre Aufmerksamkeit zu wecken. Das ist ein gutes Beispiel für die Wirkung solcher Kinder auf ihre Umwelt. Stroh (1974) formuliert es wie folgt: »Die Eltern werden gezwungen, den Weg des autistischen Kindes mitzugehen.« Wenn wir uns als Therapeuten so verhalten und uns allzu intensiv auf ihren pathologischen autistischen Gebrauch von Gegenständen einlassen, liefern wir die Kinder ihrer Krankheit aus und rauben ihnen alle Möglichkeiten, echte Beziehungen zu entwickeln, deren Kennzeichen Mühe und Kooperation sind.

Wenn Mutter und Kind füreinander zu autistischen Objekten werden, leben sie in einem von sensuellen Empfindungen beherrschten Kokon, in dem sie vorhersagbar und perfekt zueinander zu passen scheinen. Sie werden zum Entzücken des jeweils anderen. Manche autistischen Kinder kommen mit einer solchen idyllischen Vorgeschichte in die Behandlung. Aber die Vorteile einer solchen frühen Kindheit sind unecht. Ein Vorteil der »ausreichend guten Mutter«, die in einer für das Kind erträglichen Weise Anpassungsmängel aufweist, liegt darin, daß sie einen Freiraum für Zufallsereignisse schafft. Solche zufälligen Ereignisse setzen Veränderung in Gang. Wenn Mutter und Kind füreinander zu verzückenden, nahtlos zueinander passenden autistischen Objekten werden, können sich solche Freiräume nicht öffnen. Die geistige und psychische Entwicklung des Kindes wird massiv gehemmt, sie geht fehl, weil die Veränderung bewirkenden Faktoren ausgeschlossen werden. Meiner Erfahrung nach spielt der Familienvater eine wichtige Rolle, indem er dem Stillpaar in den Schmerzen und Leiden beisteht, denen sie ausgesetzt sind, wenn die »Passung« nicht perfekt ist und sie erkennen, daß sie einander nicht vollständig kontrollieren können.

Ein solches Kind hat niemals das Gefühl, einen Menschen zu *vermissen.* In seinem konkretistischen Erleben wird das Fehlen einer Person, auf die man angewiesen ist, als »Loch« emfunden, das sofort durch ein autistisches Objekt aufgefüllt werden kann. Es erlebt »Leere« und »Nichts«, die jedoch etwas anderes sind, als einen notwendigen Menschen zu vermissen. Das anhaltende Sichwiederholen mancher autistischer Kinder in der Psychotherapie könnte die Folge unseres unangemessenen Mitspielens bei ihrem Gebrauch autistischer Objekte sein. Zudem kann auch ein Analytiker, der übermäßig passiv und beeinflußbar ist, als autistisches Objekt verwendet werden. In der Analyse eines autistischen Kindes ist es als Fortschritt zu werten, wenn es den Analytiker zu vermissen beginnt. Bis dahin hat das Kind den abwesenden Analytiker durch autistische Objekte ersetzt, die jedes Gefühl des Mangels ausblenden und somit auch die Entwicklung von Erinnerungen verhindern, die den Mangel normalerweise vorübergehend wettmachen können.

Eine weitere schädliche Auswirkung des exzessiven Gebrauchs autistischer Objekte besteht darin, daß harte autistische Objekte in extremen Krisen unter dem Druck zerbrechen und das Kind im Stich lassen. Das liegt an ihrem unflexiblen, rigiden Charakter und der daraus resultierenden Sprödigkeit. Es liegt auch daran, daß es leblose Objekte sind. Lebendige Menschen können sich entwickeln, sich verändern, geheilt werden. Sie können Phasen, in denen sie das Kind im Stich gelassen haben, überwinden. Leblose, unflexible Objekte können den Anschein erwecken, irreparabel kaputtzugehen. Ferner sind autistische Objekte in der Gußform angeborener Dispositionen *gegossen* und in ihrer Form nicht durch Erfahrung *geschmiedet* worden, wie das etwa beim Übergangsobjekt der Fall ist. Sie können folglich leichter einen Sprung bekommen und brechen. Das autistische Kind wird durch einen solchen irreparablen Zusammenbruch in Verzweiflung gestürzt.

Das autistische Kind (oder das autistische Kind in uns allen) versucht unablässig, der Welt sein starres System, in dem es sich sicher wähnt, aufzuprägen. Dabei manipuliert es eine endlose Folge von autistischen Objekten, die echte Veränderung und echtes Wachstum verhindern. Es liegt daher auf der Hand, daß die Erforschung autistischer Objekte Implikationen hat, weit über die Erforschung der schweren infantilen Geistesstörungen hinaus, die für die Familien, in denen sie auftreten, tragische Konsequenzen haben. Denn sie können für die Gesellschaft, in der wir leben, eine Tragödie heraufbeschwören. Doch diese weitergehenden Implikationen – etwa die Rolle, die autistische Objekte für Bigotterie und Fanatismus spielen – können in diesem Kapitel nicht entfaltet werden, das sich mit der Entwicklung autistischer Pathologie bei Kindern befaßt.

Therapeutische Implikationen dieser Erkenntnisse

Erstens: Dieser Ersatz lebensnotwendiger Menschen durch autistische Objekte, die dem Kind das Gefühl vermitteln, unempfindlich und geschützt zu sein, führt in der therapeutischen Situation zu einem Verhalten seitens des Kindes, das für den außenstehenden Beobachter idiotisch erscheint, für das Kind aber lebenswichtig ist. Nur indem wir herausfinden, welche Bedeutung ein solches Verhalten für das Kind hat, und indem wir in seine Welt eintreten und sie verstehen, können wir ihm helfen. Wenn wir außerhalb stehen bleiben und sie lediglich beschreiben, werden wir versuchen, das Kind in Richtung normaler Verhaltensweisen zu manövrieren und zu manipulieren. Doch dadurch bleiben der Zorn und die Panik, die seinen seltsamen Zustand hervorgebracht haben, unberührt. Und wenn wir es rücksichtslos seiner autistischen Objekte berauben, liefern wir das überaus verletzbare Kind unerträglichen Schrecken aus. Um mit solchen Ängsten fertig zu werden, entwickelt es unter Umständen eine noch verfestigtere Form des Autismus. Der Übergang vom Mißbrauch autistischer Objekte zur Entwicklung von Vertrauen in lebendige Menschen seiner Umgebung verlangt also unendlich viel Takt, Geduld und Geschick. Er ist in hastiger und mechanischer Weise nicht zu bewerkstelligen. Wir müssen geduldig auf die richtigen Augenblicke warten, in denen wir dem Kind zeigen können, daß Menschen trotz ihrer Unberechenbarkeit und Sterblichkeit längerfristigere und wirksamere Unterstützung bieten können als diese von exzessiver Autosinnlichkeit gekennzeichneten Objekte.

Zweitens: Die vorangegangenen Erkenntnisse über das Wesen, den Ursprung und die Funktionen autistischer Objekte versetzen uns in die Lage, eine mitfühlende, zugleich aber unsentimentale Haltung gegenüber dem psychogenen Kindheitsautismus einzunehmen. Jene psychologischen und psychiatrischen Therapeuten, die menschenunwürdige Methoden zur Behandlung solcher Kinder befürworten, werden vielleicht erkennen, daß sich bei diesen Kindern hinter der Fassade scheinbarer Furchtlosigkeit eine Angst verbirgt, die so groß ist, daß sie nicht zum Ausdruck gebracht werden kann. Sie muß vom Therapeuten, der das Kind beim Erleben der Angst unterstützt, in Worte gefaßt werden. Das hat nicht das geringste mit hemmungsloser Abreaktion zu tun.

Auf der anderen Seite werden vielleicht jene Pädagogen, die in ihrem Zugang zu diesen Kindern Permissivität am falschen Platz zeigen, zu einer Veränderung einiger ihrer Haltungen gebracht werden können. Sowohl sie als auch manche psychoanalytische Therapeuten werden vielleicht zu der Erkenntnis gelangen, daß sie das Kind tatkräftiger und bestimmter an seinen pathologischen Handlungen hindern und es sogar davon abhalten müssen. Dabei kann es durchaus nötig sein, dem Kind das eine oder andere Objekt wegzunehmen, damit es angemessenere Formen entwickeln kann, Spannungen abzubauen. Es ist durchaus möglich, daß wir strenger als jetzt mit neurotischen Kindern sein müssen, wenn es etwa darum geht, ob ein Kind ein bestimmtes Spielzeug mit nach Hause nehmen darf, oder ob es sein Lieblingsspielzeug von zu Hause mit in die Therapie bringen darf oder nicht. Jede solche Vorgehensweise auf unserer Seite muß jedoch mit Deutungen einhergehen, die dem Kind zeigen, daß wir verstehen, welche Bedeutung solches Verhalten für es selbst hat. Das Wissen um die behindernden Auswirkungen autistischer Objekte wird nicht nur zu einer disziplinierteren und konsequenter disziplinierenden Technik in der Analyse führen, sondern auch zu einer Veränderung der Art und Weise, wie wir unsere Deutungen formulieren. Das Ergebnis dürfte ein Mehr an Effektivität in der Behandlung sein. Wenn infolge unserer sorgenden Zuwendung das Kind beginnt, sich in unserer Aufmerksamkeit gehalten zu fühlen, kann es beginnen, Erfahrungen als Gedanken, Erinnerungen und Vorstellungen in seiner psychischen Welt festzuhalten. Der Mißbrauch autistischer Objekte läßt allmählich nach. Wie es Bion einmal gesagt hat (1962a), vermittelt die Mutter dem Säugling nicht nur nahrhafte Milch, sondern auch geistige Gesundheit. Durch ihre einfühlsame Aufmerksamkeit und ihr Verhalten können auch Therapeuten solche geistige Gesundheit vermitteln. Kurz: Die emotionale Atmosphäre des therapeutischen Settings ist für autistische Kinder von entscheidender Wichtigkeit.

Drittens: Ich habe die Erfahrung gemacht, daß autistische Objekte oft mit Übergangsobjekten im Sinne Winnicotts verwechselt werden. Die beschriebenen Einsichten in das Wesen autistischer Objekte sollten zur Vermeidung solcher Verwechslungen beitragen. Die Verwechslung von autistischen Objekten und Übergangsobjekten führt zu einem Mißmanagement im pädagogischen Bereich wie auch in der Psychotherapie, weil die Pflegepersonen kollusiv bei der Verwendung autistischer Objekte mitspielen, statt das Kind durch die Bereitstellung echterer Möglichkeiten, sich geborgen zu fühlen, geduldig und sanft von diesem Mißbrauch zu entwöhnen. Im Sinne von Winnicotts (1958) Definition des Übergangsobjekts als »erster Nicht-Ich-Besitz des Kindes« kann man sagen, daß autistische Objekte ein elementarer »Ich-Besitz« sind. Es sind keine Umgangsobjekte wie die Übergangsobjekte, denn ihre Rolle besteht darin, Schutz zu bieten und Gefahr entfliehen zu helfen. Ferner haben autistische Kinder ihre je eigenen, spezifischen autistischen Objekte, während Übergangsobjekte wie Teddybären und Schmusedecken Dinge sind, die von vielen Kindern verwendet werden. Das heißt, ihr Gebrauch hat einen gemeinschaftlichen Aspekt (Winnicott, 1958; Gaddini, R., 1978).

Viertens: Das Verständnis des Wesens und der Funktion autistischer Objekte versetzt uns in die Lage, tiefere Einsichten in die Mechanismen zu erlangen, die die geistige Entwicklung bei autistischen Kindern behindern. So erkennen wir beispielsweise, daß die exzentrische und ungeduldige Art des autistischen Kindes, Spannungen durch den hartnäckigen und pathologischen Gebrauch autistischer Objekte abzuführen, es daran gehindert hat, die seinem Alter angemessenen Fertigkeiten und Techniken zu erlernen, die ihm die Teilhabe an der gemeinsamen Kultur ermöglichen. Folglich ist ein pädagogisches Setting, in dem das Kind – sobald es die autistischen Objekte aufgibt – aus Erfahrung lernen kann und wo ihm geholfen werden kann, die grundlegenden, in der normalen Entwicklung als selbstverständlich hingenommenen Unterscheidungen und Integrationen vorzunehmen, eine wertvolle Ergänzung zur psychoanalytischen Therapie.

In der Psychotherapie werden wir der fehlenden bzw. schwach ausgebildeten Fähigkeit solcher Kinder zur Symbolbildung größere Aufmerksamkeit widmen. Die Symbolbildung basiert auf der Fähigkeit, *Ersatzobjekte* für reale Dinge und Situationen zu verwenden. Sie basiert auch auf der Fähigkeit, sich als von der Außenwelt getrennt zu empfinden und so Abstraktionen zu verwenden. Die Verwendung materieller, als Körperteile empfundener Objekte, die den wirklichen

Körper dauerhaft ersetzen, hat das autistische Kind daran gehindert. Wir dürfen daher nicht die komplexen Phantasien und Ideen in sein Verhalten hineinlesen, die bei neurotischen Kindern anzutreffen sind, ihm aber unzugänglich sind. Wir erkennen, daß die komplexen und esoterischen Interpretationen, die man gelegentlich autistischen Kindern gibt, ihm nicht dasselbe bedeuten wie uns, wenngleich sich diese Kinder wahrscheinlich durchaus körperlich »berührt« fühlen durch unsere Fürsorge und unser Interesse. Paradoxerweise ist es gerade ein differenzierteres Verständnis, das unseren Zugang zu diesen Kindern vereinfacht.

Fünftens: Dieses Verständnis des Wesens und des Ursprungs pathologischer autistischer Objekte leistet einen Beitrag zum Verständnis der Perversionen und der Entstehung fetischistischer Objekte. Man hat versucht, Winnicotts Konzept des Übergangsobjekts mit der Entwicklung des Fetischismus in Beziehung zu setzen (Greenacre, 1970), aber die Ergebnisse der Arbeit mit autistischen Kindern legen die Annahme nahe, daß fetischistische Objekte sehr viel mehr mit autistischen Objekten gemeinsam haben als mit Übergangsobjekten. Der obsessive Gebrauch autistischer Objekte läßt auch vermuten, daß sie zu einem besseren Verständnis der frühen Anfänge der Zwangsneurose beitragen könnten.

Schlußfolgerung

In diesem Kapitel habe ich es vermieden, menschliche Emotionen wie Liebe, Haß, Aggression, Eifersucht und Neid als die Hauptdeterminanten kindlichen Verhaltens in den Vordergrund zu rücken, nicht etwa, weil ich sie für unwichtig hielte, sondern weil die klinische Arbeit mit autistischen Kindern uns Hinweise dafür liefert, daß Verzweiflung, Panik, Wut und räuberische Rivalität (Gaddini, E., 1969) mit ihnen besprochen werden müssen, *bevor* Liebe, Aggression, Eifersucht und Neid für sie bedeutsam sein können. Vieles läßt darauf schließen, daß autistische Kinder in früher Kindheit eine Bewußtseinsagonie erlitten haben, als sie diese kultivierteren Gefühle vorzeitig und intensiv erlebten. Wenn wir solche Gefühle zu früh deuten, das heißt, bevor das Kind das grundlegende Rüstzeug hat, sie zu unterscheiden und zu ertragen, verstärken wir nur die zur Entwicklung eines falschen Scheins führende Frühreife. Unser Ziel ist es, ein ehrliches, aber taktvolles Kind aus den künstlichen Schichten des Autismus, unter denen es sich geschützt gefühlt hat, zu befreien. Um dieses Ziel zu erreichen, müssen wir auch mit den elementaren Tiefen in uns selbst in Berührung kommen.

7. Kapitel
Autistische Formen in der Psychopathologie der Kindheit[1]

Gestalt formlos, Schatten farblos,
Gelähmte Kraft, reglose Geste.

T. S. Eliot, Die hohlen Männer, *Gesammelte Gedichte*

Dieses Kapitel untersucht ein Phänomen, das autistische Kinder als »Formen« bezeichnet haben. Das Wesen und die Funktion dieser »Formen« werden ebenso erforscht wie die Rolle, die sie in der autistischen Pathologie spielen. Schließlich wird die psychoanalytische Therapie, in der solche »Formen« eine Rolle spielen, näher beschrieben.

»Formen«

Als ich noch als psychoanalytische Kindertherapeutin mit autistischen Kleinkindern arbeitete, erzählten sie mir, sobald sie sprechen konnten, von ihren »Formen«. Ich wußte, daß Formen für solche Kinder wichtig waren, denn es hatte sich gezeigt, daß sie, wenn sie überhaupt auf Tests ansprachen (und bei den meisten war das nicht der Fall), am ehesten auf solche psychologischen Tests reagierten, die darin bestanden, gleichartige Formen zusammenzustellen. Doch ich erkannte allmählich, daß die Formen, über die autistische Kinder mit mir sprachen, nicht dasselbe waren wie die objektiven geometrischen Formen, die wir alle kennen. Es waren vollkommen persönliche, für jedes einzelne Kind spezifische Formen. Sie hatten nichts mit der Form eines bestimmten Gegenstandes zu tun. Sie waren eben »Formen«, wobei auf nahezu alle Kinder der Kreis besonders beruhigend wirkte. Ich weiß nicht, welche anderen Formen mitgemeint waren, wenn sie von ihren »Formen« sprachen, aber ich weiß, daß es dem Kind auf die empfundene Körperlichkeit solcher Formen ankam. Diese Formen vermittelten eine rudimentäre Idee der Umgrenzung

1 Überarbeitete Fassung eines in der *International Review of Psycho-Analysis* erschienenen Aufsatzes (1984, 11, S. 280–288).

eines Raumes, obwohl sie selbst nicht im äußeren Raum lokalisiert waren wie die geometrischen Figuren, an die wir normalerweise denken, wenn wir von »Formen« sprechen.

Wie wir später sehen werden, kann sich ein Gegenstand, den man *locker* in der Hand hält, wie eine solche »Form« anfühlen. Wurde ein Gegenstand in dieser Weise gebraucht, spielten die besonderen Merkmale, die ihn zu diesem spezifischen Gegenstand mit eigenem Namen machten, keine Rolle. Sie wurden als solche weder identifiziert noch beachtet. Es ging nicht um die Form eines spezifischen, real existierenden Gegenstandes, sondern schlicht um eine »Form«. Ich schloß zunächst daraus, daß sie aus angeborenen Dispositionen hervorgegangen war. Später werden wir ein heranwachsendes autistisches Mädchen kennenlernen, das bemüht war, eine zweiseitige Form zustande zu bringen, deren zwei Seiten symmetrisch waren, und einen jungen Mann, für den zwei exakt übereinstimmende Formen eine wichtige Rolle spielten. Es ist charakteristisch für autistische Kinder, daß Asymmetrie, Gegensätze, Unterschiede und Inkongruenz als unangenehm empfunden werden und daher gemieden werden.

Von den kleineren Kindern schienen die »Formen« von Geräusch, Geruch, Geschmack und Anblick »gefühlt« und nicht gehört, gerochen, geschmeckt oder gesehen zu werden. Das Bewußtsein solcher Kinder ist stark eingeschränkt, weil das Wahrgenommene eingeschränkt ist, denn »Fühlen« ist bei den jüngeren autistischen Kindern die dominierende, alle anderen Sinneswahrnehmungen unterdrückende Bewußtseinsform. Zudem sind bewußte und unbewußte Funktionsebenen kaum differenziert, obgleich sich diese Kinder bisweilen, wenn die Außenwelt unerwartet über sie hereinbricht, einer Sache schmerzlich bewußt sein können. Die Kinder rangen nach Worten, um mir von nicht verbalisierten Erfahrungen zu berichten. Und wir ringen nicht weniger darum, sie zu verstehen. Ihre Erfahrungen scheinen von unseren differenzierten Erfahrungen völlig verschieden zu sein. Lassen Sie mich dennoch versuchen, solche Erfahrungen näher zu beschreiben. Dazu ist es nötig, autistische Formen von solchen zu unterscheiden, von denen wir annehmen können, daß sie zur Kategorie der normalen Formen gehören.

Normale formbildende Aktivitäten: Es spricht einiges dafür, daß das normale Kind eine angeborene Disposition zur Bildung von »Formen« hat. Diese »Urformen« sind wahrscheinlich vage Empfindungsstrukturen, deren Zweck darin liegt, die Beliebigkeit des Empfindungsflusses, der das frühe Seinsgefühl des Kindes konstituiert, auszugleichen. Zunächst treten solche »Formen« ohne Zutun des Kindes auf. Bald aber lernt das Kind, wie es sie durch eigene Körperbewegungen wiederbeleben kann. Es treten also zu den spontan auftretenden »Formen« selbstgenerierte »Formen« hinzu. Diese frühen Formen entstehen aus dem »Gefühl«, welches weiche Körpersubstanzen wie Exkremente, Urin, Schleim, Speichel, Nahrung im Mund des Kindes, ja sogar Erbrochenes hervorrufen. Manche dieser Substanzen ermöglichen dem Kind wiederholte Erfahrungen dieser Art. Es sind jedoch die »Formen« selbst, die für das Kind wichtig sind, und nicht die Körpersubstanzen als solche. Sie dienen lediglich dazu, »Formen« hervorzubringen. In der normalen Entwicklung wird sich diese Neigung zur Formerzeugung bald mit den tatsächlichen Formen wirklicher Gegenstände verbinden. Dies führt zur Bildung von Wahrnehmungsinhalten und Begriffen, die eine funktionierende Beziehung zu Objekten der Außenwelt fördern, die mit anderen Menschen geteilt werden kann. Normale Empfindungsformen sind die Grundlage des emotionalen ästhetischen und kognitiven Funktionierens. Wenn hier etwas schiefgeht, sind die Folgen katastrophal. Genau das ist bei autistischen Kindern geschehen.

Die »Formen« autistischer Kinder: Die Neigung, Formen zu bilden, hat bei autistischen Kindern einen atypischen Weg eingeschlagen, der die künftige psychische Entwicklung gravierend hemmt. Weil sie ihre »Formen« mit anderen Menschen nicht teilen, werden diese Kinder vollends unzugänglich und schwierig. Sie sind viel raffinierter als normale Kinder, beispielsweise gleicht ihre Methode, Nahrung zu erbrechen, der an Rumination leidender Säuglinge (Gaddini, R. und E., 1959). Solche Kniffe verleihen ihrem Verhalten einen gekünstelten, mechanischen Charakter.

Wenn sie das erste Mal in die Behandlung kommen, sind autistische Kinder gewöhnlich weder sauber noch trocken. Zu Hause verschmieren manche von ihnen ihre Exkremente, vielleicht um auf ihrer Haut »Formen« zu bilden. Wenn sie zur Sauberkeit erzogen worden sind, manipulieren sie die Fäzes im Anus, um auf der dort befindlichen Hautoberfläche Formen zu schaffen (Körperinnen- und -außenseite werden nicht klar differenziert). Damit ist keineswegs gemeint, daß das Kind in diesem Stadium etwas so Entwickeltes wie das *Zeichnen* einer Form auch nur annähernd zuwege brächte. Es handelt sich um den *Eindruck* einer Form, den sich diese Kinder auf Körperoberflächen verschaffen. Auch werden die Hautoberflächen als solche nicht differenziert, sie sind lediglich das Medium, auf dem der Eindruck von »Formen« entsteht, wobei einige Oberflächenmedien sensibler sind als andere.

Die kleinen autistischen Kinder erzählten mir, daß sie ihren Körper wanden oder hin und her wiegten, um aus Körpersubstanzen »Formen« zu erzeugen. »Formen« entstanden auch durch Schaukeln oder Sich-im-Kreis-Drehen. Die Kinder bliesen Luft durch Mund oder Nase, um mit Spucke oder Rotz Blasen zu erzeugen. Diese Blasen erlebten sie als die »gefühlte« Empfindung eines Kreises und nicht etwa als räumlichen, dreidimensionalen Gegenstand. Ich nehme an, daß alle »Formen« diesen zweidimensionalen Charakter hatten, wenngleich die meisten von ihnen nicht die präzise Form eines Kreises hatten. (Bei seiner Erörterung solcher elementarer vor-bildlicher Manifestationen, die sich in seiner psychoanalytischen Arbeit mit psychosomatischen Störungen bei erwachsenen Patienten zeigten, hebt Eugenio Gaddini (1982) insbesondere den Kreis hervor.)

Diese autistischen »Formen« werden auch durch nicht-körperliche Objekte und Prozesse erzeugt, die aber als körperliche erlebt werden. Die »gefühlten Formen«, die durch diese nicht-körperlichen Objekte und Prozesse auf der Körperoberfläche des Kindes erzeugt werden, wurden aber – anders als bei normaleren Kindern – nicht mit anderen Menschen geteilt. Die autistischen Objekte und Prozesse dienten ausschließlich den persönlichen, individuellen Zwecken des autistischen Kindes. Ebenso wie die Körpersubstanzen waren sie lediglich formbildende Faktoren. Für das Kind existierten sie kaum als eigenständige Dinge. Manche autistischen Kinder sind sich der faktischen Existenz von Gegenständen so wenig bewußt, daß sie durch sie hindurchzugehen versuchen, als gäbe es sie nicht. In gleicher Weise horchen sie auf die Stimme fremder Menschen, nicht um zu kommunizieren, sondern um sich selbst in beruhigende Formen einzuhüllen. Daher werden sie oft für taub gehalten, bis man erkennt, daß es sich um Autismus handelt. Die Kinder sind aufgrund ihrer formbildenden Neigung in der Lage, elementare Wahrnehmungseindrücke und Begriffe zu bilden, aber diese gelten ausschließlich für sie allein; sie interessieren sich auch nicht sonderlich dafür, weil sie von den »Formen« so stark gefesselt werden.

Die nicht-körperlichen Äquivalente von Körpersubstanzen sind Dinge wie Schlamm, Sand, Knetmasse, Ton, Wasser, Tusche usw. Wie wir später sehen werden, können auch Spielsachen in dieser Weise verwendet werden. Wir werden auch ein 13jähriges Mädchen kennenlernen, das die arithmetische Formelsprache, und einen 18jährigen jungen Mann, der die Buchstaben des Alphabets als Äquivalente körperlicher Vorgänge verwendete. Voraussetzung ist lediglich, daß sich die Äquivalente für ihre Handhabung als »Formen« eignen müssen. Diese »Formen« sind nicht die differenzierten Formen realer Gegenstände, wie wir sie sehen und »fühlen«. Auch die Arithmetik und das Alphabet wurden nicht so verwendet, wie wir es zu tun pflegen. Sie werden als Tricks verwendet, um die »Formen« zu erzeugen, die das Kind haben wollte. Autistische Kinder sind »in dieser eigenartigen Funktionsweise« steckengeblieben; weiterführende psychische Aktivität findet kaum statt.

Noch in einem weiteren wichtigen Punkt unterscheiden sich die »Formen« autistischer Kinder von denen normaler Kinder. Sie sind repetitiv und verändern sich nicht. Bildlich gesprochen, drehen sie sich ununterbrochen im Kreis. Unerwartete, spontane »Formen«, die außerhalb der Kontrolle des Kindes auftauchen, haben eine bestürzende Wirkung. Die Kinder mühen sich ab, die unerwarteten »Formen« auszuschließen, indem sie versuchen, immer wieder die bekannten und vertrauten »Formen« zu erzeugen. Sie haben das Gefühl, keinesfalls die Kontrolle verlieren zu dürfen. Für das Kind sind Körperbewegungen gleichsam allmächtige Mittel, um die bekannten und vertrauten Formen zu produzieren. Es glaubt, daß diese »Formen« auch in dem Sinne allmächtig sind, daß sie ihm ein Gefühl der

Beruhigung und des Trostes vermitteln oder es, wenn sie außer Kontrolle geraten – wie zum Beispiel ein lautes und unerwartetes Geräusch –, aus der Fassung bringen können. »Formen« haben eine starke Auswirkung auf seine Stimmungslagen. Das Kind tyrannisiert sie, und sie tyrannisieren das Kind. Das Kind ist von ihnen verzaubert. Es glaubt, daß die Existenz der magischen »Formen« von seinen Aktivitäten und sein Seinsgefühl von ihrer magischen Gegenwart abhängt.

Ebenso wie der Philosoph Bischof Berkeley glaubte, daß sein »Sehen« die Welt erst erschaffe, glauben autistische Kinder, daß ihre allmächtigen »Formen« in der Lage seien, die Welt zu erschaffen. Bei den jüngeren autistischen Kindern handelt es sich in erster Linie um »gefühlte« Formen, bei den älteren Kindern wird auch das Sehen von Bedeutung. Natürlich erschaffen wir alle unsere Welt, indem wir – im Sinne unserer Wahrnehmungsweisen – ein Arbeitsmodell konstruieren, das es uns ermöglicht, uns in der sogenannten »wirklichen Welt« zurechtzufinden. Wir haben alle Teil an der Erfahrung des skandinavischen Gottes Odin, der am Anfang der Zeit, bevor er die Welt erschaffen konnte, sich über den Rand einer unendlich tiefen Kluft beugte, bis die Nebelwirbel in der Tiefe Gestalt annahmen.

»Formen« sind das primäre Mittel, mit dem wir sowohl unsere Innenwelt als auch unsere Außenwelt erschaffen. Das Problem bei autistischen Kindern liegt darin, daß ihre »Schöpfung« »höchst absonderlich« ist. Sie benutzen die formbildenden Neigungen des menschlichen Geistes in eigener, eigentümlicher Weise. Ihrer Konstruktion fehlte in der Entstehungsphase die Modifizierung durch die kooperative Interaktion mit anderen Menschen. Sie ist auch in allzu hohem Maße von primitiver Autosinnlichkeit durchdrungen. Die Folge ist, daß die Kinder sozusagen das Signal für weiteres psychisches Wachstum verpassen. Sie sind gefangen in einem bösen Teufelskreis, aus dem es kein Entrinnen gibt. *Nur was sie leicht manipulieren können, erscheint ihnen als wirklich.* »Formen« sind einfacher zu manipulieren als reale Gegenstände, die als solche behandelt werden; folglich scheinen »Formen« realer zu sein.

Das bedeutet, daß die Aktivitäten autistischer Kinder zumeist asymbolisch sind. Spiele, Träume, Phantasien oder Vorstellungen finden in keinem nennenswerten Umfang statt. Wenn ein solches Kind in der Behandlung visuelle Halluzinationen hat, ist dies bereits ein Fortschritt (die »Formen« sind möglicherweise eine Art taktiler Halluzination). Sie lutschen nicht an den Fingern oder am Daumen. Genitale Masturbation findet nicht statt. Wenn solche Aktivitäten auftauchen, geben sie einen Fortschritt zu erkennen. Ein bedeutender Fortschritt ist es, wenn sie zu spielen anfangen. Mangels Kontakt zu den »Formen« anderer Menschen, der ihre eigenen »Formen« verändern und verwandeln und so an das allen Gemeinsame angleichen könnte, ist ihr Geist von den lebensbereichernden Möglichkeiten abgeschnitten, die der alltägliche Umgang mit anderen Menschen bereithält. Ihr Denken, sofern davon die Rede sein kann, ist beschränkt und dürftig. Vorstellungskraft fehlt gänzlich. Die Sprache fehlt oder gelangt über die verkümmerte Form der Echolalie nicht hinaus. Ihr Gefühlsleben ist in ähnlicher Weise verstummt, mit Ausnahme der seltenen Gelegenheiten, wo es in einer Weise explosiv hervorbricht, die das Kind in Angst und Panik versetzt.

In der griechischen Mythologie konnte Morpheus, der Sohn des Gottes des Schlafes, seine Gestalt beliebig verändern. Daher stammt der Ausdruck »Morphologie«. Winnicott hat den Ausdruck »Psychomorphologie« für die Erforschung psychischer Formen und Gestalten vorgeschlagen. Dieses Kapitel beschäftigt sich mit einem Aspekt der Psychomorphologie, der mit nichtgegenständlichen Formen zu tun hat. Wir leben in einer Welt, in der Worte und die Formen realer Gegenstände eine dominierende Rolle spielen. Wenn wir uns mit autistischen Kindern beschäftigen, müssen wir versuchen, in eine wortlose Welt einzutreten, die von selbsterzeugten amorphen, unklassifizierten, erfundenen »Formen« beherrscht wird. Als ich dieses Kapitel niederschrieb, wurde mir klar, wie schwierig es ist, sich in jene Welt hineinzuversetzen. Der Leser wird wohl ähnliche Schwierigkeiten haben wie ich.

Um Ihnen das Verständnis zu erleichtern, schlage ich folgendes kleine Experiment vor. Vergessen Sie den Stuhl, auf dem Sie gerade sitzen. Achten Sie statt dessen darauf, wie sich Ihr Gesäß auf den Sitz drückt. Das schafft eine »Form«. Wenn Sie sich hin und her bewegen, ändert sich die »Form«. Solche »Formen« sind nur Ihnen zugänglich.

Die Aufmerksamkeit des autistischen Kindes ist so sehr auf diese persönlichen »Formen« fixiert, daß der Stuhl als solcher unwichtig wird, obgleich es dessen Vorhandensein vage wahrnimmt und ihn möglicherweise auch benennen kann.

Vielleicht ist die Sache hierdurch ein wenig deutlicher geworden. Sie wird vielleicht noch deutlicher, wenn wir sehen, wie wirkliche Kinder mit diesen »Formen« tatsächlich umgehen

Autistische »Formen« im Leben des Kindes

Die für autistische Kinder so charakteristischen Stereotypen sind Ausdruck der formbildenden Aktivitäten des Kindes. Shirley Hoxter beschreibt in folgender Passage ein bewegendes Beispiel eines solchen Stereotyps: »Auf dem Weg zur Klinik fahre ich langsam an einem Paar vorbei, das langsam auf dem Gehsteig geht – anscheinend ein Vater, der seine zwölfjährige Tochter zur Schule bringt. Alle paar Schritte bleibt das Mädchen wie angewurzelt stehen, hebt eine Hand, dreht sie, dreht die Finger, wobei sie sie mit glasigen Augen und wie vor Freude verzückt anschaut. Es gab auf der Welt nichts anderes, und gewiß war nirgends eine solche Lust zu haben. Ihr Vater wartet minutenlang geduldig daneben, wie jemand, der sich mit chronischen, wiederholten Schmerzanfällen bereits abgefunden hat. Dann ist die Ewigkeit stillstehender Zeit vorbei. Sie gehen noch ein paar Schritte, und der Vorgang wiederholt sich« (persönliche Mitteilung).

Wenn ich diesen Bericht lese, bin ich zutiefst traurig darüber, daß das Mädchen sich nicht an seinen Vater wenden konnte, um Trost und Linderung seiner Ängste zu erfahren, statt bei den künstlichen, selbsterzeugten »Formen« Zuflucht suchen zu müssen. Aber bei einer Zwölfjährigen ist das wahrscheinlich schon zu einer festgefahrenen Lebensweise geworden. Es wäre äußerst schwer, wollte man ihr jetzt helfen, sie zu ändern. Doch meiner Erfahrung nach sind Veränderungen möglich, wenn autistische Kinder vor etwa dem siebten Lebensjahr in die Psychotherapie kommen. Soll eine solche Psychotherapie taktvoll und feinfühlig sein, müssen wir etwas von einigen der Funktionen verstehen, die »Formen« für das Kind haben. Doch bevor ich sie erörtere, müssen autistische »Formen« von autistischen »Objekten« unterschieden werden. Letzteres Phänomen wurde in einem Aufsatz in meinem Buch *Autistische Zustände bei Kindern* (1981) beschrieben. Solche »Objekte« waren in meinem früheren Buch *Autismus und Kindheitspsychose* (1972) angedeutet worden.

Heute weiß ich mehr darüber. Wenn man tagaus, tagein mit solchen elementaren Phänomenen lebt, werden sie vertrauter, und ihre entscheidende Bedeutung für die Psychotherapie autistischer Kinder wird klar. (Heute ziehe ich es vor, sie als »autosinnliche Objekte« zu bezeichnen, insbesondere ihre normalen Manifestationen, und »autistisch« für pathologische Objekte zu reservieren.)

Autistische Objekte: Auch autistische »Objekte« entstehen aus selbsterzeugten Körperempfindungen. Wie autistische »Formen« gehen sie aus autosinnlichen Aktivitäten hervor. Sie unterscheiden sich von »Formen« darin, daß sie von *harten* Körpersubstanzen, wie zum Beispiel harten Exkrementen, eingetrocknetem Nasenschleim, angespannten Muskeln, stimuliert werden, oder von der gegen den Gaumen gepressten Zunge oder der Wangeninnenwand. Sie werden als Bündel harter sensueller Empfindungen erlebt. In solchen Augenblicken ist der Körper des Kindes angespannt und versteift. Später werden harte Gegenstände wie Spielzeugautos, Spielzeugzüge, Schlüssel usw. wie Körperteile verwendet, um dem Kind dieselben Empfindungen zu vermitteln wie die, welche die harten Körpersubstanzen hervorbringen. Bis auf die, auf die es dem Kind ankommt, werden die individuellen, realen Eigenschaften des Objekts nicht beachtet. Entscheidend ist das »Gefühl« ihrer Oberflächen und Umrisse. Autistische »Objekte« sind insofern anders als die weichen, amorphen »Formen«, als sie nicht nur hart sind, sondern auch scharfe und statische Umrisse besitzen, die sich im Unterschied zu denen der geschmeidigen, fließenden »Formen« auch nicht verändern.

Sowohl Bick (1968) als auch Meltzer u. a. (1975) haben das Gefühl unintegrierter Kinder beschrieben, ihre Hautoberfläche an andere Flächen »anheften«, zu können, um ihrer Angst, auseinanderzufallen oder wegzufließen, entgegenzuwirken. Autistische »Objekte« kommen diesem Bedürfnis entgegen. Das autistische Kind preßt einen Teil seiner Hautoberfläche gegen die harte Oberfläche eines Gegenstandes, etwa eines kleinen Autos, das es fest in der Hand hält. Die dadurch hervorgerufene umgrenzte, harte Empfindungskonstellation vermittelt ihm das Gefühl körperlicher Umgrenzung sowie das Gefühl, geborgen und geschützt zu sein. Da der Körper des Kindes mit den harten Objekten, an denen er haftet, *gleichgesetzt* wird, scheint für sie der Begriff »adhäsive Gleichsetzung« (*adhesive equation*) eine angemessenere Bezeichnung zu sein als »adhäsive Identifizierung« (*adhesive identification*), den Bick (1968) vorgeschlagen hat. Bick war mit diesem Begriff offensichtlich unzufrieden, denn in Privatgesprächen wandelte sie ihn ab in »adhäsive Identität« (*adhesive identity*). Auf der Grundlage von Eugenio Gaddinis hilfreichen Ausführungen (1969) bietet sich die Bezeichnung »imitative Verschmelzung« als eine weitere mögliche Bezeichnung an.

Da der Körper des Kindes mit »autistischen Objekten« verschmolzen zu sein scheint, ist es entscheidend zu erkennen, daß diese kaum den Status von Objekten im üblichen Sinne des Wortes erreicht haben. Die Aufmerksamkeit des Kindes richtet sich so stark auf die harten, objektähnlichen Empfindungsbündelungen, daß der normale Umgang mit realen, in ihrer Getrenntheit vom Körper wahrgenommenen Objekten verhindert wird. Verhindert wird auch die Entwicklung zwischenmenschlicher Beziehungen, da Menschen im Gegensatz zu den stets verfügbaren autistischen Objekten als unzuverlässig erscheinen. »Autistische Objekte« müssen von Winnicotts »Übergangsobjekten« unterschieden werden, die das psychische Wachstum fördern, weil sie den Status von Objekten erreicht haben und eine Kombination von »Ich« und »Nicht-Ich« sind. Doch kehren wir zu den autistischen »Formen« zurück, deren Funktion für das Kind ich erläutern möchte.

Die Funktion autistischer Formen: Neben der Ablenkung der Aufmerksamkeit von der »Nicht-Ich«-Außenwelt ist die hartnäckige Wiederkehr selbsterzeugter, vertrauter »Formen« für das autistische Kind wichtig, um es nach einem explosiven Wutanfall oder einer Phase überschwenglicher Begeisterung zu beruhigen. Solche Extremzustände machen austistischen Kindern panische Angst. Sie haben das Gefühl, auseinandergesprengt zu werden oder zu zerfließen.

Die Härte und Begrenztheit autistischer Objekte helfen dem Kind, sich geborgen und geschützt zu fühlen – es fühlt sich »zusammengeknöpft«. Die amorphe Weichheit autosinnlicher Formen wirkt lindernd und tröstend. Sie sind wie ein selbsterzeugtes warmes Bad, das ständig zur Verfügung steht. Die »Formen«, die das Bettnässen hervorbringt, sind ein Beispiel für diese Funktion.

Mr. Park, Vater einer autistischen Jugendlichen, hat einen interessanten Artikel verfaßt, in dem er die obsessiven »Formen« beschreibt, die Elly, seine Tochter, benutzte, um sich nach solchen Ausbrüchen zu beruhigen (Park und Youderian, 1974). Er nennt sie »Ordnungsprinzipien«. Für die 12jährige Elly waren Zahlen formbildende Äquivalente von Körpersubstanzen. Für sie erzeugten manche Zahlen »schöne« und andere »böse« Empfindungen. Manche Zahlen riefen eine solche »Verzückung« hervor, wie es der Vater ausdrückt, daß sie nicht ausgesprochen werden konnten; Elly konnte sie nur niederschreiben.

Der Mond war für Elly die Ziffer 7. Der Vater beschreibt ihre unaussprechliche Begeisterung für den Mond: »In den Nächten nach Vollmond steigt der Mond vor Ellys Fenster und bleibt dort, teilweise sichtbar hinter einem großen Baum, einige Stunden lang ... sie spricht seinen Namen nicht aus, sondern redet von ›etwas hinter dem Baum‹ ... Wenn der Mond bedeckt ist, bleibt Elly im Bett liegen und weint ihr tränenloses autistisches Weinen« (S. 316). Nicht nur der Mond, sondern auch die Sonne und der wolkenlose Himmel waren die Ziffer 7. Sieben war eine verzückende Zahl.

Elly hatte auf der Grundlage von Zahlen ein System von Türen entwickelt, mit denen sie ihre Verzückungszustände meisterte. Hier ist ihre Zeichnung dieses Systems:

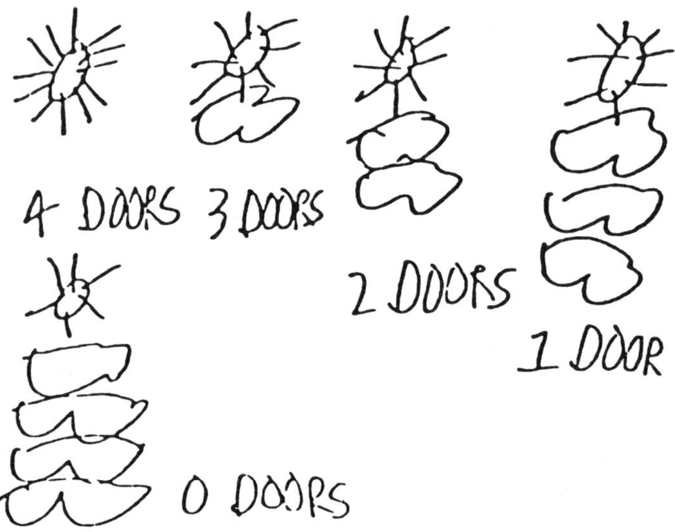

Die Sonne mit vielen Strahlen und ohne Wolken stellte Ellys größte Freude dar. Sie benötigte vier Türen, um mit ihrer Erregung darüber fertig zu werden. Eine Sonne mit weniger Strahlen und einer Wolke machte drei Türen nötig. Eine Sonne mit noch weniger Strahlen und drei Wolken benötigte eine Tür, während die Sonne mit fast keinen Strahlen und vier sie bedeckenden Wolken »0« Türen benötigte (S. 316).

Wir erkennen hier die Zahlenbasis von Ellys Welt. Genauso wie jüngere Kinder die von ihren Körpersubstanzen herrührenden »Formen« verwenden, um ihre Welt zu erschaffen (s. o.), verwendete Elly die »Formen«, die aus Zahlen entstehen. Sie erwartete arithmetische Präzision von sich selbst wie von anderen Menschen. Gingen ihre Berechnungen aber nicht auf, waren Frustration und Wut die Folge.

Mr. Park schildert uns ein Beispiel. Es geschah, als ein Gast als erster von einem Salat nahm, den Elly zubereitet hatte. Sie hatte sich vorgestellt, sich selbst als erste zu bedienen. Die unerwartete Handlung eines anderen Menschen brachte ihre Welt durcheinander. Um sich nach dem dadurch ausgelösten Wutanfall zu beruhigen, begann sie, größere Zahlen zu multiplizieren und zu dividieren, wobei sie alle Ergebnisse im voraus wußte. Aus diesen Manipulationen gewann sie »Formen«, in diesem Fall die ihr bereits bekannten und vertrauten Antworten auf ihre Berechnungen. Diese Zahlen beherrschte und kontrollierte sie völlig. Sie manipulierte sie so, daß als Ergebnis stets die Zahl 13691369 herauskam. Für Elly war die symmetrische »Form« einer solchen Zahl immer tröstlich. Beide Seiten waren gleich; sie paßten zueinander.

Dieses Verlangen nach zueinander passenden »Formen« und die Angst vor dem Nichtpassen zur »Form« wird durch den 18jährigen Tony illustriert. Wie bei Elly hatte sich auch Tonys autistischer Zustand durch die Fürsorglichkeit der Familie gebessert. Nachdem er in der Familie und in einer Rudolf-Steiner-Schule behütet aufgewachsen war, äußerte Tony den Wunsch, zur Weiterbildung das nahegelegene College zu besuchen, was er im Alter von 17 Jahren dann auch tat. Die Belastung dort war für ihn zu groß. Er erlitt einen Zusammenbruch und klagte über seine Einsamkeit. Um sich nach der bestürzenden Erfahrung auf dem College zu trösten und zu beruhigen, nahm er Zuflucht zu dem, was er sein »Spiel« nannte. Dabei ging es um »Formen«. Die besorgten Eltern konnten lediglich dabei zusehen. Sie waren völlig von ihm abgeschnitten. Der Collegedirektor schlug ihnen vor, daß es für Tony vielleicht hilfreich sein könnte, wenn er sein Spiel auf Tonband aufzeichnete. Tony war begeistert von der Idee. Die Eltern haben mir freundlicherweise gestattet, eine Kopie von dieser Aufnahme anzufertigen.

Im wesentlichen führte Tony aus, daß die richtigen Menschen mit dem richtigen Haus »gepaart« werden müßten. Die Buchstaben des Alphabets wurden als Grundlage für diese »Paarung« verwendet. Für den 18jährigen Tony waren die Buchstaben des Alphabets dasselbe wie die manipulierbaren Körpersubstanzen für das jüngere Kind, aus denen tröstende Formen erzeugt werden konnten. Das alphabetische System, aus dem Tony seine »Formen« gestaltete, funktionierte wie folgt:

Hatten Menschen bestimmte Buchstaben im Namen, etwa d, o, m, dann paßten sie zu einem Haus mit einem Namen, der diese Buchstaben enthielt. Diese Idee wiederholte er in seinem »Spiel« immer wieder. Tony stellte also seine tröstliche und beruhigende Sicht der

Welt wieder her, indem er sich in die Wiederholung vertrauter, zueinander passender Formen einhüllte. (Ich sollte an dieser Stelle erwähnen, daß weder Tony noch Elly in psychotherapeutischer Behandlung gewesen waren und ihr Material deshalb von psychoanalytischen Ideen und meinen eigenen Ansichten über »Formen« unbeeinflußt war.)

Diese Kinder sind stark genug, ihr persönliches Muster selbsterzeugter »Formen« auf die allgemeinen Formen der Außenwelt zu übertragen und andere Menschen dazu zu bringen, sich diesen Formen wohl oder übel anzupassen. Sie wollen alles auf dem toten Stand der Gleichheit halten. Überschwengliche Begeisterung oder große Wut drohen sie vor Erregung »verrückt« werden zu lassen. In populärer Ausdrucksweise, die sehr aufschlußreich ist, drohen sie sie »vom Hocker zu reißen«. Sowohl Elly als auch Tony unternahmen solche verzweifelten Versuche, wieder »auf den Hocker zu kommen«. Mr. Park beschreibt, wie Elly im Schaukelstuhl saß und Hard-Rock hörte. Wenn die Musik zu viel für sie zu werden drohte – das heißt, wenn sie sie »vom Hocker zu reißen« drohte –, hielt sie sich die Ohren zu, um nichts mehr hören zu müssen. Beharrliches, einsames Schaukeln ist für diese Kinder besonders charakteristisch. Es ist ihr selbstgemachter Tranquilizer. Die selbsterzeugten, durch das Schaukeln stimulierten autistischen Objekte und Formen sind nicht so sehr ein Versuch, Gefühle auszudrücken, als vielmehr, etwas gegen sie zu unternehmen und sie zu verbannen. Natürlich tun wir das alle bis zu einem gewissen Grad, aber bei autistischen Kindern handelt es sich um den vorherrschenden Zustand. Daher wächst ihre innere und äußere Welt nicht so, wie das bei normaleren Menschen der Fall ist. Modifizierung durch Umgang mit den wirklichen Eigenschaften wirklicher Objekte und durch Interaktion mit Menschen findet nicht in ausreichendem Maße statt.

Ihre Simulationen bleiben eine groteske Konstruktion, die ihnen nicht hilft, mit den Realitäten der Außenwelt und ihrer selbst in eine effektive Beziehung zu treten. Daher wird für sie das »Nicht-Ich« in zunehmendem Maße fremd und beängstigend. Autistische Objekte und autistische Formen lenken ihre Aufmerksamkeit von diesem fremden, erschreckenden »Nicht-Ich« ab. Je mehr sie ihre Aufmerksamkeit auf diese autistischen Vorgänge richten, desto entlegener und fremder wird für sie die Alltagswelt gewöhnlicher Menschen. Das Ergebnis dieser Praktiken ist also die Entfremdung. Wenn wir autistische Objekte und autistische Formen erforschen, erforschen wir die Anatomie des Wahnsinns. Ein bedeutender Bestandteil der Psychotherapie solcher Kinder besteht darin, sie unter Bewahrung ihrer Individualität und Originalität aus ihrer eigentümlichen autistischen Welt heraus in die allen gemeinsame Welt der Gesundheit und des gesunden Menschenverstandes einzuführen. Um dies taktvoll und geschickt zu tun, müssen wir das Wesen und die Funktion ihrer Ablenkungen und Zerstreuungen verstehen. Hierzu ist es notwendig zu begreifen, aus welchen Gründen sie zu ihnen Zuflucht nehmen.

Nach langjähriger Arbeit mit autistischen Kindern bin ich zu der Auffassung gelangt, daß psychogener Autismus das Ergebnis eines Zusammenspiels eines vorübergehenden depressiven Zustands bzw. mangelnden Selbstvertrauens der Mutter in der sehr frühen Kindheit des Kindes einerseits und der besonderen Anlagen des Kindes andererseits ist (für ein einfühlendes Verständnis solcher Mütter vgl. Tischler, 1979). Meiner Erfahrung nach spielte auch der Vater eine negative Rolle, insofern er entweder abwesend oder aber für dieses starke Kind zu nachgiebig und beeinflußbar war. Obgleich diese Kinder als Säuglinge körperlich gut versorgt wurden, konnte ihre psychische Umwelt ihre Bedürfnisse nicht befriedigen. Normalerweise stellt die Mutter gemeinsam mit dem Vater dem Kind die Mittel zur Verfügung, um die Welt der Empfindungen und Gefühle zu interpretieren und zu bewältigen. Dies hat dem autistischen Kind gefehlt, und so erfand es sein eigenes naives Schema, das es aus wiederholbaren selbstgenerierten Formen selbst hervorbrachte. Exzessiver Autoerotismus, der von bestimmten materiellen Objekten stimuliert wird, diente als Versuch, psychische Defizite zu kompensieren. Folglich nehmen »Ich«-zentrierte Manipulationen und Autosinnlichkeit einen zu großen Raum ein.

Von Natur aus reagieren autistische Kinder auf Schwierigkeiten, indem sie ihre psychischen »Fühler« einziehen. Sie ziehen sich zurück. Dieser Mangel an Einfühlung beeinträchtigt ihre Fähigkeit zu zwischenmenschlichen Beziehungen (Hobson, 1986).

Die Arbeit des Instituts für pädiatrische Neuropsychiatrie der Universität Rom legt auch nahe, daß manche dieser Kinder kleinere Hirnauffälligkeiten und hormonelle Störungen haben könnten (De Astis und Giannotti, persönliche Mitteilung, 1983). Aus all diesen Gründen sind solche Säuglinge nicht leicht großzuziehen, selbst dann, wenn die Mutter völlig normal ist. Es ist mein Eindruck, daß das, was als die besondere Reaktion der Kinder auf das fehlende Selbstvertrauen und die Unaufmerksamkeit der Mutter begann, sich im Laufe der Jahre sich zu angstgeladenen Strategien verfestigt hat. Fast ihre gesamte Aufmerksamkeit ist auf starre Kunstgriffe fixiert, weshalb sie unzugänglich wirken und außerhalb der Reichweite menschlicher Anteilnahme und Sorge zu stehen scheinen. Ohne entscheidende therapeutische Intervention bleiben sie in der Tretmühle ihrer repetitiven allmächtigen, eher gefälligen denn förderlichen »Formen« gefangen.

Wenden wir uns nun der Art von psychoanalytischer Therapie zu, die die Zuflucht des Kindes zu solchen restriktiven Praktiken modifizieren kann.

Psychoanalytische Psychotherapie

Die psychoanalytische Psychotherapie bietet dem autistischen Kind die Chance, sich in einem geschützten und umsorgenden Setting einigen der unausweichlichen Tatsachen und Frustrationen des Lebens zu stellen. Frustration ist unvermeidlich, weil kein Psychotherapeut, mag er noch so gut sein, die Bedürfnisse des Kindes immerzu verstehen kann. Nicht immer sind seine Deutungen zutreffend, noch werden sie den Bedürfnissen des Kindes immer gerecht. Manchmal sind sie für das Kind nicht einmal verständlich! Die auftretenden Formen sind nicht immer so präzise, wie es diese ausgesprochen fordernden Kinder verlangen. Es gibt unweigerlich Analysepausen und Tage, an denen der Therapeut nicht in gewohnter Form ist. Schon aus diesem Grunde ist die Psychotherapie eine sehr heilsame Erfahrung für diese Kinder, denn sie stoßen auf diese Tatsachen in einer Situation, in der der Therapeut nichts anderes tut, als ihnen zuzuhören und zu versuchen, sich in ihre Schwierigkeiten einzufühlen, während er das Kind zugleich in die Lage versetzt, sie auszuhalten. Doch verstehen heißt nicht, sich sentimental auf ihre Pathologie einzulassen. Wie der Rattenfänger von Hameln die Ratten, haben solche Kinder ihre »Formen« zu führen verstanden, und wenn wir nicht aufpassen, werden sie auch uns von menschlichem Kontakt weg in die Dunkelheit des autistischen Berges führen. Wir dürfen den autistischen Weg des Kindes nicht mitgehen, wie es George Stroh (1974) ausdrückte. Doch ihren »Bluff« auf die Probe zu stellen, ohne eine therapeutische Umwelt zur Verfügung zu stellen, in der der dadurch provozierte mörderische Zorn gemildert und eingedämmt werden kann, wäre eine unnötige Verletzung, die sehr wahrscheinlich weitere autistische Ausweichmanöver nach sich ziehen würde. Wenn wir diesen Kindern helfen wollen, sich zu verändern, benötigen wir die therapeutische Einsicht in den Zweck und Nutzen ihres autistischen Verhaltens. Ohne ihnen etwas Besseres bieten zu können, dürfen wir sie nicht ihrer Mittel berauben, sich zu trösten und zu schützen.

Autistische Objekte und autistische Formen sind nicht bloß psychische Kuriositäten, sie sind Barrieren gegen normale Abläufe. Einsichten in diese Phänomene versprechen uns den Schlüssel zu liefern, mit dem wir taktvoll in die Welt des autistischen Kindes eintreten können, um dort Veränderungen zu ermöglichen. Diese Veränderungen führen dazu, daß sich das Kind dem Gebrauch von Wahrnehmungseindrücken und Begriffen, die es mit anderen Menschen teilen kann, zuwendet. Diese verarbeiten eingehende Informationen und fördern den zwischenmenschlichen Umgang sowie die Auseinandersetzung mit der gegenständlichen Welt. Manche Therapeuten sind pessimistisch geworden, was die Möglichkeit einer Neuorientierung des autistischen Kindes anbelangt. Sie glauben, daß die einzige mögliche Veränderung darin besteht, immer weitere Kreise immer komplexerer autistischer Funktionsweisen zu entwickeln; der autistische Dreh- und Angelpunkt aber wird sich ihrer Ansicht nach nicht verändern. Meiner Erfahrung nach versprechen diese Einsichten in autistische Objekte und autistische Formen uns ein Mittel an die Hand zu geben, mit dem der autistische Zugang des Kindes zum Leben radikal verändert werden kann.

Die Einzelheiten, in denen sich dieser Prozeß in der psychoanalytischen Therapie vollzieht, sind immer noch ziemlich geheimnisvoll, aber daß er stattfindet, besonders bei jüngeren Kindern, zeigt meine eigene Erfahrung. (Von den älteren Kindern sind einige genesen.) Doch wenn ein solches Veränderungen bewirkendes Eindringen in ihre Welt nicht zudringlich und verletzend sein soll, muß es einsichtig und taktvoll sein. Auf dieser Ebene haben wir es mit psychosomatischen und neuromentalen Elementen zu tun. Der Therapeut muß jene menschlichen Hilfsmittel verwenden, die diesen Funktionsebenen angemessen sind – die Fähigkeit des Menschen zur *Einfühlung* in die Lage eines anderen Menschen ist bei der Arbeit mit diesen Kindern das größte Kapital des Therapeuten. Psychotherapie ist eine Kunst und eine Wissenschaft zugleich. Wie bei aller detektivischen Arbeit resultiert Erkenntnisfortschritt ebenso aus der empathischen Identifizierung mit der Person, die erforscht wird, aus der kreativen Rekonstruktion ihrer Situation, aus sachkundigen und inspirierten Mutmaßungen sowie aus der sorgfältigen Verfolgung der Hinweise. Hören wir auf sie, bringen uns die Kinder oft wieder auf den richtigen Weg, wenn wir uns verirren.

Wenn uns Kinder mit ihren autistischen »Formen« bekannt machen, ist das ein Anzeichen sich entwickelnden Vertrauens. Es ist wichtig, diesen privilegierten Zugang zu ihrer Welt nicht zu mißbrauchen. Wir müssen sorgsam darauf achten, daß wir ihnen mit unserem Wissen keine Konformität aufzwingen. Wir dürfen jene persönlichen Formen nicht niederwalzen, die später Teil ihrer Individualität und Originalität sein werden. Diese Kinder sind oft poetisch, künstlerisch und musisch veranlagt. Wir wollen nicht, daß sie diese Gaben verlieren. Und ein wenig Exzentrizität ist ja schließlich erfrischend! Eine gute Psychotherapie ist eine Art Asyl, in dem persönliche »Formen« jemandem gefahrlos mitgeteilt werden können, der sie respektiert und achtet. Um es mit Bion zu sagen (1962a): Sie werden von der *Reverie* einer sorgenden Bezugsperson gehalten.

Lassen Sie mich nun eine psychotherapeutische Sitzung mit einem achtjährigen Jungen zusammenfassen, den ich Peter nennen möchte und der von seinen »Formen« erzählte. Für interessierte Leser ist das vollständige Material in meinem Buch *Autistische Zustände bei Kindern* nachzulesen. Diese Sitzung stellte einen Wendepunkt für

Peter dar, da er einen eindeutigen Schritt von seiner autistischen Verhaltensweise weg in Richtung von mehr Zugänglichkeit und Kooperation vollzog. Eine Woche vor dieser Sitzung hatte Peter seine Mutter gefragt, was »autistisch« bedeute. Ich weiß nicht, was sie ihm antwortete, aber sie schloß mit der Bemerkung, daß Mrs. Tustin ihm dabei helfen würde. In der Sitzung scheint diese Information unterschwellig wirksam gewesen zu sein. Gegen Ende der Sitzung sagte mir die Mutter, daß Peter unter schwerer Verstopfung gelitten hatte. Wie man sehen wird, scheint dies ebenfalls in der Sitzung eine Rolle gespielt zu haben. Seine Enthüllungen über die »Formen« waren in der letzten Sitzung der voraufgegangenen Woche angekündigt worden, als er mir sagte, daß er durch Kitzeln »Formen« auf seiner Haut erzeugte und indem er mit seiner Spucke Blasen hervorbrachte.

Bis zum Zeitpunkt der hier berichteten Sitzung hatte er niemals etwas getan, was auch nur annähernd als Spiel bezeichnet werden könnte. Zu Beginn der hier wiedergegebenen Sitzung ging er hinüber zur Schublade mit seinem Spielzeug, was mich überraschte und freute. Zu dieser Zeit sprach er bereits, wenngleich ziemlich lakonisch. Also fragte ich ihn, als er die Spielzeuggiraffe herausnahm und begann, ein längeres Stück Bindfaden zusammenzubinden und es um den Körper der Giraffe zu wicklen, ob er gerade an die Giraffe dächte, die hingefallen war. Die Nachrichten im Radio hatten ausführlich über eine Giraffe im Zoo berichtet, die gestürzt war. Seile sollten verwendet werden, um sie wieder auf die Beine zu bringen, und sollte dies nicht gelingen, hieß es, müßte die Giraffe sterben. Es schien, als ob ganz England gespannt darauf wartete, ob man es schaffen würde, die Giraffe auf die Beine zu hieven und zu retten. Es war eindeutig, daß sich Peter große Sorgen um diese Giraffe machte und sich sogar mit ihr identifizierte. Ich sprach mit Peter über sein Gefühl, »zusammengebrochen« zu sein, wobei »Flop« oder »Zusammenbruch« die Art des Kindes bezeichnet, wie es die psychotische Depression im Zentrum seines Autismus erlebt. Peter sagte mir, die Giraffe müßte »hochgezogen« werden; also sprach ich mit ihm über seinen Wunsch, richtig aufzuwachsen und nicht einen »Flop« zu erleben.

Nachdem er die Giraffe mit dem Bindfaden von der untersten

Schublade, wo sein Spielzeug aufbewahrt wurde, zur obersten, wo seine Bleistifte, Papier usw. aufbewahrt wurden, hochgezogen hatte, fing er an, weitere Spielzeugtiere an den Faden zu binden und auch sie hochzuziehen. Aber es gab einen Unterschied in der Art, wie er mit diesen Tieren umging. Zunächst sagte er, als er die Tiere einzeln festband: »Und jetzt werde ich diese *Formen* festmachen.« Und als ich ihn fragte: »Was tust du, Peter?«, sagte er: »Ich ziehe die *Formen* von unten nach oben.« Diese Bemerkungen und seine nachlässige Art, mit den Tieren umzugehen, ließen mich erkennen, daß die Tiere für Peter zu diesem Zeitpunkt unbestimmte »Formen« waren und nicht bestimmte Tiere. Zu jener Zeit war ich mir über die Bedeutung der »Formen« für autistische Kinder nicht in der Weise im klaren, wie ich es heute bin. Dies war eine der Sitzungen, in denen sich für mich die Äußerungen der anderen autistischen Kinder über ihre »Formen« zu einem Gesamtbild formten. Im Rückblick erkenne ich, daß die Spielzeugtiere von Peter mit den zurückgehaltenen Fäzes gleichgesetzt wurden, von denen die Mutter am Ende der Sitzung berichtete, und daß sie zur »Formenbildung« verwendet wurden.

Ich erkenne heute, daß Peter, genauso wie es Tony und Elly getan hatten, in diesem Stadium der Sitzung zu seinen selbsterzeugten »Formen« Zuflucht nahm, um sich nach einem Schock zu beruhigen. Der Schock wurde dadurch ausgelöst, daß er den »zusammengebrochenen« Teil seines Selbst mit der Giraffe identifiziert hatte. Er versuchte, sowohl seine »Formen« als auch sich selbst in eine bessere Gemütsverfassung »hochzuziehen«. In der magischen Handlung, die »Formen« hochzuziehen, versuchte er, sich selbst zu vergewissern, daß alles in Ordnung sei. Zu jener Zeit war mir dieser Zusammenhang nicht so klar, aber ich stellte ihm Fragen, um zu verstehen, was er tat, und ich machte ihn auf das Offensichtliche aufmerksam. Da ich wußte, daß autistische Kinder die Neigung haben, ihren Körper mit leblosen Gegenständen gleichzusetzen, statt sich mit Menschen zu identifizieren, fragte ich Peter, ob die Kommode wie sein Körper sei. Er stimmte zu. Und da er die oberste und unterste Schublade zur Verfügung hatte, meinte ich, die oberste sei sein Kopf und die unterste sein Gesäß. Ich sagte auch, daß die verschlossenen Schubladen in der Mitte vielleicht sein Bauch seien, woraufhin er eindeutig und ablehnend antwortete: »Der Teil ist weggelassen.« Bezeichnenderweise enthielten die mittleren Schubladen das Spielzeug anderer Kinder und waren verschlossen, so daß er an den Inhalt nicht herankam.

Auf diesem Hintergrund verwies ich auf die offensichtliche Tatsache, daß, wenn er keinen Bauch habe, sein Kopf dann mit seinem Gesäß keine Verbindung habe. Dies lenkte seine Aufmerksamkeit auf sein lückenhaftes Gefühl für seine *Körperform* – sein »gefühltes Selbst«, wie es Jonathan Miller (1981) ausgedrückt hat. Solange sich Peter in diesem Zustand körperlicher Unintegriertheit befand, benötigte er die magische Einhüllung durch seine selbsterzeugten Formen, um sich angesichts der immer drohenden Katastrophe des »Zusammenbruchs« zusammengehalten und beruhigt zu fühlen. Seine Verwendung der »Formen« war eine Art Wiederkäuen bekannter und vertrauter »Formen«. Was durch seinen Mund hineinging, kam unverändert wieder hoch, da es keinen Bauch gab, wo es verdaut werden konnte. Aber er war verwirrt darüber, daß das, was als Nahrung in seinen Mund hineinging, als »Aa« wieder herauskam; wie und wo kam die Verwandlung zustande?

Später in der Sitzung hörte er auf, seine magischen »Formen« am Faden umherzuziehen. Er akzeptierte die Tatsache, daß er einen Bauch besaß, in dem sich dieVerdauungsvorgänge abspielten. Er war offensichtlich der Meinung, daß der »Bauchknopf« den Bauch zuknöpfte, und daß, sollte je der Knopf aufgehen, »Ungeheuer« (wie er sie nannte) aller Art herausspringen würden. Sein Bauch, ja alle Bäuche waren also furchtbare Orte, wo »Nicht-Ich«-Dinge, einschließlich anderer Kinder, herausspringen könnten, um ihm weh zu tun. Als diese »namenlosen Ängste« im therapeutischen Milieu der Sitzung »verdaut« wurden, benötigte er die Einhüllung durch »Formen« nicht mehr, und so konnten wir uns endlich in Ruhe über das Thema unterhalten, wie man richtig »aufwächst«. Das Gespräch war beendet, als ich sagte, daß ich seine »Formen« im Bauch meines Geistes hin- und hergewälzt hätte und er meine »Formen« im Bauch seines Geistes; daraus sei etwas Neues hervorgegangen, worauf er antwortete: »Ich nehme an, das ist Denken.« Ich erwiderte ein wenig feierlich: »Und du kannst Gedanken nicht berühren oder mit ihnen hantieren.«

Ist es allzu weit hergeholt zu meinen, daß während dieser Sitzung Peters hartnäckiges Wiederkäuen im Zusammenhang mit seinen eigentümlichen »Formen« zu »Gedanken« transformiert wurde – durch den Kontakt mit den »Formen« eines anderen Menschen, der einen psychischen Verdauungsprozeß förderte? Die Einzelheiten des Wie dieser Verwandlung sind für mich und auch für Peter ziemlich mysteriös.

Ein hilfreiches Mittel, diese nichtsprachlichen Prozesse zu erfassen, sind Metapher und Allegorie. Peters Sitzung, in der er offensichtlich das psychologische Milieu der Sitzung als einen Riesenbauch erlebte, in dem bedeutende Veränderungen stattfanden, erinnerte mich an eine Folge der Fernsehserie *Monkey* (Affe), in der dem westlichen Publikum chinesische Allegorien nähergebracht wurden. In dieser Folge symbolisierte ein bläßlicher, zwitterhafter junger Mann das »reine Denken«. (Das vergeistigte, unschuldige Aussehen dieses jungen Mannes, der wie eine Marmorstatue aussah, ließ mich an ein autistisches Kind denken.) In der Allegorie verliert »reines Denken« seinen impulsiven Affen sowie eine seltsame gesichtslose Kreatur mit dem Namen »Formenveränderer«. »Formenveränderer« und der impulsive Affe begeben sich in den hohlen Bauch des Ungeheuers, das Erdbeben und vulkanische Ausbrüche bewirkt. Der ungebärdige Affe und Formenveränderer werden dort verwandelt, weil sie, so dürfen wir wohl annehmen, die Erfahrung machten, daß die Vulkanausbrüche ihrer erderschütternden Leidenschaften in einem auf Erfahrung beruhenden Containment gehalten wurden. Nachdem sie diese grundlegenden Erfahrungen gemacht hatten, wurden sie wieder mit dem jungen Mann vereinigt, dessen Geschlecht jetzt eindeutiger zu erkennen war und dessen Denken nun sozusagen irdisch dynamischer und weniger vergeistigt »rein« wurde.

Vielleicht drückt diese Allegorie besser als meine Worte die geheimnisvollen Verwandlungen aus, die im Rahmen einer Psychotherapie stattfinden können, die die gewalttätigen Stürme der menschlichen Natur kennt und die Notwendigkeit realistisch einschätzt, sie im Veränderung bewirkenden Schmelztiegel des Geistes eines mitfühlenden Menschen zu containen. Es dürfte offensichtlich sein, daß ich bei meiner Arbeit mit Peter von Bions (1962a) Ausführungen über *Reverie* und deren Bedeutung für die Veränderung auf der Alpha-Funktion der Mutter beruhende Veränderung dessen, was Bion die »rohen Betaelemente« nennt, beeinflußt war. Beeinflußt hat mich auch Segals (1957) Aufsatz über »symbolische Gleichsetzungen«. Autistische Formen und autistische Objekte gehören zu den frühen vorsymbolischen psychischen Phänomenen, die diese Autoren behandeln.

Sowohl Milner als auch Winnicott wußten, wie wichtig es ist, ein containendes Medium für diese ausschließlich personenbezogenen »Formen« bereitzustellen, damit starke Leidenschaften aufgefangen und durch die gemeinsame Erfahrung von Spaß und Spiel zum Ausdruck gebracht werden können. Das hat einen sehr ernsthaften Hintergrund. Milner (1969) mit ihren »Doodles« und Winnicott (1958) mit seinem »Squiggle-Spiel« ermöglichten es dem Kind, seine persönlichen Formen mitzuteilen, so daß diese geistig und emotional assimiliert werden konnten. Doch das autistische Kind, das zum ersten Mal in die Behandlung kommt, schreibt weder mit Bleistift auf Papier, noch beteiligt es sich am Spiel. Ein Verständnis der Funktion und des Wesens seines gehemmten Gebrauchs autistischer »Formen« ist vonnöten, soll es aus ihrem Griff befreit werden.

8. Kapitel
Autistische Formen bei Erwachsenen[1]

Wie zart ist die Natur des Bildes
Und erstrangig, da aller Dinge Urbild so weit
Unterhalb unserer Sinneswahrnehmung liegt ...
Wie fein ist aller Dinge Anfang.

Lukrez, *Über die Natur der Dinge*

Es gibt ... primitive somatische ... überfließende Mechanismen,
die die libidinöse Besetzung von Tast- und Geruchssinn,
Geschmack und Wärmeempfindung, auch der Bewegungs-
wahrnehmung und der Fähigkeit zu tiefer Empfindung voraussetzen.

Margaret Mahler, 1958

Das Wesen autistischer Formen

Wie wir gesehen haben, sind autistische Formen taktile Empfindungsspuren, die in greifbarer Weise als diffuse Flüssigkeitsströme oder als weiche Körpersubstanzen erlebt werden. Diese »formlosen Formen«, die keine mitteilbaren Bedeutungen haben, sind als pathologische Erscheinungen Bestandteil des relativ undifferenzierten Seinsgefühls des autistischen Kindes. Es handelt sich nicht um vorwiegend visuelle Bilder, wie etwa die objektiven geometrischen Formen, die wir alle kennen. Solche Formen sind vielmehr rudimentäre taktile Manifestationen.

Autistische Formen haben einiges gemeinsam mit den taktilen Halluzinationen, die Piera Aulangier (1985) beschrieben hat. In einem früheren Aufsatz über autistische Formen (vgl. Kapitel 7), den ich zu

1 Überarbeitete Fassung eines Aufsatzes, der in der französischen Zeitschrift *Topique* im Mai 1985 erschienen ist (S. 9–23). Er wurde auch auf einer Konferenz der Los Angeles Continuing Education Seminars 1985 in London vorgetragen. Ziel des Aufsatzes ist es, weiterführende Gedanken über autistische Formen vorzulegen und sie mit einem scheinbar unzugänglichen neurotischen erwachsenen Patienten in Beziehung zu setzen.

einem Zeitpunkt verfaßte, als ich die Arbeit Aulangiers noch nicht kannte, hatte ich vorgeschlagen, in autistischen Formen so etwas wie eine »taktile Halluzination« zu sehen.

Aufgrund ihrer langjährigen Erfahrung mit *erwachsenen* schizophrenen Patienten unterscheidet Aulangier diese taktilen Halluzinationen von den häufiger vorkommenden akustischen und visuellen schizophrenen Halluzinationen. Ihrer Ansicht nach besteht eine Aufgabe der »taktilen Halluzinationen« darin, das »Existenzmerkmal« des Patienten zu erhalten. Die Arbeit mit autistischen Kindern bestätigt vollends, daß sie Reaktionen hierauf sind, denn der Verlust des inneren Seinsgefühls stellt die größte Angst des autistischen Kindes dar. Die massiven taktilen Empfindungen verhindern die Wahrnehmung bedrohlicher Dinge. Infolgedessen beherrschen taktile Empfindungen die Welt des autistischen Kindes, während Sehen und Hören ihnen untergeordnet sind.

Von sensuellen Empfindungen beherrschte autistische Formen werden auf inneren und äußeren Körperoberflächen wahrgenommen, wobei zwischen Innen oder Außen nicht unterschieden wird. Sie werden ebenso auf nichtkörperlichen Oberflächen wahrgenommen, die nicht immer vom Körper klar unterschieden werden. Daher ein klinisches Beispiel aus dem Material einer Sitzung von Claude Cauquil, die ich im Jahre 1984 in Paris supervidierte. Als Claude Cauquil mit Steve, dem fünfjährigen autistischen Jungen arbeitete, kannten weder sie noch Annie Anzieu, ihre Supervisiorin, meine Beiträge über autistische Formen. Claude Cauquil hat mir freundlicherweise erlaubt, das Material zu verwenden.

Fallmaterial

Da es sich um seine erste Sitzung handelte, wurde Steve von seiner Mutter ins Behandlungszimmer begleitet. Als die Mutter ging, hielt die Therapeutin Steves Reaktionen auf diese Trennung wie folgt fest: »Nachdem die Mutter das Zimmer verlassen hat, sitzt Steve mit dem Gesicht zum Fenster, den Rücken mir zugewandt. Er sabbert auf die Fensterscheibe. Mit seinen Fingerspitzen verschmiert er den Speichel über die Fensteroberfläche, zeichnet Kreise aus Speichel, die sich immer weiter ausbreiten, bis wir nicht mehr durch das Fenster hindurchsehen können.« Claude Cauquil fährt fort: »Seit dem Weggehen seiner Mutter scheint der Raum zwischen Steve und mir – und seiner Mutter und ihm – undurchdringlich zu sein. Ich spüre, daß er für mich unerreichbar ist, da er eingeschlossen ist in einer nassen Welt, die er aus seinem eigenen Sekret erzeugt.« Sie schreibt auch, daß Steve »wie an die Fensterscheibe festgeklebt« zu sein scheint. Und später heißt es: »Steve entdeckt die Buntstifte auf dem Tisch. Er kritzelt auf ein Blatt Papier mit den gleichen Bewegungen, die er an der Fensterscheibe mit seinem Speichel ausgeführt hat.« Danach, viele Sitzungen lang, »kritzelt Steve«, um es mit den Worten der Therapeutin zu sagen, »auf die Wände und den Fußboden und gibt mir das Gefühl, mich in seinen Zeichnungen wie in Spinnennetzen zu verfangen.«

Diskussion

Das vorangegangene klinische Material illustriert Steves Ausbruch von »Formen« in der Streßsituation der Trennung von seiner Mutter. Das »Kritzeln« mit seinem Speichel und seinen Stiften half ihm, mit der unbeschreiblichen Wut und Panik fertig zu werden, die hervorgerufen wurden, als er sah, daß seine Mutter nicht unter seiner Kontrolle stand und weggehen und ihn verlassen konnte. Bei älteren Kindern zeigt sich solche außergewöhnliche Unruhe oft in Form von »Herumzappelei«. Solches Kritzeln und Umherzappeln »verneinen« (Freud, 1925) die Mutter und die Außenwelt.

Die diffusen ursprünglichen Kreise aus Speichel und das Kritzeln lenken Steves Aufmerksamkeit von der körperlich abwesenden Mutter ab. Sie hindern ihn daran, über seine Lage nachzudenken. Daher bleibt die »undenkbare« Situation »undenkbar«. Steve ist in seiner nassen, aus eigenem Sekret erzeugten Welt« »unter wasserdichtem Verschluß«, wie es die Therapeutin so treffend ausdrückt. In diesem Universum kann er das Gefühl haben, an leblosen Objekten, die ihn nicht verlassen können, wie an einer Mutter zu »hängen«. Die aus Speichel hergestellten Formen scheinen wie Klebstoff von seinem Körper ausgeschieden zu werden, um auf eine Oberfläche geschmiert zu werden, an der er zu »kleben« glaubt. An »etwas« zu kleben gibt ihm wahrscheinlich das Gefühl, *Etwas* zu sein und nicht *Nichts*. Aber das Festkleben ist keine Anfügung oder Verbindung, denn es gibt keinen Raum zwischen dem Kind und dem Objekt, dem es sich »verhaftet« fühlt.

Später, als Steve auf die Wände und den Fußboden kritzelt, fühlt sich Claude Cauquil »in seinen Zeichnungen wie in Spinnennetzen« gefangen. Das hat wahrscheinlich seinen Grund darin, daß Steve sie wie einen leblosen Gegenstand zu behandeln versucht, an dem er festzukleben glaubt, so daß sie sich nicht bewegen, nicht weggehen und ihn verlassen kann. Die Therapeutin macht sich ihre Gegenübertragungsgefühle bewußt, und das hilft ihr, sich davon zu befreien. Diese Kinder verfügen über eine Art von Charme, der uns, wenn wir uns dessen nicht bewußt sind, fesseln kann, so daß wir zu einer »weichen Berührung« werden und uns kollusiv auf ihre autistischen Formen einlassen, statt darin Hindernisse für das psychische Wachstum und eine Negierung des Lebens und menschlicher Eigenschaften zu sehen. Es wäre falsch, wollte man diese Formen als Kommunikationsformen betrachten. Wie Claude Cauquil erkennt, machen sie den für Kommunikation notwendigen Raum »undurchdringlich«. Es sind nicht mitteilbare, für dieses eine Kind typische und persönliche Formen. Ihr einziger Zweck besteht darin, ihm zu ermöglichen, die »undenkbare« Angst vor dem »schwarzen Loch« der Trennung von der Mutter zu vermeiden, die es einmal als Körperteil empfunden hatte und die sich plötzlich als nicht zum Körper gehörig herausgestellt hat (Winnicott, 1958; Tustin, 1972).

Steves Material führt uns die Art und Weise vor Augen, in der die angeborene Tendenz des menschlichen Geistes zur Formenbildung, die dem psychischen Wachstum so sehr förderlich sein kann, in Richtung manipulativer, solches Wachstum behindernder Handlungen abgelenkt worden ist. In der normalen Entwicklung ermöglichen es die formbildenden Tendenzen dem Baby, seine elementaren sensorischen Wahrnehmungen zu organisieren. Auf der Grundlage der Säuglingsbeobachtung kommt die psychologische Forschung zu dem Ergebnis, daß die Koordination der Sinnesmodalitäten »Berühren« und »Sehen« in Verbindung mit bestimmten wichtigen, mit dem Mund assoziierten »Gestalten« normalerweise innerhalb der ersten Lebenstage geschieht. Das ist eine bemerkenswerte Entdeckung, die von mehreren Autoren (Bower, 1977; Meltzoff und Barton, 1979) bestätigt wurde. Das autistische Kind ist in einem vorwiegend taktilen Funktionsmodus steckengeblieben, der nicht in normaler Weise vom »Sehen« und »Hören« differenziert und mit beiden nicht koordiniert wird.

Ich bin zu der Erkenntnis gelangt, daß Sehen und Hören infolge der übermäßigen Dominanz des Tastsinns mit taktilen Empfindungen exzessiv überfrachtet worden sind. Autistische Kinder glauben, daß ihre Augen Instrumente zur Kontrolle von Objekten seien, Instrumente, um andere Menschen zu betäuben und erstarren zu lassen, »totzuschneiden«, ihr Sein auszulöschen, sie zu vernichten. Für die Kinder handelt es sich dabei nicht um Metaphern; sie glauben wirklich, solche Dinge zu tun. Wenn sie etwas Unangenehmes sehen, ist das so, als ob ihre Augen von einem schmerzhaften Gegenstand getroffen würden, während ein lautes Geräusch als Schlag auf die Ohren empfunden wird. Auf solche schmerzhaften Erfahrungen reagieren sie mit der Flucht in beruhigende selbsterzeugte Formen. Diese verstärken den übermäßig taktilen Charakter ihres Erlebens. Das bedeutet, daß taktile Körpergefühle für das Kind übertrieben wichtig werden, ebenso wie die physische Gegenwart von Gegenständen. Menschen werden als besonders widerstrebende Objekte empfunden, die sich seiner Kontrolle entziehen; Fensterscheiben und unbelebte Objekte dieser Art sind für das Kind befriedigender. Die Folge ist eine Negation der Mutter und ihrer menschlichen Eigenschaften. Die Mutter wird durch taktile Formen ersetzt, die unter der tyrannischen Kontrolle des Kindes stehen. Sie sind kein *Stellvertreter* für die Mutter, der es dem Kind ermöglichte, auf deren Rückkehr zu warten. Sie sind für sie vielmehr ein handhabbarer *Ersatz*, der imaginative Repräsentation blockiert.

Autistische Formen

Es ist schwer zu beurteilen, welche Formen das autistische Kind im geheimen aus seinen Körpersubstanzen und ihren Äquivalenten erzeugt, aber es steht für mich außer Frage, daß diese geheimen Formen flüchtig und wandelbar sind. Wenn die Kinder aus dem Autismus auftauchen, sind sie mitunter von geometrischen Figuren wie

Quadraten und Dreiecken fasziniert. Ein autistisches Kind, das reden konnte, sprach einmal sogar von einem Trapez.

Ich möchte nun an dieser Stelle etwas richtigstellen, was ich im vorangegangenen Kapitel über autistische Formen gesagt habe. Ich bin zu der Erkenntnis gelangt, daß die Beschäftigung mit und das Zeichnen von Kreisen manchmal das Auftauchen des Selbst ankündigt. Das Zeichnen von Kreisen ist nicht so elementar wie die diskutierten autistischen Formen, die ich beschrieben habe. Eugenio Gaddini, Kate Barrows und Geneviève Haag haben alle diesen Aspekt mir gegenüber erwähnt und haben mir großzügigerweise interessantes Material zur Verfügung gestellt. Das autistische Kind hat kein Selbstgefühl und ist von zwischenmenschlichen Beziehungen abgeschnitten. Es befindet sich tatsächlich in einem »objektlosen Zustand« und führt uns die tragischen Konsequenzen eines solchen Zustands vor Augen. Damit unterscheidet es sich erheblich von den symbiotischen oder schizoiden Kindern, die sich voller innerer Objekte fühlen, deren dramatische Interaktionen Melanie Klein eindrucksvoll beschrieben hat. Objekte mit einer eigenständigen Existenz und mit Funktionen, d. h. Objekte, die mit anderen Menschen geteilt werden können, sind für eingekapselte autistische Kinder bedeutungslos. Die im 6. Kapitel beschriebenen autistischen Objekte sind keine Objekte im eigentlichen Sinne des Wortes; sie sind vielmehr harte, objektähnliche Empfindungen, die durch den festen Griff um einen Gegenstand erzeugt werden. Eine Existenz haben sie einzig insofern, als sie vom Kind manipuliert werden. Sie existieren nicht im Raum und haben keine räumliche Beziehung zu anderen Gegenständen. Sie haben keine vom Kind und anderen Menschen gemeinsam geteilte Bedeutungen. Sie sind typisch und persönlich für ausschließlich dieses eine Kind, das sie durch Berührung zu seinen eigenen, ganz eigentümlichen Zwecken ins Leben ruft, und können von den Empfindungen, die sie hervorrufen, nicht getrennt werden.

Als irreale Manifestationen, die nur für das Kind eine Realität besitzen, sind autistische Objekte und autistische Formen wie eine Fata Morgana in der Wüste. Die ständige Zuflucht zu diesen Objekten und Formen hat zur Folge, daß autistische Kinder, statt kreative, internalisierte Erfahrungen mit der Mutterbrust (mit allem, was dies impliziert) zu machen, »objektähnliche« und »formähnliche« taktile *Empfindungen* auf *Körperoberflächen* gewinnen. Diese oberflächlichen und unwirklichen Sicherheiten und Trostmittel geben ihnen keine tragfähige Hilfe in Zeiten der Belastung. Sie hindern das Kind lediglich daran, aus Streßerfahrungen zu lernen. Es ist ein Gemeinplatz, daß wir ein erträgliches Maß an Streß benötigen, um im Umgang damit die zu seiner Bewältigung notwendige Erfahrung zu sammeln. Ihre von Empfindungen beherrschten Vermeidungsreaktionen haben zur Folge, daß autistische Kinder solche Lernerfahrungen versäumen.

Ich bin zu der Erkenntnis gelangt, daß nicht alle autistischen Formen als »klebrig« empfunden werden; manche sind naß und glitschig. Solche weichen, glitschigen Formen sind das selbstgemachte Beruhigungsmittel des autistischen Kindes. Anders als autistische Objekte, deren harte, unveränderliche Umrisse eine Schwiele auf Körperoberflächen zu bilden scheinen, sind autistische Formen weich, zerfließend und veränderlich. Die flüssigen Formen scheinen das Kind zu liebkosen und zu streicheln, um es nach belastenden Geschehnissen, die sein Gefühl des kontinuierlichen Seins zu unterbrechen drohen, zu beruhigen. Es ist eine große Belastung für das Kind, wenn es erkennt, daß es auf das Kommen und Gehen der Mutter keinen Einfluß hat und nicht kontrollieren kann, was in der Welt draußen geschieht, daß unerwartete Dinge geschehen können. Im vorangegangenen Kapitel habe ich Material über den achtjährigen Peter, die zwölfjährige Elly und den 18jährigen Tony vorgestellt, um die Tatsache zu verdeutlichen, daß autistische Formen verschiedenster Art erzeugt werden, um mit der Belastung ungemildeter Wut nach einer Enttäuschung fertig zu werden. Die selbsterzeugten autistischen Formen waren für Steve, Peter, Elly und Tony beruhigende Faktoren auf der aufgewühlten Oberfläche ihres Bewußtseinsstroms. Sie gossen besänftigendes Öl auf die Wogen.

Ellys Verhalten führte uns auch vor Augen, daß Ekstasezustände[2]

2 Folgende Strophe von Perikles, die mir James Greene zusandte, bringt diesen Gedanken der Unerträglichkeit von ekstatischen Zuständen zum Ausdruck: Auf daß nicht das Meer der Glückseligkeit / Die Ufer der Sterblichkeit überflute / Und mich in süßen Wonnen ertränke.

genauso unerträglich sind wie Wutanfälle. Für sie war der Mond ein so starkes ästhetisches Erlebnis, daß sie nicht in der Lage war, das Wort »Mond« auszusprechen; es berührte sie zu tief. Der Mond war die Ziffer 7, eine ganz besondere Zahl. Wir haben gesehen, daß Zahlen für Elly Formbildner waren. Solche Formen ermöglichten es ihr, ihre unaussprechlichen Ekstasen und undenkbaren Wutanfälle zu ertragen. Aber sie schnitten sie von der sorgenden Familie ab, die ihr hätte helfen können, weniger starre und mechanische Kontrollmethoden zu entwickeln.

Die Zuflucht zu autistischen Formen scheint ihren Anfang in frühester Kindheit zu nehmen. Die Kinder erlebten Streß zu einer Zeit, in der ihr neuromentaler Apparat (ihr elementares Ich) nicht genügend entwickelt war, um mit der Belastung fertig zu werden, und in einer Familiensituation, die *zu dieser bestimmten Zeit* auch nicht angemessen damit fertig zu werden vermochte. Autistische Formen sind vor-bildlich, prä-objektal und folglich prä-symbolisch. Auf dem Hintergrund ihrer langjährigen Erfahrung mit autistischen Kindern schrieb Margaret Mahler (1958): »Um das normale und das gestörte Identitätsgefühl zu verstehen, dürfen wir nicht lediglich auf die präverbalen Stadien zurückgehen; wir müssen vielmehr noch weitergehen bis zu einem Stadium, *in dem noch keine Bilder existieren* … Wir müssen bis zu den primitiven Wahrnehmungsmodalitäten zurückgehen …«

In der Terminologie dieses Kapitels sind die »primitiven Wahrnehmungsmodalitäten« taktile Empfindungsformen, und zwar sowohl normale wie pathologische. Im Zitat zu Anfang dieses Kapitels verwendet Lukrez den Ausdruck »Urbilder« für die normalen Manifestationen dieser primitiven Wahrnehmungsmodi. Wir wollen nun solche normalen Urbilder erörtern, bevor wir weiter auf die entsprechenden pathologischen Abirrungen eingehen, die ich hier als autistische Formen bezeichnet habe.

Normale Urformen

Wie oben erwähnt, haben Tom Bower (1977) sowie Meltzoff und Barton (1979) gezeigt, daß normale Säuglinge durch die Wahrnehmung bestimmter psychologischer »Gestalten«, die im Dienste des

Überlebens stehen, taktile und visuelle Eindrücke in den ersten Lebenstagen zu koordinieren beginnen. Daher ist durchaus anzunehmen, daß durch die Verbindung der Tast- und Geruchswahrnehmungen mit den über größere Distanzen reichenden visuellen und akustischen Wahrnehmungen sich ein Gespür für Objekte im Raum entwickelt und das Kind immer häufiger Augenblicke erlebt, in denen es spürt, daß sein Körper von dem der Mutter getrennt ist. Diese Augenblicke kommen und gehen in flüchtiger Weise, vielleicht sogar von den ersten Lebenstagen an. Es ist entscheidend, daß dem Säugling durch Herstellung psychischer Verbindungen mit der Mutter geholfen wird, den Streß zu ertragen, den die Momente differenzierter Wahrnehmung seines körperlichen Getrenntseins von der Mutter erzeugen.

Wenn mit dieser Unterstützung die neuromentale Organisation integrierter wird und das Baby die befriedigenden Erfahrungen mit einer responsiven Mutter internalisiert, fällt es ihm nach und nach leichter, die Situationen zu ertragen, in denen ihm das Fehlen einer körperlichen Verbindung zu ihr bewußt ist. Um der Drohung des »schwarzen Loches« ihrer Abwesenheit entgegenzuwirken, gibt es taktile, olfaktorische, akustische und visuelle *Erinnerungen* an Momente der gemeinsamen Nähe. Diese lassen nicht zu, daß die Abwesenheit der Mutter zu einem »schwarzen Loch« voller ungemilderter Panik, Wut und Verzweiflung wird. Vorausgesetzt, daß die Zeiten der Trennung nicht allzu lange dauern, werden sich »Urvertrauen« (im Sinne Eriksons) und dessen treue Verbündete, die Hoffnung, entwickeln. So entsteht die Grundlage der Fähigkeit zur Vorhersage und des Vertrauens in die Kontinuität der Objekte im Raum. Langfristig werden sich diese immateriellen Errungenschaften als beruhigender erweisen als die geheimen oberflächlichen Tröstungen selbsterzeugter taktiler Empfindungsformen.

Normale »Urformen« scheinen aus autosensorischen Rhythmen und Reaktionen in den Tiefen unseres »Seins« zu entstehen. Sie beeinflussen die Fähigkeit des Menschen zur Empathie und daher zu zwischenmenschlichen Beziehungen. Sie führen weiter zur Wahrnehmung von eigenständigen Objekten, die getrennt vom Kind existieren. Aus ihren je individuellen Formen werden differenzierte Bilder dieser Objekte geformt und Vorstellungen und Phantasien darüber entwickelt. Peter, der oben erwähnte autistische Junge, sprach in einer der Sitzungen über seine »Formen«. Er beendete unser Gespräch darüber mit der Bemerkung: »Das ist Denken, glaube ich.« Durch den transformierenden Einfluß therapeutischer Transaktionen waren seine pathologischen autistischen Formen in normale Formen verwandelt worden, die die Entwicklung des Denkens, für das Imagination und Vorstellung unverzichtbar sind, ermöglicht. Kehren wir nun zurück zu den abweichenden Formen, um uns, ausgerüstet mit diesen Erkenntnissen, in die Welt des autistischen Kindes hineinzubegeben.

Die Welt des autistischen Kindes

Autistische Formen und autistische Objekte haben dem Kind geholfen, den Schock des Zusammentreffens mit einer von störrischer Unlenkbarkeit geprägten Welt zu überleben. Aber für uns ist die vorwiegend taktile Welt der idiosynkratischen Formen und Objekte des autistischen Kindes eine sehr fremde Welt. Nur das, was berührbar und manipulierbar ist, ist für sie wirklich. Die Fernsinne Sehen und Hören werden durch die Vorherrschaft taktiler Empfindungen unterdrückt. Das Fehlen einer Ergänzung und Verfeinerung taktiler Wahrnehmungsspuren durch den angemessenen Gebrauch von Sehen und Hören hat zur Folge, daß ein solches Kind keine wirksame Repräsentanz der Außenwelt bildet, die es mit uns teilen könnte. *Seine* Welt ist relativ raumlos, weil bedrohliche Lücken geschlossen werden, indem es sich an Oberflächen festhält. Das Spielverhalten eines genesenden Kindes in der Therapie, das Räumlichkeit zu erleben beginnt, ist oft gekennzeichnet von Aussagen wie: Ich bin in einer »Raumkapsel«. Sie soll es vor den Schrecken, die mit dem Raum verbunden sind, beschützen. Bevor es in dieser Weise spielen und so seine Ängste vor dem Raum zum Ausdruck bringen kann, ist die Welt des autistischen Kindes in erster Linie eine Welt flacher, zweidimensionaler Oberflächen gewesen, mit einer schlummernden dunklen Grube darunter. Um nicht in diese schwarze Grube zu fallen, hat es autistischen Formen und autistischen Objekten die Herrschaft über sein Bewußtsein eingeräumt. Die weichen Empfindungsformen haben seine Ängste gemildert, und die harten Empfindungsobjekte haben ihm ein Gefühl der Unverletzbarkeit vermittelt. Aber sie haben auch seine psychische Entwicklung massiv behindert. Wir wollen nun unsere Erkenntnisse über die Verwendung von Empfindungsformen beim autistischen Kind zu einer erwachsenen neurotischen Patientin in Beziehung setzen, deren Wahrnehmung von solchen Formen beherrscht wurde.

Autistische Formen bei einer neurotischen erwachsenen Patientin

Mary war Ende zwanzig. Ihre Therapeutin kam zu mir in Supervision, weil sie Schwierigkeiten hatte, mit dieser Patientin in Kontakt zu kommen. Aus unserer gemeinsamen Arbeit wurde deutlich, daß Marys zwischenmenschliche Beziehungen durch eine versteckte autistische Kapsel beeinträchtigt wurden, die sich auch negativ auf ihre Arbeit auswirkte. Aus ihrer Biographie ist für das Verständnis dieser Sitzung vor allem die Tatsache relevant, daß die Mutter Mary erzählt hatte, daß sie nach der Geburt viel geschrieen habe und die Mutter sie nicht habe beruhigen können. Einiges spricht dafür, daß Marys Mutter eine recht unreife Frau war, die sich das Baby in ihrem Körper als eine Art Puppe vorgestellt hatte. Folglich war sie bestürzt und schockiert, als sie mit einem realen Baby konfrontiert wurde, das viel schrie. Mutter und Kind waren unfähig, sich gegenseitig vom Urschock der körperlichen Trennung zu heilen.

Die Sitzung

Mary begann mit der Mitteilung, daß sie sich über das Wochenende wieder zurückgezogen hatte. Sie erzählte weiter, daß es eine Frau gäbe, die sie nicht in Ruhe lasse und wissen wolle, was ihr fehle. Dieser Frau hatte sie gesagt, daß sie sich um ihre Arbeit sowie um einen bevorstehenden Umzug Sorgen mache. Das entspräche aber nicht der Wahrheit. Über diese Dinge mache sie sich gar keine Sorgen; es seien tieferliegende Dinge, die sie beunruhigten, aber das könne sie dieser Frau nicht erzählen. (Hier erkennen wir den Konflikt, in dem sich Mary befindet. Sie hat ernstere Probleme, die sie beschäftigen, aber sie kann ihrer Therapeutin nicht davon erzählen, weil diese in der Übertragungssituation als die Mutter ihrer frühen Kindheit erlebt wird, die sie nicht zu trösten vermochte.)

Nach einer Pause erzählte Mary, daß sie über Fische nachdenke. Sie sagte, es läge an der Empfindung, die sie vermittelten – ihrer Geschmeidigkeit und Glätte. Sie könne an nichts anderes mehr denken. Es seien weniger die Fische an sich, als vielmehr ihre nasse und glitschige Form. Mary kam dann auf einen Freund zu sprechen, der angelte und die Gewohnheit hatte, die Fische aufzuschneiden, bevor sie tot waren. Man konnte das Herz noch schlagen sehen. Mary geriet aus der Fassung, wenn er das tat, als ob es ihr selbst angetan würde.

(Hier sehen wir einen weiteren Grund für Marys Angst davor, daß die Therapeutin an sie herankommen könnte. In ihrer Kindheit hatte sie sich »ins Herz geschnitten« gefühlt. Sie befürchtete, daß dieser verwundbare, ja zutiefst verletzte Teil bloßgelegt werden könnte. In einer früheren Sitzung, als sie draußen vor dem Sprechzimmer gewartet hatte, hatte sie geglaubt, daß die Therapeutin mit einem Messer auf sie warten würde. Sie hatte auch von einer schlecht genähten Wunde gesprochen. Die Therapeutin hatte begriffen, daß Mary glaubte, im tiefen Innern eine Wunde zu haben, die wieder aufgerissen werden könnte. In späteren Sitzungen können wir sehen, daß diese Patientin Angst hatte, ein »Herz« zu besitzen – das heißt tiefe menschliche Gefühle zu empfinden. Statt tiefer Gefühle hatte sie Empfindungsformen.)

In dieser Sitzung berichtete Mary weiter, daß sie zwar den Grund nicht wüßte, aber fortwährend über Formen nachdenken würde, ja, »ich denke nicht gerade darüber nach, sondern ich fühle sie«. Sie sagte, dies käme oft vor. Als Kind pflegte sie in ihrer Heimatstadt zuzuschauen, wenn Fisch von den Booten entladen wurde. Es gab einen breiten silbrigen Strom aus Fischen zu sehen, eine flüssige Abfolge glitschiger Formen. Sie schienen die ganze Welt auszufüllen. »Ich spüre sie noch heute«, sagte sie. (Diese Patienten haben immer das Bedürfnis, ihre »Wunden zu lecken«. Das »Lecken« erleben sie als einen fließenden Strom glitschiger Formen. Diese geben Mary den Trost, den ihr die Mutter nicht hatte bieten können und den ihr, wie sie in der Übertragung glaubt, auch die Therapeutin nicht bieten kann. Das war aber in Wirklichkeit keineswegs der Fall; die Therapeutin bemühte sich entschlossen, mit Mary in Kontakt zu kommen, hatte aber dabei durchweg das Gefühl, zu einer »Unperson« gemacht zu werden. Daß sie zu mir in Supervision kam, bewies ihre Sorge um diese Patientin. Marys selbstproduzierte glitschige Formen lindern und salben die Wunde der Getrenntheit von der Mutter – von ihrer »Heimatstadt« –, aber sie schneiden sie von einer tiefen Beziehung zur Therapeutin und zu anderen Menschen ab.)

Marys letzte Assoziation in dieser Sitzung zeigte, wie sehr sie sich nach Veränderung sehnte. Auch ihre Hoffnung, daß ihr dies vielleicht gelingen könnte, wurde erkennbar. Mary sagte, daß sie beim Tauchen die Fische sehen könnte, wie sie in Risse und Spalten glitten, und daß sie immer überrascht sei, wenn sie mit dem Kopf voran wieder herauskamen, da es augenscheinlich keinen Platz zum Wenden gab.

(Es handelt sich hier um eine besonders verdichtete Assoziation, in der Mary die Gefahren ihrer restringierten Lebensweise zu erkennen scheint. Ihr wird klar, daß sie vielleicht für immer eingemauert sein könnte, ohne jemals die Möglichkeit zu erhalten, wieder herauszufinden. Sie erkennt, daß es gefährlich ist, sich in einer elementaren Welt selbsterzeugter Formen »einzulochen«; vielleicht gelingt es ihr nicht, sich zu »wenden«, um in der normalen Welt der Gegenstände und Menschen zu leben. Auch wenn diese Alltagswelt weniger beherrschbar ist als ihre Welt flüssiger, glitschiger Formen, so möchte sie doch dort »hineingeboren« werden. Diese Assoziation bringt die Hoffnung zum Ausdruck, daß sie es schaffen wird, denn die Fische wenden und kommen aus ihren Löchern und Rissen wieder zum Vorschein.)

Wir hoffen, daß sich dieser Wunsch erfüllen und daß Mary die Erfahrung machen wird, daß die Zusammenarbeit mit ihrer Therapeutin heilsamer ist als dieses »Selbst-Balsamieren« durch glitschige Formen.

Schlußfolgerung

Die Ausführungen dieses Kapitels legen es nahe, in autistischen Formen und autistischen Objekten psychophysische Reaktionen auf Wunden und Verletzungen zu sehen, die durch reziproke Interaktionen mit anderen Menschen geheilt werden müssen. Einsichten in die

Funktionen, die solche Manipulationen für den Patienten haben, versprechen, die verschlossene Tür autistischer Zustände bei Kindern und Erwachsenen zu öffnen. Wenn wir das tun, arbeiten wir mit irgend etwas im Patienten zusammen, das – mit den Worten G. K. Chestertons – uns zuruft: »Wenn ich nur die Tür fände, / Wenn ich nur geboren wäre.«

Meiner Erfahrung nach können Einsichten, wie ich sie hier beschrieben habe, den Therapeuten in die Lage versetzen, mit Respekt und Mitgefühl in die verschlossene und geheimnisvolle Welt solcher Patienten einzutreten, um ihnen zu helfen, die Tür zu finden, damit sie aus ihrer einsamen Gefangenschaft befreit und als voll handlungsfähige Menschen »geboren« werden können, die tiefe und bereichernde Beziehungen zu anderen Menschen haben können – und zu sich selbst. Aber zuerst müssen sie von den Ängsten befreit werden, gegen die die Empfindungsobjekte und Empfindungsformen als Schutzwall dienen.

Weitere Überlegungen zu autistischen Formen und zum psychogenen Autismus

Ich bin zu der Erkenntnis gelangt, daß ein Ursprung autistischer Formen die Tatsache ist, daß autistische Kinder Menschen nicht direkt anschauen, sondern durch peripheres Sehen vieles aufnehmen können (Dies illustriert Stephen, der im 1. Kapitel beschrieben wurde.) Diese überentwickelte Fähigkeit zur Randwahrnehmung bedeutet, daß Randformen gebildet werden, die niemals eindeutig fokussiert werden können und sich den Kindern dauernd entziehen. Autistische Kinder zeigen, daß sie unaufhörlich von diesen flüchtigen, selbsterzeugten Formen gequält werden. Das läßt sie noch unzufriedener werden. Letztlich sind solche Formen nicht nur nicht beruhigend, sondern quälend. Solche peripheren Formen verhindern die Mutterbindung, die durch Anschauen des Gesichts und insbesondere der Augen gefördert wird. Als Folge der Panik- und Wutanfälle darüber, daß sie kein selbstverständlicher Bestandteil ihres Körpers ist, haben sich die Kinder von der Mutter abgewendet und Angst vor ihren Augen bekommen. Dieses Getrenntsein hat sich ihrer Aufmerksamkeit aufgezwungen, bevor sie dafür vorbereitet waren. Diese Erfahrung war, um es mit einem Ausdruck Winnicotts zu sagen, ein »Übergriff«; die Kinder haben die Getrenntheit nicht selbst und zu einer Zeit entdeckt, als sie dafür gerüstet waren. Dies war für sie unerträglich schmerzhaft. Sie sind dem Schmerz und der Mutter, die ihn verursachte, ausgewichen. Sie hörten auf, sie und andere Menschen anzuschauen, und richteten ihre Aufmerksamkeit statt dessen auf die peripheren Formen, die sie erzeugen konnten, indem sie nur das wahrnahmen, was sie aus den Augenwinkeln sahen. Das brachte eine gewisse Ordnung in ihre verwirrte Welt, aber sie wurden durch diese seitlich wahrgenommenen, phantomhaften Formen gefangengehalten und wie in einem Sumpf von zwischenmenschlichen Kontakten abgeschnitten.

Psychogener Autismus

Daphne Nasch, eine Spezialistin für Alte Geschichte am Ashmolean Museum in Oxford, erzählte mir von einer ganzen Kultur, die auf schwer definierbaren, halbgeformten, unklar fixierten Formen gegründet zu sein scheint. Es handelt sich um die Kultur der frühen Kelten, die sie intensiv erforscht hat. In einer persönlichen Mitteilung hat sie mir folgendes geschrieben: »Die Tendenz der frühen Kelten, in Rätseln zu sprechen, könnte im Zusammenhang stehen mit ihrem anspielenden (und gelegentlich völlig fragmentierten) Formgebungsstil bei Metallarbeiten; Tiere und Gesichter werden eher angedeutet als abgebildet, belebte Figuren stehen unverbunden da; auf dem Kreis basierende Motive erscheinen plötzlich als etwas anderes (zum Beispiel als Gesicht), um dann wieder zu verschwimmen. Die altirischen Sprachen kennen keine Worte für ›Ja‹ und ›Nein‹, sondern lediglich affirmative und negative Umschreibungen. Seltsamerweise besitzt die traditionelle irische Musik nie einen Abschluß am Ende eines Musikstückes. Man weiß erst dann, daß sie zu Ende ist, wenn sie abrupt aufhört. (Als ob sie niemals gelernt hätten, mit dem Ende umzugehen.)«

Mit gut dokumentierten Belegen stellt sie einen Zusammenhang her zu den Erziehungsmethoden der alten Kelten, soweit sie sich rekonstruieren lassen. Von früh an wurden die Kinder, Jungen wie Mädchen, in verschiedenen Familien erzogen, um so die sozialen

Bindungen der betreffenden Familien zu stärken. Im Zentrum dieses Pflegeschaftssystems standen offenbar nicht die Bedürfnisse der Kinder, sondern die der Gesellschaft; durch die Kinder sollten die stets gefährdeten sozialen Verbindungen gefestigt werden. Daphne Nash führt zum Beispiel an, daß nach Ansicht mancher Fachleute adlige Kinder bis zum Erwachsenenalter bis zu 28 solcher Pflegefamilien durchlaufen konnten. Es ist auf diesem Hintergrund nicht überraschend, daß irische Erzählungen sich häufig mit unheilvollen Trennungserlebnissen befassen.

Natürlich haben autistische Kinder gewöhnlich keine Trennungserfahrungen hinter sich, aber sie haben psychische Trennungen erlebt. Die Art von Welt, in der sie leben, hat eine bemerkenswerte Ähnlichkeit mit der Welt der alten Kelten. Wie die Kelten, die sogar nackt in den Kampf zogen, sind autistische Kinder hinsichtlich realer Gefahren leichtfertig und wähnen sich dennoch, wie die Kelten, im Griff eingebildeter Gefahren. Zum Beispiel lebten die alten Kelten in der Todesangst, der Himmel könnte über ihnen einstürzen; in ähnlicher Weise haben viele autistische Kinder schreckliche Angst davor, daß die Decke über ihrem Kopf einstürzen wird. Das steht in deutlichem Kontrast zu den Gefühlen der Unverletzbarkeit, die von ihrem Gebrauch autistischer Objekte hervorgerufen werden. Diese scheinen einen ähnlichen Zweck zu erfüllen wie das, was D. Nash bei den Kelten als die »persönlichen und eigentümlichen Tabus« bezeichnet, »die sie vor einer Katastrophe schützen sollen«.

D. Nash zieht einen interessanten Vergleich zwischen den alten keltischen Anschauungen und denen der homerischen Griechen. Eine Katastrophe brach bei den Griechen nicht einfach herein, wie das bei den Kelten der Fall war, sondern sie war die Folge eines Fehlverhaltens. Die Mutter des Achilles bewirkte einen Zauber *zu seinen Gunsten*; die Kelten dagegen schützten sich selbst durch ihren eigenen spezifischen Zauber, so wie es die autistischen Kinder tun. Wie in der Welt autistischer Kinder, so konnte man sich in der Welt der Kelten auf nichts verlassen. Es gibt viel Material in ihren Erzählungen und Geschichten über Nebel und immer wechselnde, undefinierbare Gestalten. Ihre Welt war eine tückische, gefahrvolle Welt, in der es wenig gab, auf das man bauen konnte. Es spricht einiges dafür, daß ihre wiederholten Entwurzelungserfahrungen viel damit zu tun hatten. Die Mutter eines autistischen Mädchens, das häufig herumstreunte, sagte mir einmal: »Sie scheint keinen Rückkehrinstinkt zu haben.« Allen autistischen Kindern scheint dieser Sinn zu fehlen. Sie haben nicht das Gefühl, irgendwohin zu gehören.

Das Problem des psychogenen Autismus besteht darin, daß er, sobald er seinen Anfang genommen hat, leicht zu einer entwurzelten, leeren Lebensweise wird, die durch endlose Manipulationen in Gang gehalten wird. In großem Umfang praktiziert, kann er zu einem psychopathischen Charakter und zu einer psychopathischen Kultur führen. Ich komme zu der Schlußfolgerung, daß viele von uns – die einen mehr, die anderen weniger – etwas vom psychogenen Autismus in sich haben, der sie vor den Mühen und Schwierigkeiten zwischenmenschlicher Beziehungen zurückschrecken und zu irreführenden manipulativen Methoden Zuflucht nehmen läßt, um diesen Mühen aus dem Wege zu gehen. Wir errichten Barrieren, um den Autismus daran zu hindern, den Rest unserer Persönlichkeit zu vergiften, und vermeiden es, dieser Tatsache ins Auge zu schauen.

9. Kapitel
Formen, die mit dem Auftauchen aus dem psychogenen Autismus verbunden sind

Wir tanzen um den Stachelbaum
Stachelbaum, Stachelbaum
...
Zwischen Idee
Und Wirklichkeit
Zwischen Regung
Und Tat
Fällt der Schatten
...
Zwischen Empfängnis
Und Geburt
Zwischen Gefühl
Und Erwiderung
Fällt der Schatten.

T. S. Eliot, *Die hohlen Männer*

Nach der Lektüre der Artikel, auf denen Kapitel 7 und 8 basieren, schickten mir Freunde und Kollegen ihr Beobachtungsmaterial über eine weitere Kategorie elementarer Formen. Ich erkannte, daß sie von *autistischen* Formen unterschieden werden mußten. In diesem Kapitel möchte ich diesen Unterschied zwischen elementaren nichtautistischen und autistischen Formen erläutern und die Bedeutung ihres Auftauchens sowie die Rolle, die sie in der Psychopathologie spielen, untersuchen. Lassen Sie mich aber zunächst die Beobachtungen beschreiben, die die Gedanken, die sich in diesem Kapitel niederschlagen, angeregt haben.

Die Beobachtungen

Mehrere Kollegen, unter anderen Geneviève Haag sowie der verstorbene Eugenio Gaddini, stellten in ihren Briefen einen Zusammenhang zwischen dem Kreis und dem Auftauchen einer individuellen Identität her. Insbesondere möchte ich eine interessante Beobachtung erwähnen, die mir Kate Barrows schickte und die nahelegt, daß eine Mutter und ihr Kind dem Zeichnen eines vollkommenen Kreises intuitiv genau diese Bedeutung beimaßen. Hier ist ihre Beobachtung:

Beobachtung 1: »Ich dachte gerade nach über den Zusammenhang zwischen Formen für das autistische Kind und Formen für andere Kinder. Mich hat immer beeindruckt, wie wichtig ein vom Kind gezeichneter Kreis für das Kind und für die Eltern ist. Ich neige zu der Ansicht, daß dies etwas damit zu tun hat, daß das Kind im Akt des Zeichnens irgend etwas als von sich getrennt und zugleich vollständig begreift – ob wir das nun eine Brust, ein Objekt oder was auch immer nennen. Das Zeichnen eines Kreises scheint irgendwie erkennen zu lassen, daß das Kind einen unabhängigen Geist besitzt, wie flüchtig auch immer dieser Eindruck sein mag, selbst wenn das Kind gleich anschließend mit dem Kritzeln fortfährt ...

Ein klinisches Erlebnis ließ mein langgehegtes Gefühl hinsichtlich dieser Formen Gestalt annehmen. Es handelte sich um ein diagnostisches Gespräch in dem Krankenhaus, wo ich beschäftigt bin, mit einem kleinen fünfjährigen Mädchen und ihrer verstörten, mal psychotischen, mal fast katatonischen und manchmal gut funktionierenden Mutter. Das Kind befand sich in einer Abteilung für ambulante Fälle, um zu klären, ob in ihrem Fall eine Individualtherapie nötig sei. Sie waren beide bei mir, da sie sich offensichtlich nicht zu trennen vermochten. Das Kind wirkte auf mich zurückgezogen und verängstigt, sprach undeutlich und ließ dabei viele Konsonanten aus. An einem bestimmten Punkt der Sitzung – das Kind war gerade damit beschäftigt zu zeichnen bzw. zu kritzeln – sagte ich etwas (ich weiß nicht mehr, was) über seine Gefühle, vielleicht irgend etwas in der Art, ob die Mutti und ich sie ertragen könnten. Es reagierte, indem es einen geschlossenen Kreis zeichnete. Es machte dann einen ängstlichen Eindruck, und die Mutter sagte: ›Das ist das erste Mal, daß sie eine richtige Form gezeichnet hat‹, und fing an zu schluchzen. Das kleine Mädchen hörte auf zu zeichnen und entfernte sich, um mit Puppen zu spielen. Im weiteren Verlauf sprach ich über die Angst beider davor, daß das Mädchen es selbst sein könnte. Mir war durch den Kopf gegangen, daß diese Szene die Angst von Mutter und Kind aufzeigte, daß das Kind es selbst sein könnte – mit klaren Umrissen – und die Mutter klar sehen könnte.«

Beobachtung 2: Ein vierjähriger symbiotischer Junge, Sam, antwortete auf die Frage seiner Mutter, warum er an einem Stück Schal sauge, das er immer bei sich trug: »Weil das eine schöne Form macht.« Auf die Frage, welche Form es mache, sagte er: »Einen Kreis.« Er sagte ferner, daß das Lutschen an seinem Daumen ein Dreieck hervorbrächte. Das mochte er nicht »wegen der Spitzen«.

Beobachtung 3: In einer bestimmten Phase der Behandlung beschwerte sich Mary, die erwachsene neurotische Patientin mit ausgeprägten einkapselnden Merkmalen (ihre autistischen Formen wurden im 8. Kapitel erläutert), deren Mutter es nicht ertragen hatte, wenn Mary als Baby schrie, ihrer Therapeutin gegenüber einmal, daß sich im »Zentrum ihres Seins« ein Schrei »in Form eines Dreiecks« befinde. Solche Patienten machen nicht selten bildhafte Bemerkungen dieser Art. Oft glauben wir, sie seien ernsthafter Beachtung nicht wert, aber in Anbetracht der Tatsache, daß das, was sie sagen, für sie selbst äußerst wichtig zu sein scheint, sollten wir solche Bemerkungen nicht kurzerhand beiseite schieben. Die Patientin fuhr fort: »Wenn man die Oberfläche wegkratzt, bleibt nichts als Dunkelheit.«

Beobachtung 4: Eine weitere interessante Beobachtung wurde mir von Dilys Daws zugeschickt. Sie schrieb mir folgendes: »Ich dachte, Sie hätten vielleicht Gefallen an einer kleinen klinischen Anekdote über ›Formen‹ (keine autistischen). Ich hatte ein Mal pro Woche ein kleines, verstörtes siebenjähriges Mädchen in Behandlung. Ihre Familie war nicht in der Lage, sie öfter zu bringen, was für mich sehr frustrierend war. Mir war bekannt, wie furchtbar ihr Verhalten zu Hause war, aber in meinem Beisein verhielt sie sich recht erfreulich. Ich nahm an, daß sie auch bei mir ein anderes Verhalten an den Tag legen würde, wenn ich sie häufiger bei mir hätte. Schließlich richteten wir es so ein, daß eine zweite Sitzung in der Woche möglich wurde; eine Begleitperson und eine Transportmöglichkeit wurden gefunden. In der ersten dieser zusätzlichen Sitzung ärgerte sie sich die ganze Zeit über mich. Gegen Ende beschwerte sie sich, daß ich die ›falsche Form‹ aus Knetmasse, mit der wir arbeiteten, gemacht hätte. Ich sagte ihr, sie meine wohl die ganze Art und Weise, wie sie in die Sprechstunde gebracht wird, sei die ›falsche Form‹, das heißt: der Umstand, mit einem Taxi von der Schule zu mir zu kommen, in Begleitung einer fremden Frau statt mit den Eltern, zu einer ungewohnten Tageszeit, mit anderen Menschen im Wartezimmer usw. Sie stimmte enthusiastisch zu, und seitdem läßt sie mich daran teilhaben, wenn sie unzufrieden ist.«

Diskussion nicht-autistischer Formen

Autistische Formen lösen einander in schneller, glitschiger Folge ab, so daß sie praktisch voneinander nicht zu unterscheiden sind. Dies sowie die Tatsache, daß sie mit anderen Menschen nicht geteilt werden können, hat zur Folge, daß sie nicht klassifizierbar sind. Das ist der Hauptunterschied zwischen autistischen Formen und den Formen, die in den obengenannten Beobachtungen vorkommen. Die in Beobachtung 1, 2 und 3 beschriebenen Formen klassifizieren wir als *geometrische* Formen. Dilys Daws' Patientin klassifizierte Formen als »richtig« oder »falsch«, das heißt, je nachdem, ob sie »schön« oder »scheußlich« waren. Sie werden nach ihren *Präferenzen* eingeordnet. Im blanden Zustand des Autismus werden nicht einmal solche einfachen Unterscheidungen vorgenommen. Alles ist gedämpft und flach. Die undifferenzierten autistischen Formen stellen eine abweichende Art und Weise dar, sinnliche Erfahrungen zu strukturieren; sie sind ineffektiv, was das Verhalten betrifft. *Klassifizierbare* nicht-autistische Formen hingegen lassen einen psychischen Zustand völlig anderer Art entstehen.

Die Mutter von Mrs. Barrows Patientin erwähnte einen Kreis, den ihre Tochter als »richtige Form« gezeichnet hatte, das heißt, es handelte sich um eine klassifizierte Form, eine identifizierbare Form spezifischer Art, bei der man sich auf einen allgemein anerkannten Namen einigen kann. Ein solcher geschlossener Kreis unterscheidet sich erheblich von den gerundeten Formen, die in den zufälligen Kritzeleien des autistischen Kindes vorkommen, oder von Formen, die aus Speichel oder Darmgasen erzeugt werden. Aus ihren Körperempfindungen und -stoffen fabriziert, stellen diese letzteren Formen autistische Reaktionen dar, die eine immerwährende, unendlich kontrollierbare »Mutter« zu erschaffen scheinen. Aber es ist eine künstliche »Mutter«. Diese autistischen Erzeugnissen hindern sie daran, die wirkliche Mutter wahrzunehmen.

Der Kreis weist darauf hin, daß das Kind einen Schritt getan hat in Richtung einer realistischeren Wahrnehmung der Mutter als von sich getrennt und andersartig. Diese Anerkennung der realen Situation in bezug auf die Mutter findet vielleicht nur für einen flüchtigen Augenblick statt, wie in der Beobachtung von Mrs. Barrows, aber es handelt sich, wie sie so einsichtsvoll erkannt hat, um einen entscheidenden Augenblick. Genauso wie der Kreis einen klaren und intakten Umriß hat, so beginnt auch das auftauchende Individuum – zunächst vielleicht nur für einen kurzen Augenblick – zu spüren, daß es klare Körperbegrenzungen besitzt. Diese klaren Körperbegrenzungen deuten auf einen Innenraum, *sie sind nicht bloß Ränder, von denen man auf eine Oberfläche schließt.*

Die klinische Arbeit legt nahe, daß in dem Augenblick, wo die Patienten sich getragen fühlen in der Aufmerksamkeit eines anteilnehmenden Menschen, eine Form mit einem Innenraum entsteht, die als »Behältnis« erscheinen kann. Sie fühlen sich weniger in Gefahr, zu zerfließen oder »fort« zu sein. Sie haben ein Seinsgefühl und die Anfänge einer unterscheidbaren Identität. Das Wissen um einen Innenraum deutet auch auf ein mögliches Innenleben hin. Zunächst wird dieses Innenleben im Sinne der Ereignisse begriffen, die in jenem mysteriösen Bauch vor sich gehen, von dem die Aufmerksamkeit vorher abgelenkt wurde. Wie im 7. Kapitel gezeigt wurde, ist sich das autistische Kind der Tatsache nicht bewußt, einen Bauch zu besitzen. Die Entstehung einer Art von »Bauchgeist« ist ein entscheidender erster Schritt in der kognitiven und emotionalen Entwicklung. Primitive Phantasien, Erinnerungen und Vorstellungen werden möglich. Das Auftauchen von mitteilbaren, klassifizierbaren Formen ist Bestandteil dieser *Vorwärtsbewegung*. Sie weisen auf die Entwicklung von ein wenig realistischeren Wahrnehmungen hin. Solche Formen sind Teil der geistigen Ausrüstung aller Menschen, und so können sie zur Förderung von Kommunikation und zur Erweiterung der Wahrnehmung beitragen.

Im vorgelegten Beobachtungsmaterial war jede der klassifizierbaren Formen eine geometrische Figur (mit Ausnahme der Patientin von Dilys Daws, bei der ich den Verdacht habe, daß sie eine »falsche Form« erlebt haben könnte, etwa von der Art eines »quadratischen Pflocks in einem runden Loch«). Lassen Sie mich nun auf geometrische und andere Arten von elementaren klassifizierbaren Formen eingehen.

Geometrische Formen: Es gibt zwei grundlegende Klassen geometrischer Formen: die geschlossenen Formen mit sanfter Krümmung – Paradigma dafür ist der Kreis – und Formen mit geraden Linien und spitzen Ecken – die elementarste dieser Formen ist das Dreieck. Kreis und Dreieck sind die elementarsten Formen überhaupt. Zwei gerade Linien können keine geometrische Form bilden, aber drei entsprechend angeordnete Linien bilden ein Dreieck. Eine Kurve, deren Ende mit dem Anfang exakt zusammentrifft, bildet einen geschlossenen Kreis. (Es ist durchaus nicht uninteressant, daß eine Kurve, die alle drei Ecken eines Dreiecks verbindet, einen Kreis darstellt.) Ich bin zu der Erkenntnis gelangt, daß angeborene formbildende Prädispositionen eine bedeutende Rolle bei der Beeinflussung der Art und Weise spielen, wie wir unseren Gedanken Gestalt verleihen. Ferner habe ich erkannt, daß diese formbildenden Prädispositionen ein Mittel an die Hand geben, um *»Ich«-Empfindungen* in *Wahrnehmungen* der »Nicht-Ich«-Außenwelt zu verwandeln. Somit strukturieren *geometrische* Formen spezifische Empfindungsmuster, die durch Berühren und Sehen entstehen, und verwandeln sie in Wahrnehmungsinhalte und Begriffe, die sich auf die Eigenschaften des Raumes beziehen.

Musikalische Formen: Diese strukturieren die einzelnen Töne, die die Klangempfindung ausmachen, zu Wahrnehmungen und Begriffen, die speziell mit der Zeitdimension zu tun haben. Sie gewährleisten, daß man Töne als eine geordnete Folge und nicht als Anhäufung erlebt. Sprache scheint eine spezifische Art von musikalischer Form zu sein, die – wie alle musikalischen Formen – neben der Form eine Amplitude besitzt. Aus autistischen Zuständen auftauchende Patienten sind besonders sensibel für den Ton der Stimme, sie schrecken vor harten und lauten Tönen zurück. Das post-autistische Kind Daisy, das im 10. Kapitel beschrieben wird, ist dafür ein Beispiel. Sydney Klein (1980) erwähnt ferner, daß sich solche Patienten »mit dem Tonfall oder Gesichtsausdruck des Analytikers unabhängig vom Inhalt der Deutung« beschäftigen. Das will besagen, sie schenken, wie es für das autistische Funktionieren charakteristisch ist, den oberflächlichen Phänomenen Beachtung und nicht den inneren Bedeutungen: Der *Klang* der Worte und weniger deren Bedeutung ist wichtig. Es gibt auch ästhetische Formen, die unsere Vorstellungen von Schönheit und Häßlichkeit beeinflussen. Doch es scheint die individuelle menschliche Veranlagung zu sein, die bestimmt, welche Weise der Strukturierung sinnlicher Erfahrung vorwiegend praktiziert wird.

Ästhetische, musikalische und geometrische Formen werden bald in die Grundkategorien »schön« und »scheußlich« (angenehm und unangenehm) ausdifferenziert. Was die geometrischen Formen betrifft, so können wir dem Beobachtungsmaterial entnehmen, daß die aus einer geschlossenen Linie gebildeten Formen wie der Kreis »schön« sind, während winklige, gespitzte Formen wie das Dreieck »scheußlich« sind. Es ist für die weitere psychische Entwicklung entscheidend, daß die scharfen, winkligen Erfahrungen und ihre musikalischen und ästhetischen Äquivalente wie Disharmonie und Häßlichkeit nicht ungehört und unbeachtet hinausgeschrien, geniest oder entleert werden. Sie müssen »aufgefangen« und gehalten werden von einer aufmerksamen und aufnehmenden Bezugsperson. Marys Mutter beispielsweise ertrug die Schreie ihres Babys nicht; die Mutter von Daisy, die im 10. Kapitel erörtert werden soll, konnte die »schmutzigen Windeln« nicht ausstehen. Ich kann mich noch gut an die traurige Mutter eines autistischen Kindes erinnern, die mit großer Aufrichtigkeit ihre postpartale Depression schilderte. Sie berichtete, daß sie sich wie eine »Unperson« fühlte und die schmutzigen Windeln des Kindes unter dem Bett versteckte, weil sie sich davor ekelte und nicht in der Lage war, sie zu waschen.

Die Säuglinge sind ferner mit der Diskrepanz zwischen ihren angeborenen sensorischen Erwartungen und den Tatsachen konfrontiert. Um diese Enttäuschung und ihre Reaktion darauf zu überwinden, reagieren sie ebenfalls so, daß sie zur »Unperson« werden. In der psychotherapeutischen Behandlung haben wir es mit Phasen der Qual zu tun, wenn solche Patienten aus ihrer Einkapselung auftauchen, mit Reaktionen auf die scharfen, winkligen, dissonanten Formen, die erlebt wurden, bevor sie in der Lage waren, sie zu ertragen. Im Gedicht zu Beginn des Kapitels bezeichnet T. S. Eliot sie als »Stachelbaum« und charakterisiert damit sehr treffend die Nachwehen dieser Begegnung.

Die Folge dieser unangenehmen Erfahrung ist ein heftiger Trotz, den Eliot den »Schatten« nennt. Dieser Trotz aus Enttäuschung darüber, zwischen »Idee und Wirklichkeit« zu stehen, ist das Ergebnis der Diskrepanz zwischen Erwartetem und Faktischem. Die Enttäuschung der Erwartungen, die wir mit auf diese Welt bringen, ist unvermeidlich – für uns alle. (Der Bericht vom Garten Eden steht als Metapher dafür.) Aber für manche Kinder hat aus verschiedenen, noch zu besprechenden Gründen die Desillusionierung eine verkrüppelnde Wirkung gehabt. In einem noch nicht hinreichend reifem psychischen Zustand wurde ihnen die Diskrepanz zwischen dem, was ist, und dem, was sie gerne hätten, aufgezwungen. Wir reden hier natürlich über eine Situation, die seit unvordenklichen Zeiten bekannt ist. Die Psychoanalyse spricht vom Erwachen des Realitätsprinzips. Vom Autismus verkrüppelte Patienten sind auf harte, eckige Realitäten in einem neuromentalen Stadium gestoßen, in dem sie damit nicht fertig werden konnten.

Die Entstehung des Realitätsprinzips: Wenn Empfindungsformen mit angeborenen Konstrukten in Beziehung gesetzt werden, die mit anderen Menschen geteilt werden, entstehen Wahrnehmungsinhalte und Begriffe. Das ist der Beginn der Welt des »common sense«, der allgemeinen Vernunft oder des gesunden Menschenverstandes. In der normalen Entwicklung setzt dies in der Stillsituation ein, wenn die Gesamtheit der Stillerfahrungen – die Empfindungen des Mundes, die glänzenden Augen und die umschließenden Arme – in der

Wahrnehmung und im Begriff der »Mutter« zusammenfließt. Der Kreis scheint eine präverbale Ausdrucksweise dieser Erfahrung des Sich-gehalten-Fühlens – des Umkreistseins – im nährenden Ambiente mit dem Säugling als Mittelpunkt und Zentralfigur zu sein. Der Kreis ist Ausdruck dieses Gefühls immerwährenden Gehaltenseins und immerwährender Zufriedenheit. Die eckige Figur mit Spitzen verkörpert die Störung dieser Kreissituation, von der das Baby annahm, daß sie ewig währen würde. In einem hier nicht angeführten Gedicht sagt T. S. Eliot über diese Situation: »Das Ende ist der Anfang.« Eckige Formen mit scharfen Spitzen sind erheblich weniger befriedigend. Ein Grund dafür besteht darin, daß die Situation (die Zwei-Linien- oder Zwei-Körper-Situation), in der ausschließlich Mutter und Kind zusammen sind, von anderen ins Bewußtsein dringenden Linien (anderen Körpern) gestört wird.

Ein weiterer Grund besteht darin, daß dort, wo sich die unabhängigen Linien verbinden, die Idee von Endpunkten sowie von plötzlichen, abrupten Richtungsänderungen ins Spiel kommt. Es ist typisch für die dämmernde Erkenntnis, daß sinnliche Erfahrungen mit der Mutter nicht kontinuierlich und ununterbrochen sind. Es gibt dabei Stöße, Unterbrechungen und Veränderungen; die Mutter kommt und geht in ziemlich entmutigender Weise. All das wurde durch den Autismus beschwichtigt, kommt aber, sobald der Autismus Sprünge bekommt, wieder zum Vorschein.

Im Falle Sams wurde das schmerzvolle Dreieck mit allem, was es implizierte, durch das Daumenlutschen hervorgerufen, denn der Daumen hat einen harten Teil, den Daumennagel. Dieser unterbricht den wohlgeformten Kreis seines saugenden Mundes. Aber für ihn wird diese schreckliche Erfahrung aufgefangen von dem geschlossenen Kreis, den er aus dem weichen Schalzipfel formt, den er beliebig gestalten kann.

Mary macht eine geradezu marternde Erfahrung mit ihrem Dreieck. Ihr trotziger Zorn über die Diskrepanz zwischen dem »angestammten Recht«, das sie aufgrund ihrer angeborenen »Schemata« erwartet hatte, und dem, was sie dann tatsächlich bekam, wurde in der kindlichen Übertragung auf ihre Therapeutin wiederbelebt. Das Problem bei Mary bestand darin, daß sie der Meinung war, mit dem

Schreien in ihrer frühen Kindheit den »Kreis« – die umschließenden Arme der Mutter mit allem, was damit zusammenhängt – »weggesprengt« zu haben. In der infantilen Übertragung auf ihre Therapeutin durchlebt sie diese Erfahrung noch einmal. Wenn der Urzorn sich als so »rabenschwarz« erweist, wie es bei Mary der Fall zu sein scheint, stellt er ein ernstzunehmendes Hindernis für die psychoanalytische Arbeit dar.

Wenn Patienten allmählich aus ihrer autistischen Einkapselung auftauchen, erleben sie die schwarze Verzweiflung, die durch ihre autistischen Kunstgriffe besänftigt worden war. Aus verschiedenen, in anderen Kapiteln erörterten Gründen waren die Qualen der ersten Lebensmonate, die Blake geschildert hat, für solche Patienten unerträglich. Im Zentrum ihres Seins finden sie den Schrei.[1] Wenn sie den Autismus allmählich hinter sich lassen, kommt es oft vor, daß solche Kinder das Bild, das sie gezeichnet haben, zerknäueln, weil es jenem Bild, das sie im Kopf hatten, nicht entspricht. Um es mit T. S. Eliot zu sagen: Der Schatten ihres massiven Trotzes hat sich zwischen Entwurf und Ausführung, zwischen »Empfängnis und Geburt« geworfen.

Als Psychotherapeuten müssen wir so nahe wie irgend möglich an die Erfahrungen unserer Patienten herankommen. Das erweist sich im Falle vorsprachlicher Erfahrungen als besonders schwierig. Es ist mein Eindruck, daß diese Einsichten in die formbildenden Modi des menschlichen Geistes uns helfen können, mit bestimmten Patienten in einer für sie bedeutungsvollen Weise zu reden, sobald sie aus ihrer autistischen Einkapselung auftauchen. Das ist insbesondere bei autistischen Kindern der Fall, die den elementaren Funktionsweisen näherstehen bzw. sich fester in ihrem Griff befinden. Neurotische Patienten, die in einem Teil ihrer Persönlichkeit nicht ganz so völlig wie autistische Kinder von äußeren Erfahrungen abgeschnitten sind, können auf ihre Fähigkeiten zurückgreifen, Bilder zu erzeugen, um uns über ihre autistischen Erfahrungen zu berich-

[1] Ich möchte an dieser Stelle darauf hinweisen, daß meine Konzeption in keinem direkten Zusammenhang steht mit Behandlungsmethoden, die auf dem *Urschrei* oder bestimmten »Wiedergeburts«techniken basieren.

ten, so wie es der erwachsene Patient tat, dessen Träume im 1. Kapitel geschildert worden sind. Doch die Patienten können uns erst dann sagen, wie es wirklich war, wenn sie aus dem Autismus aufzutauchen beginnen oder ihn hinter sich gelassen haben. Unsere Belege beruhen also letztlich auf nachträglichen Einsichten.

Wenn diese Patienten allmählich beginnen, die trennende Kluft zwischen ihrem eigenen Körper und dem der Mutter (in der infantilen Übertragung: die Kluft zwischen sich und dem Therapeuten) auszuhalten, stoßen sie in besonders schmerzhafter Weise auf das Faktum des Raumes. Vorher waren sie durch die autistischen Strategien vor diesem schmerzlichen Bewußtsein geschützt. Geometrische Formen helfen ihnen, die entstehenden sinnlichen Raumerfahrungen zu strukturieren. Diese Formen tauchen ungebeten im Bewußtsein des Kindes auf. Sie sind nicht das Ergebnis eines Lernprozesses. Sie scheinen, wie musikalische und ästhetische Formen, aus angeborenen neuromentalen Strukturen zu entstehen, die ich andernorts als »angeborene Formen« bezeichnet habe (Tustin, 1972). Noam Chomsky (1972) hat von angeborenen »Tiefenstrukturen« gesprochen, die den Sprachgebrauch des Kindes vorprogrammieren. »Angeborene Formen« scheinen diese Grundelemente zu sein, aus denen sich Denken und Gefühl entwickeln. Es handelt sich weder um Archetypen im Sinne Jungs noch sind es »unbewußte Phantasien« im Sinne von Melanie Klein, wenngleich sie Grundelemente für diese Bildungen sein könnten.

Angeborene Formen: Diese »angeborenen Formen« erkennen wir bei autistischen Kindern, die aus dem Autismus auftauchen, in »reiner« Form – das heißt, von äußeren Erfahrungen relativ unmodifiziert. Das liegt daran, daß die Kinder von äußeren Erfahrungen weitgehend abgeschnitten gewesen sind, so daß sie nichts hatten außer den »angeborenen Formen«, um hereinströmende Empfindungen zu strukturieren, die andernfalls als simultan und aufeinander gehäuft erlebt worden wären. Geometrische Figuren, eine spezifische Art der »angeborenen Formen«, tragen dazu bei, Ordnung in die Tast- und Sehempfindungen zu bringen, wenn das Getrenntsein von der Mutter anerkannt wird. Andernfalls würde der Raum als formlose Leere erlebt werden. Dennoch scheinen diese geometrischen Figuren, von denen die Kinder reden und die sie zeichnen, keine Metapher im Sinne des »Stachelbaums« T. S. Eliots zu sein. Für Patienten, die vom Autismus genesen sind, scheinen sie die Urform zu sein, in der frühe Erfahrungen geprägt wurden.

Die klinische Arbeit mit autistischen Kindern weist darauf hin, daß die psychische Entwicklung auf dieser frühen, grundlegenden Ebene der »angeborenen Formen« zum Stillstand gebracht worden ist. Folglich war es wichtig, die Einzelheiten dieser frühen Erfahrung kennenzulernen, statt in allgemeinen Wendungen von »unresponsiven Müttern« und »unresponsiven Babys« zu reden. Soll unsere Psychotherapie wirksam sein, müssen wir begreifen, wie unsere Patienten fühlen und denken. Das Auftreten geometrischer Formen scheint ein wichtiger Schritt in der psychischen Entwicklung zu sein. Solche Formen treten an einem entscheidenden Punkt im psychotherapeutischen Prozeß auf, wenn sich der Patient aus dem ihn begrabenden »Mutterleib« des psychogenen Autismus hervorkämpft, um, bildlich gesprochen, »psychisch geboren« zu werden. Sie scheinen die Vorboten eines Schrittes in Richtung *Sinnes*erfahrungen zu sein, die mit anderen Menschen *geteilt* werden. Aber weil der Patient gerade das Treibhaus autistischer Einkapselung verläßt, werden die Formen zunächst in einer außergewöhnlich übersensibilisierten Weise erlebt. Gegensätze werden als Extreme erlebt, als geliebter »Kreis« und verhaßtes »Dreieck« etwa. Sie glauben, beides auseinanderhalten zu müssen, da sonst der Kreis zerstört würde. Durch die infantile Übertragung auf den Therapeuten werden diese Patienten allmählich in die Lage versetzt, solche Extremphasen zu durchleben und zu integrieren, so daß ihre unberechenbaren Reaktionen allmählich modifiziert werden (dies verdeutlicht die graphische Darstellung des Verlaufs der Psychotherapie eines an Anorexia nervosa leidenden heranwachsenden Mädchens im 14. Kapitel).

An dieser Stelle ist ein kurzes Wort über das Stadium vonnöten, das solche Patienten erreichen, sobald sie den Autismus verlassen.

Nach dem Autismus: Die psychische Situation, die sich ergibt, wenn solche Patienten aus ihrem Autismus auftauchen, wurde von Margaret Mahler als Symbiose zwischen Mutter und Kind (Therapeut und Patient) beschrieben. In diesem Stadium werden die von Melanie Klein beschriebenen und von Bion detailliert untersuchten projektiven Identifizierungsprozesse sehr aktiv. Das Stadium steht auch in Zusammenhang mit Winnicotts Übergangsobjekt, wie es Sams Schalzipfel bezeugt. In diesem Stadium ist ein gewisses Maß an Kooperation hergestellt worden, aber es können auch »Verwicklungen« auftreten, die zu modifizieren Aufgabe der Therapie ist. Wie es Sydney Klein (1980) ausdrückt: Neurotische Patienten mit einer autistischen Kapsel werden sich »verzweifelt und zäh am Analytiker als einziger Lebensquelle festklammern ...« Die Modifizierung dieses Stadiums ist Thema des vorletzten Kapitels dieses Buchs.

Schlußbetrachtung

Unser Verständnis dieser elementaren Situationen gelangt unweigerlich an eine Grenze. Letztendlich liegt es außerhalb der Macht des Geistes, sich selbst zu erforschen oder nonverbale Erfahrungen in Worte zu fassen. Wenn wir darüber schreiben, plagen wir uns mit der Diskrepanz zwischen dem, was wir intuitiv erfassen, und dem, was wir zum Ausdruck bringen können. Aber wir müssen es immer wieder versuchen, auch wenn uns wohl bewußt ist, daß unser einzig sicheres Wissen die Tatsache ist, daß wir die »Wirklichkeit« niemals vollends ergründen können. Wir müssen akzeptieren, daß wir von Geheimnissen umgeben sind. Dieser Standpunkt liegt diesem Buch zugrunde. Das autistische Kind und der autistische Teil in uns allen sehnt sich nach Gewißheit, nach Erlösung vom Zweifel, nach umfassender Erkenntnis und ungetrübter Zufriedenheit. Die harte Tatsache, daß dies alles unerreichbar ist, ist die Klippe, an der die weitere psychische Entwicklung des autistischen Kindes scheiterte. Der dadurch hervorgerufene Zorn hat ihre emotionale und kognitive Entwicklung verkrüppelt. Es ist wichtig, daß wir für solche Patienten da sind, um sie mit unserem Zureden in einer ihnen bedeutungsvollen Weise durch diese schmerzliche, aber unausweichliche Desillusionierung hindurchzubegleiten.

Aus diesem Grund bin ich den Freunden und Kollegen dankbar, die mir die Beobachtungen, aus denen ich zu Beginn dieses Kapitels zitiert habe, zur Verfügung gestellt haben. Durch sie habe ich alte Wahrheiten mit neuen Augen zu sehen gelernt. Diese Beobachtungen haben auch eine Art und Weise nahegelegt, mit Patienten zu reden, die ihren vorsprachlichen formbildenden Erfahrungen entspricht.

Und nun noch eine abschließende Bemerkung. Als wir die Grundelemente unseres psychischen und geistigen Funktionierens ans Tageslicht förderten, schien es mir wichtig zu sein, uns von den integrierten ästhetischen Strukturen halten zu lassen, die der Mensch zu diesem Zweck entwickelt hat. Die Lyrik war folglich ein notwendiger Bestandteil dieser Darlegung. Unser Ziel in der Arbeit mit unintegrierten oder desintegrierten Patienten, die den Bereich menschlicher Sorge und menschlichen »Haltens« verlassen haben, ist es, ihnen bei der Überwindung ihrer idiosynkratischen Pseudokreativität und der Öffnung für die wirklich schöpferischen Einflüsse aus der Umwelt beizustehen. In dem Maße, wie wir uns selbst auf diese Einflüsse einlassen, wächst unsere Fähigkeit, ihnen dabei zu helfen.

10. Kapitel
Die Welt des autistischen Kindes

Sei bei mir, wenn mein Licht erlöschen will,
  Das Blut mir schleicht und alle Nerven beben;
  Wenn sich des Herzens Schläge matter heben
Und meines Lebens Uhrwerk stehet still.

Sei mir nahe, wenn Vertrauen niederzwingend
  Der Schmerz im Körper wühlet; wenn die Zeit
  Ein rasend Weib mir dünkt, die Staub verstreuet,
Das Leben eine Furie Flammen schwingend.

Tennyson, *In Memoriam*, XLIX

Der erste Teil dieses Buches begann mit einer Beschreibung der äußeren Erscheinung und des Verhaltens psychogen autistischer Kinder. Beenden wir ihn nun mit einem tieferen Blick in die Welt, in der solche Kinder leben. Dies soll uns darauf vorbereiten, die autistischen Aspekte im Verhalten der neurotischen Patienten, die wir in Teil 2 antreffen werden, zu erkennen. Daisy, die post-autistische Patientin, deren Fall in diesem Kapitel erörtert werden soll, konnte sprechen, so daß sie einige der primitiven geistigen Zustände, in denen solche Kinder leben, in Worte fassen konnte. Diese Zustände mußten bei den nicht sprechenden autistischen Kindern, mit denen ich gearbeitet habe, rückerschlossen werden. Daisy wurde von Enrico Levis aus Italien behandelt, der seine Arbeit von Zeit zu Zeit mit mir bespricht und dem ich sehr dankbar für die Erlaubnis bin, sein klinisches Material benutzen zu dürfen.

Wichtige Besonderheiten in Daisys ersten Lebensjahren

Wie es eher bei Kindern mit psychogenem als mit organischem Autismus der Fall ist, war Daisys Mutter nach der Geburt des Kindes sehr depressiv. Als Folge davon entwickelten Daisy und ihre Mutter eine besonders enge Bindung aneinander (die nicht Beziehung genannt werden kann), in der die Mutter dazu neigte, Daisy zur Befriedigung ihrer eigenen Bedürfnisse zu benutzen, anstatt diejenigen ihres Babys zu befriedigen. Als weiteres bedeutsames Merkmal von Daisys ersten Lebensjahren ist zu nennen, daß die Mutter sich vor dem Windelnwechseln ekelte und das Baby gewöhnlich ihrer Mutter (Daisys Großmutter) übergab, wennn es gewickelt werden mußte.

Fallmaterial

Daisy war ein elfjähriges post-autistisches Mädchen, das dreimal in der Woche zur Behandlung kam. Zum Zeitpunkt der hier detailliert wiedergegebenen Sitzung war sie seit fünf Monaten in Therapie. Bevor die Behandlung bei Dr. Levis begann, war sie zur Vorbereitung auf die Schule von einem Psychologen therapiert worden, bei dem sie lesen und schreiben gelernt hatte, wenn auch in einer etwas wirren Art. Obwohl Daisy weiterhin deutliche autistische Merkmale zeigte, war sie den typischen autistischen Ängsten und Schrecken in viel stärkerem Maße ausgeliefert als solche Kinder, die durch ihre autistischen Ausweichreaktionen noch davor geschützt sind. Wie man sehen wird, konnte dieses Ausweichverhalten modifiziert werden.

Während der ersten Therapiewochen war Daisy hyperaktiv. Später legte sich das, und sie wurde sehr viel ruhiger. In dieser ruhigeren Phase sagte sie, sie sei dabei, »eine Untersuchung der Gedanken« durchzuführen. Zu diesem Zweck lag Daisy meistens auf dem Boden und schrieb etwas, wobei sie von Dr. Levis nicht unterbrochen werden wollte, bis sie das Ende der Seite erreicht hatte. Sie sagte: »Ich entlade gerade«, womit sie »entleeren« meinte. Was sie schrieb, waren Listen von »wirklich wilden oder traurigen Gedanken«, die auf magische Weise zu »glückseligen Gedanken« oder »verhüllenden Gedanken« werden konnten. Daisy zeichnete die »wilden Gedanken« als Zickzacklinien, die sie als Donner und Blitz bezeichnete. Die »verhüllenden Gedanken« zeichnete sie als eine blaue Decke; sie nannte sie auch »Deckengedanken«. Manchmal zeichnete sie diese Gedanken und manchmal schrieb sie sie auf.

In dieser ruhigeren Phase brachte Daisy ein Buch von Professor Resnik mit dem Titel *Person and Psychosis* mit zur Sitzung. Es gehörte ihrer Mutter. Daisy wies Dr. Levis auf ein Kapitel mit der Überschrift »Sprache und Kommunikation – Sprechen und Zuhören« hin. Sie machte ihn speziell auf einen Satz aufmerksam, der lautete: »Ein barscher oder grober Tonfall wird als reale Bedrohung erlebt.« Dieser Satz war unterstrichen worden. Daisy vertraute Dr. Levis auch als großes Geheimnis an, daß sie sich zu Weihnachten eine »Luciotta« (eine elektrische Lampe, die im Kinderzimmer nachts ein gedämpftes Licht ausstrahlt) von ihren Eltern wünschte. Daisy sagte, daß sie diese Lampe wollte, auch wenn sie Hunderttausende von Lire kostete. Um sie zu bekommen, war sie willens, auf viele Dinge zu verzichten, die sie mochte; sie war bereit, »Opfer zu bringen«.

Donnerstag, 29. November: 23. Behandlungswoche: Dr. Levis berichtete, daß Daisy mit einem albernen Lachen aus dem Aufzug kam. Zwischen ihren Zähnen hielt sie einen Plastikstrohhalm. Dr. Levis begrüßte sie und führte sie ins Behandlungszimmer. Im Zimmer schüttelte Daisy den Kopf, um das herbeizuführen, was sie als »Gestenzeichnungen« bezeichnete. Dies waren Zeichnungen, die aus Empfindungen in ihrem Körper erwuchsen. Sie waren eine Weiterentwicklung der im 7. und 8. Kapitel beschriebenen autistischen Formen. Autistische Formen sind beruhigend und tröstend und unterstützen zudem die Abfuhr von Körperempfindungen. Nach meinem Verständnis ist der harte Strohhalm ein autistisches Objekt, das heißt ein Objekt, das Empfindungen hervorruft, die dem Kind helfen, sich unverletzbar und undurchdringlich zu fühlen.

Autistische Objekte und autistische Formen sind autosinnliche Konstrukte, die mit einem Zustand verbunden sind und diesen befestigen, in dem der Körper des Kindes sich nicht getrennt von einem allmächtigen Wesen (das nicht wirklich als Mutter identifiziert wird) erlebt. Beide werden als immer bereitstehende Teile des mächtigen Wesens empfunden, die der manipulativen Kontrolle des Kindes unterliegen. Als solche halten sie das Kind davon ab, zur tatsächlichen Mutter eine normale Beziehung zu unterhalten. Sie wird vom Kind entweder selbst als autistisches Objekt oder autistische Form benutzt, das heißt als ein stets verfügbarer Teil seines eigenen Körpers, der das Kind entweder beruhigt oder sich unverletzbar fühlen läßt. Das bedeutet, daß die Kinder mit der Mutter als wirklichem Menschen nicht in Berührung kommen. Manchmal aber beginnt Daisy ein Gefühl dafür zu entwickeln, daß sie diese trügerischen Tranquilizer und ihre scheinbare Unverwundbarkeit eines Tages aufgeben muß, daß sie sich auf ein Licht wird verlassen müssen, das außerhalb ihres Körpers ist, und das real ist, wenn auch nicht greifbar. Daisys Wunsch nach einer »Luciotta« scheint dem Verhalten normaler kleiner Babys ähnlich zu sein, die sich auf ein Licht konzentrieren und sich so zusammengehalten und geborgen fühlen.

Dennoch brauchte Daisy zu Beginn dieser Sitzung, nachdem sie gerade ihre Mutter verlassen und Dr. Levis' Zimmer betreten hatte, den Plastikstrohhalm und die »Gestenzeichnungen«. Dr. Levis saß auf der Couch, und Daisy tat dasselbe. Sie klaubte drei Kissen zusammen und knäulte sie so auf der Couch zusammen, als ob sie sich vor ihm schützen wollte. Als sie ihre Schuhe auszog, fragte Daisy verführerisch: »Wissen Sie, wie viele Liebhaber ich habe, Mutti-Vati-Doktor?« (Hier können wir m. E. sehen, daß Daisy, um mit den aufregenden und ängstigenden Gefühlen, mit dem »Mutti-Vati-Doktor« zusammen zu sein, fertig zu werden, zusätzlich zu ihren autistischen Objekten und Formen autoerotische Gefühle auf den Plan ruft.) Als Daisy mit ihrer verführerischen Fragerei fortfuhr, gab Dr. Levis ihr die Deutung, daß sie glaubte, eine »Luciotta« zu brauchen, damit sie nicht mehr solche Angst hätte. Diese Deutung reichte aus, Daisy zu helfen, sich sicherer zu fühlen. Danach glitt sie auf den Boden und bewegte sich auf den Knien zu einem kleinen Tisch, auf dem Papier und Stifte lagen. Sie legte den Strohhalm weg, den sie inzwischen vom Mund in die Hand gewechselt hatte, und nahm zwei Bögen Papier und einige Stifte. Dann legte sie sich bäuchlings auf den Boden, und nachdem sie ihren Namen geschrieben hatte, wie sie es in der Schule gelernt hatte, fing sie an, zahlreiche Vögel zu zeichnen. Dr. Levis fragte sie, was sie da zeichne, und sie antwortete: »Das sind fliegende Gedanken/Vögel. Fliegen schneller als das Licht.« Später sagte sie: »Dies sind hereinstürzende Gedanken.« Dr. Levis gab mir Übersetzungen dessen, was Daisy zu Papier brachte. Es waren dies: »Vogelgedanken, eindringend, fliegend«.

Eine Weile später gab Daisy Dr. Levis das Blatt Papier. Es war vollständig mit verworren miteinander verwobenen Formen bedeckt. Immer noch auf den Knien, richtete sich Daisy auf, um ein weiteres Blatt Papier zu nehmen. Sie war unsicher, ob sie ein größeres oder ein kleines, wie das, was sie gerade verwendet hatte, nehmen sollte. Sie entschied sich für das kleinere und bemerkte: »Vor einiger Zeit hätte ich eine Menge Superlative benutzt. Jetzt bin ich damit zufrieden, zu schreiben, wie groß sie sind.« Es ist charakteristisch für autistische Kinder, daß sie, wenn sie zu sprechen beginnen, gerne lange Wörter verwenden wie »Superlativ«. Wie es scheint, wollte Daisy zum Ausdruck bringen, daß sie das kleinere Blatt Papier nehmen konnte und keine »Superlative« benutzen mußte, weil sie durch die »Entladung«, die sie mit Dr. Levis' Hilfe hatte erleben können, erleichtert war. Diese Kinder fühlen sich aufgebläht durch aufgestaute Emotionen, die sie sensorisch wahrnehmen. Diese Reizung infolge des Gefühlsstaus wäre demnach der Grund für Daisys Hyperaktivität bei ihrem ersten Besuch bei Dr. Levis. Sie ließ nach, als Dr. Levis ihre Entleerungen akzeptierte und ihr dabei half, sie in Worte zu fassen und darüber nachzudenken.

Daisy zeichnete nun etwas, was sie »Blitz« nannte, einen Blitzstrahl mit Pfeilen, die auf den »Blitz« gerichtet waren und zeigten, daß ihre »Blitze« als »wilde Gedanken« aufzufassen waren. Sie hatte gerade begonnen, die erste Zeile »wilder Gedanken« aufzuschreiben, als sie davon aufgeschreckt wurde, daß sie ihre Mutter draußen im Korridor weggehen hörte. Es war, als ob sie ganz in ihren körperlichen Fluß versunken gewesen wäre und nun plötzlich gestört wurde. Sie sagte: »Sie geht weg«, und ließ sofort eine Stelle auf dem Blatt Papier, auf dem sie gerade schrieb, leer. Ihr »Da-Sein« war in Frage gestellt worden. In Reaktion auf die erschreckende Unterbrechung begann Daisy, fieberhaft zu schreiben, als ob sie sich versichern wolle, daß der Fluß ihres Seins weiterginge. Sie füllte das ganze Blatt Papier aus, sogar die Stelle, die sie leer gelassen hatte. Sie ignorierte, was Dr. Levis sagte, als ob sie alle weiteren Unterbrechungen ihres »Weiterexistierens« nicht zur Kenntnis nehmen wollte. Dr. Levis gab mir Übersetzungen ihres zusammenhanglosen, verwirrten und rasenden Schreibens.

Auf dem ersten Blatt Papier hatte Daisy nach ihrem Namen als Überschrift »wilde Gedanken unendlich« geschrieben. Dann schrieb sie nieder, was diese »wilden Gedanken« hervorrief:

»1.) daß mir gefährliche Dinge passieren
daß Leute in barschem und grobem Ton zu mir sprechen.
2.) daß ich Liebhaber finde, die mich anschreien, um mich zu vertreiben
daß ich falsche Liebhaber finde, weil sie mir weh tun
das heißt, sie oder anderes Leid
daß ich von den Leuten gehaßt werde.«

Obwohl Daisy zu diesem Zeitpunkt der Sitzung immer noch zu reden bemüht war, war auch der Fluß ihres Schreibens wichtig, um sich dessen zu versichern, daß das Leben ohne Unterbrechung weiterging. Mit dem Satz »das heißt, sie … oder anderes Leid« brachte Daisy durch die leere Stelle zum Ausdruck, daß Unterbrechungen »wilde Gedanken« hervorriefen.

Nach einiger Zeit baute das Schreiben ihre Aufregung nicht mehr genügend ab, so daß sie sie entlud, indem sie überdreht im Raum umherhüpfte. Nach einer Weile beruhigte sie sich ein wenig, als Dr. Levis davon sprach, wie sehr sie sich wünschte, er solle eine »Luciotta« sein – ein Licht, um ihre Dunkelheit zu erhellen. Im Anschluß an diese Deutung nahm Daisy ein neues Blatt Papier, schrieb darauf wie üblich ihren Namen und zeichnete dann einen stilisierten, flachen Engel mit Flügeln, auf die sie »glückselige Gedanken« schrieb. Es schien, als ob diese den »wilden Gedanken« entgegenwirken sollten. Es folgen Dr. Levis' Übersetzungen dieser »glückseligen Gedanken«: »Glückselige Gedanken unendlich« war die Überschrift. Daisy schrieb dann auf, was diese »glückseligen Gedanken« hervorrief.

»den Geliebten verliebt machen
auf der Autobahn mit voller Geschwindigkeit fahren
früh in den Himmel kommen
Geschenke bekommen
süß träumen«

Daisy zeichnete auch einige Schmetterlinge. Diese waren, genauso wie der Engel, »glückselige Gedanken«.

Nachdem Daisy diese »glückseligen Gedanken« hervorgebracht hatte, legte sich ihre Erregung, und sie schrieb eine etwas weniger verwirrte Mitteilung an Dr. Levis. Übersetzt lautete sie: »Mutti-Vati-Doktor, wenn Sie es sehen könnten, wäre das so schön, als ob ich fliegen könnte.« Sie werden bemerken, daß Daisy schrieb: »*als ob* ich fliegen könnte.« Ein Kind in einem totaleren Zustand des Autismus würde geglaubt haben, daß es tatsächlich *flog*. Daisy *wünschte* sich lediglich, dies tun zu können. Da das Ende der Sitzung sich näherte, fühlte Daisy wahrscheinlich diese nahe bevorstehende Unterbrechung ihres »Weiterexistierens« und reagierte entsprechend. Als Dr. Levis sagte, es sei Zeit zu gehen, wurde Daisy unruhig und begann hastig, einige Vögel an die leere Stelle zu zeichnen, die auf dem Blatt Papier, das sie gerade benutzt hatte, noch übrig war. Diese klobig gezeichneten Vögel »fühlten« sich anders »an« als die leichten und zarten Zeichnungen des Engels und der Schmetterlinge. Sie schienen die Lücke des Getrenntseins zwischen ihr und dem machtvollen »Mutti-Vater-Doktor« zu *stopfen*, weil die körperliche Einheit mit ihm ihrem Eindruck nach ihr »Seinsgefühl« garantierte. Wenn er in einem »barschen, groben Ton« sprach, das heißt, wenn er Dinge sagte, die sie nicht mochte, wurde Daisys Gefühl der körperlicher Kontinuität mit ihm gestört, und sie fühlte sich auf ein »Nicht-Sein« reduziert – auf einen leeren Raum.

Dr. Levis sprach mit ihr über ihre Versuche, die Lücke des Getrenntseins zwischen ihnen zu füllen. Nachdem Daisy ihre Schuhe angezogen hatte, rannte sie ins Badezimmer und sagte: »Ich habe Durst. Ich habe Durst.« Dr. Levis deutete dies als Ausdruck ihres Bedürfnisses, den leeren Raum auszufüllen, um die Lücke der Trennung zwischen ihnen nicht zu bemerken. Nach dieser Deutung akzeptierte Daisy, daß es Zeit war zu gehen. Sie traf ihre Mutter, die Brot mit eingebackenen Oliven mitgebracht hatte. Daisy nahm es und aß es gierig auf. »Um das Loch zu füllen«, wie Dr. Levis es ausdrückte, genauso, wie der Strohhalm in ihrem Mund zu Beginn der Sitzung, als sie sich von ihrer Mutter getrennt hatte, diese Funktion erfüllte. Eine der Verwendungen autistischer Objekte besteht in der Ausfüllung des Lochs der körperlichen Trennung, damit der Schein körperlicher Kontinuität wiederhergestellt werden kann. Dieser Bericht zeigt deutlich, daß die frühkindliche Übertragung hergestellt war und Daisy Dr. Levis als einen mächtigen »Mutti-Vati-Doktor«

erlebte; die Einheit mit ihm sicherte ihre eigene Seinseinheit. Ohne diesen »Mutti-Vati-Doktor« – ursprünglich die Mutterbrust oder deren Ersatz mit allem, was mit dieser Erfahrung zusammenhängt – glaubte Daisy, daß sie aufhören würde, zu existieren.

Dr. Levis berichtete, daß Daisy mit einem »schwachen, betrübten Lächeln« fortging. Nach kurzer Zeit klingelte es an der Tür. Es waren Daisy und ihre Mutter, die »aus Versehen« den Klingelknopf gedrückt hatte, wie die Mutter sagte. Sie fügte hinzu: »Wir wollten Licht machen.« Es sah aus, als ob nicht nur Daisy, sondern auch ihre Mutter eine »Luciotta« benötigte, um sich in dem »finsteren Abgrund« der unterbrochenen Einheit mit jenem überaus wichtigen Wesen, der Quelle von Macht, Trost, Sicherheit und »Da-Sein«, zu schützen.

Diskussion

Zuerst möchte ich ein paar Worte über Daisys Verwendung der Worte »Liebe« und »Gedanken« sagen. Es ist hilfreich, daß Daisy uns durch ein uns vertrautes Medium Einblick in die autistische Welt gewährt, aber die Worte haben oft eine für sie allein gültige Bedeutung. Der Unterricht, den sie genossen hatte, bevor sie zu Dr. Levis kam, hatte ihre Sprachkompetenz und ihr Interesse für Gedrucktes angeregt, aber sie verwendete Worte oft in autistischer Weise. Wir müssen danach fragen, welche Bedeutung sie für Daisy hatten, und sorgfältig darauf achten, daß wir ihnen nicht die uns geläufigen komplexeren Bedeutungen unterschieben. Ich glaube aber, daß wir uns auf sicherem Boden befinden, wenn wir annehmen, daß Daisy sich der Welt des Fühlens und Denkens annähert, nachdem sie zuvor keine Gefühle und Gedanken hatte. Im Augenblick bedeutet »Liebe« für Daisy so viel wie: in sinnlicher Weise zu bekommen, was sie haben will, und »Liebhaber« sind all die, die es ihr geben.

Analog dazu sind »Gedanken« sensuelle Empfindungen und Gefühle, die kurz davor stehen, zu Gedanken zu werden. Sie sind »Protogedanken«. Sie sind das, was Bion als »Gedanken ohne einen Denker« bezeichnet hat. Dr. Levis mußte ihr »Denker« sein, bis Daisy in der Lage war, sie selbst zu »denken«. Sie fühlte sich aufgebläht durch diese ungedachten, undenkbaren »Gedanken«, die von ihr wie körperliche Entleerungen (»Entladungen«, wie sie sie nannte) empfunden wurden. Ihre depressive Mutter war nicht in der Lage gewesen, sie zu tolerieren, weder in physischer noch in psychischer Hinsicht. Indem Dr. Levis sie akzeptierte und zu verstehen suchte, half er Daisy, sie zu akzeptieren und mit ihnen fertig zu werden.

Diese unerträglichen »Empfindungsgedanken« betrafen Daisys infantilen Gefühle über das körperliche Getrenntsein, das sie in einem Stadium erlebt hatte, in dem die Mutter und ihre Brust, *sobald verloren*, ein unsterbliches, ewiges »Wesen« zu sein schienen. Bevor sie verloren ging, wurde sie wie selbstverständlich als Körperteil betrachtet. Die allzu lange anhaltende Verbindung mit der Mutter und deren übertriebene Fürsorglichkeit hatten diese Täuschung zementiert. Die plötzliche und unvermeidliche Trennung von einem solchen Wesen schien eine Katastrophe zu sein, von der sich Daisy nicht mehr erholte. Sie fühlte sich all dessen beraubt, was sie am Leben erhielt. Als Säugling und Kleinkind »dachte« dies Daisy nicht im Sinne von »Gedanken«. Sie hatte eine Empfindung von Verlust und Mangel, die später als »Loch« oder als leerer Raum Gestalt gewann. Sie wurde als eine Unterbrechung der körperlichen Einheit erlebt – als das, was man später im Leben »Tod« zu nennen pflegt.

Die Arbeit mit autistischen Kindern zeigt, daß diese Erfahrung im Säuglingsalter weitreichende und langanhaltende Auswirkungen hat. Die wirkliche Mutter wird abgelehnt, weil sie die auf sie gerichteten unrealistischen Erwartungen des Kindes nicht befriedigen kann, wenngleich viele dieser Mütter tapfer darum kämpfen. (Das ist der Grund, warum die unbegründete Kritik, die eine Zeitlang unter psychodynamisch orientierten Therapeuten vorherrschte, für sie so verletzend ist.) Anstatt eine Beziehung zur Mutter herzustellen, nimmt das Kind Zuflucht zu künstlichen Gebilden wie autistischen Objekten und autistischen Formen. Die Bedeutung dieser Artefakte für die Kinder liegt darin, daß sie glauben, im Besitz eines berührbaren Stücks einer allgegenwärtigen, ewigen »Pseudomutter« zu sein, die die Kluft der Trennung beseitigt. Aber diese autistischen Praktiken schneiden sie von der wirklichen Mutter und anderen Menschen ab und behindern die emotionale Entwicklung und realistisches Denken.

Daisys Verwendung des Plastikstrohhalms als autistisches Objekt und der »Gestenzeichnungen« als autistische Formen verdeutlichen dies. Aber Daisy tauchte aus dem Autismus auf und konnte über ihn sprechen. Wenn das Kind tief in einem autistischen Zustand versunken ist, ist es wie gelähmt und unfähig zu sprechen. Daisy kann sprechen und verwendet Ausdrücke wie »wilde Gedanken«, »traurige Gedanken« und »glückselige Gedanken« für das, was ich in meinen Beiträgen als »Wutanfall«, »Kummer« und »Ekstase« bezeichne. Der Fähigkeit einer depressiven Mutter, solche Extremzustände zu ertragen, sind enge Grenzen gesetzt. Sie kann ihrem Kind bei deren Bewältigung kaum helfen. In Ermangelung eines Besseren wird der Säugling zur Entwicklung der hier beschriebenen autistischen Reaktionen genötigt, um sich vor unerträglichen Empfindungen zu schützen. Daisy bezeichnet diese autistischen Reaktionen als »verhüllende Gedanken« oder »Deckengedanken«.

Aber Daisy beginnt auch zu spüren, daß sie diese autistischen Ausweichmanöver vor der Realität aufgeben muß – daß sie »Opfer« bringen muß, wie sie selbst sagt –, wenn sie die ersehnte »Luciotta« erhalten will. Dr. Levis' Einsichten sind für sie eine helle Lampe, in deren Schein es ihr möglich wird, sich allmählich einiger der Zustände bewußt zu werden, vor denen der Autismus sie schützte. Sie kommuniziert mit Dr. Levis darüber in verworrener Weise durch Schreiben, Zeichnen und Sprechen. Aber als sie durch die Geräusche, die ihre Mutter beim Weggehen machte, unterbrochen und aufgeschreckt wurde, wurde ihr Verlangen, sich ihm mitzuteilen, neben dem ängstlichen und wütenden Bedürfnis, mit ihrem »Mutti-Vati-Doktor« eine Einheit zu bilden, zweitrangig.

Als diese autistischen Reaktionen nachließen, erkannte Daisy, daß sie nicht wirklich fortfliegen kann. (Ich erinnere an ihren Satz: »Wenn Sie es sehen könnten, wäre das so schön, *als ob* ich fliegen könnte.«) Wäre sie vollständig im Autismus versunken gewesen, hätte sie das Fliegen nicht als etwas für sie Unmögliches erkannt. Sie hätte geglaubt, ihren Ängsten vor Beendigungen und Trennungen *tatsächlich* davongeflogen zu sein. Sie hätte vielleicht geglaubt, sich innerhalb des Körpers des mächtigen »Mutti-Vati-Doktors« zu befinden oder außerhalb des eigenen Körpers, um auf diese Weise die körperliche Trennung zu vermeiden, die einem Verlust des Seinsgefühls gleichkommt, dem, was wir »Tod« nennen. Der Komiker Woody Allen gab eine treffende und humorvolle Beschreibung solchen Ausweichverhaltens, als er sagte: »Nicht daß ich mich vor dem Tod fürchten würde. Es ist nur, daß ich nicht da sein möchte, wenn es passiert.« Entkörperlichte Zustände in Verbindung mit Todesangst werden im 11. Kapitel thematisiert.

Eine wichtige Funktion des Autismus bei autistischen Kindern scheint also die Abwehr des Todes (Seinsverlust) zu sein. Sie reagieren, indem sie ihren Körper erstarren lassen und die Empfindungen in ihren Gliedmaßen betäuben. Auf diese Weise glauben sie, den plötzlichen und katastrophischen »Tod« (körperliches Getrenntsein von der ewigen »Brust«), der unkontrolliert und unerwartet eintritt, vermeiden zu können. In mancher Hinsicht ist dieses Verhalten mit dem Totstellreflex eines erschrockenen Tieres zu vergleichen. Chiara Cattelan, eine italienische Kinderärztin, die in der Supervision von Zeit zu Zeit klinisches Material über autistische Kinder mit mir bespricht, hat einen ihrer Patienten wie folgt charakterisiert: »M. wirkt wie ein mumifizierter Körper. Wie ein Pharao, der im Tod die Möglichkeit gefunden hat, seinen Körper vollkommen intakt zu halten. Seine Augen sind der einzige Teil der Mumie, der nicht von Bandagen bedeckt wird.«

Dieses Bild des mumifizierten Körpers ist so treffend, weil das Leben im alten Ägypten von der Notwendigkeit beherrscht wurde, die körperliche Kontinuität zu erhalten, um so das Ende und die Trennung durch den Tod aufzuheben. Das vorletzte Kapitel dieses Buches beschreibt eine erwachsene neurotische Patientin, deren Analyse von der Notwendigkeit beherrscht wurde, die Illusion der körperlichen Einheit aufrechtzuerhalten, um sie vor Ängsten zu schützen, die mit dem Getrenntsein von der Mutter ihrer frühesten Kindheit herrührten. Erst als ich auf Ergebnisse aus meiner Arbeit mit autistischen Kindern zurückgriff und erkannte, daß sie autistische Kunstgriffe verwendete, um diese Illusion aufrechtzuerhalten, rückte das Ende der Therapie in greifbare Nähe. Der nächste Teil meines Buches befaßt sich mit neurotischen Patienten dieses Typs.

Teil 2
Psychogener Autismus bei Neurotikern

»Je eher der Analytiker die Existenz dieses verborgenen Teils des Patienten erkennt, desto geringer die Gefahr, daß die Analyse zu einem endlosen und bedeutungslosen intellektuellen Dialog ausufert, und desto größer die Möglichkeit, daß der Patient ein relativ stabiles Gleichgewicht erlangt. Obwohl der Analytiker zusammen mit dem Patienten ein hohes Maß an Angst ertragen muß, glaube ich, daß dies durch das Resultat gerechtfertigt wird.«

Sydney Klein, 1980, S. 401

11. Kapitel
Fallen

Er trat langsam vor und sah hinab. Vor ihm zur Linken tat sich
ein jäher, fast geradliniger Absturz auf, und dann kam die Klamm
in der Mitte der Klippe und darüber der Trichterkamin … Er rutschte
auf Händen und Knien bis zum Rand und spähte hinunter.
Die Klippe war einen Meter lang sichtbar, dann kehlte sie ein und
versteckte sich unter sich selbst …
»›Ein Brocken ist aus der Klippe herausgebrochen.‹«

William Golding, *Pincher Martin*

In diesem Kapitel möchte ich zeigen, daß psychogen autistische Kinder unter elementaren Schrecken zu leiden haben, die, wenn auch nicht in gleichem Maße, Teil des angeborenen Erbes von uns allen sind. Insbesondere möchte ich zeigen, daß die Spontanreaktion auf die Gefahr des Fallens eine Reaktion ist, die diese Kinder hat erstarren lassen und in die wir uns einfühlen können. Folgender Auszug aus dem Stimmungsbericht eines verstorbenen Freundes über seine ersten ernsthaften Bergsteigversuche soll das verdeutlichen. Darin schildert er, wie er von einer schwindelerregenden Angst vor und Faszination am Fallen ergriffen wurde.

Dave Munrow war ein Durchschnittsmensch. Er war ein guter Sportler und Direktor des Instituts für Leibeserziehung an einer Universität. Das Manuskript, aus dem ich im folgenden einige Passagen zitieren werde (Munrow, 1950), war als Kapitel eines Buches über ästhetische Aspekte des Sports gedacht. Leider ist das Buch niemals fertig geworden, aber vor seinem Tod gab mir Dave die Erlaubnis, seine Unterlagen nach Belieben zu verwenden.

Im Würgegriff betäubender Angst

Daves Manuskript beginnt mit einer Beschreibung der ziemlich hochmütigen Geistesverfassung, in der er als unerfahrener Anfänger seinen ersten Aufstieg machte. Hier ist der erste Satz: »Ich erinnere mich, ich dachte, wie spielend leicht dieses Bergsteigen sei. Kein Problem für jemand mit einem einigermaßen ausgeprägten Gleichgewichtssinn. Ich bin ein Bergaffe. Kein Problem, bald werde ich das alles kapiert haben.« Dave beschreibt dann die ersten Meter des Aufstiegs, wo er in dieser ziemlich überheblichen Verfassung nachlässig kletterte und den anderen beim Klettern zusah. Aber dann, wie er sagt, »wurde die Strecke weniger steil – eine Gelegenheit zum Verschnaufen, während die Nummer 3 die darunterliegende Steigung erkletterte.« Die erfahrenen Bergsteiger waren weitergegangen und befanden sich schon außer Sichtweite. Jean, die Nummer 3, war ein wenig erfahrenes Gruppenmitglied.

Dave beschreibt die Wartezeit wie folgt: »Die Sonne stand schon tief und hatte den Felsabhang seit einiger Zeit nicht mehr gewärmt; es war kalt im Abendwind. Der Schweiß der Anstrengungen des Nachmittags war feucht und unangenehm. Ich zitterte, durch Inaktivität abgekühlt.

Gott segne das Mädchen, wenn sie sich bloß beeilen würde. Aber Jean rief mich, bat um etwas mehr Seil; sie mußte von einer schwierigen Stelle zurückkehren und den Versuch von vorne beginnen.«

Dave fährt fort: »Die anderen erfahreneren Bergsteiger waren jetzt schon ziemlich weit von den Klippen entfernt; nur hin und wieder trug der Wind schwaches Stimmengewirr zu uns herüber. Sonst war es ruhig; Dunkelheit und Kälte kamen auf. Jean probierte es noch einmal und rutschte aus. Es war fast nichts, kaum mehr als sechs Zoll – aber die Spannung im rechten Bein, als ich mich anspannte, um die Belastung aufzufangen, hörte auch dann nicht auf, als Jean längst wieder beim Klettern war. Einige Zeit später änderte ich meinen Stand, um den Krampf im Bein zu lindern, und löste damit einen Stein aus dem Felsen – vielleicht so groß wie ein Kricketball. Ich blickte nach unten, stellte aber fest, daß ich es nicht mehr ohne Furcht tun konnte … Gerade das schwache Rasseln, als der Stein 400 Fuß unter uns den Hangschutt erreichte, ließ die Stille, die Höhe, den Raum und die Einsamkeit ins Unermeßliche steigen … Ich war mir nur des Raumes und der Einsamkeit und einer vagen Ahnung bewußt, die ich nicht einmal mir selbst gegenüber als Furcht eingestehen konnte. Als Jean ankam, konnte ich nur einzelne Silben stammeln. Als wir die Stellung wechselten, damit sie sich sichern konnte, brachte ich das Seil durcheinander. Ich fing wieder an zu klettern, unbeholfen und ohne Lust.«

Dave beschreibt dann den Rest der Kletterpartie, die er so schlecht und ungeschickt bewältigte, daß Alan, der Führer, ihm Vorwürfe machte. Während des Abstiegs und zurück im Camp war Dave schweigsam. An den Aufstieg am nächsten Tag mochte er nicht denken, aber er wußte, daß er hinauf mußte.

Er schlief schlecht. Er schreibt: »Wie ein Kobold spielte der Schmerz mit lauernden Zweifeln in den Schatten meiner Gedanken Versteck. Als ich aufstand, war ich weder erfrischt noch beruhigt, sondern hatte mich dumpf damit abgefunden, den Tag irgendwie hinter mich zu bringen. Irgendwie fühlte ich mich fern der Wirklichkeit.« Dann beschreibt er seine Reaktionen, als sie sich am nächsten Tag zum Ausgangspunkt der Kletterpartie begaben. »Ich hatte das Gefühl, meinem Problem auszuweichen, als ob ich es im Camp zurückgelassen hätte. Aber«, wie er fröstelnd sagt, »es wartete dort an den Felsen auf mich.« Er fährt fort: »Die ganze Aufstiegsstrecke war mit einem einzigen Blick zu überschauen. Ich wußte nach dem ersten Blick, daß alle Zweifel der vergangenen Nacht noch in mir waren. Ich fühlte mich ziemlich übel … Die anderen plauderten, aber ich konnte mich nicht beteiligen.«

Dave beschreibt dann, daß Alan fragte, ob ein Teil der Gruppe nicht lieber laufen wolle, statt zu klettern. Dave sagt: »Das war ganz klar eine Möglichkeit, in Ehren zurückzutreten.« Aber Dave wußte, daß er sich seiner Angst stellen mußte, daß er nicht ausweichen durfte. Also entschied er sich zu klettern. Er schreibt: »Mit der Gewißheit der ungewollten, aber gleichwohl willkommenen Entscheidung kehrten die Gefühle der Unwirklichkeit, die ich am frühen Morgen hatte, zurück, diesmal mächtiger und deutlicher. Ich war beteiligt, und nahm doch nicht Anteil. Das war nicht ich, der da stand. Ich wurde zu einem außen stehenden Beobachter meines eigenen Körpers. Meine Gefühle waren wie auf Eis gelegt, ohne Aufgeregtheit, ohne nervöse Ungeschicklichkeit. Und so kam es, daß ich mir, als Alan von der ersten Höhe herunterrief, gelassen zusah und gleichmäßig zu klettern begann. Ich war ein Automat.«

Nachdem er sich so der beängstigenden Situation gestellt hatte, beschreibt Dave die allmähliche Wiederkehr seiner Stimmung und seines Selbstvertrauens. Ich gebe es genau so wieder, wie er es aufgezeichnet hat. »Alan sagte: ›Dave, geh nach rechts. Es gibt am Rande einige gute Fußstützen, und der Fels ist ziemlich trocken.‹« Dave reagiert darauf wie folgt: »Diese Worte kamen aus der Außenwelt. Ich hatte keine Ahnung, wieviel Zeit vergangen war oder wie ich kletterte. Ich war wieder bei Bewußtsein, und mit diesem Bewußtsein nahm ich eine Person wahr, mit allem, was sie ausmachte – Körper und Seele –, die sich große Mühe gab, gut zu klettern, und der das Klettern Freude machte. Die Freude breitete sich aus und wuchs zu einem optimistischen und erregten Hochgefühl an.«

Auf bewegende und anschauliche Weise beschreibt Dave seine Rückkehr zur Normalität. Dazu ein längeres Zitat: »Alan war auf der ersten Anhöhe des Bergsockels, die wir gleichmäßig und ohne Hast erkletterten, sichtbar. Wenn er sich von einem sicheren Stand zum nächsten bewegte, gab es in seinen Bewegungen, dem rhythmischen Wechsel von Innehalten und Vorangehen, etwas Harmonisches und Melodisches, ohne Mißklang oder einen falschen Ton. Die Freude, einen guten neuen Stand beim Klettern zu erreichen, hat etwas an sich von der Freude darüber, einen neuen harmonischen Ton im Einklang mit anderen anzuschlagen. Als Alan seine Melodie beendet hatte, rief er, und ich nahm sein Thema auf mit meinen eigenen unvermeidlichen Variationen. Ich erreichte ihn und machte eine Pause, wartete, bis er sich zur Seite bewegte, so daß ich mich sichern und er weiter konnte. Aber er blickte hinauf zur Strecke, guckte mich an und grinste. ›Du gehst vor‹, sagte er, ›ich folge nach‹. Gewiß, die Melodie, die dann folgte, die erste, die ich alleine komponierte, stockte und schwankte. Ich erinnere mich nur ganz vage daran, aber die Erinnerung, sie gespielt zu haben, ist klar und scharf, und ich verwahre sie als Heiligtum … Wir kletterten den ganzen Tag. Wenn wir uns ausruhten, schienen Berge und Himmel nahe und gestochen scharf zu sein, ihre Schönheit tat fast weh. Wenn wir uns bewegten, waren Nerven und Muskeln im Einklang, und den Gedanken folgte leicht und präzise die Tat. Wir spielten unseren perfekten Part in einer gewaltigen Sinfonie.«

Dave fährt fort mit der Bemerkung, daß er während dieses Erlebnisses eine neue Demut erwarb und daß diese hypersensibilisierte, ausschließlich persönliche Erfahrung seine Anteilnahme an gemeinmenschlichen Erfahrungen bereichert hat. Er beschreibt sie wie folgt: »Als wir das Tal erreichten mit seinen Höfen und warmen Abendlichtern, pendelte sich unsere Stimmung auf das erträgliche Maß an Unterhaltung und Gelächter ein. Zurück im Camp, sagten wir, daß wir einen guten Tag gehabt hätten, und hörten uns die Geschichten der anderen Gruppen an. Ich rauchte eine Pfeife und schwelgte in der reichen Befriedigung meiner eigenen Geheimnisse.«

Diskussion

Parallelen zwischen den Erfahrungen Daves und denen autistischer Patienten: Vieles von dem, was uns Dave über seine betäubende Angst berichtet, hat einiges gemeinsam mit dem, was wir bei psychogen autistischen Patienten beobachten bzw. erkennen können. Wenn Patienten vom Autismus gelähmt sind, können sie uns nicht erzählen, was sie empfinden. Erst wenn sie solche Zustände verlassen, können sie, wenn wir dafür aufgeschlossen sind, uns etwas über ihr Wesen enthüllen. Dies geschieht nur nachträglich, dennoch erhalten wir nützliche Hinweise. Lassen Sie mich einige der vergleichbaren Reaktionen Daves in Erinnerung rufen. Zum Beispiel: »Ich war mir nur des Raumes und der Einsamkeit und einer vagen Ahnung bewußt, die ich nicht einmal mir selbst gegenüber als Furcht eingestehen konnte.«

Das könnte ein autistisches Kind sagen, das aus dem Autismus auftaucht und uns erzählt, was es erlebt hat. Alle solche Patienten sprechen von der entsetzlichen Angst, die sie in jenem Zustand erlitten haben. Piggott (1979) zum Beispiel beschreibt einen erwachsenen 25jährigen Mann, der einer Diagnose Leo Kanners zufolge im Alter von vier Jahren unter frühkindlichem Autismus gelitten hatte. Er war ausreichend aus seinem autistischen Zustand herausgekommen, um bei einem Psychiater wegen der verbleibenden Schwierigkeiten Hilfe zu suchen. Auf die Frage des Psychiaters, woran er sich aus der Zeit des Autismus erinnern könne, gab er zur Antwort: »Die Panik.« Der Psychiater war überrascht, weil, wie er sagte, autistische Kinder gar keinen verängstigten Eindruck machen. Das ist wahr. Die Panik wird durch ihre autistischen Praktiken zurückgedrängt. Erst wenn sie aus dem Autismus auftauchen, können sie uns davon erzählen. Wie das autistische Kind war Dave beinahe sprachlos vor »vagen Ahnungen«, die ihn überfluteten und ihn auf der Felsenspitze lähmten. Er sagt, daß er nur stammeln konnte. »Die anderen plauderten, aber ich konnte mich nicht beteiligen.«

Am ersten Tag brach das schreckliche Erlebnis ohne Vorwarnung über ihn herein. Es war eine undenkbare Reaktion auf eine Gefahr, für die er keinen Begriff hatte. Sich der Gefahr bewußt zu werden und die Reaktion darauf waren eins. Es handelte sich um eine spontane Reaktion, die außerhalb seiner bewußten Kontrolle lag. In einer solchen Situation reagiert man, indem man vor dem drohenden Sturz zurückschreckt und das Bedürfnis hat, sich an etwas festzuhalten. Am ersten Tag war Dave praktisch sprach- und gefühllos geworden angesichts der elementaren Furcht, die er erlebte.

Am nächsten Tag reagierte er anders. Er war in der Lage, seine Reaktionen zu kontrollieren, um mit der Furcht fertig zu werden. Er hatte Angst, die schreckliche Situation könnte sich wiederholen. Wie bei autistischen Kindern war die Reaktion, sie loszuwerden. Da autistische Kinder in einem Körpermodus funktionieren, versuchen sie, das beunruhigende Erlebnis auszuschneuzen, auszuspucken oder über den Darm auszuscheiden. Dave bringt etwas Ähnliches zum Ausdruck, das Gefühl, die Furcht im Camp zurückgelassen zu haben. Es ist eine Fluchtreaktion. Die Wirkung hält aber nicht lange an, denn Dave sagt verbissen und in einer Weise, die das Blut gefrieren läßt: »Es wartet dort an den Felsen auf mich.« Er versucht nun, auf andere Weise zu entfliehen. Umgangssprachlich gesagt, »fährt er vor Schreck aus seiner Haut«. Er sagt: »Das war nicht ich, der da stand. Ich wurde zu einem außenstehenden Beobachter meines eigenen Körpers.« Er schaut sich selbst zu, wie er wie ein »Automat« klettert: »Ich beobachtete mich gelassen und begann gleichmäßig zu klettern.«

Im Zusammenhang mit der Trauer, die er beim vorzeitigen Tod seines Freundes Hallam erlebte, beschreibt Tennyson einen solchen entgeistigten und entkörperlichten Zustand. Er schreibt:

»Ich verlasse die Arche der Sterblichen,
Ein Nervenbündel ohne Geist,
Verlasse die Klippen, eile davon.«
(*In Memoriam*, XII)

Dave sagt, daß seine Gefühle wie auf Eis gelegt waren. Das war etwas anderes als der Zustand am Vortag, als die Furcht ihn plötzlich übermannt hatte. Jetzt reagierte er in einer Weise, die sein Weiterleben ermöglichen sollte. Er beobachtet sich von außen mit einem gestochen scharfen Blick. Eine ähnliche Erfahrung machte eine Bekannte, als sie von einem bissigen Hund angegriffen wurde und Hilfe nicht zu erwarten war. Sie berichtet, daß sie in ungewöhnlich klarer Weise über die notwendigen Maßnahmen, um sich in Sicherheit zu bringen, nachdenken konnte.

In bestimmten Stadien ihrer Behandlung, in denen sie die fundamentale Bedrohung ihres »fortwährenden Seins« neu durchleben – eine dieser Bedrohungen ist das Fallen – geraten autistische Kinder in Zustände, in denen sie aus ihrem Körper »herauszutreten« scheinen und sich wie ein Roboter oder Zombie verhalten, der automatische Bewegungen ausführt. In solchen Phasen sagen sie Dinge wie: »*Er* wird dies tun«, oder: »*Er* wird das tun«, und nicht: »*Ich* werde dies oder jenes tun.« In ihrer Arbeit »Erinnerung und Bewußtsein« (dt. 1997) beschreibt Enid Balint einen Patienten, der lange Zeit nur in dieser entkörperlichten Weise von sich sprach. Da sie ihren Körper verlassen zu haben glauben, nehmen solche Patienten nur einen gepanzerten Rumpf wahr, der sich automatisch umherbewegt und der hohl und leer ist wie der Mann aus Blech in *Der Zauberer von Oz* oder die »hohlen Männer« in T. S. Eliots gleichnamigem Gedicht.

Die Episoden, in denen Dave sich fühlte, als sei er aus seinem Körper »herausgetreten«, dauerten indes nur kurz an. Er schreibt: »Ich war wieder bei Bewußtsein, und mit diesem Bewußtsein nahm ich eine Person wahr, mit allem, was sie ausmachte – Körper und Seele ...« Dieses Stadium der Wahrnehmungserweiterung ging einher mit dem, was Dave »ein erregtes Hochgefühl« nannte. Hierüber schreibt er: »Wenn wir uns ausruhten, schienen Berge und Himmel nahe und gestochen scharf zu sein, ihre Schönheit tat fast weh.«

Seine ästhetische Wahrnehmung war aus der lähmenden Angst

befreit worden. Menschen, die wegen einer körperlicher Erkrankung lange Zeit bettlägerig gewesen sind und dann wieder in die Welt hinausgehen, beschreiben solche intensiven Reaktionen auf die Schönheit der Welt draußen. Wenn sie aus ihrer autistischen Kapsel befreit werden, schildern manche erwachsene neurotische Patienten ähnliche ästhetische Erlebnisse wie die von Dave. Anne Brontë brachte in ihrem Gedicht *Über das Werden* diesen Zustand deutlich zum Ausdruck:

»Entsetzlich ist der Einhalt, stark der Schmerz,
Wenn das Ohr zu hören, das Auge zu sehen beginnt;
Wenn der Puls zu schlagen und das Gehirn wieder zu denken beginnt;
Wenn die Seele das Fleisch spürt
und das Fleisch die Kette.«

Anne Brontë beschreibt so etwas wie den prickelnden Schmerz, den man hat, wenn ein Glied, das übermäßiger Kälte ausgesetzt war, sich erholt. Es ist das, was manche autistische Patienten erleben, wenn sie sich vom Zustand »der auf Eis gelegten Gefühle« erholen. Dieser Zustand erfaßte Elly, wenn sie wegen der Schmerzen, die der Anblick des Mondes ihr bereitete, über dessen Schönheit nicht sprechen konnte (siehe 6. Kap.). Wenn ein Pol mit seinem Gegensatz verschmilzt, entsteht ein Zustand lustvollen Schmerzes, genauso wie wenn man am Rande eines Abgrundes steht und die Angst vor dem Fallen mit der Faszination des Fallens verschmilzt. Anne Brontë beschreibt diesen Zustand der Verschmelzung von Gegensätzen: Die Wiederkehr des Gefühls ist eine schmerzliche Lust, eine qualvolle Verzückung.

Die Erforschung des psychogenen Autismus ist die Erforschung der durch Angst verminderten Wahrnehmung, aber auch die Erforschung der undifferenzierten Fusion von Empfindungen, die den Zustand so schmerzhaft macht. Der autistische Patient hatte geglaubt, sich nur wehren zu können, indem er diese unerträglichen Reaktionen erstickte. Manche Dichter haben solche erregenden, aber qualvollen Erfahrungen durchlitten und am Ende eine Erweiterung und Bereicherung ihrer Wahrnehmung erfahren, die, wenn sie uns daran teilhaben lassen, auch unser Leben lebendiger macht. Sie brauchten viel Mut dazu, so wie die psychogen autistischen Kinder und die neurotischen Patienten mit einer verborgenen autistischen Kapsel sehr mutig sein müssen. Wenn sie sich ihren Ängsten stellen, fallen ihnen die autistischen Schuppen von den Augen; ihre Wahrnehmung wird schärfer und klarer. Der Psychotherapeut hilft ihnen, diese erweiterte Wahrnehmung zu ertragen. Diese ästhetischen Erfahrungen bereichern und erhöhen ihre Freude an der Alltagswelt und an gewöhnlichen Menschen. Dave bringt das implizit zum Ausdruck, wenn er sagt: »Als wir das Tal erreichten mit seinen Höfen und warmen Abendlichtern, pendelte sich unsere Stimmung auf das erträgliche Maß von Unterhaltung und Gelächter ein. Zurück im Camp, sagten wir, daß wir einen guten Tag gehabt hätten, und hörten uns die Geschichten der anderen Gruppen an. Ich rauchte eine Pfeife und schwelgte in der reichen Befriedigung meiner eigenen Geheimnisse.« Doch um dieses Stadium zu erreichen, muß das Individuum wie in den alten Sagen Feuerproben bestehen, die ihm heroischen Mut abverlangen. Der Patient, der von lähmender Angst gefangengehalten wird, ist ihnen durch autistische Manöver ausgewichen. Die Aufgabe des Psychotherapeuten besteht darin, ihm zu helfen, sich seinen Ängsten zu stellen, die, anders als die wirklichen Erlebnisse Daves, illusorische Ängste sind. Dabei erkennen sowohl Therapeut und Patient, daß sie Teil eines Prozesses sind, der über sie hinausreicht. Wie es die Männer in den Sagen auszudrücken pflegten: »Menschen sterben, das Vieh stirbt, du stirbst, aber die Weltgeschichte stirbt nicht.« Dave spürte, daß er Anteil hatte an einer »gewaltigen Sinfonie«, bei der er seinen Part nicht in sklavischer Nachahmung Alans, des erfahrenen Führers, spielte, sondern – und das ist der entscheidende Punkt – mit seinen »eigenen unvermeidlichen Variationen«. Sich seinen Ängsten zu stellen hatte zur Folge, daß sie zu einer Bereicherung seines Lebens wurden.

Es handelt sich um einen Zustand, der für einige psychogen autistische Kinder und neurotische Patienten mit einer autistischen Kapsel erreichbar ist, wenn alles gut geht. Aber der Weg dahin ist nicht leicht, weder für die Patienten noch für den Therapeuten. Die Psychotherapie muß ständig in engster Verbindung mit der Art dieser Störung bleiben. Es schien mir angemessen, Dichter und Künstler zu bemühen, um uns auf dieser Reise in die Denkweise des psychogen autistischen Kindes zu begleiten, denn einige dieser Kinder (wenn auch nicht alle) sind poetisch, künstlerisch oder musisch begabt. Ein italienischer Psychotherapeut beschrieb zum Beispiel ein genesendes autistisches Kind, das »in Versen« redete. Wenn wir sie wieder »auf die Erde« bringen, dürfen wir also ihre ästhetischen Fähigkeiten nicht zerstören, wie das bei manchen Behandlungsmethoden der Fall zu sein scheint.

Auf der anderen Seite müssen wir hinsichtlich der Situation psychogen autistischer Kinder, die in ihrem autistischen Zustand belassen werden, realistisch sein. Manche Therapeuten haben diese Kinder idealisiert, sie mit Kontemplativen oder sogar Buddhas gleichgesetzt. Andere haben in ihnen Menschen gesehen, die in einer wunderschönen Phantasiewelt versunken sind. Keine dieser Auffassungen stimmt mit den Tatsachen überein. Autistische Kinder sind im Gegenteil geistig so stark zurückgeblieben, daß sie keine Phantasien oder Gedanken entwickelt haben. Sie sind so sehr von der Außenwelt undifferenziert, daß sie zu Phantasie und empathischer Identifizierung mit anderen Menschen völlig unfähig sind (Frith, 1985; Hobson, 1986). Ihre Fähigkeit zur Symbolbildung ist rudimentär. Ihre Welt gründet sich fast gänzlich auf ihren eigenen Körperempfindungen, durch die sie eine ganz andere Welt erfahren als die, die wir aufgrund unserer entwickelteren Wahrnehmungen erleben. Sie ist sehr karg im Vergleich mit der Reichhaltigkeit der Welt des sich normal entwickelnden Kindes, das spielen und im »Als-ob-Modus« funktionieren kann. Für das autistische Kind ist dies zu Beginn der Behandlung nicht möglich.

Doch wenn wir solchen Kindern näherkommen, spüren wir allmählich eine Affinität zu ihnen. Wir erkennen nach und nach, daß ihre Reaktionen auf angeborenen Prädispositionen beruhen, die allen menschlichen Verhaltensweisen zugrunde liegen. Aus diesem Grund habe ich Daves Bericht über einen Zustand angeführt, der Parallelen hat zu dem psychogen autistischer Kinder. Aber es gibt einen weiteren Grund, warum ich seine Erfahrungen dargestellt habe: Bei psychogenem Autismus sind automatische Reaktionen auf unangenehme Erfahrungen, die mit der Drohung, assoziiert werden, fallengelassen zu werden oder zu fallen, von größter Bedeutung. Solche Erfahrungen möchte ich im folgenden erläutern.

Psychogener Autismus als Zustand betäubender Angst: Wie wir gesehen haben, hat Daves Verhalten auf dem Felsabhang eine bemerkenswerte Parallele zu autistischem Verhalten. Er wurde überwältigt von einer Reaktion, die sein normales Verhalten zeitweilig aufhob. Der autistische Patient befindet sich in einem ähnlichen Zustand, aber es gibt bedeutende Unterschiede. Zum einen hält sein Zustand länger an. Zum anderen ist, anders als Daves Verhalten, das durch eine reale Situation nicht benennbarer Gefahr aktiviert wurde, das Verhalten des Patienten im autistischen Zustand eine Reaktion auf illusorische, wenngleich in ähnlicher Weise nicht benennbarer Gefahr. Ferner resultiert der autistische Zustand aus einem komplexeren Netz zusammenhängender Faktoren als etwa Daves vorübergehende Lähmung auf dem Fels. Angeborene Strukturen, die mit dem Fallen zu tun haben, wirken auf sich selbst zurück, vermischen sich mit anderen, verstärken die Lähmung und machen es schwierig, sich davon zu befreien. Lassen Sie mich einige der elementaren psychischen Faktoren bei der Entstehung von psychogenem Autismus skizzieren.

Mißlungene Bindung: Wir erkennen heute die Bedeutung der angeborenen Disposition des Neugeborenen, eine emotionale Bindung zur Mutter herzustellen, und die ernsthaften Konsequenzen, die sich ergeben, wenn diese Bindung nicht zustande kommt. Wie wir in anderen Kapiteln gesehen haben, ist diese angeborene Disposition bei autistischen Kindern durch das überwältigende Gewahrwerden des körperlichen Getrenntseins von der Mutter vereitelt worden.

Überwältigendes Gewahrwerden der körperlichen Getrenntheit: Als Kinder sind sich solche Patienten des körperlichen Getrenntseins von der Mutter in einem unreifen psychischen Entwicklungszustand bewußt geworden. Die Situation in der Familie war nicht so geartet, daß ihnen geholfen werden konnte. Sie fühlten sich infolgedessen ungetragen, ohne Unterstützung und ungeschützt. Solche Patienten scheinen in der ständigen Illusion zu leben, kurz vor dem Fallengelassenwerden zu stehen – zu fallen. Das ist ein weiterer entscheidender Faktor bei der Entstehung ihres Autismus.

Die Gefahr, zu fallen: In der Psychotherapie zeigen Patienten, die aus ihrem Autismus auftauchen, sehr deutlich, daß sie glauben, kurz vor dem »Fallen« oder dem »Fallengelassenwerden« zu stehen. Zum Beispiel werden Unterbrechungen in der physischen Gegenwart des Analytikers, etwa bei Wochenenden oder Ferien, von solchen Patienten nicht als Zurückweisung erfahren, wie das bei neurotischen Patienten der Fall wäre, sondern als wirkliche Risse in einem Substrat, von dem sie sich getragen und unterstützt fühlen. Sie glauben wörtlich und konkret, »fallengelassen« zu werden. Der Boden unter ihren Füßen scheint sich geöffnet zu haben, und sie meinen, am Rande eines Abgrundes zu stehen, der sich vor ihnen aufgetan hat.

In solchen Zuständen thematisieren solche Patienten »Gruben ohne Boden«, »schwarze Löcher«, »Risse im Boden« und »Abgründe«. Ihre frühe Erfahrung des körperlichen Getrenntseins von der Mutter wird im Medium der infantilen Übertragung auf den Therapeuten wiederholt. Diese Erfahrung konnte nicht »gedacht« werden, zum Teil deswegen, weil sie in einem unausgereiften psychischen Stadium auftrat, aber auch, weil sie damals niemanden hatten, der sie im Dialog hätte hindurchbegleiten können. Da sie sich ungehalten und schutzlos glaubten, gerieten sie in den Griff der Illusion zu fallen, ohne irgend etwas zu haben, was den Fall hätte bremsen oder woran sie sich hätten festhalten können. In diesem Zustand sprechen Patienten häufig von Schwindelgefühlen.

Man könnte meinen, die Rede solcher Patienten über Phänomene wie schwarze Löcher und bodenlose Gruben seien Metaphern, die es ihnen ermöglichten, von ihren vorsprachlichen Erfahrungen zu sprechen. Aber autistische Kinder sind zu solchen Symbolisierungen nicht fähig. Ihre ursprüngliche Erfahrung entsprach in etwa unserem »flauen Gefühl in der Magengrube«. In diesem frühen Stadium ihrer psychischen Entwicklung glaubten sie, ins Leere zu fallen, ohne irgend etwas zu haben, das sie hätte auffangen oder den Fall bremsen können. Natürlich ist die ursprüngliche vorsprachliche Erfahrung durch die Verbalisierung verzerrt worden, aber näher können Patient und Therapeut an dieses Erleben nicht herankommen.

Bildlich gesprochen und auf einer komplexeren Funktionsebene, erleben wir alle den Sturz aus dem Paradies und die Desillusionierung durch die Realität. Das ist unser aller Schicksal. Aber ich habe den Eindruck, daß Menschen mit einer Anfälligkeit für autistische Zustände »schwierige Babys« waren. Sie scheinen zum »Urtrotz«, den William Blake im Gedicht zu Beginn des 1. Kapitels so treffend beschrieben hat, eher zu neigen als das weniger sensorisch empfindende Kind. In ihrem außergewöhnlich hypersensibilisierten Zustand, in dem sie infolge der fehlenden Außenwelterfahrungen unter dem Bann von Illusionen stehen, wird jede kleinere Unannehmlichkeit zu einer Katastrophe. Sie reagieren darauf in ähnlich extremer Weise. Eine dieser extremen Reaktionen besteht darin, ihre »Fühler« vollständig einzuziehen. Das Abgeschnittensein von der Außenwelt zementiert ihre wie im Treibhaus wuchernde Überempfindlichkeit. Das Problem des psychogenen Autismus liegt darin, daß er, einmal in Gang gesetzt, sich selbst perpetuiert. Die psychotherapeutische Intervention muß bestimmt, angemessen und entschieden sein.

Wie Johns klinisches Material zeigte, glaubte er, sein befreiender Wutanfall würde ihn eines Körperteils berauben: Es handelte sich um den wundersamen, lebenswichtigen »Knopf«. In seinem relativ undifferenzierten Zustand erlebte John dies so, als würde er vom Körper der Mutter und von seinem eigenen Körper getrennt. Umgangssprachliche Redensarten pflegen das Wesentliche elementarer menschlicher Zustände zu fassen. Zum Beispiel sagt man über solche Kinder: »Er ist nicht ganz beisammen.« – »Bei ihm ist eine Schraube locker.« Neurotische Patienten mit einer autistischen Kapsel glauben, in irgendeiner Weise beschädigt zu sein. Eine erwachsene Patientin bezeichnete sich einmal als »Ausschuß«.

John machte deutlich, daß die scheinbare Katastrophe des Verlustes des »Knopfes« der Stein gewesen war, der den zum Autismus führenden Erdrutsch ausgelöst hatte. Es scheint mir nicht belanglos zu sein, daß der traumatisierte Zustand Daves verstärkt wurde, als er einen Stein aus dem Fels lostrat und hörte, wie er weit unten auf dem Hangschutt auftraf. In einer begrifflich nicht faßbaren Weise wurde dadurch wahrscheinlich das Gefühl hervorgerufen, daß *er* genausogut hätte fallen und »verloren gehen« können wie der unbedeutende Stein. Und ähnlich, im Zitat zu Beginn dieses Kapitels, packt Pincher Martin eine würgende Angst, als er erkennt, daß sich ein Brocken aus dem Fels gelöst hatte. Das Gefühl, allein zu sein und nichts zum Festhalten zu haben, wenn alles an einem prekären Gleichgewicht hängt, wird verstärkt, wenn tatsächlich etwas fällt. Wenn sie zu sprechen beginnen, berichten autistische Kinder von Gefühlen des »Torkelns« und »Schwindligwerdens«. In einem solchen prekären Gleichgewichtszustand ist das Gefühl, einen lebenswichtigen Körperteil zu verlieren, der zugleich ein lebenswichtiger Teil des Körpers der Mutter ist, vernichtend. Die autistische Situation der Illusionen ist quälender als Daves Reaktion auf die reale Situation, wenngleich auch sie ein illusorisches Element enthielt. Eine der Reaktionen auf die Gefahr zu fallen besteht darin, nach irgend etwas zu greifen. Es ist äußerst erschreckend, wenn sich dieses Etwas dem Griff des Menschen zu entziehen scheint, und genau das scheint der fallende Stein zu tun.

Die Disposition, in solchen gefährlichen Lagen sich an etwas festzuklammern, können wir bei Patienten in autistischen Zuständen beobachten. In seiner Beschreibung neurotischer Patienten mit einer autistischen Kapsel schreibt Sydney Klein (1980, S. 395), daß sich der Autismus als ein »ziemlich verzweifeltes und hartnäckiges Festklammern am Therapeuten als der einzigen Quelle des Lebens« manifestiere, das mit »einem unterschwelligen, abgrundtiefen Mißtrauen« einhergehe. Illustriert wird dies von den Patienten, die ich in den nachfolgenden Kapiteln beschreibe.

12. Kapitel
Zerfließen und Auflösung

Noch bin ich nicht geboren – Oh, gib mir
Kraft … gegen die, die meine Auflösung wollen,
Die mich wie Distelwolle,
In alle Himmelsrichtungen verwehen,
Mich wie Wasser durch ihre Finger
Zerrinnen lassen wollen.

Laß sie mich nicht zu Stein werden,
Laß sie mich nicht zerrinnen lassen.
Töte mich lieber.

Louise MacNeice, *Gebet vor der Geburt*

In diesem Kapitel[1] untersuche ich die Angst autistischer Kinder und neurotischer Patienten mit einer autistischen Kapsel vor dem Zerfließen und der Auflösung. Je mehr wir über diese Ängste verstehen, desto besser können wir uns in diese scheinbar unzugänglichen Patienten einfühlen, um ihnen zu helfen, ein Gefühl für ihre eigene Identität zu entwickeln und sich selbst als intakt zu empfinden.

Zunächst möchte ich das klinische Material einer sehr neurotischen Patientin vorstellen. Ich wurde durch diese junge Frau zum ersten Mal auf diese tiefsitzende und schwer zugängliche Angst vor dem Zerfließen aufmerksam gemacht. Im nächsten Kapitel werde ich detaillierter aus dem klinischen Material dieser Patientin zitieren. An dieser Stelle möchte ich lediglich die für mein Thema relevanten Aspekte zusammenfassen. Die Patientin werde ich Jean nennen.

Jean

Jean wurde als 13jähriges Mädchen zu mir in die Sprechstunde gebracht. Sie litt an einer so schweren Magersucht (Anorexia nervosa),

1 Überarbeitete Fassung eines Vortrags, den ich unter dem Titel »Die Angst vor Auflösung« für eine Tagung des California Institute of the Arts im März 1985 vorbereitet hatte.

daß man um ihr Leben fürchtete. Sie sprach gut auf eine intensive psychotherapeutische Behandlung an, aber die Behandlung wurde früher abgebrochen, als ich für ratsam hielt, da sie mit 15 Jahren auf ein Internat ging. Mit 21 Jahren kam sie wegen Depressionsanfällen wieder zu mir, diesmal aus freiem Entschluß und auf eigene Kosten.

Das zusammengefaßte Material stammt aus einer Sitzung aus dieser zweiten Analysephase, in der ihre autistische Enklave – wie die Büchse der Pandora – geöffnet wurde und sich mir die darin verborgenen Schrecken offenbarten. Diese Offenbarungen ereigneten sich nach den Weihnachtsferien, die wegen schwerer Schneefälle erheblich verlängert worden waren. Als sie nach diesen überlangen Ferien zu mir kam, erzählte sie, wie »leer« sie sich fühle. Sie empfinde uns beide wie zwei Krüge, die sich gegenseitig mit Wasser auffüllten. Aber ihr Krug habe ein Loch, aus dem das Wasser in einen unendlich tiefen Abgrund floß, ohne daß sie dagegen etwas tun konnte. Das herausfließende Wasser hinterließ bei ihr ein Gefühl der »Leere«. Sie erzählte ferner, daß sie sich »ganz tief innen verborgen« wie ein »Wasserfall« vorkäme, der, außer Kontrolle geraten, tiefer und tiefer in einen endlosen Schlund, in den grenzenlosen Raum, ins »Nichts« stürzte. Sie erklärte mir, daß das Gefühl, die Kontrolle über sich verloren zu haben, mindestens genauso erschreckend wäre wie das Fallen selbst. Bezeichnenderweise sagte sie: »Ich fürchte, mich zu verlieren«, und fügte hinzu: »Ich weiß, es ist Einbildung, aber das Entsetzen ist wirklich.« Es schien für Jean sehr bedeutungsam zu sein, daß ich sie an die Zeit erinnerte, als sie unter Magersucht gelitten und mir erzählte hatte, wie sehr es sie erleichtert habe, nicht mehr zu menstruieren, weil sie Angst gehabt hatte, zu verbluten. Ich sagte auch, die Angst im Zusammenhang mit dem »Wasserfall« sei womöglich noch schlimmer. Wenn sie verblutete, bliebe immerhin ihr Körper zurück. Aber wenn sie ein Wasserfall wäre, der in ein endloses Nichts zerfloß, bliebe ja gar nichts übrig; sie wäre ein »Niemand«, ein »Un-wesen«.

Nun konnte sie mir sagen, daß sie in diesen Zuständen »Zerfließen« mit »Vergessen« gleichsetzte. Während längerer Trennungen von mir (als der frühen Mutter) glaubte sie, daß ich aus ihr wegfloß und sie aus mir. Die Erinnerungsspuren hatten sich aufgelöst, und infolgedessen fürchtete sie, daß wir aufgehört hätten zu existieren.

Nach dieser Sitzung mit Jean stieß ich auf einen Aufsatz von Michael Whan (1980) mit dem Titel »Lethe, time and forgetting«. In der griechischen Mythologie, so können wir bei Whan lesen, war Lethe zum einen die »Quelle des Vergessens« in der Unterwelt, zum anderen aber ein »Seelenzustand«, der mit einem »lecken Krug« verglichen wurde, bei dem das »auslaufende Wasser« das Vergessen darstellte. Ich war beeindruckt von der Bedeutung, die dies für Jeans Material hatte: Vergessen wird als »letal« empfunden.

Von frühester Kindheit an hatte Jean eine übertrieben enge Bindung an die Mutter gehabt, teils weil sie das jüngste Kind war, teils weil der Beruf des Vaters ihn häufig für längere Zeit ins Ausland führte. Bei Jean kam es nicht in ausreichendem Maße zur Differenzierung der Mutter als Person, die wahrgenommen wurde, als könnte sie die sturzbachartig überfließenden Gefühle, die das körperliche Getrenntsein in ihrem Kind weckte, auffangen. Der Tod der Mutter, als Jean acht Jahre alt war, verstärkte Jeans Gefühl, keine wachsame, lebendige Bezugsperson zu haben, die das Überfließen ihrer starken, mit Identität und Getrenntsein zusammenhängenden Gefühle auffangen konnte. All dies erklärt Jeans Glauben, daß der Wasserfall ihrer quälenden und panischen Gefühle über die lange Abwesenheit von mir in einen »endlosen Schlund«, in ein »Nichts« hinabzufließen schien und daß er sie mitriß. Da wir nicht deutlich als voneinander getrennte Personen unterschieden werden, floß auch ich mit und war »weg«. Jean glaubte, daß sich unsere lebenswichtigen Substanzen verflüssigt hätten und weggeflossen wären. Das Wort »Auflösung« beinhaltet den Gedanken des Übergangs von einem festen zu einem flüssigen Aggregatzustand, wie etwa der Übergang von Eis zu Wasser. Bei der Erörterung solcher elementarer Zustände müssen wir Worte finden, die Bilder hervorrufen, die so dicht wie möglich an das tatsächliche Erleben herankommen. Das Wort »Auflösung« scheint genau das zu leisten. Beispielsweise fürchtete ein autistisches Kind, daß es genauso verschwinden könnte wie ein Stück Zucker, dessen Auflösung in Wasser es beobachtet hatte. Im letzten Vers des Gedichts »Gebet vor der Geburt«, das zu Beginn dieses Kapitels zitiert wurde, beschreibt Louise MacNeice solche Auflösungsängste und die Angst vor dem »Wegsein«.

In seinem Gedicht »Wodwo«[2] gelingt es Ted Hughes (1970), in uns jene Gefühle der Verwirrung und des Fehlens individueller Identität hervorzurufen, die mit solchen Entwurzelungszuständen zusammenhängen. Um die Atmosphäre wässriger Verwirrung sich entfalten zu lassen, ist es notwendig, das Gedicht in voller Länge zu zitieren. »Wodwo« kommt uns wie ein unsinniges Wort vor. Doch der Therapeut findet den Sinn gerade in der Sinnlosigkeit (Milner, 1956).

Was bin ich? Schnüffle hier, wühl im Laub herum,
Folg einem schwachen Duft der Luft zum Ufer des Flusses
Und geh ins Wasser. Was bin ich, daß ich
Die glasige Kornflut des Wassers zerteile und aufwärts blickend das Bett
Des Flusses über mir spiegelverkehrt und klar seh,
Was schweb ich hier in freier Luft? Warum find ich
Den Frosch so interessant, daß ich in sein geheimstes Innre dringe
Und mir's zu eigen mache? Kennt denn das Unkraut mich
Und flüstert meinen Namen, hat es mich
Schon einmal gesehn, paß ich in seine Welt? Vom Grund
Bin ich getrennt bin nicht verwurzelt fiel
Aus dem Nichts durch Zufall, keine Faser
Die mich an etwas bindet ich kann gehn wohin ich will
Es scheint man hat mir die Freiheit dieser Erde
Gegeben was bin ich denn nun? Es macht
Mir keine Freude Rindenstückchen vom Baumstumpf
Zu reißen weils nutzlos ist. Warum also tu ichs.
Ich und das was ich tu wir sind sehr seltsam zusammengekommen
Doch wie soll man mich nennen bin ich der Größte
Hab ich einen Herrn wie seh ich aus wie
Sehe ich aus bin ich ungeheuer groß
Wenn ich den Weg lang geh an den Bäumen vorbei
Bis ich müde bin das berührt was in mir
Im Augenblick wenn ich mich setze und alles
Bleibt stehn und glotzt da denke ich doch ich bin der Nabel der Welt

2 Ich möchte mich bei Jeanne Magnana bedanken, die mich mit diesem Gedicht bekannt machte.

Alles gut und schön. Aber was ist: Es wurzelt
Wurzelt wurzelt wurzelt und dann das Wasser da
Schon wieder sehr seltsam aber ich seh mich weiter um.

Hughes' Gedicht bringt überzeugend die Bestürzung über jene Zustände zum Ausdruck, in denen das Gefühl persönlicher Identität gefährdet ist und alles um einen herum als unstetig und isoliert erlebt wird, weil es keine zusammenhaltenden Fäden gibt. Beziehungen sind in die Brüche gegangen oder wurden gar nicht erst eingegangen. Die Gefahr allmählicher Auflösung liegt in der Luft. Alles und jedes muß genauestens untersucht und auf Herz und Nieren geprüft werden. Niemandem und nichts wird vertraut. Es herrscht das inhaltlose Gefühl der Zwecklosigkeit, Verständnislosigkeit, Bedeutungslosigkeit vor. Ein kohärentes Weltbild fehlt, das Subjekt hat kein Bild von sich selbst. Es lebt in einer Randwelt vager Mutmaßungen, Vermutungen und Spekulationen, die nicht auf Erfahrung beruhen. Das Bewußtsein liegt zum Greifen nahe. Doch wie der Affe, der sich mit seinem Schwanz von einem Ast zum nächsten schwingt, faßt es eine Sache nach der anderen an, aber es begreift sie nicht. Ja, Auflösung kann man mit Verständnislosigkeit gleichsetzen. Sie resultiert aus dem Nichtvorhandensein des Gefühls, von sorgendem Verständnis und von Bedeutung umgeben zu sein. Grenzen gibt es nicht. Es ist ein Zustand ohne deutliche Unterscheidungen. Teilweise vermittelt Hughes dies durch die fehlende Interpunktion.

Das autistische Kind, dem dieses Umgebensein fehlt, fühlt sich durch die autistische Einkapselung vor Auflösung geschützt. Aus jeder Änderung des Zustands oder der äußeren Umstände folgt für den Menschen die Umformulierung seiner bisherigen Erfahrung. Für das psychogen autistische Kind, das die Auflösung abzuwenden versucht, stellen solche Änderungen eine Gefahr dar. Änderungen bedeuten, daß alles in einen Schmelztiegel hineingeworfen wird; das Kind gerät in einen Zustand des Fließens, den es ertragen muß, damit Transformationen möglich werden können. Nur wenn das Kind lebendige reziproke Transaktionen mit einer anpassungsfähigen Bezugsperson erfahren hat, ist es in der Lage, diesen Fließzustand zu ertragen. Ohne sie lebt es in einem »Alles-oder-nichts«-Zustand.

Formulierungen sind entweder »ganz da«, oder ganz »weg«. Der ungewisse Zwischenzustand ihrer Transformation wird als unerträglich empfunden, weil die starren Formulierungen angesichts von Veränderung hoffnungslos in die Brüche zu gehen scheinen. Das Kind verliert das Gefühl der Unverletzlichkeit. Lebenswichtige Substanzen drohen zu zerfließen.

Ein Mädchen zum Beispiel, das bei Verena Crick in Behandlung war, sagte nach einem Wechsel des Therapieraumes: »Ich fürchte, ich verliere meine charakteristischen Eigenschaften.« Ihre charakteristischen Eigenschaften, so schien es, drohten zu zerfließen und verloren zu gehen. Sie »vergaß«, wer sie war. Sie hatte Angst, sie könnte sich auflösen und »weg« sein. Natürlich war Ted Hughes nicht wie das autistische Kind von diesem Fließzustand überwältigt und überschwemmt worden. Seine Identität war ausreichend gefestigt, um ihm zu erlauben, sich in solche Zustände der Nichtidentität einzufühlen. Daraus erwächst die Fähigkeit, sich selbst neu – und mit gestärkter Mitleidensfähigkeit – zu erfahren. Ihm scheint unser aller Ignoranz hinsichtlich des wahren Wesens aller Dinge vertraut gewesen zu sein, doch vermochte er sich auch an die Verwunderung des kleinen Kindes zu erinnern, das sich von einem Meer von Bedeutung umgeben sah, die es nicht versteht und die es deshalb zu überwältigen droht.

Wie Louise MacNeice im »Gebet vor der Geburt« geben Patienten wie Jean lieber dem Tod den Vorzug vor Gefühlen der Auflösung und des Zerfließens. Verzweifelt wie sie war, glaubte Jean, der Hungertod sei immer noch besser als das unkontrollierbare Sichauflösen, das sie zu bedrohen schien. So behielte sie zumindest die Kontrolle darüber, und ihr Kampf um ihre »Ganzheit« würde ein Ende finden. Louise MacNeice schaffte es, ihre Gefühle über den Wasserfall im disziplinierten Rahmen eines Gedichts festzuhalten. Jean wurde angehalten, ihre sturzbachartigen Gefühle durch schauspielerische und musikalische Aktivitäten, für die sie eine beträchtliche Begabung an den Tag legte, zu binden. Aber starke, mächtige Gefühle sprengten immerzu die Grenzen dieser kreativen Aktivitäten und ließen die Angst vor dem Zerfließen und *Wegsein* wieder aufkommen. Die Reaktion auf diese Gefahr bestand darin, vollständig zu erstarren und gar nichts mehr zu tun. Jeans Lebensfreude und ihre unzweifelhaften Fähigkeiten wurden ständig durch diese Angst vor dem Zerfließen und Selbstverlust zum Stillstand gebracht. Diese Depression hatt sie zu mir zurückgeführt.

Sylvia Plath

Jeans Ängste haben viel gemeinsam mit Sylvia Plaths, der ersten Frau von Ted Hughes. B. M. Biven, ein Psychoanalytiker aus Ann Arbor, Michigan, der sich intensiv mit der Funktion der Haut in der frühen Entwicklung der Psyche beschäftigt hat, studierte die Gedichte und Schriften von Sylvia Plath sowie Alvarez' Plath-Biographie, um mit ihren Kämpfen um den Erhalt ihrer »Ganzheit« gegen die hereinflutenden Gefühle, die sie zu ertränken drohten, in Berührung zu kommen. (Alvarez, Al, 1963; Biven, 1982). Wie bei Jean scheint es wahrscheinlich, daß Sylvia Plath als Kind und Säugling besonders stark mit ihrer Mutter verschmolzen gewesen war und ihr körperliches Getrenntsein erfuhr, bevor sie einen Entwicklungsstand erreicht hatte, der es ihr erlaubt hätte, mit ihrem Erleben individueller Identität und Getrenntheit fertig zu werden. Zum Beispiel schreibt Plath über die Gefühle, die sie mit zweieinhalb Jahren empfand, als sie hörte, daß ihre Mutter bald mit einem neuen Baby nach Hause kommen würde: »Ich haßte Babys. Ich, die ich zweieinhalb Jahre lang der Mittelpunkt eines zärtlichen Universums gewesen war, spürte, wie sich die Erdachse heftig drehte und mich die hereinströmende Polarkälte durchschüttelte … Ich schloß meinen Groll fest in meine Arme und trabte, häßlich und stachelig wie ein Seeigel, in die entgegengesetzte Richtung davon, da hin, wo der gefährliche Kerker lag. Wie von einem anderen Stern betrachtete ich kalt und nüchtern die Einsamkeit von allem. Ich fühlte die Wand meiner Haut; Ich bin Ich. Der Stein dort ist ein Stein. Meine herrliche Verschmelzung mit den Dingen dieser Welt war vorbei« (zitiert nach Biven, 1982).

Offensichtlich waren Sylvia und ihre Mutter allzu intensiv miteinander verschmolzen gewesen, so daß die Geburt des zweiten Kindes für Sylvia ein schrecklicher Schock war. In einer solchen Situation der Fusion scheint das Kind die Mutter als autistisches Objekt oder als autistische Form zu benutzen – das heißt, die Mutter wird als Teil des kindlichen Körpers empfunden. Wenn sich dem Kind plötzlich das Bewußtsein körperlicher Trennung aufdrängt, glaubt es, gleichsam von der Mutter weggezerrt zu werden. Ist es darauf ungenügend vorbereitet, wird das Kind in Zustände intensiver Gefühle über die körperliche Trennung gestürzt. Sylvia Plath erfuhr jene nackte eisige Kälte und Einsamkeit, die Patienten mit einer autistischen Kapsel uns oft schildern und die Graham Greene in *Eine Art Leben* als charakteristisch für manche Schriftsteller bezeichnet: »Im Herzen des Schriftstellers befindet sich ein Eissplitter.« Die eisige Klarheit des »Ich bin Ich« bei Plath scheint anzudeuten, daß ihr Identitätsgefühl schwach und unsicher war. Nach jahrelangen Kämpfen, mit ihren Auflösungsängsten fertig zu werden, nahm sich Sylvia Plath schließlich das Leben – möglicherweise auch deshalb, um dieser Bedrohung zu entfliehen.

Man könnte vermuten, daß Plath in dem oben zitierten Abschnitt über die Entstehung von Autismus geschrieben hätte. Aber weil sie den Schmerz der sich drehenden Erdachse und die Polarkälte in einem späteren Lebensabschnitt erfuhr als autistische Kinder, bei denen er im Säuglingsalter auftritt, wurde sie nicht schwer autistisch. Sie konnte das sturzbachartige Überfließen ihrer unverarbeiteten Leidenschaften in ihrer Dichtkunst auffangen. Doch ihr ganzes Leben hindurch erlebte sie jenen rückwärtsgewandten »Sog«, der an ihrer weiteren Entwicklung zog und den einer meiner Patienten einmal als »Unterströmung« bezeichnet hat.

Wir erfahren von Biven, daß Sylvia Plath ihre Haut als künstliche Barriere empfand, die »durchstoßen«, »abgepellt« oder »geschmolzen« werden mußte. Autistische Kinder fühlen genauso. Als sie die Umdrehung der Erdachse und die Polarkälte erlebten, reagierten sie darauf, indem sie sich mit harten, schwielenähnlichen autistischen Objekten umgaben oder sich in weiche, lindernde autistische Formen einhüllten. Diese Täuschungen geben ihnen das Gefühl, statt lebender, atmender Haut eine künstliche, verschorfte Barriere zu besitzen. Diese Barriere wehrt die »namenlose Angst«, sich zu verflüssigen oder zu zerfließen, ab. Sie haben sich ihren eigenen »Container« geschaffen. Aber diese starre Einkapselung hat sie daran gehindert, das anpassungsfähigere Containment menschlicher Beziehungen zu verwenden. Je länger sie in ihrem starren, eingeschlossenen Zustand verbleiben, desto gefangener sind sie in den Klauen »namenloser Ängste« und um so schwieriger wird es, mit ihnen in Berührung zu kommen und ihnen dasGefühl zu vermitteln, sowohl im physiologischen als auch im psychischen Sinne im Besitz einer anpassungsfähigen »Haut« zu sein. Diese könnte als durchlässige Membran ihre Erfahrungen filtern und durch die Dämpfung exzessiver Reize Veränderung ermöglichen (siehe Anzieu, 1974; Bick, 1968; Freud, 1911).

Biven beschreibt eine neurotische Frau, die ihm einmal erzählte, sie hätte manchmal buchstäblich das Gefühl, keine Haut zu haben. Sie bezeichnete sich als »klein« und »in einer Walnußschale versteckt« (Biven, 1982). Ich bezeichne autistische Kinder als »Schneckenhauskinder« oder »eingekapselte Kinder«. Jean öffnete die Walnußschale ihrer autistischen Enklave erst in ihrer zweiten Analysephase. Solche Patienten haben nicht nur Angst vor dem Zerfließen, sondern sie glauben, daß sie abdriften und »weg« sein könnten, weil ihnen das Gefühl fehlt, an einem sorgenden und umsorgten Objekt gleichsam »vor Anker zu liegen«. Das verstärkt ihre verzweifelten Versuche, die Illusion aufrechtzuerhalten, daß sie ihre leidenschaftlichen Gefühlsausbrüche durch Selbstisolierung unter Kontrolle bringen. könnten.

Betrachten wir nun die Odyssee des fünfjährigen autistischen Jungen Steve auf dem »weinroten Meer« der personalen Entwicklung im »Schiff der Psychoanalyse«. Odysseus, wie Sie sich erinnern, wurde auf seiner mühevollen Reise zurück in den Heimathafen Ithaka oft von Stürmen heimgesucht. Als er erschöpft am Strand einer einsamen Insel lag, lösten sich, wie Homer berichtet, seine Gliedmaßen aus den Gelenken, und sein Körper zerann »wie Wasser«. Er stand vor der Auflösung und Vernichtung.

Steves Reise weg von der drohenden Auflösung in den sicheren Hafen anteilnehmender Bindungen in einer menschlichen Familie, in der er lernen konnte, seine stürmischen Gefühle zu regulieren, wurde mir von einer talentierten Psychotherapeutin aus Paris, Madame Cauquil, zur Supervision anvertraut. (Wir sind Madame Cauquil und Steve im 8. Kapitel bereits begegnet.) Die Bedeutung ihres Namens, der einen ähnlichen Klang hat wie *la coquille* (Muschelschale, Schneckenhäuschen), spielte in der Psychotherapie eine besondere Rolle.

Steve

Steve wurde mit fünfeinhalb Jahren wegen wiederholter Krampfanfälle ohne exakten medizinischen Befund an Madame Cauquil überwiesen. Die Krämpfe begannen, als Steve sechs Monate alt war und seinen ersten Zahn bekam. (De Astis und Giannotti [1985] haben festgestellt, daß sich bei manchen der von ihnen am Institut für Kinderneuropsychiatrie der Universität Rom untersuchten autistischen Kindern mit Beginn des Zahnens die ersten Anzeichen des Autismus zeigten.) Steve wurde erst mit vier Jahren sauber und trokken, weil er vorher Angst gehabt hatte, aufs Töpfchen gesetzt zu werden. Seine Mutter meinte, er habe in solchen Situationen offenbar »schreckliche Angst gehabt, zu fallen«.

Mit drei Jahren begann Steve infolge einer nicht organisch bedingten »Kontraktion von Fuß und Zeh« wirklich zu fallen. Mit vier, als er zur Reinlichkeit erzogen wurde, sprach Steve die ersten Worte – »Mutti«, »Vati«, »Auto« –, aber er verwendete niemals die Personalpronomen »ich« oder »du«. Als er zum ersten Mal in der Klinik untersucht wurde, aß Steve nur mit den Händen und trank zwischen 10 und 20 Flaschen Flüssigkeit pro Tag. Er zeigte ein stereotypes Gebärdenspiel, schaukelte, biß sich in die Hände und schlug die Stirn gegen den Fußboden. Er manipulierte Gegenstände, ohne jedoch wirklich zu spielen. (In meiner Terminologie waren sie »autistische Objekte«.) Das Team in der Klinik hielt die Mutter für »depressiv, schwach und von ihrem Sohn ungenügend differenziert«. Der Vater wollte nicht in die Behandlung mit einbezogen werden, setzte ihr aber keinen Widerstand entgegen.

Der Behandlungsverlauf: Es würde den Rahmen dieses Kapitels sprengen, wollte ich Ihnen den detaillierten Bericht präsentieren, den ich seinerzeit von Madame Cauquil erhielt. Ich werde mich folglich auf die signifikanten Merkmale beschränken. In seiner ersten Sitzung demonstrierte Steve eine seiner Methoden, mit dem Getrenntsein von der Mutter fertig zu werden. Nachdem seine Mutter das Sprechzimmer verlassen hatte, kehrte er Madame Cauquil den Rücken zu und machte aus seinem Speichel so viele Kreise und Kritzeleien auf der Fensterscheibe, daß man unmöglich hindurchsehen konnte. Er machte auf Madame Cauquil einen vollkommen unzugänglichen Eindruck, da er, mit ihren Worten, »in ein nasses Universum eingehüllt zu sein schien, das er selbst absonderte«. Steve hatte seine Aufmerksamkeit von seiner sich entfernenden Mutter abgewendet und zu seinen spezifischen, aus seinen eigenen Körpersubstanzen produzierten Formen Zuflucht genommen, an denen kein anderer Mensch teilhatte. In diesem Zustand des Vergessens war er von menschlicher Sympathie und Sorge abgeschnitten. Madame Cauquil spürte auch, daß Steve glaubte, durch seinen Speichel an der Fensterscheibe »festzukleben«. Es ist möglich, daß sich Steve in seiner Panik über das Verschwinden seiner Mutter an etwas Festem festhielt, um auf diese Weise zu spüren, daß er »da« und nicht »weg« war. Sein Speichel erinnert an die Schleimspur einer Schnecke.

Nach eineinhalb Jahren Therapie zeichnete Steve ein rotes Oval mit zwei Formen darin: einem kleineren Oval und einem Kreis. Madame Cauquil glaubte (und ich stimme ihr zu), daß die beiden Behältnisse in einem größeren Behältnis Steves Gefühl zu erkennen gaben, zusammen mit der Therapeutin in einem gemeinsamen Milieu gehalten zu sein. Er erkannte allmählich, daß die körperliche Trennung zweier Menschen, die im Kontext eines »Zusammenseins« nichtkörperlicher Art zusammengehalten wurden, möglich ist. In diesem Kontext geistigen »Zusammenseins« konnte Steve zu »denken« anfangen, denn als er die Behältnisse zeichnete, sagte er: »Es machte viel Krach als … *dachte* Cauquil.«

Wahrscheinlich ließ er das Personalpronomen »Ich« deswegen aus, weil sein Gefühl personaler Identität und seine Fähigkeit zu denken von seinem »Zusammensein« mit Madame Cauquil abhing. Kleinianisch formuliert, haben wir es hier mit einem Fall projektiver Identifizierung zu tun, die, wie Bion gezeigt hat, eine unverzichtbare Voraussetzung für den Beginn des Denkens ist (Bion, 1962a). Steves Gefühl körperlicher Trennung im Kontext des geistigen »Zusammenseins« war jedoch noch unsicher. Nach der »Container«-Sitzung sagte er, von Panik ergriffen: »Es leckt … überall … du … tust … Kaka«, und defäkierte in die Hose.

Von da an war »das Nasse«, wie es Steve nannte, sehr wichtig für ihn. Mit den Worten von Madame Cauquil: »Es ist, als ob wir beide dasselbe Flüssigbad teilen, das die beunruhigende Sorge wegen der körperlichen Diskontinuität unter Kontrolle hält.« Doch diese Umarmung durch den gemeinsamen Fluß nonverbaler Gemeinschaft wurde durch die bevorstehenden Sommerferien gestört. Steve war nicht in der Lage zu glauben, daß ihr körperliches Getrenntsein voneinander durch sein bislang noch ungefestigtes Reflexions-, Denk-, Erinnerungs- und Kommunikationsvermögen überbrückt werden könnte. In panischer Angst kehrte er zu der Illusion einer undifferenzierten körperlichen Fusion mit der Mutter zurück, um die Auflösungsgefahr zu vermeiden, die in dem Augenblick drohte, in dem ihm das Fehlen körperlicher Einheit mit ihr bewußt wurde.

In seinem Gedicht »Rückblende« bringt James Greene (1980, S. 9) diese schrecklichen Trennungserlebnisse sehr lebhaft zum Ausdruck. Er schreibt:

Wenn ich an meinen Daumen
Nicht lutschen kann,
Wenn ich wie ein Blitz zerspringe – [all-but crack]
Ein Minus, ohne Plus –
Wirst du mich halten –
in deinen gekreuzten Armen, [criss-cross – in your arms]
Wie eine sanfte Zwangsjacke? …
Oh laß mich verschmelzen mit dem Überschuß des Donners
Dessen Gehirn gemartert wird
Und brennt …

Die Worte »all-but« und »criss-cross – in your arms« sind durch Bindestriche verbunden, so als ob die wiederaufgelebten Fusionszustände als Folge der Panik über das körperliche Getrenntsein hervorgehoben werden sollten. In Steves Anamnese hieß es, daß er als Säugling während seiner Krampfanfälle nur in den Armen seines Vaters beruhigt werden konnte. Als Babys lutschen autistische Kinder nicht an den Fingern oder Daumen, sondern nehmen zur Spannungsabfuhr Zuflucht zu autistischen Objekten und autistischen

Formen. Diese selbstgeschaffenen Schutzmaßnahmen und Tröstungen lenken ihre Aufmerksamkeit von der Angst vor dem »Zerfließen« oder »Wegfließen« und vollständigem Verschwinden ab. Indem er die Wendung: »Ein Minus, ohne Plus« verwendet, bringt Greene die arithmetische Exaktheit dieser Kinder zum Ausdruck sowie ihre Sartresche Angst davor, zu einem »Nichts« zu werden (Sartre, 1957). Greenes Erwähnung der »Zwangsjacke« impliziert, daß der nicht denkbare, unkontrollierbare Überschuß, der die Auflösungsgefahr heraufzubeschwören scheint, das ist, was wir als »Wahnsinn« bezeichnen. Der Autismus ist eine Abwehr gegen diesen Wahnsinn. Die selbstgeschaffenen autistischen Praktiken erzeugen starre, vor Auflösung schützende Zwangsjacken. Der Therapeut wird zur »sanften Zwangsjacke« des Kindes, die das gnadenlos einengende autistische Objekt ersetzt. Am Tage, an dem Madame Cauquil Steve das Datum der bevorstehenden Sommerferien mitteilte, knetete Steve Knetmasse, begann sie zu zerkauen und murmelte dabei mehrere Worte, so als ob sie sich vermischt hätten und zusammenklebten: »Mädchen – Cauquil – gegessen – gebissen – alles Fleisch – kaputt – es fließt aus.«

Madame Cauquil begriff sofort den Sinn seiner wirren Ergüsse, denn sie sagte ihm: »Wenn wir für mehrere Wochen getrennt sein werden, willst du dich an mich heften, um Mädchen-Cauquil ganz für dich zu haben. Du bist so unglücklich darüber, daß das nicht geht, und so zornig über die Trennung, daß du Angst hast, du könntest mich gebissen und kaputtgemacht haben und ich könnte aus dir ausfließen und weg sein.« Nach dieser Deutung nahm Steve die Stückchen Knetmasse aus dem Mund, zeigte Madame Cauquil ein kaputtes, wurstförmiges Teilchen und sagte: »Klebstoff-Loch.« Als sie ihm Tesafilm anbot, sagte er »Geschnitten« und klebte selbst die Stückchen mit Tesafilm zusammen, »um das lange, wurstförmige Ding wiederherzustellen, indem er Tesafilm direkt um die kaputte Stelle wickelte«.

Nach der Rückkehr aus den Sommerferien setzte Steve seine Arbeit an dem wurstförmigen Ding noch weiter fort. In seinem Weltbild, das er zusammen mit der Therapeutin aufbaute, tauchte jetzt das väterliche Element auf. Bis das disziplinierende väterliche Element zu einer aktiven Präsenz wird, bleibt die Auflösungsgefahr bestehen. Der Vater rückt die realistische Tatsache, daß Teilen zum Leben unvermeidlich dazugehört, in den Mittelpunkt. Es wurde nun deutlich, daß Steve glaubte, sein Vater hätte sich in den Sommerferien zwischen ihn und »Mädchen-Cauquil« gestellt. Zornig schob er ein rotes Spielzeugauto zur Seite und sagte: »Rotes Auto kaputt.« Dies erinnert an John im 4. Kapitel, der unter ähnlichen Bedingungen »Roter Knopf kaputt« sagte.

Steve war nun mit dem konfrontiert, was meiner Erfahrung nach *die* kritische Situation für das autistische Kind ist. In seiner Besorgnis um das lange wurstförmige Ding zeigte uns Steve seine *aktuelle* Version der schmerzlichen Situation, die seine autistische Selbstisolierung hervorrief. Dies möchte ich näher erläutern.

In der »Wasserbad«-Situation scheint Steve den sehr frühen Zustand, in dem die vom Fruchtwasser erzeugten Empfindungen fortleben und eine Art von postnatalem Mutterleib schaffen, wiederbelebt zu haben. Wie uns Freud (1926d) in Erinnerung ruft: »Intrauterinleben und erste Kindheit sind weit mehr ein Kontinuum, als uns die auffällige Caesur des Geburtsaktes glauben läßt« (GW 14, S. 169). Dieses Kontinuum scheint eine notwendige Übergangsphase zu sein, in der das neugeborene Baby das Dasein als Wasserkreatur ablegt und sich an die Frustrationen und Mühen des Lebens im Trockenen gewöhnt. Im mutterleibähnlichen, gemeinsamen Medium der »Wasserbad«-Situation glaubt Steve, daß er und seine Mutter/Therapeutin umherschwimmen, ineinander hineinfließen, sich gegenseitig durchdringen und so eine geschützte Situation erzeugen, in der sie liebevolle und einfühlsame Verbindungen zueinander herstellen können. Er kann sein Getrenntsein von ihr in einer Situation zu erfahren beginnen, in der er von der Geborgenheit und Wärme ihres Verständnisses umgeben ist. Gemeinsam geteilte Bedeutungen tauchen zwischen ihnen auf. In dieser Situation kann er die ersten emotionalen Wurzeln in die »Muttererde« schlagen, die als »mütterlicher Schwamm« fungiert, wie es Madame Cauquil ausdrückte, der seine verwirrenden und verwirrten Ergüsse aufsaugt und ihnen Bedeutung verleiht. Bevor er dieses frühe Stadium erneut erleben konnte, mußte die autistische Schale beseitigt werden.

Dieser Verwurzelungsprozeß hat etwas mit dem Bindungsverhalten gemeinsam, das die Verhaltensforschung beschreibt, aber es hat auch spezifisch menschliche Merkmale. Die vereinfachende Übertragung von an Tieren gewonnenen Erkenntnissen auf Menschen ist immer ungenau. Dieses »Einwurzeln« scheint eine Voraussetzung für Objektbeziehungen zu sein, wie sie Psychoanalytiker beschreiben. An diesem Vorgang ist nichts Mystisches. Er beruht auf den psychophysischen Fähigkeiten zu Einfühlung und Nachahmung, die der menschlichen Natur innewohnen und die sich, wie die Säuglingsbeobachtungen nicht-psychoanalytischer Forscher heute immer mehr zeigen, in den ersten Lebenstagen zu entwickeln beginnen. Aber für Steve, wie für alle autistischen Kinder, wurde der Schutzraum für diesen entscheidenden Verwurzelungsprozeß immer wieder gestört. Die Verbindung zur Urmutter wurde immer wieder unterbrochen. Die »Drehung der Erdachse«, um die Wendung Plaths zu gebrauchen, hatte zur Folge, daß Steve ständig der Gefahr von Auflösung und Vernichtung ausgesetzt war.

Ebenso wie viele andere autistische Kinder hatte auch Steve als Baby eine depressive Mutter. Er muß oft gespürt haben, daß sie keine oder nur unzureichende empathischen, responsiven Verbindungen zu ihm aufnehmen konnte. Er muß gefürchtet haben, ihrer Aufmerksamkeit zu entgleiten und für immer »weg« zu sein. In seiner Panik klammerte er sich an leblose Objekte und an seine Mutter, als ob auch sie ein lebloser Gegenstand wäre. All dies wiederholte sich mit Madame Cauquil. Doch ohne Trennung zwischen ihnen kann er weder denken noch sie in seiner Erinnerung festhalten. Ohne Erinnerung kann er kein Vertrauen in die Kontinuität seines eigenen Seins wie auch des Seins anderer Menschen und der Dinge der Objektwelt entwickeln. Folglich kann er sich niemals sicher geborgen fühlen. Ohne solches »Urvertrauen« (Erikson, 1951) muß das schmerzhafte Einsetzen des Zahnens für ihn furchterregend gewesen sein. Es ging etwas mit ihm vor, das er nicht im Griff hatte. Es stürzte ihn in panische und wütende Krampfanfälle. Auf diesem Hintergrund wird sein wirres Sprechen in der Sitzung vor den Sommerferien, das an einen Vulkanausbruch erinnerte, verständlicher.

Es ist zu vermuten, daß Steve in der Übertragung den Durchbruch des ersten Zahns neu durchlebte. In seinen *heutigen* Worten ausgedrückt, glaubte er, daß »Mädchen-Cauquil« »gebissen« und wie »Fleisch« »gegessen« wurde und infolgedessen »kaputt« und »leck« war. Er hatte Angst, sie könnte ihm wegfließen und »weg« sein. In diesem Zustand der Verschmelzung und Nichtunterschiedenheit von ihr glaubte er, auch selbst wegzufließen, und hatte das Gefühl, seine Festigkeit und sein »Dasein« sich verflüchtigten. Er glitt fort und verlor seinen Halt an der festen und sicheren Realität. In seiner Angst wurde alles aufgrund von oberflächlichen Ähnlichkeiten miteinander vermischt. Ich vermute daher, daß Steve das lange, wurstförmige Ding wie ein Mischmasch aus »rotem Auto – roter Brustwarze – Wurst – Penis – Vati – Zunge« etc. vorkam, alles Dinge, die für ihn kaputt waren. Die Ähnlichkeit mit Johns undifferenzierten Reaktionen auf den roten Knopf, den Kissenknopf, Auto, Vati etc. ist klar ersichtlich. Der entscheidende Vorgang des Verwurzelns, der zum Differenzierungsvermögen führt und es ermöglicht, daß man zu einem eigenständigen differenzierten Wesen wird, wurde bei diesen Patienten unterbrochen und beeinträchtigt.

Steves unkontrollierter und stummer Angst- und Wutausbruch über die Frustration, die durch alles geweckt wurde, was den unmittelbaren und immer verfügbaren direkten Zugang zur Mutter verhinderte, störte die fundamentale Beziehung zu »Mädchen-Cauquil«, die er herzustellen versuchte. Glücklicherweise verstand Madame Cauquil die Situation verzweifelter, besitzergreifender Eifersucht gut genug, um ihm den Umgang damit zu erleichtern. Als er mit einem Feuerwehrauto spielte, sagte sie: »Auf mich zu warten, wenn ich bei anderen bin, ist wie ein Feuer im Kopf.« Man wird sich erinnern, im oben zitierten Gedicht sagt James Greene: »Wessen Gehirn leidet/ Und brennt …« Kurz: Steve fühlte sich von leidenschaftlichen, glühenden Gefühlen über die den menschlichen Beziehungen innewohnenden Frustrationen ergriffen. Diese müssen reguliert werden, wenn sein »Da-Sein« fest etabliert und er die Gefahr von unkontrollierter Auflösung und »Nicht-Sein« nicht mehr erleiden soll. Wenn er in einem autistischen Zustand nicht das Gefühl haben kann, mit der Mutter verschmolzen zu sein, möchte er lieber mit dem Donner verschmelzen, wie es James Greene ausdrückt, selbst wenn dies, wie im

Falle Semeles, die von Zeus vernichtet wurde, zu seiner Auslöschung führen sollte. Bei Jean und Louise MacNeice sahen wir, daß die selbstherbeigeführte Zerstörung dem Erleben unkontrollierbarer, überwältigender Auflösungsängste vorzuziehen ist, die mit dem körperlichem Getrenntsein von der Mutter einhergehen.

Nun zeigte Steve seiner Therpeutin, wie unwirksam seine autistischen Versuche gewesen waren, die leidenschaftlichen Gefühle zu regulieren. Er zeichnete einen Körper mit einem Rumpf, der wie ein Meßbecher mit Strichen versehen war, und füllte gleichzeitig ein Glasröhrchen mit seinem Speichel, den er als »Treibstoff« bezeichnete. Auch dieses Röhrchen besaß Maßeinheiten zur Überprüfung der »Tankfüllung«. Nach einer Weile sagte er: »Röhrchen kaputt.« Steve schien sich bewußt zu sein, daß ein starres, inflexibles, selbstgemachtes Röhrchen nicht stark genug war, um dem gewalttätigen Auf und Ab seiner turbulenten Gefühle, die er als Körperflüssigkeiten erlebte, standzuhalten. Er erkannte auch, daß diese Gefühle wichtig waren, weil sie seine Aktivitäten mit »Treibstoff« versorgten, aber dies nur angemessen tun konnten, wenn er sie regulierte.

Danach suchte Steve nach einer wirksameren Methode, seine unbeherrschbaren Gefühle zu meistern. Er fühlte sich mit seiner Therapeutin verbunden, als wäre sie eine Waschmaschine. Das hielt längere Zeit vor, bis Steve schließlich in der Sitzung vor den Osterferien ein Rohr an die Tafel zeichnete, das eine Verbindung zwischen Waschmaschine und dem Wasserhahn herstellte. Damit war die reinigende »Waschmaschinen-Mutti« mit dem »Wasserhahn-Vati« verbunden. Aber in seinem verängstigten Zustand wütender Eifersucht über die bevorstehende Trennung von seiner Therapeutin wischte er das Rohr wieder aus und unterbrach damit die Verbindung von »Waschmaschinen-Mutti« und »Wasserhahn-Vati«. Ohne die Verbindung mit dem »Wasserhahn-Vati« war die reinigende Funktion der Mutter zerstört. Das bedeutete, sie konnte auch für Steve keine reinigende Funktion mehr ausüben. Sein Überleben stand auf dem Spiel.

Glücklicherweise verstand Madame Cauquil seine Ängste gut genug, um mit folgendem Satz zu reagieren: »Hast du Angst, weg zu sein, weggeflossen, vergessen, wenn du daran denkst, daß wir über Ostern getrennt sein werden?« (Wie Sie sehen, spielt sie nicht auf die

Zerstörung der Verbindung an, sondern konzentriert sich auf die Ängste, die zu dieser Zerstörung geführt hatten.) Steve ging darauf ein, indem er antwortete: »Und Seife riecht gut.« Madame Cauquil griff diesen Gedankengang auf und erwiderte: »Ja, das stimmt. Der Duft bleibt, und nachher erinnern wir uns daran.«

Sicher verpackt in dem Netzwerk von Assoziationen, Bedeutungen und Einsichten, das er und seine Therapeutin gemeinsam knüpften, war Steve nicht mehr darauf angewiesen, daß Madame Cauquil ihn den Korridor entlang begleitete, der vom Sprechzimmer zum Wartezimmer führte. Sein Bedürfnis, sich an ihr festzuklammern, als wäre sie ein physischer Gegenstand, der ihn vor dem Zerfließen oder Forttreiben in Wasser oder Luft schützte, wurde durch die duftenden Erinnerungen gemildert, die sie in Trennungszeiten zusammenhielt. Er lernte allmählich, den Raum zwischen ihnen auszuhalten und über ihn hinweg Verbindungen herzustellen.

In dieser Phase zeichnete Steve einen kompletten menschlichen Körper, dem keine verbindenden Teile wie der Nacken usw. fehlte. Seine Körperbewegungen wurden koordinierter, seine Sprache zusammenhängender. Steve war offensichtlich auf dem Wege zu einem kohärenten Selbstgefühl. An dieser Stelle können wir Steve getrost der Kompetenz von Madame Cauquil überlassen. Wie Odysseus ist er seiner Heimat Ithaka nahe. Dort wartet die treue Penelope, Meisterin in der Webkunst, auf die Rückkehr des einsamen Reisenden von seiner Selbstentdeckungsreise.

In diesem Kapitel habe ich aufzuzeigen versucht, wie scheinbar unzugänglichen Patienten geholfen werden kann, sich vor ihren Ängsten der Auflösung und des Zerfließens weniger erstarrt zu fühlen. Einsichten in diese Ängste gewannen wir aus der Arbeit mit psychogen autistischen Kindern. Die Arbeit mit solchen Kindern führt zur Beschäftigung mit Fragen der »Existenz« bzw. »Nichtexistenz«. Die Kinder selbst sind keine Metaphysiker; wenn wir ihnen aber helfen und ihren Angriff auf unsere geistige Gesundheit überleben wollen, müssen wir unsere Arbeit im Rahmen einer ausgereiften Philosophie und unter Verwendung einer Art poetischer Wissenschaft tun.

13. Kapitel
Die Entwicklung des Ichs

Der Säugling kaum zu Luft und Licht erwacht,
Hat in der Zeit, daß seine zarte Hand
Die kleine Welt der Mutterbrust umspannt
Nie den Gedanken *dies bin Ich* gedacht.

Doch wie er wächst, begreift er mehr und mehr,
Und trennt sein Ich von dem, was ihn umgibt,
Erkennt sich, wie er die Sinne übt
Gesondert von den Dingen um ihn her.

So bildet er sich zum besonderen Geist
In den Gedächtnis seine Wurzeln senkt,
Je mehr in Körpers Banden fest umschränkt,
Sich deutlicher sein Einzelwesen weist.

Tennyson, *In Memoriam*, XLIV

Ausgangspunkt dieses Kapitels[1] ist die Tatsache, daß ein eindeutiges Charakteristikum psychogen autistischer Kinder darin besteht, daß die sprechenden Kinder keine Personalpronomina verwenden, und daß nicht sprechende Kinder offensichtlich keine personale Identität besitzen. Ich habe versucht, jenen Behinderungen ihres Gefühls, ein »Ich« zu sein, auf den Grund zu gehen, sowie einige der zur Bildung eines »Ich«-Gefühls führenden Schritte der analytischen Behandlung zu verdeutlichen. Um die Bedeutung des Körperbildes im Prozeß der Ichwerdung zu verdeutlichen, stelle ich Fallmaterial aus der Behandlung psychogen autistischer Kinder vor.

Neurotische Patienten mit einer autistischen Kapsel

Bestimmte neurotische Patienten haben vieles mit autistischen Kindern gemeinsam (S. Klein, 1980; Tustin, 1978). Solche Patienten haben das Gefühl, unwirklich zu sein, für sie ist das »Leben bloß ein Traum«. Forscht man tiefer nach, wird es klar, daß ihr Gefühl, eine

1 Erstmals veröffentlicht in Winnicott Studies 1985, 1, S. 36–48.

Person zu sein, schwach ausgebildet ist. Bei solchen Patienten scheint die kognitive und personale Entwicklung am »blinden Fleck« einer Entwicklungsarretierung vorbeigelaufen zu sein, der in den Tiefen ihrer Persönlichkeit zu einer autistischen Kapsel wurde. In dieser Kapsel finden sich ebenso wie in der allgemeinen Einkapselung autistischer Kinder alle Möglichkeiten für die Entwicklung des Selbst, aber eine gefestigte und authentische Selbstrepräsentation ist niemals erreicht worden.

Diese neurotischen Patienten sind häufig in der Lage, die sehr frühen nonverbalen Zustände in Worte zu fassen, in denen die Entwicklung ihres Selbstgefühls stark behindert oder geschädigt wurde. Natürlich durchläuft das Wesen dieser nichtsprachlichen Erfahrungen in der Verbalisierung eine gewisse Veränderung. Aber die Patienten bemühen sich sehr, die Worte zu finden, die diese nichtsprachlichen Zustände so beziehungsreich und präzise wie möglich zum Ausdruck bringen, und das, was sie uns erzählen (und was wir von den Dichtern lernen können) kommt diesen Erfahrungen wahrscheinlich so nahe, wie es deskriptiv überhaupt möglich ist. (Die psychosomatischen Krankheiten solcher Patienten sind ebenfalls oft ein Versuch, solche körperzentrierten Erfahrungen offen zum Ausdruck zu bringen.)

Das erste klinische Beispiel, das ich zur Entfaltung meines Themas nehmen werde, stammt daher aus meiner Arbeit mit einer neurotischen Patientin. Es weist auf die fließende Natur des frühen propriozeptiven Körperbildes hin sowie auf die Rolle, die diese Empfindungen bei der Herstellung eines Existenzgefühls spielen, das die Grundlage für ein Selbstgefühl bildet. Der Ausdruck »Bild« ist im Zusammenhang mit diesen frühen Stadien allerdings irreführend, da der Säugling noch nicht in der Lage ist, Bilder im präzisen Wortsinn zu produzieren. Diese frühen Stadien scheinen ein Repertoire relativ unkoordinierter Empfindungen zu sein, die eher *gespürt* als vorgestellt werden. Und doch ist die für uns günstigste Methode darüber zu reden die evokative Bildersprache. In einer interessanten Fernsehsendung über das Körperbild prägte Jonathan Miller einige vielsagende Formulierungen, unter denen das »gefühlte Selbst« die frühe Lage sehr treffend beschreibt. Darüber sagte er: »Das gefühlte Selbst ist ein privates Phantom, das in einem öffentlichen Körper beherbergt ist.«

Die neurotische erwachsene Patientin, deren Material ich vorstelle, mußte die Bilder ihrer späteren Spracherfahrungen benutzen, um diesen frühen, nonverbalen Körperzustand zu beschreiben. Die Bilder wiesen auf die fließende Natur ihrer frühen Körpererfahrungen hin. Sie brachten auch die unkontrollierbaren namenlosen Ängste vor dem »Weg«-Sein – dem Nichtexistieren – zum Ausdruck, die mit diesen fließenden Zuständen zusammenhingen. Da sie namenlos und unaussprechlich waren, schienen sie unaufhaltbar zu sein. Der Schrecken des Unaufhaltbaren hatte die Entwicklung eines normalen Körperbildes gestört, und damit auch die Entwicklung eines sicheren Identitätsgefühls.

Klinisches Beispiel 1

Jean wurde im letzten Kapitel vorgestellt. Sie hatte mit 13 Jahren unter schwerer Magersucht gelitten, aber gut auf die Psychotherapie angesprochen. Mit 21 Jahren kam sie wegen depressiver Zustände erneut zu mir.

Man wird sich vielleicht auch erinnern, daß Jean glaubte, wir seien zwei Krüge, die sich gegenseitig mit Wasser auffüllten, daß ihr Krug aber ein Loch hätte, so daß das Wasser ausfloß. Sie glaubte auch, »tief innen« ein »Wasserfall« zu sein, der »unkontrollierbar immer tiefer« in einen bodenlosen Schlund, in den grenzenlosen Raum, ins Nichts hinabstürze. Sie betonte, daß das Gefühl, die Kontrolle nicht in der Hand zu haben, genauso erschreckend sei wie das Fallen selbst. Bezeichnenderweise fügte sie hinzu: »Ich habe Angst, mich selbst zu verlieren.« (An dieser Stelle mußte ich an eine alte Dame denken, die ich regelmäßig in einem Altenheim besuchte; sie bezeichnete ihren Nachmittagsschlaf als »mich verlieren«. So sagte sie zum Beispiel: »Ich habe mich jetzt zehn Minuten lang verloren.« In einem Verwirrtheitszustand nach ihrer Einlieferung ins Krankenhaus sagte sie: »Ich fürchte, ich verliere das Bild meiner selbst.«)

Ich antwortete Jean, daß sich »tief innen« meiner Ansicht nach auf ihre sehr frühen Erfahrungen bezog. Sie scheine sagen zu wollen, daß sie in den Anfängen ihres Lebens ihren Körper als aus Flüssigkeiten zusammengesetzt empfand, die verschüttet werden konnten, so daß sie jedes Gefühl, im Besitz eines Körpers zu sein – zu existieren –, verlieren konnte. Sie sagte, diese Deutung sei für sie sehr bedeutungsvoll. Ich wies sie darauf hin, daß ihre Angst vor Existenzverlust schlimmer sei als ihre Furcht vor dem Verbluten. Starb sie, würde sie immerhin ihren Körper zurücklassen, aber hörte sie zu existieren auf, wäre das die völlige Vernichtung. *Nichts* würde übrig bleiben. Sie wäre ein »Niemand« – ein »Nicht-Wesen«.

Nach einer kurzen Pause erinnerte sie mich an eine Bemerkung, die sie in der ersten Analysephase gemacht hatte; es war seinerzeit um etwas gegangen, das wir beide als Illusion erkannt hatten. Sie hatte gesagt: »Ich weiß, es ist Einbildung, aber die Angst ist real.« Ich hatte dies in meiner Antwort auf die Angst vor dem Seinsverlust bezogen – davor, ein »Niemand« zu werden. Doch die Erkenntnis, daß es sich um eine Einbildung handele, könnte die Angst bis zu einem gewissen Grad mindern helfen. Es gab ein kurzes Stillschweigen, während wir beide darüber nachdachten. Ich unterbrach das Schweigen und fragte sie, woran sie gerade denke. Sie sagte, sie denke gerade an das Kirchenlied:

»Zeit, wie ein ewiger Strom
Reißt all ihre Söhne fort
Da gehen sie hin, wie ein flüchtiger Traum
Der am Jüngsten Tag zunichte wird.«

Jean stammte aus einem religiösen Elternhaus, also sagte ich, es sei in Angstzuständen oft tröstlich, an ein Kirchenlied zu denken. Ich sagte weiter, daß mir in dieser Sitzung aufgefallen sei, daß wir uns beide ständig auf die frühere Phase der Analyse bezögen, auf die Zeit, bevor sie ins Internat gegangen war. Vielleicht hatten die übertrieben langen Weihnachtsferien ihre Gefühle, die sie zwischen dem Abschluß der ersten Phase und ihrer jetzigen Wiederkehr in die Analyse gehabt hatte, wieder wachgerufen. Sie hatte mir erzählt, daß sie in der Zeit, als sie im Internat war und auch danach, Angst gehabt hatte, ich könnte sie vergessen oder sie mich. Sie wollte mir damit zeigen, daß – tief innen – »vergessen« bedeutete, daß alles aus ihr und aus mir verschüttet wurde. Dies erlebte sie als Verlust ihres Seinsgefühls – als das Gefühl, »weg« zu sein.

Nach einer Pause erzählte mir Jean, daß Alfred, ein Kind in ihrem Heimatdorf, das sie als Babysitterin betreut hatte, nun vier Jahre alt sei. Er hatte ins Krankenhaus gemußt, war sehr depressiv gewesen und sprach mit niemandem außer seinem Teddybär. Sie sagte, sie habe selbst einen ähnlichen Teddybären. Die langen Intervalle der Trennung von mir als der Mutter der kindlichen Teile ihres Selbst, so deutete ich, schienen für sie dasselbe zu sein wie für Alfred der Krankenhausaufenthalt. Sie sei wütend und depressiv und fühlte gerade jetzt auch so; sie wolle nicht mit mir sprechen und könne nur mit ihrem Teddybär sprechen. Aber sie habe das Gefühl, ein unkontrollierbarer »Wasserfall«, – ein »Ding« – ohne Grenzen und Festigkeit zu sein, hinter sich gelassen. Sie fühle sich jetzt mehr als eine Person aus Fleisch und Blut mit festen Dingen, an denen sie sich wie ein Teddybär festhalten könne. Aber sie wolle mich ignorieren, genauso wie Alfred alle Menschen ignorierte. Sie glaube, mich dadurch »weg« machen zu können.

Tief im kindlichen Inneren glaubte sie, daß »Sehen« mich ins Leben rufen, »Nichtsehen« mich »weg« machen konnte. Sie wollte mich »wegmachen«, weil sie glaubte, daß es nur eine begrenzte Wassermenge gab und nur eine von uns dieses Wasser in ihrem Krug haben könnte. Für sie standen wir in tödlicher Feindschaft um dieses lebenswichtige Wasser. Gelang es ihr, mich daran zu hindern, das Wasser zu erhalten, könnte sie alleine darüber verfügen. Ich sagte ihr, daß diese frühen Babygefühle die Kooperation mit mir als Person, von der sie Hilfe erwartete und der gegenüber sie sich dankbar fühlte, behinderte.

Während der ganzen Dauer der Analyse dieses Mädchens stellte die räuberische Rivalität (Gaddini, E., 1969) die größte Gefahr für die Herstellung eines gefestigten Selbstgefühls dar. Aus diesen uneingestandenen wilden Gefühlen gebildete Phantasmen vereitelten jeden Schritt in Richtung einer Heilung, sobald er bevorzustehen schien. Doch an diesem bestimmten Tag, nach der obigen Deutung entspannte sich die Atmosphäre, so als ob es uns – wenigstens vorübergehend – in ausreichendem Maße gelungen wäre, die durch die überlangen Ferien hervorgerufenen intensiven Gefühle zu verarbeiten. Ihre nächste Assoziation betraf die Konflikte, die wir vor den Ferien bearbeitet hatten.

Es ist bezeichnend, daß nach dieser Sitzung eine deutliche Veränderung bei Jean festzustellen war. Sie schlief ruhiger. Sie wurde selbstbewußter und selbstsicherer. Sie entwickelte mehr Eigeninitiative: Sie ging zum Beispiel eine Beziehung zu einem passenden jungen Mann ein. Die Angst, ihren unkontrollierten »Wasserfall«-Gefühlen gnadenlos ausgeliefert zu sein, war erheblich zurückgegangen. In einer späteren Sitzung sagte sie, daß sie »heutzutage« der Meinung sei, »etwas Solides« zu haben, an dem sie sich »festhalten« könne.

Diskussion: Ich war der Meinung, daß wir in dieser Sitzung mit einem Teil von Jeans früher Erfahrung in Berührung gekommen waren, der abgeriegelt worden war, aber ihr dennoch zu schaffen machte. In ihren Tiefen fühlte sie sich von Entsetzen und Ungewißheit zerfressen. Sie kam sich in diesem Zustand wie ein Fluß unverbundener und unkontrollierter Empfindungen vor. Sie hatte ein sehr schwach entwickeltes Körpergefühl, das heißt, sie glaubte, keinen die Empfindungen zusammenhaltenden Körper zu besitzen. In diesem Zustand erlebte sie ungemilderte Panik und Angst als Angeschwollensein mit Flüssigkeiten, die wie ein Wasserfall unkontrollierbar überschwappten. Aus unserer Sicht als Erwachsene sind diese Kinder spannungsgeladen und impulsiv. Das Kind erlebt dies aber als Verschüttetwerden, als rasendes, unkontrollierbares Herabstürzen. Das ist das Wesen des Wahnsinns. Mit dieser Kapsel von Wahnsinn in ihrem Seinsgrund wurde Jeans Gefühl von »Ichheit« (*I-ness*) stark beschädigt. Sie hatte das intensive Gefühl, wertlos zu sein. Sie glaubte, nichts zu taugen, ein »Un-Wesen«, ein »Niemand« zu sein. Tief innen hatte sie Angst vor Auslöschung und vor dem »Nichts«. In diesem Zustand glaubte sie, ein »Loch« zu haben. Autistische Objekte – in ihrem Fall eine belanglose Geschwätzigkeit – schienen das Loch zu stopfen (siehe Kapitel 6).

Später, als sie über Alfreds Reaktionen auf seinen Krankenhausaufenthalt sprach, begann sie sich wie eine Person aus Fleisch und

Blut zu fühlen, die in der Lage war, ein Übergangsobjekt – den Teddybär – zu gebrauchen, um sich in ihrer Einsamkeit zu trösten und sich ein Gefühl des Beisammenseins und der Zugehörigkeit zu verschaffen. Die Entwicklung dieses Übergangsraumes stellte eine wichtige Zwischenstation zwischen ihren Gefühlen einerseits, aus Flüssigkeiten zu bestehen, die entweichen oder weggenommen werden konnten, so daß sie »weg« war, und dem Gefühl andererseits, ein sicheres Körperbild und ein Selbstgefühl verbunden mit Seinskontinuität zu haben. Damit tauchte die Möglichkeit auf, zwischenmenschliche Beziehungen zu entwickeln und zu gestalten.

Ich möchte nun klinisches Material zur Illustration dieser »Übergangsphase« (Winnicott, 1958) unterbreiten. Das Material zeigt, daß das Wissen um solide, vom Körper getrennte Gegenstände ein notwendiger Auftakt für den Übergang von einem primär als flüssig erlebten »gefühlten Selbst« zu »Übergangsstadien« darstellt. In solchen Stadien fühlt das Kind, daß es innere und äußere Strukturen gibt, die die überfließenden, außer Kontrolle geratenden Flüssigkeiten aufnehmen und kontrollieren können. Wenn solche regulierenden Strukturen fehlen, glauben autistische Kinder, daß sie wie ein Insekt zertreten werden können, wie bei Kafka, der in »Die Verwandlung« sein eigenes Entsetzen klar schildert. Kafkas Gedanken kreisten fortwährend um das »Gesetz«. Darin zeigt sich das Bedürfnis des Psychotikers nach innerer Struktur, aber auch deren Mangel. Psychogen autistische Kinder haben versucht, diesen Mangel durch die Vortäuschung einer harten äußeren Schale zu kompensieren. Aber sie wurden zu Gefangenen ihrer autistischen Kunstgriffe. Reaktionen, die sich entwickelten, um das »Überfließen« zu regulieren, haben zur Schädigung ihrer Fähigkeit geführt, mit anderen Menschen in Beziehung zu treten. Erst mit der Herstellung innerer regulierender und stabilisierender Strukturen wird Spannung allmählich ausgehalten, werden Handlungen aufgeschoben, bis angemessene Ausdrucksmittel zur Verfügung stehen. In einer solchen Situation manifestieren sich Intentionalität und Zweckgerichtetheit. Das Kind beginnt zu spüren, daß es etwas Festes und Zuverlässiges besitzt, an dem es sich festhalten und gegen das es sich drücken kann.

Klinisches Beispiel 2

Ich möchte im folgenden klinisches Material zur Illustrierung der Anfänge einer Bewegung in Richtung einer inneren, die rauhen Impulse »eindämmenden« und verwandelnden Struktur vorstellen. Die Sitzung entnehme ich der Therapie eines fünfjährigen psychogen autistischen Kindes, das bei der französischen Psychoanalytikerin Anik Maufras de Châtellier in Behandlung war, die hin und wieder ihre Arbeit mit mir diskutiert. Am hier interessierenden Tag überraschte es Dr. Maufras, als sie ins Wartezimmer ging, um Pierre zu holen, daß er mitten auf dem Fußboden des Wartezimmers mit Bauklötzen spielte. Bei früheren Gelegenheiten pflegte er gleichsam schwebend im Zimmer umherzusausen oder still bei der Person zu sitzen, die ihn zur Klinik begleitet hatte. Und anders als früher ging er mit aufrechtem Körper zielgerichtet den Korridor zum Therapiezimmer entlang, als ob er nun ein unterstützendes Rückgrat besäße, während er bei früheren Gelegenheiten draußen vor dem Warteraum zusammensackte und auf dem Weg ins Therapiezimmer gestützt oder halb getragen werden mußte (siehe Anne Alvarez, 1980).

An diesem Tag tat Pierre im Therapieraum etwas Ungewöhnliches. Mit hoher Konzentration zeichnete er etwas auf das von Dr. Maufras bereitgestellte Blatt Papier. Er bezeichnete es als Vulkan. Dieser »Vulkan« hatte einen vertikalen Gang in der Mitte, durch den, wie er sagte, Lava durchbrach. Als er sah, wie sich Zucker in Wasser auflöste, bekam er Angst. Pierre war jetzt in der Lage, Dr. Maufras Gefühle mitzuteilen, die vorher unaussprechlich gewesen waren. Die Spannung des Wartens auf sie, das aufgeregte Nicht-abwarten-Können, in ihr Zimmer zu kommen, waren ihm so vorgekommen, als sei sein Verdauungstrakt voller träger, lavaartiger Flüssigkeiten, die er nicht einhalten konnte.

In den vorangegangenen Sitzungen war diese Lava offenbar durchgebrochen und hatte ihm das Gefühl vermittelt, »weg« zu sein. Das ließ ihn am Boden zusammensacken. In diesem Zustand war sein Existenzgefühl schwach. Er hatte Angst, sich aufzulösen und »weg« zu sein, wie das Stück Zucker. Heute war er in der Lage gewesen, mit den Klötzen zu spielen; das versetzte ihn in die Lage, zu warten und sich gestärkt zu fühlen. Er konnte sich im Besitz eines stützenden Rückgrats fühlen und die die lavaartigen Empfindungen zurückhalten und warten, bis er sie auf dem Papier darstellen konnte, um sie so mit Dr. Maufras zu teilen. Er glaubte, von ihrem aufmerksamen Bewußtsein getragen zu sein. Das versetzte ihn in die Lage, sein Überfließen zu antizipieren und einzudämmen. Er hatte weniger Angst, wie ein Vulkan zu explodieren und »weg« zu sein. Er entwickelte das Gefühl, im Besitz eines stabilen Körperbildes zu sein.

Autistische Kinder drücken der Außenwelt das Gepräge ihres Körperbildes – ihres »gefühlten Selbst« – auf. In seiner BBC-Fernsehserie (1981), »Der menschliche Körper«, brachte Jonathan Miller den Gedanken zum Ausdruck, daß »das gefühlte Bild eine Fiktion ist – ein vorgestellter Raum – wie eine Wackelpuddingform«. Die Außenwelt wird in dieser Form geformt. Das Bauen mit Klötzen mitten im Warteraum deutete darauf hin, daß Pierre glaubte, in seinem Körper etwas Festes zu haben, das es ihm erlaubte, sich dem angsterregenden, mit Lava gefüllten Gang zum Therapieraum zu stellen. So brauchte er nicht zusammenzusacken. Er begann allmählich, in sich eine innere, haltbietende Struktur wahrzunehmen, und konnte infolge der Entschlossenheit und Beständigkeit der Analytikerin erkennen, daß es auch in der Außenwelt eine solche haltgewährende Struktur gibt. Die zu Beginn dieses Kapitels zitierten Verse Tennysons implizieren, daß dies für das Gefühl, ein »Ich« zu sein, notwendig ist. Es ist auch zur Vermeidung von Wahnsinn oder jener falschen, schrecklichen Art der »Isolation« unerläßlich.

Beide Beispiele aus dem klinischen Material weisen darauf hin, daß Jeans und Pierres Impulsivität allmählich unter Kontrolle gebracht wurde. Sie wurden nach und nach im psychologischen Sinne zur Sauberkeit erzogen. Das hatte zur Folge, daß sie ihre Ängste mitteilen konnten. Da sein Existenzgefühl gesicherter war, konnte Pierre allmählich erkennen, daß er ein sicheres Körperbild besaß. Vorher hatte er geglaubt, daß er sich auflösen und »weg« sein könnte. Er war eine Anhäufung von Körperempfindungen gewesen ohne irgendein Gefühl von Festigkeit und Substantialität.

Die Bedeutung früher Körperempfindungen

Die hier zu entwickelnde These lautet, daß das »gefühlte Selbst« zunächst als Flüssigkeiten und Gase erfahren wird. Das ist keineswegs überraschend, denn das neugeborene Kind ist aus einem flüssigen Medium augetaucht, und seine erste Nahrung und seine Ausscheidungen haben mit Flüssigkeiten und Gasen zu tun. Wie Spitz (1960) zeigte, muß sich das Neugeborene an das Faktum anpassen, nicht mehr eine Wasserkreatur zu sein, sondern im Trockenen zu leben. Das ist eine große Anpassungsleistung, und man muß damit rechnen, daß Empfindungen, die mit dem Schweben in einem flüssigen Medium zu tun haben, fortleben und Teil des frühen Körperbildes werden.

Autistische Kinder lassen oft erkennen, daß sie zu schweben glauben. Für sie ist die Berührung mit der Realität ganz buchstäblich ein »Auf-die-Erde-Zurückkommen«. (Wenn wir auf diese Tiefenebenen aufmerksam werden, wird uns klar, wie sehr die vertrauten Wendungen der Alltagssprache von ihnen geprägt sind.) Solche Kinder gehen oft auf Zehenspitzen und wirken schwerelos. Wenn sie so schweben, glauben sie in der Lage zu sein, Ungewöhnliches wie fliegen, auf große Höhen klettern, auf einem Seil hoch über dem Boden tanzen usw. vollbringen zu können. Ja, machmal tun sie solche Dinge auch wirklich. Antonio zum Beispiel, dessen klinisches Material weiter unten in diesem Kapitel vorgestellt wird, kletterte zu Beginn seiner Behandlung sehr geschickt in große Höhen. Als ich am Putnam Center in Boston arbeitete, gab es dort ein kleines autistisches Mädchen, das auf einem hoch über dem Boden gespannten Seil gehen konnte. Solche autistischen Kinder vollbringen diese gefährlichen Taten ohne irgendeinen realistischen Sinn für Gefahr.

Paradoxerweise aber werden sie von phantasmatischen, illusorischen Ängsten heimgesucht. In ihren flüssigen, gasigen Zuständen haben sie zum Beispiel Angst davor, zu explodieren oder durch Löcher abzufließen. Wegzufließen oder zu explodieren heißt für sie Leersein, Vernichtung, das Nichts. Die Täuschungen im Zusammenhang mit autistischen Objekten sind in diesem Stadium sehr virulent. Eine ihrer Funktionen scheint darin zu bestehen, die Löcher zu stopfen, durch die »Ichheit« wegfließen oder durchbrechen kann.

Die glitschige Glätte des flüssigen Zustands kann durch Fluten, Wasserfälle, Strudel, Eruptionen und dergleichen gefährdet scheinen, die primitive Angst hervorrufen.

An anderer Stelle (Tustin, 1972, 1981) wurde auf Prozesse hingewiesen, die ich »Überfließen des Einssein« genannt habe (*flowing-over-at-oneness*). Diese Prozesse leisten einen Beitrag zum Erlebnis der »ursprünglichen Einheit« im Sinne Freuds. Zwei italienische Forscher, De Astis und Giannotti (1980), haben gezeigt, daß dieser frühe Austausch zwischen Mutter und Kind den Bruch der Geburtszäsur heilt.

Winnicott hat darauf hingewiesen (1958), daß dieser Austausch im Säuglingsalter auf Illusion beruht. Die Illusion scheint ein kontinuierliches, rhythmisches Ebben und Fluten zu sein. Für das Baby aber kann dieser heilende, reinigende Fluß zwischen Mutter und Kind in gewalttätiger und katastrophischer Weise zerbrochen erscheinen. Alle Säuglinge erleiden die Desillusionierung des Falles/der Vertreibung aus der scheinbaren Perfektion kontinuierlicher, seidener Glätte in die kaputte, rauhe Dunkelheit des Mangels an ersehnter, perfekter Befriedigung. Manche Kinder aber erleben diesen Fall aus dem Zustand der Gnade aus einer Reihe von Gründen als Katastrophe. Dies kann eine Folge von konstitutionellen Faktoren beim Kind oder von Umweltfaktoren oder beidem sein. Der Austausch scheint zusammenzubrechen. Die nahtlose Robe perfekter Perfektion scheint von Löchern durchsetzt zu sein. Bei neurotischen Kindern ist die Entwicklung eines Gefühls der »Ichheit« *gestört* worden, während sie bei autistischen Kindern durch katastropische Einwirkungen auf das »gefühlte Selbst« zum *Stillstand* gebracht wurde.

In der psychoanalytischen Behandlung müssen wir diesen transformierenden Austausch wieder in Gang bringen. Geneviève Haag, eine französische Psychoanalytikerin, hat uns gezeigt, daß die Kinder Hinweise auf den Beginn dieses heilenden Austausches geben, wenn sie ein aus zwei gleich langen, sich schneidenden Linien bestehendes Kreuz zeichnen. Sobald sie ein solches Kreuz zeichnen, so ihr Ergebnis, beginnen autistische Kinder, ein Körperbild mit einer unterstützenden, knochigen Innenstruktur zu entwickeln (Haag, 1983).

Dieses frühe Körpergefühl habe ich anhand von Jeans und Pierres

Material illustriert. Ich möchte nun klinisches Material weiterer psychogen autistischer Kinder präsentieren, um das Durcharbeiten dieser Zustände sowie die Herstellung eines gefestigteren Körperbildes zu illustrieren. Damit hebt zugleich die Entwicklung eines Gefühls für persönliche Identität und der Gebrauch des Personalpronomens »Ich« an.

Klinisches Beispiel 3

Antonio wird zur Zeit von Suzanne Maiello behandelt, die in Italien arbeitet und gelegentlich ihre Arbeit mit mir diskutiert. Antonio wurde mit fünfeinhalb Jahren an sie überwiesen und wird dreimal wöchentlich behandelt. Antonio war offensichtlich ein schwerer Fall von psychogenem Autismus. Maiello berichtet, daß er, als sie mit ihm zu arbeiten begann, vollständig in einem autistischen Zustand gefangen war (1982). Sie schreibt: »Seine großen grünen Augen schienen nicht zu sehen und mir und Gegenständen auszuweichen. Er sprach praktisch überhaupt nicht, brachte aber hin und wieder undeutliche Geräusche hervor, und gewöhnlich reagierte er nicht auf meine Deutungen.«

In dem flüssigen, gasigen, schwebenden Zustand, den ich im ersten Teil dieses Kapitels beschrieben habe, kletterte Antonio an Tür- und Fensterrahmen ziemlich hoch hinauf. Dabei zeigte er großes Geschick und nicht die geringste Angst. Dies begann sich zu ändern, als Antonio Angst vor fliegenden Vögeln entwickelte, mit denen er sich offensichtlich gleichsetzte. Auf unterschiedliche Weise zeigte er Dr. Maiello, daß sie die Vögel (ihn) in einen Käfig einsperren sollte, da er Angst hatte, daß sie (er) höher und höher fliegen und »weg« sein könnte(n). Maiello berichtet: »Es schien ihm wichtig zu sein, *unten* und *innerhalb* des Zimmers zu bleiben, wo ich mich aufhielt.« Maiello steckte ihren Patienten nicht in einen Käfig, sondern hielt ihn durch ihre engagierte Aufmerksamkeit, ihr konsequentes Verhalten und das relativ gleichbleibende Setting, in ihrer Aufmerksamkeit. Dies hinderte ihn daran, ihr wie die fliegenden Vögel zu entgleiten. Als Folge hiervon traten nach und nach positive Veränderungen ein. Eine davon war die Entwicklung von Vorstellungskraft und Phantasie.

Die Entwicklung eines Vorstellungsvermögens: Als Antonio die Erfahrung machte, fest, aber verständnisvoll getragen zu sein, hörte er wirklich zu klettern auf. Es wurde ihm bewußt, daß, obwohl er durch die Begrenzungen des Zimmers eingeschränkt war, er auch darin geborgen war. Ihm wurde auch bewußt, daß Zimmer verschlossene Türen haben konnten und er sie nicht betreten konnte. Diese Frustration stimulierte die Entwicklung von Phantasie. Manchmal stellte er sich wunderschöne Maiello-Dinge in den verschlossenen Räumen vor; bei anderen Gelegenheiten waren es bedrohliche Dinge. Die Entwicklung der Vorstellungskraft ist eine notwendige Voraussetzung dafür, daß ein gefestigten Körperbild aus dem frühen Fluß unkoordinierter Empfindungen hervorgehen kann. Dies und die Entwicklung von Erinnerung fördert das Zustandekommen eines Gefühls des kontinuierlichen Seins.

Die Kontinuität des Seins: Die Entwicklung dieser Erkenntnis zeigte sich bei Antonio an einigen interessanten Spielhandlungen mit Tunneln. Ja, »Tunnel« war das erste Wort, das er aussprach. Einmal verwendete er den Teppich als Tunnel und kroch mehrmals hindurch, wie Maiello sagt, mit »großem Interesse und großer Konzentration«. Als er den Teppichtunnel verließ und nach dem langwierigen Herumkriechen im Dunkeln wieder ans Licht kam, las sie einen »Ausdruck großer Überraschung auf seinem Gesicht«. Später in der Behandlung tat er dasselbe mit einem Spielzeugschaf, das er durch einen Tunnel aus Papier schob. Als es herauskam, begrüßte er es mit dem Schrei: »Da ist es!«, im Tonfall von »Erleichterung und Bestätigung eines erwarteten Ereignisses«. Offensichtlich wuchs Antonios Zuversicht, daß sowohl er und das Spielzeug weiterexistieren konnten, auch wenn sie außer Sicht waren und nicht betrachtet wurden.

Seine Berkeleyschen Vorstellungen wurden modifiziert. Er erkannte allmählich, daß Dinge eine existentielle Kontinuität besaßen, unabhängig davon, ob er sie gerade sah. Die mit der Nichtexistenz verbundene Angst und Verzeiflung wurden bearbeitet. So konnte Hoffnung auftauchen. Diese Entwicklungen fanden zum Teil als Folge der Realitätsprüfung statt, aber auch durch Antonios Gefühl, im Spiel über die Dinge Kontrolle ausüben zu können, darüber, ob

Dinge »da« oder »weg« seien. Ein paar Sitzungen später entwickelte er ein Spielverhalten, welches zeigte, daß er zu erkennen begann, daß Dinge *außer* seiner Kontrolle sein und dennoch existieren konnten. Das betraf sein Interesse an Wasserrohren.

Das Körperbild als Röhrensystem: Antonio interessierte sich sehr für das Wasser, das aus dem Abflußloch im Waschbecken durch ein Abflußrohr und ein Gitter im Fußboden abfloß. Er horchte auch am Abflußrohr der Toilette, wenn die Spülung betätigt wurde. Das Vorhandensein von Wasser in den Rohren konnte er annehmen, nicht aber sehen oder kontrollieren. Dieses Verhalten gab auch Hinweise auf die Art seines Körperbildes in dieser Phase. Als er seinen Fuß wusch, fragte er: »Was ist in meinem Fuß?«, als ob es ihm logisch erschienen, daß auch der Fuß Wasserrohre enthalten könnte.

Einen ähnlichen Vergleich scheint ein neun Monate alter Säugling, den die oben erwähnte französische Psychoanalytikerin Anik Maufras de Châtellier beschreibt, gezogen zu haben. Maufras berichtet: »Louise hatte eine kleine Tube in ihren Händen. Sie steckte ihren linken Zeigefinger in die Öffnung der Tube und dann mit einem nachdenklichen Gesichtsausdruck in das linke Ohr. Sie steckte dann sofort den rechten Zeigefinger in die Öffnung der Tube und danach in das rechte Ohr.« Es spricht einiges dafür, daß Louise sich fragte, ob die Ohren zu ähnlichen Tuben im Kopf führten wie die Tube, die sie in der Hand hielt.

In einem originellen Aufsatz mit dem Titel *The notion of a psychotic body image in neurotic and psychotic patients* legt der argentinische Psychoanalytiker David Rosenfeld interessantes Material erwachsener Patienten vor, welches zeigt, daß ihr Körperbild in stark regredierten Zuständen einem Rohrsystem entsprach, von dem sie annahmen, es kontrolliere den Fluß der Körperflüssigkeiten. Rosenfeld (1981) weist darauf hin, daß dieses scheinbare Zusammenhalten der Körperflüssigkeiten durch die Vorstellung vom Körper als einem Röhrensystem noch elementarer ist als das von Esther Bick (1968) beschriebene Körperbild. Bick hatte die Container-Funktion der Haut untersucht. Didier Anzieu, ein französischer Psychoanalytiker, hat ebenfalls über die containende Funktion der Haut für die Entwicklung des Selbstgefühls geschrieben und hat den Ausdruck »moi-peau«, »Haut-Ich«, geprägt (1974). Meine eigene klinische Arbeit bestätigt, daß die Vorstellung vom Körper als einem System von Röhren elementarer ist als die Vorstellung vom durch die Haut zusammengehaltenen ganzen Körper. Doch das »Röhrensystem«-Körperbild impliziert das Bewußtsein von »Innenräumen« und auch das Bewußtsein äußerer Situationen und Identifikation mit ihnen. Es ist ein Schritt weg vom undifferenzierten Autismus zu einem vorläufigen Gewahrsein des »Ichs« und »Nicht-Ichs«. Übergangsaktivitäten kommen in den Bereich des Möglichen. Doch Maiellos Patient bewegte sich auch von der Vorstellung des Körpers als Röhrensystem zum propriozeptiven Bewußtsein, daß sein Körper eine kohärente Form und Gestalt besitze, die durch eine Haut zusammengehalten würde, die ihm Umrisse verlieh. Er begann zu erkennen, daß sein Körper ein Objekt unter Objekten war, die allesamt identifizierbare Formen und Gestalten und unterscheidende Namen hatten.

Die Entwicklung eines kohärenteren Körperbildes: Als er acht Jahre alt war, nahm Antonio in einem Wutanfall nach einem frustrierenden Erlebnis einen Spielzeuglöwen auseinander, den er von zu Hause mitgebracht hatte. Der Löwe bestand aus Plastikstäben, die so montiert waren, daß er wie ein Akkordeon auseinandergezogen und zusammengepreßt werden konnte. Nach einer Deutung Maiellos auf der Grundlage von Donald Meltzers Konzept des »Auseinandernehmens« (Meltzer et al., 1975) versuchte Antonio, den Löwen wieder zusammenzubauen. Aber er tat es aufs Geratewohl, so daß als Ergebnis »ein bizarres Objekt« herauskam (Bion, 1962b).

In der darauffolgenden Sitzung nahm Antonio den notdürftig zusammengefügten Löwen auseinander, sammelte die Teile auf und legte sie auf Dr. Maiellos Schoß. Da er offensichtlich um Hilfe bat, setzte sie den Löwen richtig zusammen, so daß er wie ein Löwe aussah. Doch während er in der Lage gewesen war, Dr. Maiello bei der Konstruktion des papiernen Tunnels, durch den das Schaf hin und her geschoben wurde, zuzuschauen, mochte er nicht zusehen, wie sie den Löwen zusammenbaute. Er kehrte ihr den Rücken zu und begab sich in eine entfernte Ecke des Zimmers. Als sie fertig war, inspizierte er den zusammengefügten Löwen und holte dann einen zweiten Löwen, der zum Spielmaterial gehörte, das Maiello ihm bereitgestellt hatte und der nicht auseinandergenommen werden konnte. Er verglich ihn mit dem anderen Akkordeon-Löwen und gab ihm den Namen »Löwe«.

Maiello kommentiert: »Ich hatte den Eindruck, daß Antonio dies als eine Art von Beweis betrachtete, daß ein Gegenstand, der auseinandergenommen worden und auseinandergefallen ist, wieder zu einem ganzen Objekt werden kann, das richtig funktioniert und so aussehen kann wie andere Objekte derselben Art, und weiter, daß er als ganzes Objekt einen Namen haben konnte.« In der darauffolgenden Sitzung nahm Antonio tatsächlich den Schlüssel seiner Schublade und entfernte das Etikett, das daran befestigt war. Dann schrieb er seinen Nachnamen und Vornamen auf dieses Etikett. Doch obwohl er seinen Namen richtig *aussprach, schrieb* er ihn mit durcheinandergewürfelten Buchstaben, ähnlich wie der schlecht zusammengefügte Löwe.

Diskussion: Antonio erkannte offensichtlich, daß es die Möglichkeit gab, einen kohärenten Außenkörper zu haben, der eine Ganzheit mit einer charakteristischen Form und Gestalt und einem Namen, der ihn von anderen Gegenständen unterschied, sein konnte. Dieses Material wirft jedoch eine Reihe von Fragen auf. Erkannte Antonio, daß zwei Dinge gleich aussehen konnten und sogar den gleichen Namen haben, aber in bestimmter Hinsicht unterschiedlich sein konnten? (Der Akkordeon-Löwe war anders als der Spielmateriallöwe.) Spürte er, daß er sich mit Maiello als ganzer Junge fühlen konnte – weil sie seine explosiven Wutausbrüche aushielt und verstand –, während er zu Hause immer noch auseinanderzufallen glaubte, wenn er wütend war und dann das Gefühl hatte, in falscher Weise zusammengefügt zu werden? (Wir erinnern uns, daß er den ersten Löwen von zu Hause mitgebracht hatte, während der andere zu dem von Maiello bereitgestellten Spielmaterial gehörte.)

Warum konnte er nicht zusehen, als Maiello versuchte, den Löwen zusammenzubauen? Vielleicht, weil er spürte, daß es eine viel komplexere Aufgabe war, als einen Papiertunnel zu bauen, und daß er es nicht ertragen konnte, den komplexen Vorgang anzuschauen, weil es ihm seine Abhängigkeit von Maiello ins Bewußtsein brachte? Oder wollte er sich selbst vortäuschen, daß er es selbst getan hätte? Diese Täuschung wäre durch das Hinsehen zunichte gemacht worden. War er neidisch auf ihre Fähigkeit, konstruktiv zu sein, und wollte ihre Bemühungen negieren? Guckte er nicht zu, weil er fühlte, daß der Löwe seinem eigenen Körperbild ähnelte, das nicht gesehen werden konnte und als auseinandergebaut erscheinen konnte? Ähnelte der intaktere Löwe der äußeren Erscheinung seines Körpers? Fühlte er, daß es eine Diskrepanz gab zwischen dem illusorischen »privaten Phantom«, das aus seinen Körperempfindungen gebildet war, das flüchtiger war als die substantielle Realität seines »öffentlichen Körpers«, um einen Ausdruck von Jonathan Miller zu verwenden? Um es anders zu formulieren: Erkannte er, daß sein »gefühltes Selbst« anders war als sein äußerer Körper, der intakter und dauerhafter schien? Entwickelte sich ein tieferes Gewahrsein seiner körperlichen Getrenntheit? Begann er, klarer zwischen innerer und äußerer Realität zu unterscheiden?

Im Anschluß an die Bearbeitung des Löwenmaterials wurden Antworten auf einige dieser Fragen durch Informationen der Eltern über Antonios Spielverhalten zu Hause gegeben sowie durch Aktivitäten in späteren Sitzungen. Die Information der Eltern betraf Antonios Interesse am Unterschied zwischen der äußeren Erscheinung seines Körpers und seinem subjektiven, propriorezeptiven Körperbild.

Die äußere Erscheinung des Körpers: Die Eltern berichteten, daß Antonio stundenlang spielte, indem er in einem langen Spiegel sein Spiegelbild betrachtete, um es dann mit Seifenwasser zu zerstören. Danach wischte er den Spiegel sauber, so daß sein Spiegelbild wieder erschien. Zuerst mag Antonio gedacht haben, daß es ein anderer Junge war, der im Spiegel erschien, aber da die Eltern auch berichteten, daß er während dieser Periode des Spiegelspiels ein Foto von sich erkannt hatte, muß er zu der Erkenntnis gelangt sein, daß es sich um ein Spiegelbild *seines* Körpers handelte. Spiegel sind sehr magische Dinge für Kinder. In der Welt der Spiegel scheinen alle

Arten von unmöglichen Dingen möglich. Indem er sein Spiegelbild mit Seifenwasser bedeckte, konnte Antonio es kaputt- und »weg«-machen – und indem er den Spiegel putzte, kam das Spiegelbild als ganzes Objekt zurück. Vielleicht glaubte er, daß er denselben Zauber bewirken konnte, wie es Maiello mit dem Löwen tat. Sicherlich konnte er durch sein Spiel wieder glauben, die Kontrolle darüber zu haben, daß die Dinge »da« oder »weg« seien.

Doch seine Spiegelbildaktivitäten brachten auch ganz realistische Vorteile. Es muß für ihn beruhigend gewesen sein festzustellen, daß sein tatsächlicher Körper blieb, obgleich das Spiegelbild zerstört worden war. Er wurde sich der Faktizität seines Körpers bewußt, der existentielle Kontinuität in Zeit und Raum besaß. Er erkannte, daß er einen wirklichen Körper hatte, der anders war als sein subjektives Körperbild. Dieses Körperbild war substanzlos im Vergleich mit der kompakten Realität seines wirklichen Körpers. Kleinianisch formuliert, tauchte neben den »unbewußten Phantasien« über seinen Körper auch die Erkenntnis auf, daß er einen wirklichen, materiellen Körper besaß. Er entwickelte den Gedanken, daß er ein wirklicher, lebendiger, konkreter Junge war, über dessen Spiegelbild und Fotografie er sagen konnte: »Das bin ich.« Er begann zu spüren, daß er als Ich existierte.

Die Repräsentation seiner selbst und anderer Objekte: Indem er das Spiegelbild und die Fotografie als Repräsentationen seiner selbst erkannte, näherte sich Antonio einer Selbstrepräsentation an. In Zusammenhang hiermit fanden wichtige neue Entwicklungen in seinen Sitzungen mit Maiello statt. Es war zu erkennen, daß Antonio wußte, wenn er eine Repräsentation eines Objektes schuf, daß die Vorstellung, die er in seinem Kopf hatte, irgendeine Übereinstimmung mit der äußeren Erscheinung eines Objektes haben mußte, obgleich seine Repräsentationen in einem anderen Medium existierten. In einer wunderschön detaillierten Beobachtung berichtet Maiello über diesen wichtigen Fortschritt wie folgt: »Plötzlich und mit großer Zielstrebigkeit holt Antonio ein Blatt Papier und die Schere und beginnt, das Papier zu zerschneiden. Ich spüre, daß er etwas ausschneidet, dessen Vorstellung er im Kopf hat. Er schneidet einen Papierstreifen, schneidet diesen dann in vier Rechtecke. Er sitzt auf dem Boden mit weit ausgestreckten Beinen und legt die Rechtecke in einer Linie zwischen seinen Beinen vor sich hin. Er guckt dann in Richtung der Kommode und kopiert die Anordnung der Schubladen, jeweils zwei übereinander. Er schaut wiederholt auf das Original, bis die Reproduktion perfekt geworden ist.

Dann schneidet er weitere Rechtecke ab, immer vier aus einem Streifen. Ergeben sich zufällig fünf, wirft er das fünfte fort. Auf der linken Seite fertigt er mit den Papierrechtecken weitere Kopien der Kommode an. Während er die ersten beiden Kopien anfertigt, schaut er auf die Vorlage zwischen seinen Beinen, um sicherzustellen, daß sie korrekt sind. Aber er schaut niemals wieder auf die wirkliche Kommode, um die Korrektheit seiner Repräsentation daran zu überprüfen. Schließlich werden die anderen Kopien angefertigt, ohne daß er auf die wirkliche Kommode oder die Vorlage zwischen seinen Beinen achtet. Diese letzteren fertigt er auswendig an – aus dem Gedächtnis.«

Es war, sagt Maiello, als ob er eine zentrale »Matrix« gehabt hätte. Es war um diese Zeit, als Antonio sich selbst als »Ich« zu bezeichnen begann. Er hatte begonnen, ein Selbstgefühl zu besitzen. Er war nicht mehr autistisch.

Die Entwicklung innerer Vorstellungen: Es spricht einiges für die Annahme, daß Antonios Körperbild immer mehr mit der wirklichen Erscheinung seines Körpers übereinzustimmen begann. Er erkannte auch, daß durch Erinnerung, Sichbesinnen und Repräsentation Objekte (zu denen er auch selbst gehört) Seinskontinuität haben können, selbst wenn sie nicht gegenwärtig sind und gesehen, berührt und in die Hände genommen werden können. Dinge, die gesehen und genossen worden sind, »blitzen auf vor jenem inneren Auge, der Wonne der einsamen Tage«, wie es Wordsworth formulierte. Die Einsamkeit, ein »Ich« zu sein, wird erträglich. Individualität bildet sich heraus. Später, wenn der Glanz der Selbstgefälligkeit Risse zu bekommen beginnt und die Selbstüberschätzung aufgegeben wird, wird die Aktzeptanz möglich. Aber das ist eine andere Geschichte.

Die Entwicklung einer »Ichheit« bei normalen und autistischen Kindern

Um mit dem Thema dieses Kapitels fortzufahren: Margaret Mahler verwendet die Metapher »psychische Geburt«, um das Entstehen eines Selbstgefühls zu bezeichnen. In der normalen Entwicklung beginnt es ihrer Auffassung nach im Säuglingsalter und setzt sich das gesamte Leben hindurch fort. Antonio mußte bis zum achten Lebensjahr warten, bis dieser entscheidende Prozeß einsetzte. Eine wichtige Voraussetzung dafür ist das Gefühl, daß die als gefährliche Flüssigkeiten und Gase empfundenen Impulse aufgenommen, contained, wiederverwertet, reguliert und in die richtige Richtung umgeleitet werden, so daß die Spontaneität keinen Schaden erleidet. So unterbrechen »Wasserfälle«, »Vulkane« und dergleichen unkontrollierbares »Überfließen« nicht den schöpferischen heilenden Austausch zwischen den Bezugspersonen und demKind. Ihnen stehen Ausdruckskanäle zur Verfügung. Gefühlsbindungen werden hergestellt. Emotionale und kooperative Beziehungen können ihren Anfang nehmen. Bis das geschieht, versuchen autistische Kinder mit verschiedenen wirkungslosen Mitteln, dieses gefährliche »Überfließen« unter Kontrolle zu bringen. Sie versuchen es mit der Täuschung der Einkapselung, die Stimulation ausschließt; schizoide Kinder versuchen es zu erreichen, indem sie sich innerhalb der Mutter und anderer Gegenstände zu entfalten versuchen; manche deprivierten Kinder entwickeln einen frühreifen Gebrauch von Worten, andere eine intellektuelle Frühreife (James, 1960).

Autistische Kinder sind voller Schrecken und Fehlauffassungen. Diese falschen Vorstellungen betreffen ihr Körperbild und helfen nicht, die Schrecken zu mildern. Das hemmt die Entwicklung eines normalen Selbstgefühls. In seiner lebendigen Art spricht Jonathan Miller (1981) vom normalen Körperbild als dem »durchsichtigen Handschuh der Möglichkeit eines Selbst«. Seine BBC-Serie basierte auf Ergebnissen aus der Arbeit mit Patienten, die Körperamputationen oder neurologische Operationen hinter sich hatten, sowie auf Paul Schilders faszinierendem Buch *The image and appearance of the human body* (1935). Dieses Kapitel basiert auf Ergebnissen von Kindern mit einer beschädigten Psyche, entweder weil sie zu unvermittelt und zu früh der Realität ausgesetzt wurden oder weil sie davor übertrieben geschützt und, wie es in der Umgangssprache heißt, »verwöhnt« wurden.

Bei allen diesen Kindern schien das Körperbild beschädigt zu sein. Das bedeutet, daß ihr Selbstgefühl ebenfalls geschädigt war. Es ist ermutigend zu sehen, daß bei einsichtsvoller und hingebungsvoller Arbeit diese Schädigung zumindest bei bestimmten jungen psychogen autistischen Kindern geheilt werden kann. Bei einer ihren Bedürfnissen angepaßten Behandlung können sie in die Lage versetzt werden, Körperbildprozesse durchzuarbeiten, die in der frühen Kindheit hätten stattfinden sollen. Doch sie tun dies ein wenig anders als das normale Kind. In der klinischen Situation beobachten wir langsame und umständliche Entwicklungen, die beim normalen Kind sehr viel schneller und in einem viel früheren Stadium ablaufen. Das Spielverhalten des achtjährigen Antonio mit dem Spielzeugschaf, das er hin und her schiebt, ähnelt dem Spielverhalten des 18 Monate alten Kleinkindes, das Freud in *Jenseits des Lustprinzips* (1920g) beschreibt, das eine Holzspule am Rande des Kinderbettchens zum Verschwinden und Wiederauftauchen brachte. Auch das Spiel des neunjährigen Antonio mit seinem Spiegelbild ähnelt dem Spielverhalten dieses 18 Monate alten Kindes bei Freud. Doch bei dem Kind, das Freud beobachtete, traten das Ereignis mit der Holzspule und das Spiegelspiel etwa zur gleichen Zeit auf. Für Antonio gab es eine Lücke von einjähriger Dauer zwischen beiden Ereignissen.

Jonathan Miller hat beobachtet, daß »das Körperbild mühsam durch die Bewegungen der Gliedmaßen gebildet wird«. Als Säuglinge sind autistische Kinder sehr passiv und bewegen ihre Gliedmaßen nicht so viel wie normale Kinder. Das könnte ein Grund für den elementaren Charakter ihres Körperbildes sein. Die Erforschung der steifen und zögernden Herausbildung des Körperbildes psychogen autistischer Kinder und ihres Gefühls, ein »Ich« zu sein, führt uns die beeindruckende Komplexität der Aufgabe vor Augen, die normale Kinder bewältigen, ohne daß ihnen überhaupt bewußt wird, was vor sich geht.

Schlußfolgerung

Im Zusammenhang mit der Bedeutung des Körperbildes bei der Entwicklung eines gesicherten und authentischen Gefühls von »Ichheit« habe ich versucht, vom Standpunkt des Patienten aus zu schreiben. Folglich hat dieser Beitrag eher einen empathischen als theoretischen Charakter. Ich habe zu zeigen versucht, daß ursprüngliche Empfindungszustände für die Entwicklung des Körperbildes und Selbstgefühls von grundlegender Bedeutung sind. Die Schwierigkeit, solche nonverbalen Zustände kommunikabel zu machen, habe ich zu berücksichtigen versucht.

Doch sind es die Bedürfnisse einiger unserer Patienten, die uns veranlassen, ihre Zustände und Besonderheiten zu beschreiben, genauso wie ihre Bedürfnisse sie zwingen, sie uns mitzuteilen. Im Bestreben, solche Zustände zu verstehen, habe ich hier klinisches Material vorgestellt, um zu zeigen, daß in diesen frühen Stadien Impulsivität als fließendes Wasser oder explosive Körperflüssigkeiten und -gase erlebt wird. Wenn die Kinder in der Behandlung die Härte von Frustration in einer gesunden und fürsorglichen Umgebung erfahren und wenn sie spüren, daß die unkontrollierbaren »Wasserfälle« und »Vulkane« ihrer Impulsivität durch einen anderen Menschen, der sowohl Sensibilität als auch einen robusten gesunden Menschenverstand besitzt, angenommen, verarbeitet und verstanden werden, wird ihr Körper materieller und intakter. Sie beginnen zu spüren, daß sie eine innere Struktur besitzen und daß es eine Außenstruktur gibt, die ihnen hilft, das ehemals Unerträgliche zu ertragen. Diese unerträglichen Empfindungen schienen in einer unkontrollierbaren Weise hervorzuströmen, die ihr Selbstvertrauen untergrub. Sobald sie spüren, daß sie gehalten und »contained« werden, beginnen diese Kinder, Hoffnung und Zielgerichtetheit zu entwickeln.

Klinisches Material wurde auch vorgelegt, um das Aufkommen eines Gewahrseins zu illustrieren, daß das eigentliche Körperbild eine kohärente Entität ist, die in Raum und Zeit Beständigkeit hat. Wenn das Körperbild mit dem wirklichen Körper immer mehr übereinzustimmen beginnt, entwickelt sich ein gefestigteres Gefühl von Existenz und Identität. Das Kind beginnt zu spüren, daß es einen Namen hat und ein eigenständiges Individuum ist. All dies hängt mit der Entwicklung einer Beziehung zum Therapeuten als der »Brust der frühen Kindheit« zusammen. Die Entwicklung geistiger Vorstellungen trägt zur Gewißheit einer dauerhaften Existenz bei. Erinnerung, Reverie und Repräsentation werden möglich. Das »Alleinsein« und die isolierende »Einsamkeit«, ein »Ich« zu sein, werden so gemildert.

14. Kapitel
Anorexia nervosa bei einem jungen Mädchen

Ich habe Mauern um mich errichtet,
Eine hohe, feste Burg,
Uneinnehmbar.
Freundschaft brauche ich nicht.
Freundschaft schmerzt.
Ihr frohes Gelächter, ihre Liebe
Verachte ich.
Ich bin ein Fels.
Ich bin eine Insel.

Ich habe meine Bücher, meine Gedichte,
Die mich beschützen.
Mein Panzer schirmt mich ab,
Versteckt in meinem Zimmer,
Geborgen in meinem Mutterleib.
Ich berühre niemanden, niemand
Berührt mich.
Ich bin ein Fels.
Ich bin eine Insel.

Ein Fels kennt keinen Schmerz,
Eine Insel weint nie.

Liedtext zu: Paul Simon, *Ich bin ein Fels*

Diesen Liedtext von Paul Simon erhielt ich von Jean, der magersüchtigen Patientin, die wir im 12. und 13. Kapitel kennengelernt haben. Sie sagte mir, er würde das, was sie fühle, zum Ausdruck bringen. Anhand dieses Liedtextes sehen wir, daß es Ähnlichkeiten zwischen den Erfahrungen einer magersüchtigen Patientin und denen autistischer Kinder gibt. Margaret, die Patientin, die in diesem Kapitel[1] erörtert werden soll, litt unter der Urdepression (siehe Kapitel 4), die auch dem Autismus zugrunde liegt.

1 Es handelt sich hier um meinen ersten, 1958 verfaßten klinischen Aufsatz. Als ich mit Margaret arbeitete, hatte ich bereits Erfahrung mit autisti-

Die Literatur

Schon 1694 führte Richard Morton die Bezeichnung »nervöse Schwindsucht« für Magersucht ein und vertrat die Ansicht, daß die »unmittelbare Ursache dieser Krankheit im Nervensystem angesiedelt« sei. Frühe Forschungsarbeiten über Magersucht, insbesondere diejenigen von Lasègue (1873) und Gull (1873), waren bestrebt, die überragende Bedeutung emotionaler Faktoren als Ursache herauszustellen. Beide Arbeiten liefern Beschreibungen des auffallend konsistenten Krankheitsbildes dieser Patienten. Spätere Arbeiten setzen die psychogenetische Ursache von Magersucht voraus. Zwei wichtige amerikanische Abhandlungen, die eine von Rahman, Richardson und Ripley (1939), die andere von Waller, Kaufman und Deutsch (1940), zeigen anhand vergleichender Fallstudien, daß diese Patienten im Persönlichkeitsbild, in ihrem Phantasieleben und der Bedeutung spezifischer Einzelheiten der Familiensituation ebenso wie in ihrem Symptombild Ähnlichkeiten aufweisen.

Im Jahre 1948 schrieb Clifford Scott wie folgt über Magersucht: »... bis heute ist wenig unternommen worden, um den spezifischen Verbindungen zwischen Symptomen und Triebleben, Imagination und zwischenmenschlichen Beziehungen nachzuspüren.« Ich möchte hier versuchen, solchen Verbindungen nachzugehen, indem ich die emotionalen Prozesse beschreibe, die mit den Gewichtsschwankungen und Eßstörungen eines heranwachsenden Mädchens, das als schwerer Fall von Anorexia nervosa diagnostiziert worden ist, zusammenhängen, Verbindungen, die im Rahmen einer bestimmten therapeutischen Technik beobachtet worden sind. Ich beabsichtige keineswegs, einer bestimmten Therapiemethode das Wort zu reden. Im Anschluß an die Fallbeschreibung werde ich andere Therapeuten zu Wort kommen lassen, die andere intensive Techniken anwenden. Ich hoffe, daß dieser Vergleich von Material, das in Langzeitbehandlungen gewonnen wurde, jene unbewußten Prozesse erhellen wird,

schen Kindern gesammelt, aber die Verbindung von Anorexie und Autismus war mir zu dieser Zeit noch nicht bekannt. Sie liegt aber dem hier darzustellenden klinischen Material zugrunde. Abgesehen von geringfügigen redaktionellen Änderungen gebe ich den Aufsatz hier wieder, wie er im *British Journal of Medical Psychology* (1958, 31, S. 184–200) erschienen ist.

die in kurzfristig angelegten Behandlungsformen sowie in den sich spontan aufklärenden Fällen ins Spiel kommen. Dies könnte auch zu erklären helfen, warum es nach einer scheinbaren Heilung so viele Rückfälle gibt. Die Gewichtsschwankungen meiner Patientin und die damit zusammenhängenden unbewußten Prozesse können uns auch helfen, das Oszillieren zwischen Magersucht und Bulimie, das gelegentlich für solche Fälle charakteristisch ist, zu verstehen. Wenngleich die Magersucht (bei Margaret) plötzlich aufgetreten zu sein scheint, wird es ersichtlich, daß die Krankheit in Wirklichkeit eine lange Vorgeschichte hatte und Ausdruck einer tiefsitzenden und länger bestehenden neurotischen Störung war. Dieser Aufsatz ist ein Versuch, unser Verständnis der Faktoren dieser Störung zu verbessern.

Bei den Vorbereitungen für die Niederschrift dieses Aufsatzes habe ich eine Analyse der vollständigen Notizen der ersten eineinhalb Jahre der Behandlung vorgenommen. Das Material jeder Sitzung habe ich in einer Spalte kurz dargestellt, und meine Schlüsse bezüglich dieses Materials habe ich in der danebenstehenden Spalte zusammengefaßt. Diese Zusammenfassungen liegen dem nun folgenden Bericht zugrunde. Außerdem habe ich eine Graphik (S. 293) zur Illustration der Gewichtszu- und -abnahmen während dieser Behandlungsperiode angefertigt. Im Verlauf der Behandlungsbeschreibung werden die Gewichtsschwankungen zu den unbewußten Phantasien, die, so schlußfolgerte ich, in ihrem Verhältnis zu mir auftauchten, in Beziehung gesetzt. Ich beabsichtige, unter Verwendung eines Minimums an Fachbegriffen einen einfachen, deskriptiven Bericht meiner Arbeit mit dieser Patientin zu geben, damit Therapeuten mit einer anderen Ausbildung als der meinen ihre Erfahrung mit ähnlichen Patienten als Vergleich heranziehen können.

Klinisches Material

Margaret wurde viele Jahre, bevor ich Jean kennenlernte, behandelt. Sie war 13, als sie am 16. November 1955 zum ersten Mal auf die Kinderstation eines großen allgemeinen Krankenhauses kam. Gründliche Körperuntersuchungen hatten keine organische Ursache für ihre Nahrungsverweigerung und Gewichtsabnahme ans Tageslicht gebracht, und so wurde sie von dort in die psychiatrische Abteilung des gleichen Krankenhauses überwiesen. Bevor die Psychotherapie am 9. Januar 1956 aufgenommen wurde, wog Margaret gerade noch 25 Kilo. Ihre Haut war blau verfärbt, und die Kinderärzte waren überzeugt, daß sie sterben müßte, wenn ihr nicht sofort geholfen würde.

Ihre Lehrer beschrieben Margaret als ein ruhiges, wohlerzogenes Mädchen. Ihre Mutter bestätigte diese Einschätzung und sagte, daß sie von Kindesbeinen an kaum mit Spielzeug gespielt und es sauber und fast unberührt gelassen hätte. Margaret weigerte sich, Nahrung zu sich zu nehmen, wenn sie der Meinung war, es befände sich auch nur eine Spur Schmutz daran. Ihr Blutkreislauf war schwach, und im Winter litt sie stark unter Frostbeulen. Zu dieser Zeit menstruierte sie noch nicht.

In ihrem Beratungsgespräch mit dem pädiatrischen Sozialarbeiter datierte Margarets Mutter die Anorexie zurück auf September 1955, den Anfang des neuen Schuljahres, als Margaret erzählt hatte, sie wollte schlank werden, da sie Angst hätte, für die Tanzprüfung im November zu dick zu sein. Sie hatte seit dem neunten Lebensjahr Ballettanz gelernt und bereits eine Prüfung abgelegt. Trotz des Drucks und der Überredungsversuche beider Eltern hörte sie praktisch zu essen auf. Zur selben Zeit wurde ihrer Klasse ein Aufklärungsfilm vorgeführt, bei dem Margaret ohnmächtig wurde. Sie sagte, über Blut zu reden oder Blut zu sehen verursache ihr Übelkeit und sie wolle über Sex oder Menstruation nichts wissen. Margaret zeigte, ebenfalls im September, großes Interesse für die Schwangerschaft einer Tante und einer Nachbarin.

Als Margaret während des Krieges zur Welt kam, war der Vater bei der Marine. Sie wurde vier Monate lang gestillt, bis die Mutter aus Sorge und Kummer anläßlich der Nachricht, daß das Schiff des Vaters vermißt wurde, keine Milch mehr hatte. Drei Monate lang hörte sie von ihm nichts, und während dieser Zeit war sie sehr depressiv. Erst später erfuhr sie, daß er lebte und wohlauf war. Margaret gewöhnte sich schlecht an die Flasche und trank nur zurückhaltend. Von da an bis zum zehnten Lebensjahr war sie in ihren Eßgewohnheiten sehr wählerisch. Sie weigerte sich auch später, bestimmte Nahrungsmittel zu sich zu nehmen. Eines davon war Zucker, den sie zurückwies, nachdem die Mutter ihr erklärt hatte, daß sie selbst Zucker benötige, um nicht in ein Insulinkoma zu fallen. Die Mutter mußte häufig zur Gewichtskontrolle ins Krankenhaus, weil sie Probleme hatte, eine vorgeschriebene Diät einzuhalten.

Die Mutter bekam Diabetes, als Margaret zwei Jahre alt war. Als sie drei wurde, wurde der Vater aus der Marine entlassen. Die Mutter wurde sofort wieder schwanger. In diese Zeit fiel ein Krankenhausaufenthalt Margarets wegen eines Magen-Darm-Katarrhs. Als ihr Vater nach Hause kam, gab es anfänglich starke Spannungen zwischen den Eltern; die Mutter berichtete, sie hätten ein Jahr gebraucht, um sich wieder aneinander zu gewöhnen.

Bis zum sechsten Lebensjahr Margarets schlief die ganze Familie in einem Schlafzimmer. Margaret bekam ein eigenes Zimmer, als sie eine Sozialwohnung zugewiesen bekamen, aber gelegentlich, wenn die Mutter in ein Insulinkoma fiel, wurde sie vom Vater ins elterliche Schlafzimmer gerufen, um ihm zu helfen.

Zur Zeit der Überweisung bestand die Familie aus Mutter und Vater, Margaret (13), Robin (11), Dennis (8) und Jack (6½). Margaret und die Jungen zankten sich andauernd. Der Vater brachte offen zum Ausdruck, daß er die Jungen lieber mochte, ignorierte Margaret und wies sie zurück. Aber als sie im Krankenhaus war, besuchte er sie und brachte ihr Geschenke. Die Mutter berichtete, daß sie und Margaret eine sehr enge Beziehung zueinander hatten und daß ihr Margaret oft erzählte, wie sehr sie ihren Vater haßte. Sie berichtete auch, daß Margaret für sie wie eine jüngere Schwester sei, der sie alles erzählen könne. In der Behandlungssituation wurde jedoch deutlich, daß Margaret ihrer Mutter gegenüber feindselige Gefühle hegte. Die Mutter hatte als junges Mädchen Tänzerin werden wollen. Sie hatte sich auch sechs Kinder gewünscht, aber aufgrund ihrer Diabetes ließ sie sich nach der Geburt des vierten Kindes sterilisieren.

Mutter und Vater hatten beide ein enges Verhältnis zu den eigenen Eltern, und jeder Teil mißbilligte das bei dem anderen. Kurz gesagt: Es sah so aus, als ob das Familiengleichgewicht zum großen Teil darauf beruhte, daß der eine Teil sich gegen den anderen zusammenschloß: Jungen gegen Mädchen – Vater gegen Mutter – die Verwandtschaft väterlicherseits gegen die Familie mütterlicherseits.

Nach dem ersten Anamnesegespräch wurden die Eltern nicht mehr vom psychiatrischen Sozialarbeiter aufgesucht. Wenn sie Sorgen hatten, gingen sie zum Psychiater, der die medizinische Verantwortung für den Fall übernommen hatte. Ich hatte Margaret vor Beginn der Behandlung nicht zu Gesicht bekommen. Zu Beginn der Therapie kam sie dreimal wöchentlich zu halbstündigen Sitzungen. Infolge meines Arbeitspensums am Krankenhaus war ich nicht in der Lage, mehr Zeit für sie freizuhalten. Während der ersten zweieinhalb Behandlungsmonate wurde sie im Krankenhaus stationär behandelt, danach kehrte sie heim und besuchte mich an denselben Tagen als ambulante Patientin.

Anfangs, als wir im oft stillen Zimmer zusammensaßen, wurde ich von ihrer Verzweiflung über ihre Lage angesteckt und fühlte mich unfähig, ihr zu helfen. Hinzu kam, daß die Ängste des pädiatrischen und Pflegepersonals meine eigenen Ängste verstärkten. Sie waren jedesmal sehr beunruhigt, wenn Margarets Gewicht sank oder stagnierte oder sie nicht so zunahm, wie sie es gerne gesehen hätten. Mein Psychiaterkollege sah seine Rolle auch darin, diese Ängste zu absorbieren und zu bearbeiten, und dies leistete einen unverzichtbaren Beitrag zu der Hilfe, die ich diesem Kind habe zuteil werden lassen können.[2]

Die Analyse der Übertragungsbeziehung nach den Prinzipien Melanie Kleins bildete das wichtigste Instrument in meiner therapeutischen Arbeit mit diesem Mädchen. Das bedeutet, daß sowohl die negativen als auch die positiven Aspekte der Übertragungsbeziehung aufgenommen wurden und daß beruhigende Maßnahmen, außer solchen, die in der analytischen Situation selbst angezeigt waren, vermieden wurden. Ich bot meiner Patientin nichts zu essen an und versicherte ihr auch nicht, daß es in Ordnung sei zu essen. Ich

2 Ich danke Syndey Klein, der die medizinische Verantwortung für diesen Fall übernahm und mich während der Behandlung dieses Mädchens sehr unterstützt hat, indem er es als seine vorrangige Aufgabe betrachtete, die von außen, durch die Eltern, das Pflegepersonal und den Kinderarzt in die Therapie hineingetragenen Ängste aufzufangen. Diese geschützte Situation ermöglichte es mir, mich auf meine eigenen Ängste und die meiner Patientin zu konzentrieren.

besuchte sie nicht auf der Krankenstation, machte ihr keine Geschenke oder beruhigte sie nicht, wenn sie darüber verzweifelt war, daß sie nicht behandelt oder nicht geliebt werden könne (die Integration dieser Verzweiflung in ihre Persönlichkeitsstruktur war ein therapeutisches Ziel). Aber ich versuchte, zu ihren Sitzungen immer pünktlich zu kommen. Ich habe nur selten Sitzungen abgesagt oder verlegt und war, wie man sich vorstellen kann, mit diesem Mädchen innerhalb wie außerhalb der Analyse sehr stark beschäftigt.

Wie wir sehen werden, wird in dieser Technik die Übertragungssituation sehr stark betont, die – insbesondere in der Anfangsphase der Behandlung – frühe vorsprachliche Erfahrungen reaktiviert. In dieser Phase ist es infolge ihrer extremen Verschwiegenheit und Zurückgezogenheit schwer, mit magersüchtigen Patientinnen in Kontakt zu kommen. Wenngleich es in diesem Stadium viele Wege gibt, einen Kontakt herzustellen und aufrechtzuerhalten, wurde bei der hier angewandten Methode die analytische Situation nicht modifiziert. Ich habe versucht, den Kontakt mit Margaret dadurch aufrechtzuerhalten, daß ich das durch die analytische Situation hervorgerufene Gefühl in allen Einzelheiten zu verstehen und hierüber mit ihr in einfachen und direkten Worten zu sprechen versuchte.

Es liegt auf der Hand, daß in einer solchen, an verbalen Assoziationen armen Situation andere Details als Grundlage von Deutungen dienen müssen, die aus anderen, manchmal dürftigeren Hinweisen erschlossen werden als die, die bei einem kommunikativeren Patient zur Verfügung stehen. Folglich wurden in dieser frühen Phase Deutungen auf der Grundlage von leichten Veränderungen der Körperhaltung, einem flüchtigen Gesichtsausdruck und winzigen Handbewegungen ebenso wie von vereinzelten Assoziationen der Patientin vorgenommen. Eine Schwierigkeit im derartigen Umgang mit frühem Material liegt darin, daß man versuchen muß, im komplexen Medium von Sprache ein Zusammenspiel von Affekten zu rekonstruieren, das zum ersten Mal im vorsprachlichen Entwicklungsstadium aufgetreten ist.

Ich möchte, um die anfänglichen Schwierigkeiten zu demonstrieren und um ein praktisches Beispiel dieser Technik zu geben, den ersten Abschnitt der Behandlung detailliert beschreiben. Die nachfolgenden Phasen werden in der Darstellung notwendigerweise gerafft sein, um den Rahmen des Kapitels nicht zu sprengen.

Am 9. Januar kam Margaret zur ersten Sitzung von der Krankenstation in mein Zimmer. Sie war in Begleitung einer Krankenschwester, und obwohl sie auf mich den Eindruck machte, als könnte ihr abgemagerter Körper unter der Last der schweren Krankenhausdecke, die sie umgehängt hatte, zusammenbrechen, ging sie gleichmäßig und ohne Hilfe.

In Anbetracht ihrer körperlichen Schwäche war es nur natürlich, daß sie auf der Couch lag. Ich saß rechts neben dem Kopfende. Schweigen und Unbeweglichkeit charakterisierten sie, als sie steif unter der Decke dalag. Ihre Gesichtsknochen schimmerten weiß durch die bläuliche, straff gespannte Haut. Ich erklärte ihr, daß die Behandlung es erfordere, daß sie mir alle ihre Gedanken und Einfälle mitteilte, damit wir gemeinsam versuchen könnten herauszufinden, warum sie nicht essen wollte. Sie reagierte nicht auf diese Erklärung, sondern lag da und schaute vor sich hin. Als sie eine unruhige Körperbewegung machte, deutete ich ihre Angst vor mir als einer weiteren fremden Person unter all den vielen Menschen, die sie seit der Einlieferung ins Krankenhaus gesehen hatten. Sie reagierte auch darauf nicht und starrte weiter vor sich hin.

Nach einer langen Pause begann sie zögernd und so leise zu sprechen, daß ich mich nach vorn beugen mußte, um sie überhaupt zu verstehen. Dabei bemerkte ich ihren unangenehmen Körpergeruch, und nur mit Mühe konnte ich nahe genug bleiben, um zu erfahren, daß ihr Lehrer, der an diesem Morgen hätte kommen sollen, nicht erschienen war. Ich gab ihr folgende Deutung: Ich hätte den Eindruck, sie wolle mir sagen, daß bei ihr, als sie all diese Menschen im Krankenhaus sah, die Hoffnung geweckt worden sei, sie könnten ihr helfen, daß ihre Hoffnung aber enttäuscht worden sei, da die Menschen ihr nicht geholfen hätten und sie sie nicht wiedergesehen hätte. Sie glaube, daß sie bei ihr falsche Hoffnungen geweckt und sie nun enttäuscht hätten, genauso wie der Lehrer sie heute morgen enttäuscht hatte. Sie habe Angst, ich könne nun ebenfalls ihre Hoffnungen wecken und sie in gleicher Weise enttäuschen. Ich sagte ihr dann, daß wir uns dreimal wöchentlich vormittags sehen würden, montags, dienstags und freitags.

Nach dieser Deutung und Erklärung schaute sie ein bißchen weniger niedergeschlagen und kalt aus. Sie änderte ihre Körperhaltung und rollte sich so unter der Decke zusammen, daß ich unwillkürlich an ein Baby beim Stillen denken mußte. Für den Rest der Sitzung behielt sie diese Haltung bei. Den nächsten, zögernd geflüsterten Satz sprach sie, als sie sich aufgesetzt hatte, um auf die Krankenstation zurückzugehen. Sie sagte, daß sie diesen Morgen gewogen worden sei und daß sie knapp ein halbes Pfund zugenommen habe. Ich sagte, daß sie mir davon berichte, um mich für meine Arbeit zu belohnen, damit ich sie am nächsten Tag wiedersehen würde.

Diese erste Sitzung läßt deutlich die Mischung aus Hoffnung und Hoffnungslosigkeit erkennen, die in der Analyse so charakteristisch für dieses Mädchen war. Die Gewichtszunahme, nachdem sie gehört hatte, daß sie eine Psychotherapie beginnen sollte, ähnelt der Zunahme, die stattfand, als sie wegen der Körperuntersuchungen ins Krankenhaus kam. Im Lichte ihres Verhaltens während der gesamten Behandlung ist es wahrscheinlich, daß die Zunahme eine Reaktion auf das Wiederaufleben ihrer Hoffnung war, jemanden gefunden zu haben, der ihre Bedürfnisse verstehen würde; doch diese Hoffnung wich der Verzweiflung und einem neuerlichen Gewichtsverlust, wenn sie sich erneut mit ihren Konflikten allein gelassen fühlte.

Zu Beginn der nächsten Sitzung sprach sie nicht, sondern lag da und schaute mich an, wie sie es gegen Ende der ersten Sitzung getan hatte. Es schien für sie bedeutungsvoll zu sein, als ich sagte, daß sie meiner Meinung nach ein Baby sein wolle, um sich, von jedem Wort aus meinem Mund zu nähren. Nach einer Pause sagte ich in Reaktion auf eine geringfügige Bewegung ihres Körpers, daß sie offenbar mit ihrem Körper zu mir sprechen wolle, so wie sie es bei ihrer Mutter getan hatte, bevor sie sprechen konnte. Darauf kam sie näher an mich heran und sprach mit derselben, fast unhörbaren, stockenden Stimme. Sie sagte, daß sie gerne das Tanzen im Fernsehen anschaue. Ich sagte, daß dies zu bedeuten scheine, daß sie zwar nicht gerne Dinge mit dem Mund aufnehme, wohl aber mit den Augen, wie sie es jetzt bei mir täte. Ich bemerkte einen Anflug von Lächeln auf ihrem Gesicht, und sie schaute mich weiter an.

Nachdem sie mich eine lange Weile betrachtet hatte, blickte sie kurz aus dem Fenster und flüsterte etwas; ich verstand nur das Wort »aufregend«. Ich ging darauf ein, indem ich sagte, daß sie offenbar glaube, daß das Leben außerhalb des Krankenhauses aufregend sei, so wie das Tanzen im Fernsehen, und daß ich an diesem Leben teilnähme. Und aus irgendeinem Grund wage sie selbst nur, durch Zuschauen daran teilzunehmen.

Nach der Sitzung am Freitag jener Woche (13. Januar) hörte ich von der Stationsschwester, daß sie wieder zu essen begonnen hatte und sich am Leben auf der Station beteiligte. Am Montag wog sie eineinhalb Pfund mehr. Es schien, als sei ihre positive Einstellung zum Essen durch Erfahrungen in der Übertragungsbeziehung zu mir während der Woche verstärkt und stimuliert worden und als habe diese positive Einstellung ihr Verhalten außerhalb der analytischen Situation beeinflußt.

Es wäre sicherlich von Nutzen, die Bedeutung, die diese Erfahrungen für sie hatten, zu analysieren. Wir können schließen, daß sie glaubte, jemanden gefunden zu haben, der bereit zu sein schien, viel Zeit und Mühe für sie aufzuwenden. Dies schmeichelte ihr und beruhigte ihre tiefen Ängste (die später zum Vorschein kommen sollten), wertlos und nicht liebenswert zu sein. Sie begann zu hoffen, daß alle ihre Bedürfnisse und Wünsche, wie unrealistisch sie auch immer sein mochten, befriedigt würden. Ich vermute, daß meine Zuwendung eine Beruhigung bedeutete, etwa als ob ich ihr sagte: »Es ist alles gut. Ich werde dafür sorgen, daß es dir besser geht.« Es wurde bald offensichtlich, daß sie in mir einen wunderbaren, omnipotenten Menschen sah, der das Wunder vollbringen würde, sie zu heilen, und daß sie glaubte, daß dies nur durch ein Wunder zu bewerkstelligen sei. Es wurde später ebenfalls offensichtlich, daß sich »besser« nicht nur auf die Gesundheit bezog, sondern auch im moralischen Sinne gemeint war und daß sie sich in beiderlei Hinsicht außerhalb der Reichweite menschlicher Hilfe fühlte.

Andererseits war uns beiden überaus deutlich geworden, daß sehr intensive Reaktionen aktiviert worden waren, deren Vorbilder in der infantilen Stillsituation liegen. Damit war die Bühne errichtet für die fortgesetzte Aktivierung ihrer unbewußten Phantasien über die Nahrungsaufnahme und die damit verbundenen sozialen Beziehungen; in der Übertragungsbeziehung wurden ihre frühen Probleme wiederbelebt, die sich aber nun mit der Hoffnung auf neue Anpassungsmöglichkeiten verbanden. Es kam hinzu, daß durch ihr Interesse für mich und alles, was mit mir zusammenhing, ihr Lebenswille gestärkt worden war.

Wie ich glaube, war sie durch die Trennung von zu Hause und ihren Eltern, durch das eingeschränkte Leben auf der Krankenstation, die Bettlägerigkeit und die Abhängigkeit von den Schwestern und deren Pflege und Zuwendung, durch die körperliche Schwäche und Hilflosigkeit, ihre abgemagerte Verfassung usw. dazu prädisponiert, jene sehr frühen Gefühle besonders ausgeprägt neu zu erleben, die unserer Erfahrung nach durch die besonderen Umstände der analytischen Situation bei allen unseren Patienten hervorgerufen werden.

Am Montag und Dienstag (16. und 17. Januar) brachte sie mehr Assoziationen und sprach deutlicher. Diesen Assoziationen entnahm ich, daß sie mir so nahe sein wollte, daß wir wie untrennbare eineiige Zwillingsschwestern würden und alles zusammen tun könnten. Ich wies darauf hin, daß sie hoffe, auf diese Weise an meinem aufregenden Leben außerhalb des Krankenhauses teilzunehmen. In der Dienstagssitzung entnahm ich ihren Assoziationen, daß sie beunruhigt war, weil die Unterbrechungen zwischen den Sitzungen die von ihr ersehnte Nähe gefährdeten und Frustrations- und Wutgefühle hervorriefen. Doch es gelang ihr, unsere Nähe aufrechtzuerhalten, indem sie ihren Zorn auf ihren Vater und ihre Brüder lenkte. Nach der Deutung erkannte sie, daß sie sich in der Familiensituation ähnlich verhielt.

Am Freitag wies ich sie darauf hin, daß sie durch ihr Drängen, daß ich sie auf der Krankenstation besuchen und dort bei ihr bleiben solle, immer noch versuche, die Illusion unseres »Zusammenseins« aufrechtzuerhalten. Am Montag, dem 23. Januar, wog sie eineinhalb Pfund mehr. Wie wir noch sehen werden, beruhten diese Gewichtszunahmen auf der Illusion, daß sie mit mir, der lebensspendenden, mächtigen Person, identisch sei.

Am Montag und Dienstag (23. und 24. Januar) hörte sie auf, mich anzuschauen, und war zurückgezogen und still. Am Freitag, dem 27. Januar, wurde es klar, daß sie sich so verhielt, weil sie die Tatsache des Getrenntseins nicht länger ignorieren konnte. Sie sagte geradeheraus, daß sie glaube, daß ich in der Zeit, in der ich nicht bei ihr war, ein aufregendes Leben führen würde, an dem sie nicht teilhaben könne. Es war offensichtlich, daß dies ihren Zorn erregte. Doch sie hatte Angst, wütend auf mich zu sein, und wollte etwas tun, um mich zu erfreuen. Aber wegen ihrer Bewunderung für mich verglich sie sich zu ihrem Nachteil so sehr mit mir, daß sie glaubte, nichts aufweisen zu können, was gut genug wäre. Sie hatte Verstopfung, und bei dieser Gelegenheit rief die analytische Situation die Gefühle hervor, die sie in ihrer Kindheit in der Toilettensituation gehabt hatte, als sie geglaubt hatte, nichts hervorbringen zu können, das für die Mutter, die sie sehr bewunderte, gut genug gewesen wäre. Ihre Assoziationen zeigten, daß Prüfungen dieselben Gefühle weckten. Wir sahen hier einige der Gründe, warum sie im November die Tanzprüfung vermieden hatte. Während dieser Phase berichtete die Stationsschwester, daß sie sich vom Leben auf der Station zurückgezogen hatte und weiter abnahm.

In der darauffolgenden Sitzung brachte sie ihre Unzufriedenheit mit ihrem kastanienbraunen Haar zum Ausdruck und zeigte offen, daß sie mich um meine Freiheit und meine schöne Kleidung beneidete. Im Vergleich mit mir kam sie sich eingeschränkt und schlampig vor. Sie wollte das Krankenhaus verlassen. In der nächsten Sitzung zeigte sie, daß sie unbewußt glaubte, daß ich genauso neidisch und ihr feindlich gesonnen war wie sie mir. Unbewußt glaubte sie, daß ich sie böswillig und gehässig vernachlässigen würde (sie nicht besuchte) und sie einschränkte (sie im Krankenhaus behielt), um sie daran zu hindern, erwachsen und weiblich zu werden. Ich deutete dies als eine Wiederbelebung ähnlicher Gefühle aus ihrer Kindheit, die ihrer Mutter gegolten hatten. Diese Situation, in der wir uns anscheinend gegenseitig übel wollten, nahm ihr jede Hoffnung. Sie nahm weiter ab.

Am 17. Februar kam ihre Tante auf die Entbindungsstation desselben Krankenhauses, um ihr Kind zu bekommen, und am 18. Februar identifizierte sich Margaret so sehr mit ihrer schwangeren Tante, daß sie starke Bauchschmerzen bekam, die, wie die Untersuchung durch den Kinderarzt ergab, keine organischen Ursachen hatten. Diese Episode erinnert an den Magen-Darm-Katarrh, den sie mit drei Jahren hatte, als ihre Mutter mit ihrem zweiten Kind schwanger war. Sie machte auch ihr Verhalten in den Sitzungen vor der Entbindung ihrer Tante deutlich. In diesen Sitzungen hatte sie die Tante verschiedentlich erwähnt. Sie hatte sich außerdem wegen der rumpelnden Geräusche in ihrem Magen sehr besorgt gezeigt. Mir war nun klar, daß eine ihrer unbewußten Phantasien darin bestanden hatte, daß ich die schwangere Mutter sei, an deren aufregenden Erlebnissen sie teilhaben könnte, wenn wir identisch und untrennbar wären.

Am Montag schaute sie mich nicht an und war sehr schweigsam. Die vereinzelten und zögernden Assoziationen zeigten, daß sie glaubte, meine Worte aufgenommen (meine Nahrung gegessen) zu haben, und so einen Fortschritt gemacht, zugenommen zu haben, dicker geworden zu sein. In ihrer unbewußten Phantasie wurde das mit der Hervorbringung eines Babys auf meine Kosten gleichgesetzt. Wir erkannten jetzt eine der tiefen Ursachen ihrer Nahrungsverweigerung. Seit dem Augenblick, wo sie wieder zu essen angefangen hatte, glaubte sie, im geheimen das Baby auszutragen, das sie in ihrer Phantasie am 18. Februar gebar. Anderes Material zeigte, daß sie der Meinung war, ich würde Jungen Mädchen vorziehen. Als Mädchen hatte sie Angst, ich könnte sie als potentielle Rivalin oder als enttäuschende Sexualpartnerin bestrafen. Wir erkannten jetzt, daß einer ihrer vielen Gründe, der Tanzprüfung aus dem Wege zu gehen, ihre Angst war, daß ihre Weiblichkeit ans Tageslicht kommen könnte. Wir werden später sehen, daß sie die Menstruation als eine ähnliche Prüfung betrachtete.

Die nächste Sitzung, am 21. Februar, war eine entscheidende. Seit Margaret sich unseres Getrenntseins bewußt geworden war, verlangte sie nachdrücklich von mir, durch Geschenke, Beruhigung, ständige Besuche und dergleichen (was sie letzten Endes nicht befriedigt hätte), ihre Illusion zu nähren, daß ich eine unerschöpfliche Quelle zur Befriedigung ihrer Bedürfnisse sei. Sie sah sich der angsterregenden

Tatsache gegenübergestellt, daß sie von einem Menschen abhängig war, der allen menschlichen Unzulänglichkeiten unterworfen war, wie Ermüdung, Launen, Krankheit und sogar dem Tod. Der Zusammenbruch ihrer Schwangerschaftsphantasie, die Anerkennung unseres Getrenntseins und damit zusammenhängend die durch die Deutung gewonnene Erkenntnis ihrer neidvollen Rivalität und Feindseligkeit, die Tatsache, daß sie abnahm, die Beobachtungen, die sie auf der Krankenstation machte, die zeigten, daß das Krankenhauspersonal nicht immer wußte, wie es durch Spezialdiäten die Gewichtszu- und -abnahmen anderer Patienten beeinflussen konnte: all das wirkte zusammen und machte es ihr unmöglich, die Phantasie aufrechtzuerhalten, endlich ein Wesen gefunden zu haben, das für sie sorgte, das alles wußte, das ihr jeden Wunsch erfüllen würde, das allgegenwärtig und niemals krank war, niemals müde, niemals niedergeschlagen, das eine Quelle unerschöpflicher Mittel zur Befriedigung ihrer Wünsche war, dessen aufregendes Privatleben ungetrübt und glücklich war und von dem sie glauben konnte, es wäre ihr immer wohlgesonnen. Diesen Zusammenbruch ihrer Omnipotenz erlebte sie als Erschöpfung und Ermattung.

In dieser Sitzung wurde sich Margaret ihrer Gefühle hilfloser Abhängigkeit von mir bewusst. Zum ersten Mal erkannte sie, daß sie sterben würde, wenn sie nicht aß. Sie befürchtete, meine Vorräte an Wohlgewogenheit, Geduld und Verständnis (meine »Nahrung«) erschöpft zu haben, und ich mich folglich von ihr zurückziehen und sie nicht mehr behandeln würde, so daß sie sterben müßte. Die Trennung von mir fürchtete sie wegen der neiderfüllten Feindschaft, die sie hervorrief, aber auch, weil sie ihre tiefen Ängste zu bestätigen schien, daß sie mich ausgelaugt haben könnte. Sie versuchte, viel zu sprechen, aber sie zeigte klar ihr Mißtrauen gegenüber ihrer Fähigkeit, irgend etwas fertigzubringen, das mein Interesse für sie neu beleben könnte.

Ich betrachtete die Gefühle, die sich in dieser Sitzung zeigten, als Wiederbelebung der Situation, als sie vier Monate alt war und ihre Mutter keine Milch mehr hatte, niedergeschlagen und unresponsiv war – eine Situation, die reaktiviert und deren Eindruck vertieft worden war durch ihre Reaktionen auf später auftretende schwierige

Situationen, in denen sie, weil ihre Mutter sich vorübergehend von ihr abgewandt hatte, glaubte, die Fähigkeit der Mutter zu liebender Zuwendung und Aufmerksamkeit erschöpft zu haben. Solche Situationen konnten beispielsweise sein: Krankheit der Mutter, Rückkehr des Vaters, die problematischen Schwangerschaften der Mutter, die längere Krankenhausaufenthalte erforderlich machten, sowie die komatösen Zusammenbrüche der Mutter.

Sie hatte sich hartnäckig an die Phantasie meiner Omnipotenz geklammert, weil ich, sollte ich nicht omnipotent sein, durch ihre Angriffe verletzt und in ihrer Phantasie verwüstet und ausgeraubt werden könnte. Sollte sie es nur wagen, meine Fehlbarkeit in Erwägung zu ziehen, könnte ich sterben und sie könnte sterben. Mit mir vereint und identisch als dieser Mutter, glaubte sie, von einer kranken, fast toten Mutter besessen zu sein, von der sie sich nicht befreien zu können glaubte. Infolgedessen fühlte sie sich hoffnungslos, erschöpft und beinahe tot.

Material aus ihren späteren Sitzungen bestätigte, daß sie glaubte, mich durch ihr gieriges Verlangen nach Zuwendung und Aufmerksamkeit zu erschöpfen, und daß sie die unbewußte Phantasie hatte, das Baby in meinem Innern zu sein, das mich durch gieriges Essen und unbefriedigte Forderungen nach Liebe, Zuwendung und Aufmerksamkeit auslaugte und mein Erwachsenenleben durch neidische, gierige Angriffe verdarb. Ihre durch diese Angriffe geweckte Angst stellte einen weiteren Faktor dar, der zu ihrer Nahrungsverweigerung und zur Einschränkung ihres Lebens beitrug. In der Sitzung, um die es hier geht, war sie fieberhaft bemüht, etwas zu tun, was mich wieder beleben und erfrischen könnte, damit ich mich ihr wieder zuwandte; aber sie hatte verzweifelte Angst, daß ihre Hervorbringungen wirkungslos bleiben könnten. Es ist offensichtlich, daß die unheilbare Krankheit ihrer Mutter die Phantasien, die in der Sitzung am 27. Januar zum Ausdruck gekommen waren, verstärkt haben muß, daß alles, was sie machte, wertlos und unpassend sei. Jetzt kamen weitere Gründe ihrer Angst vor der Tanzprüfung im November ans Licht.

In späteren Sitzungen erkannten wir, daß ihr Tanzen zum Teil ein Versuch war, die unerfüllten Ambitionen der Mutter zu befriedigen, die bei der Mutter zum überwältigenden Wunsch nach einem Kind beigetragen hatten. In manchen Stimmungslagen war sie bestrebt, alle unerfülltenten Sehnsüchte der Mutter zu befriedigen. Ihr Tanzen war auch ein Versuch, die depressive, tote (komatöse) Mutter lebendig zu machen. Dies wurzelte in dem fröhlichen und aufheiternden Hüpfen auf dem Schoß der Mutter. Da Bewegung mit Leben gleichgesetzt war, wurde sie als lebensspendende Aktivität betrachtet, die ihren masturbatorischen Bewegungen eingegliedert wurde, von denen sich auch das Tanzen herleitete. Von frühester Zeit an war sie sich unsicher gewesen, ob sie wachsen, sich vorwärts bewegen, tanzen, lebhaft sein, »verspielt« sein (ihre eigene Assoziation zu »sich besser fühlen«) konnte (und sollte) oder ob sie stehenbleiben, regredieren, ihren Spieltrieb unterdrücken, zu wachsen aufhören, sterben sollte. Die Entscheidung, zu wachsen und zu leben, bedeutete unter anderem, die Kräfte ihrer Mutter aufzubrauchen und sich den daraus für sie erwachsenden Problemen zu stellen. Es bedeutete auch, ihre femininen Impulse zu befriedigen, was sie nicht nur zur Konkurrentin ihrer Mutter machte, sondern zudem manche Erwartungen der Mutter enttäuschte. In der Behandlung war sie mit diesen Problemen in der Übertragungssituation erneut konfrontiert. Ihre fieberhaften Bemühungen in dieser Sitzung betrafen die Art und Weise, wie sie die Zuwendung und Aufmerksamkeit erlangen konnte, die sie in ihrer hoffnungslosen Abhängigkeit brauchte, ohne all meine Kräfte zu erschöpfen und ohne meinen erschreckenden Neid und meine Feindschaft zu wecken.

In der nächsten Sitzung setzte sie sich mit diesem Problem auseinander, indem sie sich in ein unterwürfiges, fügsames Kind verwandelte. Ihre gierigen, zornigen Beißimpulse hatte sie bei einem anderen Mädchen auf der Krankenstation erkannt, das »unartig war und die Schwester biß«. Ihre rebellischen Gefühle wurden gehemmt, und ich wurde als die Mutter betrachtet, die dieses Kind, das solche destruktiven Neigungen zeigte, zu Recht tadelte. Ihre Beißimpulse erschreckten sie, und sie unterwarf sich der Beschränkung aus Angst vor den möglichen Konsequenzen ihrer gierigen und destruktiven Wünsche. In dieser Angst vor ihren Beißimpulsen sehen wir einen weiteren gewichtigen Grund für ihre Nahrungsverweigerung. Diese

Anpassung, obgleich nicht zufriedenstellend, erlaubte es ihr, sich an mir zu nähren, solange sie mich nicht biß. Sie benutzte und berührte mich also nicht, genauso wie sie es mit ihrem Spielzeug als Kind gehalten hatte, wie mir die Mutter berichtete. Sie erzählte mir etwa zu dieser Zeit auch, daß sie das Essen in ihrem Mund hin und her schob, bis es weich genug war, um hinuntergeschluckt zu werden, das heißt, sie kaute (biß) nicht.

In den wenigen verbliebenen Wochen vor den Osterferien nahm sie wieder zu, und man kam überein, daß sie kräftig genug sei, um aus der Klinik entlassen zu werden und als ambulante Patientin die Behandlung bei mir fortzusetzen. Aus der Graphik geht hervor, daß sie auch während der Ferien kontinuierlich zunahm. Das war so in jeder längeren Unterbrechung in der Behandlung. Es fiel auf, daß sie vor den Ferien immer sehr bemüht war, ihre Beziehung zu mir so zu gestalten, daß sie in einer Stimmung gehen konnte, in der die unbewußten Phantasien, daß wir eine gegenseitige »Stillbeziehung« hätten, die Oberhand hatten. Es wurde deutlich, daß sie eine Trennung ertragen konnte, wenn sie sich der Phantasie hingab, daß wir beide aus einer nie versagenden Quelle schöpften und folglich uns gegenseitig endlos füttern und ergänzen konnten.

Ihre Vorstellung von einer »guten« Beziehung bestand darin, uns gegenseitig endlos zufriedenzustellen. Wenn ich ihre Wünsche, wie unrealistisch sie auch immer waren, nicht befriedigte und sie somit frustrierte, wurde ich zum Inbegriff all dessen, was böswillig, gehässig und restriktiv war, zum Beispiel als ich mich bezüglich ihrer Entlassung aus dem Krankenhaus an die Anweisungen der Kinderärzte hielt. Darauf reagierte sie mit rachsüchtigem, strafendem Verhalten und bekam dann das Gefühl, daß wir in einer destruktiven Beziehung zueinander gefangen waren, die für jede von uns nichts Gutes versprach und aus der es für sie kein Entrinnen gab. Sie mißtraute unseren gegenseitigen Absichten und fürchtete unbewußt, daß ich sie vergiften würde, so wie sie mich zu vergiften glaubte. Sie nahm in solchen Phasen vermutlich deswegen ab, weil sie Angst hatte zu essen.

Wenn mein Verhalten ihr hingegen Veranlassung gab zu glauben, daß ich ihren Wünschen nachgab, reagierte sie, indem sie mich fütterte, so wie sie glaubte, von mir gefüttert zu werden, und indem sie an Gewicht zunahm. Dies war dann sozusagen ein Geschenk an mich. Am 18. Juni zum Beispiel schlug ich vor, daß sie auf die Freitagssitzung verzichten und zweimal wöchentlich kommen sollte. Aus der Graphik ist ersichtlich, daß sie in der Zeit nach dieser Deprivation stark abnahm. Da ich befürchtete, sie zu sehr zu belasten, und weil ich mit den Gefühlen, die geweckt worden waren, nicht zurechtkam, führte ich die Freitagssitzung am 2. Juli wieder ein. Sie reagierte prompt darauf, indem sie ein heiteres, fröhliches, zusammenhängendes Bild eines Tisches zeichnete, der zum Abendbrot gedeckt war. (Sie hatte in der zweiten Phase der Analyse mit dem Zeichnen begonnen. Ihre ersten Bilder waren steife, isolierte, aber komplette Gegenstände, ohne erkennbares Motiv, ähnlich den verbalen Assoziationen in den ersten Sitzungen.) Nach dem Wiegen am darauffolgenden Montag berichtete sie mir stolz, daß sie eineinhalb Pfund zugenommen habe.

Jetzt, wo unser Verhältnis »gut« war, glaubte sie, daß wir einander ganz konkret »mehr Gewicht beimaßen«. War die Beziehung »schlecht«, glaubte sie, daß jede das Gewicht der anderen schmälerte. Sie sprach häufig darüber, daß sich ihre Mutter regelmäßig wog, und zeigte damit, daß sie auch in diesem Punkt mit ihrer Mutter zu konkurrieren glaubte.

Es wurde zunehmend deutlich, daß sie mich als Menschen mit zwei deutlich unterschiedenen Seiten betrachtete. Manchmal repräsentierte ich die lebhafte, »verspielte« Mutter ihrer Phantasie, die einen gesunden Körper besaß, an dem sie sich nähren wollte. In anderen Phasen war ich die depressive, unresponsive Mutter mit dem kranken Körper, deren Nahrung ihr angst machte. Ihr kindliches Verlangen nach Nähe, das sich manchmal als das Bedürfnis zeigte, in mich hineinzuschlüpfen, oder als Bedürfnis danach, daß ich in sie hineinschlüpfen sollte, bedeutete, daß sie glaubte, meine Stimmungen und meinen Gesundheitszustand oder mein aufregendes Leben in ihren Körper aufzunehmen. Wenn sie sich mit mir identisch fühlte oder wenn sie glaubte, in mir als der phantasievollen, gesunden, reagierenden Mutter zu sein, die sie durch ihre Bemühungen wiederbeleben zu können glaubte und von der sie sich erfrischt und wiederbelebt fühlte, wuchs sie und machte einen Schritt nach vorn. Das bedeutete Fortschritt und Leben. Wenn sie aber glaubte, mit mir identisch zu sein oder in mir als der unheilbaren, depressiven, erschöpften Mutter zu sein, die sie aussog und angriff und von der sie sich entleert und angegriffen fühlte, dann glaubte sie, nicht wachsen zu können. Das bedeutete Regression und Tod. Diese beiden Aspekte ihrer eigenen Persönlichkeit sowie der Mutter, die sie zu verkörpern glaubte, vereinigten sich und kamen in tic-ähnlichen Zuckungen ihrer Händen und des Körpers zum Ausdruck. Es kam vor, daß sie sich mit einer flatternden Handbewegung näherte, um dann stocksteif in ihren Stuhl zurückzufallen.

Ihre Assoziationen in dieser zweiten Phase der Analyse zeigten, daß sie glaubte, daß die Liebesbeziehung, in der wir einander so nahe waren, daß sich jede von uns in der anderen befand, allzu leicht in die besitzergreifende Gefangenschaft einer gierigen, destruktiven Beziehung übergehen konnte, aus der es für keine von uns ein Entrinnen gab. Ihre Assoziationen brachten nach und nach ans Licht, daß sie glaubte, in dieser letzteren Art von Beziehung befänden wir uns jeweils innerhalb des Körpers der anderen und daß wir dort gierig und neidisch den Körperinhalt der anderen, insbesondere den Penis, fressen würden. Fortschritt war nur auf Kosten der anderen möglich, und diejenige, die vorankam, tat dies um den Preis der Entleerung und des Todes der anderen. Ihre allergrößte Angst war, daß wir beide ausgelaugt werden und sterben könnten.

Es gab eindrucksvolles Material, aus dem ersichtlich wurde, daß sie glaubte, ich sei eine »unbewohnbare« Mutter, deren Inneres »für Babys untauglich« war. Es gab auch Material über ihre erfolgreichen Ballettkolleginnen, die an »Aufführungen« teilnahmen, und wir begannen zu erkennen, daß »Aufführungen«, Prüfungen und Menstruation von ihr gleichgesetzt und gefürchtet wurden. Sie betrachtete die Menstruation als eine weitere Prüfung, die sie wegen all dessen fürchtete, was sie zum Vorschein bringen konnte. Sie war nicht in der Lage, die Menstruation als Zeichen des Reifens zu sehen, als Zeichen ihrer Hoffnung, eines Tages Kinder zu haben, da sie in der Menstruation einen Beweis für die Enttäuschung der Sehnsucht der Mutter sowie ihrer eigenen darüber sah, daß sie kein Junge war. Wie die Pseudoschwangerschaft brachte die Menstruation ihre heimliche Rivalität mit ihrer Mutter zum Vorschein. Sie war der Überzeugung, nur auf Kosten der Mutter menstruieren zu können, das heißt um den Preis der unheilbaren Erkrankung, des Ausblutens, der Erschöpfung und sogar des Todes der Mutter.

Margaret hatte auch deshalb Angst vor der Menstruation, weil sie das »blutige Durcheinander« in ihrem Inneren verraten könnte, das sie in ihrer unbewußten Phantasie als Ergebnis ihres heimlichen inneren Beißens der Mutter betrachtete, die sie zur Gefangenschaft dort verurteilt hatte. Es kam hinzu, daß die Menstruation ihre tiefen Ängste bestätigte, daß ihr eigenes Inneres blutete und ein »für Babys untauglicher Ort« war, weil sie mit einer Mutter identifiziert war, die sie in solch neidischer und feindlicher Rivalität angegriffen hatte. Belegmaterial aus der Analyse kam nun für uns beide in ausreichendem Maße zusammen, um allmählich begreifen zu können, warum die Ängste im Zusammenhang mit den Ereignissen, die die Mutter im Anamnesegespräch erwähnt hatte und die zu einem kritischen Zeitpunkt ihrer Entwicklung erlebt wurden, eine so überwältigende Wirkung auf sie haben konnten, sie in eine Krankheit zu stürzen, die einen Todeskampf um das Aufwachsen darstellte.

Bis zu diesem Analysestadium drückten sich ihre unbewußten Wachstumskonflikte in erster Linie körperlich in Form einer Gewichtszu- bzw. -abnahme und in den erwähnten tic-ähnlichen Zukkungen aus. Ihr unbewußtes Gefühl, zurückgewiesen zu werden, kam in Erkältungen zum Ausdruck, die sie an den Tagen hatte, die sie nicht bei mir war. Vor Ende der Sitzung wurden ihre Augen feucht, aber sie verriet keine der anderen Anzeichen von Weinen und ließ keine entsprechenden Gefühle erkennen. Zur Erklärung sagte sie in solchen Fällen oft, daß ihre Augen immerzu feucht würden, wenn sie fror, und daß dies sogar vorkäme, wenn das Zimmer warm und sie nicht erkältet sei. Während dieser ganzen Zeit beruhten ihre Beziehung zu mir und ihre Fortschritte auf einer phantasmatischen unrealistischen Grundlage. Erst im September und Oktober kam es zu einer Krise in ihrer Beziehung zu mir, die ihre Verhaltensmuster modifizierte. Sie begann, eine Beziehung zu mir zu entwickeln, die auf einer realitätsgerechteren Wahrnehmung von uns beiden beruhte.

Ich möchte nun das Material der Sitzungen im September und Oktober detailliert besprechen. Die Krise begann mit der Sitzung am Freitag, dem 21. September. Als sie zu mir kam, hatte Margaret rosige Wangen und machte einen lebhaften Eindruck. Sie erzählte mir, sie habe einen Tanzkursus begonnen, der jeden Freitagabend stattfände, und wollte fragen, ob unser Freitagstermin abgeändert werden und sie an diesem Tag früher gehen könne. Ich ließ sie früher gehen und stieg bedauerlicherweise mit einem Kollegen in denselben Bus wie meine Patientin, die sich sehr zurückgesetzt fühlte, als sie mich in Beziehung zu jemand anderem sah. Der Freitagstermin war für mich immer ungünstiger geworden, und mit Blick auf ihre Bitte disponierte ich den Freitag um und machte einen anderen Termin für sie frei.

Am folgenden Montag, dem 24. September, sah sie blaß und niedergeschlagen aus, als sie zu mir kam. (Sie wog 71 Pfund, genausoviel wie die Woche vorher.) Sie erzählte mir, sie sei erkältet, hätte Ohrenschmerzen im linken Ohr und höre deshalb schlecht. Als wir unseren gewohnten Platz einnahmen (wir saßen jetzt nebeneinander) zeigte es sich, daß ihr taubes Ohr mir zugewandt war. Es schien ihr sehr bedeutsam zu sein, als ich deutete, daß sie ihre Ohren versiegele, wie sie als Kleinkind ihren Mund versiegelt hatte, weil sie meine Nahrung zurückweisen wolle; sie glaube, ich hätte sie abgelehnt, als ich sie am Freitag früher hatte gehen lassen und eine Beziehung mit jemand anderem hatte. Um diese Deutung zu verstehen, drehte sie den Kopf, so daß ihr anderes Ohr mir zugewandt war, aber anschließend sagte sie, ihre Ohrenschmerzen wären besser geworden, und sie hörte mir nun mit beiden Ohren zu.

Dann besprachen wir den Freitagsstermin; es stellte sich heraus, daß der Tanzkursus später anfing, als sie gedacht hatte, so daß sie am Freitag doch kommen konnte. Ich erklärte ihr, daß ich für Freitag bereits andere Pläne getroffen hätte, und bot ihr mehrere andere Termine an. Sie schob den einen oder anderen Grund vor, warum diese Termine alle nicht paßten, und entschied sich schließlich dafür, auf die Freitagssitzung ganz zu verzichten. Es war für ihr Verhalten typisch, daß sie mir nicht die Befriedigung gönnen konnte, ihr eine zufriedenstellende Alternative angeboten zu haben, wenn ich ihr nicht genau das gab, was sie wollte. In solchen Fällen ließ sie mich besorgt und mit Schuldgefühlen über eine Situation zurück, die sie selbst geschaffen hatte.

Am nächsten Tag, Dienstag, dem 25. September, erzählte sie, sie hätte sich von ihrer Erkältung erholt, aber sie sah dünn und bläßlich aus. Sie redete ziemlich frei heraus, und zum ersten Mal hatten ihre Assoziationen mit dem Beruf zu tun, den sie nach der Schule zu ergreifen gedachte. Sie sprach auch von einer ehemaligen Freundin, die jetzt in ihre Nähe gezogen war und mit der sie die alte Freundschaft wieder aufleben lassen wollte. (Bis jetzt hatte sie keine engen Freundschaften.) Gegen Ende der Sitzung brachte sie eine längere Assoziation. Sie sprach jetzt erstaunlich flüssig und erzählte zum ersten Mal von einem Ereignis aus ihrer Kindheit. Der Kern der Geschichte war, daß sie sich eingebildet hatte, in den Läden nehmen zu dürfen, was sie wollte, und plötzlich erfahren mußte, daß man dafür bezahlen mußte. Als sie über ihren Irrtum nachdachte, funkelten ihre Augen in amüsiertem Bedauern.

In dieser Sitzung zeigte sie sich auch dankbar für die Hilfe, die sie in der Behandlung erhalten hatte; sie fühlte sich von mir in ähnlicher Weise enttäuscht als Kind in dem Beispiel mit dem Laden. Sie hatte die Phantasie gehabt, daß wir einander vollständig zur Verfügung stünden. Indem sie uns beide als ebenbürtig betrachtete, hatte sie alle Gefühle neidischen Vergleichens und alle Abhängigkeitsgefühle vermieden. Jetzt aber spürte sie, daß ich im Besitz bestimmter Dinge war, die sie begehrte, und erkannte, daß sie bereit sein mußte, etwas zu opfern (das heißt, eine gewisse Frustration zu erleiden), um sie zu bekommen.

Am folgenden Montag, dem 1. Oktober, hatte sie ein Pfund abgenommen, und am 8. Oktober war sie erkältet. Sie betrachtete mich als eine strenge, rachsüchtige Mutter, die ihr die Freitagssitzung weggenommen hatte, um sie dafür zu bestrafen, daß sie den Tanzkursus begonnen hatte und so ein eigenes Leben führte. Es wurde klar, daß einer der Gründe, warum sie die Anfangszeit des Kurses zu früh angesetzt hatte, darin lag, daß sie es mir noch immer übel nahm, daß ich bei einer früheren Gelegenheit vorgeschlagen hatte, auf die Sitzung am Freitag zu verzichten. Sie haßte und fürchtete das Gefühl, von mir abhängig zu sein, und wollte über mich triumphieren und mir zeigen, daß sie ein eigenes interessantes Leben zu entwickeln begann. Diese Gefühle von Groll, Konkurrenz und Triumph standen mit ihrer Dankbarkeit und ihrem Wunsch, daß ich Freude und Freiheit genießen sollte, in Konflikt. Am 9. Oktober waren die tic-ähnlichen Bewegungen wiedergekehrt, und ihre Assoziationen verrieten, daß sie sich nicht darüber schlüssig war, ob sie voranschreiten oder regredieren wollte. (Aus der Graphik ist zu erkennen, daß ihr Gewicht konstant blieb.)

Am 15. Oktober war ihr Gewicht unverändert. Ihre Assoziationen betrafen die ehemalige Freundin, die sie am 25. September erwähnt hatte. Sie wollte mit ihr in Kontakt treten, fürchtete aber eine Zurückweisung. Sie zeigte dann, daß sie auch mir gegenüber ähnliche Gefühle hegte. Sie wollte »ins kalte Wasser springen« und den Schmerz riskieren, den zu erleiden sie sich fürchtete, wenn sie sich liebevolle Gefühle mir gegenüber erlaubte. Sie wollte auch bei mir schlafen, wie sie einmal bei ihrer Freundin geschlafen hatte.

Am Tag darauf, dem 16. Oktober, war sie stark mit ihrem Bruder beschäftigt, der zur Entfernung der Mandeln ins Krankenhaus gekommen war. Sie brachte mich mit der chirurgischen Abteilung in Zusammenhang und hatte eine starke unbewußte Angst, ich könnte sie zerschneiden und ihr Körperteile wegnehmen, und zwar als Vergeltung für die räuberischen Angriffe, bei denen sie unter anderem geglaubt hatte, den kleinen Bruder aus meinem schwangeren Körper herausgeschnitten zu haben. Wenn ich dies in Worte faßte, zuckte sie zusammen, als ob ich tatsächlich das Skalpell ansetzte. Ihre Augen tränten stark, und sie hatte Schmerzen, zuerst im Hals und dann im Rücken, die nachließen, nachdem ich ihre Angst vor meinen Angriffen gedeutet hatte.

Das war eine dramatische Sitzung, und wir erkannten allmählich, daß Margaret bis zu einem gewissen Grad die Angst neu durchlebte, die in Situationen ihren Ursprung hatten, in denen sie von der Mutter gebadet, angezogen und gepflegt worden war und Angst gehabt hatte, daß ihr ein Teil ihres Körpers weggenommen werden könnte. In gewisser Hinsicht hatte sie das Aussetzen der Freitagssitzung als Angriff aufgefaßt – als Angriff auf alle ihre Quellen der

Freude. Gegen Ende der Sitzung erzählte sie mir, daß das Baby ihrer Tante »immerzu weinte«, wenn die Tante das Zimmer verließ. Ich sagte ihr, daß sie »immerzu zu weinen« glaubte, weil die Sitzung zu Ende war, worauf sie lebhaft zustimmend mit dem Kopf nickte. Ihre Augen waren feucht, aber es gab keine weiteren Anzeichen für Weinen. In dieser Woche nahm sie ein Pfund ab.

Am folgenden Montag, dem 23. Oktober, betrafen ihre Assoziationen die Beendigung der Schule und ihre Berufswünsche. Sie war zum Tee bei der Freundin eingeladen gewesen, die sie erwähnt hatte. Ein anderes Mal hatte sie Lippenstift aufgelegt. Alle Assoziationen betrafen das Erwachsenwerden, die Selbständigkeit und das Wagnis, eine Frau zu sein.

Wie die Graphik zeigt, spiegeln die Gewichtsschwankungen dieser Phase, vom 21. September bis zum 24. Oktober, ihre Stimmungsschwankungen mir gegenüber wider. Am 24. Oktober (Dienstag) brachte sie das Gespräch wieder auf die Mandeloperation ihres Bruders, und ich deutete erneut ihre unbewußten Ängste, daß ich sie zerschneiden und ihr Teile ihres Körpers wegnehmen könnte. Die entfallene Freitagssitzung hatte Gefühle geweckt, die sie als Säugling gehabt hatte, und in ihren unbewußten Phantasien fraß sie sich gierig in meinen Körper hinein, um die wünschenswerten Dinge, die ich dort hatte, herauszuholen. Unbewußt glaubte sie, daß ich dasselbe bei ihr getan hätte. Bei früheren Gelegenheiten war sie mit der Erkenntnis unserer »schlechten« Beziehung fertig geworden, indem sie ihre aggressiven Gefühle projizierte oder indem sie alle verfügbaren Tatsachen zur Stützung der unbewußten Phantasie heranzog, daß wir beide in der Lage waren, unerschöpfliche, stets verfügbare Ressourcen anzulegen, mit denen wir einander endlos erneuern konnten. Aber bei dieser Gelegenheit legte sie, während ich deutete, ihren Kopf auf die Arme auf dem vor ihr stehenden Tisch und fing heftig an zu schluchzen. Offensichtlich war sie sehr traurig. Als ihr Schluchzen nachließ, sagte sie, als sie ihre Augen trocknete: »Es ist, weil ich Angst habe, immer so zu bleiben.«

Als sie am nächsten Montag kam, hatte sie über ein Kilo zugenommen. Von diesem Zeitpunkt an nahm sie kontinuierlich zu, bis sie ihr Normalgewicht erreichte. Danach kamen übermäßige

Gewichtsschwankungen nicht mehr vor. Der Tic war verschwunden, und Erkältungen traten nicht mehr auf, obwohl die kalte Jahreszeit nun gekommen war. Während der Sitzungen hatte sie nicht mehr alle möglichen Schmerzen. Die Augen waren nicht mehr feucht, stattdessen weinte sie in Situationen, wo früher nur die Augen feucht geworden waren, und zeigte dabei alle körperlichen Anzeichen des Weinens und der damit verbundenen Emotionen. Ihre Assoziationen in den Sitzungen unmittelbar nach dem 24. Oktober legten Zeugnis ab von einer neuen inneren Haltung, einer Fähigkeit und Bereitschaft, psychischen Schmerz um eines ersehnten Zieles willen auszuhalten, das heißt, sie verhielt sich jetzt immer mehr gemäß dem von Freud in *Formulierungen über zwei Prinzipien des psychischen Geschehens* (1911b) beschriebenen Realitätsprinzip. Die Etablierung des Realitätsprinzips gelang in der kritischen Entwicklungsphase, als die Patientin erkannte, daß sowohl schlimme, frustrierende Erfahrungen als auch gute und tröstende derselben Quelle entstammen. Dies schien ein elementarer Vorläufer der Kleinschen depressiven Position zu sein.

Diese Integration hatte nicht zur Folge, daß die Analyse in ruhigere Gewässer eintrat (Bion, 1953). Margaret begann, die Stimmungsschwankungen und Gefühlskonflikte, die sie früher eher auf somatische als auf psychische Weise zum Ausdruck gebracht hatte, unmittelbarer zu erfahren und offener zu zeigen. Allmählich zeigte sie das neurotische Verhalten, dessen körperlicher Ausdruck und dessen Abwehr die Magersucht gewesen war. Material tauchte auf, in dem sich ihre Angst vor ihrer Sexualität sowie ihre diesbezüglichen Schuldgefühle zeigten. Es gab viel Material über ihren Blutkreislauf und den Zusammenhang mit der Menstruation, wie sie sich ihn ausmalte. Material über ihre sexuellen Phantasien in bezug auf den Vater sowie ihren Wunsch, einen Penis zu haben, tauchte auf. Sie litt unter Schlaflosigkeit, und es fiel ihr sehr schwer, in die Analyse zu kommen. Doch sie schaffte es, immer zu kommen, und ihr Material war verständlicher, weil sie flüssiger und zusammenhängender redete.

Ihr Leben außerhalb der Therapie wurde reicher und interessanter. Ihre Leistungen in der Schule waren besser als vor ihrer Krankheit, und sie erzielte eine gute Note in einer Schreibmaschinenprüfung, was so viel besagte, daß sie auf diesem Gebiet hervorragend war. Nach ihrem Schulabschluß bekam sie eine Anstellung in einem Büro, wo sie mit anderen Mädchen freundschaftliche Beziehungen angeknüpft zu haben scheint, obgleich diese Freundschaften davon abhängig zu sein scheinen, daß sie einem Mädchen die Rolle der *bête noire* zuschreiben kann. Nachdem sie zu arbeiten begonnen hatte, kam sie weiterhin einmal wöchentlich zu mir. Das bedeutete, daß sie eine lange Busfahrt zu meiner Wohnung statt ins Krankenhaus in Kauf nehmen mußte, aber sie schaffte es, trotz vieler Hindernisse zu kommen, wenngleich es immer noch Phasen gab, in denen sie mir gegenüber sehr feindselige Gefühle hegte. Sie überstand die Krise meiner Schwangerschaft und einer anschließenden längeren Krankheit, und kommt derzeit einmal wöchentlich. Gegenwärtig haben ihre Probleme in erster Linie mit ihrer Regel zu tun, die begonnen, sich aber noch nicht eingependelt hat.[3]

Dieser Fall demonstriert deutlich jene Persönlichkeitsmerkmale, emotionale Inanspruchnahme und Familiensituation, die die eingangs zitierten Autoren als typisch für die Magersucht hervorgehoben hatten. Wir finden eine Familie vor, die wegen der Ernährung übertrieben besorgt ist (in diesem Fall aufgrund der Diät der Mutter) und in der das Mädchen das Gefühl hat, von einem Elternteil abgelehnt zu werden, und in starker Konkurrenz zu den Brüdern steht. Vor der Behandlung wies Margaret alle Persönlichkeitsmerkmale auf, die als typisch für Patienten mit dieser Krankheit bezeichnet worden sind.

Sie zeigte ihren Eigensinn, ihre peinlichste Sauberkeit, ihre Verschwiegenheit und Zurückgezogenheit, ihre Probleme, Freundschaften zu schließen und ihre intensive Ablehnung der Sexualität. Zusätzlich erkennen wir bei ihr die Prädisposition heranwachsender Mädchen für diese Störung, obgleich es auch Berichte über Fälle von Magersucht bei Jungen gibt. Ihre Symptome – Nahrungsverweigerung und Gewichtsverlust – traten zusammen mit anderen charakteristischen Symptomen auf: Menstruationshemmung, Magen- und Darmkrankheiten, schwacher Kreislauf und Erbrechen. In der Be-

3 Die Patientin ist jetzt glücklich verheiratet und hat zwei Kinder.

handlung zeigte sie die »obsessiven, zwanghaften und depressiven« Merkmale, die von anderen Autoren beschrieben wurden. Ferner beschäftigten sie Schwangerschaftsphantasien, die sie körperlich ausagierte, etwas, das die frühen Forscher als besonders charakteristisch ansahen. Sie offenbarte zudem unbewußte Phantasien und wies Einzelheiten der Familienstruktur auf, die sich in früheren Beschreibungen nicht finden.

Im folgenden möchte ich ihr Material mit dem anderer Fälle vergleichen, die in intensiver Langzeittherapie behandelt worden sind, um herauszufinden, ob sich ähnliche Krankheitsmerkmale aufweisen lassen. In einem Fall kam der Therapeut, der von einem universalen kollektiven Unbewußten ausging (Weizsäcker, 1937), zu der Schlußfolgerung, daß »an Magersucht zu erkranken eine der verschiedenen Methoden« sei, »mit denen Patienten mit Konflikten in ihrem Verhältnis zu Mutter und Vater, zu Gefangenschaft und Freiheit, zu Schwangerschaft und Unfruchtbarkeit, zu Leben und Tod fertig zu werden versuchen.«

1943 berichtete Lorand von einem Fall, der eine klassische psychoanalytische Behandlung erfuhr. Seine Patientin war Anfang zwanzig. Er schreibt: »Der Symptomkomplex bei der Patientin schien auf eine schwere Störung hinzudeuten. Er war Ausdruck vieler Konflikte neben solchen, die mit der Sexualität zu tun hatten, die manche Forscher für das überragende Hauptsymptom halten. Es gab einen tieferliegenden Kampf, der in der Patientin ausgetragen wurde – ein Kampf und eine Abwehr nicht gegen die sexuellen Triebe, sondern auch gegen Triebe diffuserer Art, die mit Störungen der gesamten Persönlichkeitsstruktur zusammenhingen. Diese bezogen sich in erster Linie auf die sehr frühe Periode der Mutterbindung der Patientin, und eine erfolgreiche Therapie war das Ergebnis der Auflösung und des Durcharbeitens dieser frühen Bindung in der detaillierten analytischen Therapie.

Aus der frühen Kindheit erinnert sie sich daran, ein kleines Biest gewesen zu sein, das alles und jeden aufessen und zerreißen wollte. Diese Wünsche, die sich in erster Linie auf die Mutterbrust, Nahrung und die liebende Zuwendung der Mutter richteten, wurden in späteren Stadien mit Wünschen identifiziert, alles zu erlangen, was die

Mutter besaß, einschließlich der Liebe des Vaters. Dies wiederum stand in Zusammenhang mit frühen Vorstellungen der oralen Empfängnis.«

An anderer Stelle heißt es: »Hin und wieder kam sie sich wie eine Kannibalin vor, die das Verlangen hatte, den Penis zu strangulieren und herauszureißen.« Und weiter: »Vom therapeutischen Standpunkt aus gesehen, ist die Depression eines der am schwierigsten zu behandelnden Symptome, und sie ist verantwortlich für die starke Todessehnsucht dieser Patienten.«

In einem 1945 veröffentlichten Aufsatz beschreibt Emmy Sylvester in faszinierenden Details ihre Spielanalyse eines vierjährigen Kindes, das akute Symptome von psychogener Magersucht zeigte. Sie schreibt: »Während der ersten Behandlungsphase kam ihr intensiver Wunsch nach Befriedigung durch den ungeteilten Besitz einer Mutterfigur deutlich zum Ausdruck.« An anderer Stelle, nach einer detaillierten Beschreibung des Spielverhaltens des Kindes mit einer Puppe, schreibt sie: »Der entscheidende Punkt ist jedoch, daß der Zorn auf die schwangere Mutter diese Phantasien hervorruft, die erst dann wohlwollend modifiziert werden, wenn der Therapeut die Mutterpuppe liebevoll repariert.« Später zeigt sie »ihre neidischen, aggressiven, einverleibenden Haltungen gegenüber männlichen Familienmitgliedern …, um der Mutter genauso nahe zu sein wie sie und ihre Vorteile zu haben.« Während dieser Zeit modellierte sie eine Mutterpuppe »mit Busen und Schwänzchen«. Dann wurde sie zu einem Baby, das heißt, sie regredierte auf »eine Ebene, auf der Befriedigung noch nicht durch ihr feindliches Rivalisieren gefährdet war … Die darauffolgende Periode ist charakterisiert durch neue Phänomene des Ichwachstums, nachdem ihre depressiven Reaktionen auf die erste Trennung von der Analytikerin durchgearbeitet wurden.« Emmy Sylvesters Zusammenfassung lautet: »Ihre Neurose hatte die charakteristischen Merkmale einer Depression. Der Konflikt erwuchs auf einer oralen Ebene aus ihrer Unfähigkeit, unvereinbare libidinöse und destruktive Tendenzen zu integrieren, die beide durch Einverleibung zum Ausdruck gebracht wurden. Der entscheidende Vorgang in der Behandlung bestand in der Stärkung des Ichs, bis sie in die Lage versetzt war, ihre geliebten und gehaßten Objekte zu trennen und auf einer realistischen Basis unterschiedlich mit ihnen umzugehen, statt auf der früheren Basis trügerisch verschmolzener Einverleibung.«

George Gerö (1953) beschreibt seine Arbeit mit einer erwachsenen Patientin, die seit langem unter Eßproblemen und phobischen Symptomen gelitten hatte. Die Magersuchtsymptome reichten zurück bis ins fünfte Lebensjahr, als ihre Mutter einen lang ersehnten Jungen gebar. Er beschreibt den Kampf des Mädchens gegen die Akzeptanz der weiblichen Rolle, seine Unzufriedenheit mit dem eigenen Körper und dessen Vergleich mit dem Körper der Mutter. Gerö führt aus: »Die Vorstellung des mütterlichen Körpers war in zwei sich ausschließende Aspekte gespalten; von einem Standpunkt aus gesehen, stellte sie den mächtigen Körper dar, ausgestattet mit der magischen Eigenschaft, Dinge in ihrem Körper wachsen zu lassen, der aber unter dem anderen Blickwinkel betrachtet, als zerstörtes blutiges Durcheinander erschien.« Und an späterer Stelle heißt es: »Während der Sitzungen äußerte sie manchmal den Wunsch, mich aufzunehmen, mich als Ganzheit, das heißt, sie wollte mich aufessen.« Später bezeichnet er dies als das »libidinöse Bedürfnis, mit dem Objekt zu verschmelzen«. Im Kontrast hierzu »verspürte sie feindselige Reiß- und Beißimpulse …, die gegen den Penis gerichtet waren«. Die Patientin lieferte Material, das ihn zu der Schlußfolgerung veranlaßte, daß »die Triebstruktur, etwas aus dem Körper der Mutter herauszureißen und zu essen, zumindest bei dieser Patientin klar mit dem Penisneid in zusammenhing.« Abschließend bemerkte er: »Ob daraus Eßstörungen resultieren werden, entscheidet eine komplizierte Konstellation von Faktoren, von denen nicht notwendigerweise alle erkennbar sind.«

Wir sind nach wie vor weit davon entfernt, die komplizierte Faktorenkonstellation, die den Kampf um Leben und Tod bestimmt, den wir bei magersüchtigen Patientinnen beobachten können, zu verstehen; doch jeder Fall, der beschrieben wird, bestätigt oder ergänzt die vorhandenen Daten. Aus meiner Literaturübersicht können wir ersehen, daß zwar jeder Therapeut das Material in den Begriffen seines eigenen theoretischen Rahmens präsentiert, es aber selbst bei tiefergehender Betrachtungsweise immer noch bemerkenswerte Ähnlichkeiten des Materials gibt, das solche Patientinnen liefern. Insbesondere erkennen wir die entscheidende Rolle, die die frühe Sehnsucht nach einer engen Mutterbeziehung spielt, und ein Verlangen nach ihrem Körperinhalt, einschließlich des Penis des Vaters und damit der aufregenden Beziehung der Mutter zum Vater. Bei meiner Patientin führte das zu den Phantasien über Gefangenschaft, die ein anderer Therapeut erwähnt hat.

Dieser Überblick unterstreicht auch die Bedeutung früher Konflikte in bezug auf den Körper der Mutter und die Tatsache, daß solche Patienten nicht in der Lage gewesen sind, mit den widersprüchlichen Aspekten ihrer eigenen Impulse und denen der Mutter, mit der sie sich in der für diese frühe Phase charakteristischen körperlichen Weise so eng identifiziert hatten, fertig zu werden. Wir erkennen, daß sie keine stabile Fähigkeit entwickelt haben, die Depression auszuhalten, die aus der Tatsache erwächst, daß Widersprüche – wie Anwesenheit und Abwesenheit, Frustration und Befriedigung, Liebe und Haß, Beschränkung und Freiheit, Leben und Tod, Schöpfung und Zerstörung, Gesundheit und Krankheit, Hoffnung und Verzweiflung, Fruchtbarkeit und Sterilität – in ein und derselben Person zusammen existieren können. Das Material scheint darauf hinzuweisen, daß die Art und Weise, wie sie sich mit diesem Konflikt auseinandersetzen, die Stabilität ihrer Anpassung bestimmt.

Als Margaret fähiger wurde, die Depression und Angst auszuhalten die sich aus der Vereinigung dieser sich gegenseitig ausschließenden Aspekte ergaben, stabilisierte sich ihre Genesung. Sie war eher in der Lage, die Realität meiner Gefühle ebenso wie die ihrer eigenen zu erfahren. Die Depression, die sich in diesem Stadium einstellte, war anders als die Depression, die sich in einer früheren Behandlungsphase aus dem Zusammenbruch ihrer Omnipotenzgefühle ergeben hatte. In dieser späteren Depression war sie viel stärker mit der Komplexität ihrer eigenen Gefühle in Kontakt, und sie empfand starke Schuld- und Trauergefühle wegen ihrer Fähigkeit zu grausamen und boshaften Verhaltensweisen, aber auch ein Gefühl der Verantwortung für das, was sie tat.

Eduard Bibring (1953) beschreibt detailliert den früheren Depressionstypus und verfolgt ihn zurück bis zum »schockartig erfahrenen Hilflosigkeitsgefühl des Säuglings bzw. Kleinkindes«. Sylvester ist die einzige Autorin, die Einzelheiten aus der Frühphase ihrer Patientin bietet, von der interessanterweise berichtet wird, daß sie mit vier Monaten entwöhnt wurde (wie auch meine Patientin). In beiden Fällen war der Vater während der Säuglingszeit abwesend. Es könnte sein, daß überwältigende Enttäuschung in der frühen Beziehung zur Mutter, gefolgt von einer ähnlich intensiven Enttäuschung im Hinblick auf den Vater, zur Entwicklung von Magersuchtsymptomen bei Menschen führt, die bestimmte konstitutionelle Dispositionen aufweisen. Die Tatsache, daß das Baby eine ungewöhnlich enge Beziehung zur Mutter hatte, die durch das plötzliche Auftreten des Vaters gestört wurde, könnte ebenfalls von Bedeutung sein.

Sylvesters Fall erhellt möglicherweise, warum diese Störung so häufig bei Heranwachsenden vorkommt. In diesem Fall wurde die Entwicklung des Säuglings nach der frühen Entwöhnung beschleunigt, und sie wurde zu einem Musterkind. Mit 13 Monaten bekam sie Masern. Dies fiel zusammen mit der Entlassung ihrer Mutter mit dem neuen Baby aus dem Krankenhaus. Danach verlor sie an Gewicht, hörte zu gehen auf, näßte und kotete ein und bekam jedesmal Wutanfälle, wenn die Mutter das Baby stillte. Die Mutter reagierte streng darauf, und mit zwei Jahren war sie wieder ein Musterkind. Als sie drei war, kam der Vater nach Hause, und die Patientin, die bis dahin im Bett der Mutter geschlafen hatte, reagierte heftig auf die Verdrängung durch den Vater. Mit vier Jahren reagierte sie auf eine weitere Schwangerschaft der Mutter, indem sie störrisch, ungehorsam, kindisch und schließlich magersüchtig wurde.

Wie es scheint, zerbricht die durch Zwangsmechanismen vorgenommene Anpassung an die Komplexität ihrer Gefühle unter dem Gefühlseinbruch, der durch die erneute Schwangerschaft der Mutter verursacht wurde. Bei Patienten, deren angeborene Prädisposition und frühe Entwicklungssituation sie für Magersucht anfällig machen, scheint die Intensivierung der instinktiven Antriebe in der Adoleszenz ähnliche Folgen zu haben. Das Material scheint nahezulegen, daß aus irgendeinem Grund die Integrationen, die zur Entwicklung der Fähigkeit, das Realitätsprinzip zu akzeptieren – insbesondere die depressiven Gefühle, die mit Verlust verbunden sind –, niemals gefestigt worden sind. Die folgende Graphik zeigt, daß mit der Etablierung dieser Integrationen Margarets extreme Stimmungsschwankungen stabilisiert werden. Ein »Rhythmus der Sicherheit«, wie es die Patientin im nächsten Kapitel nennt, bildet sich heraus.

Verlauf der Anorexia nervosa bei einer Jugendlichen

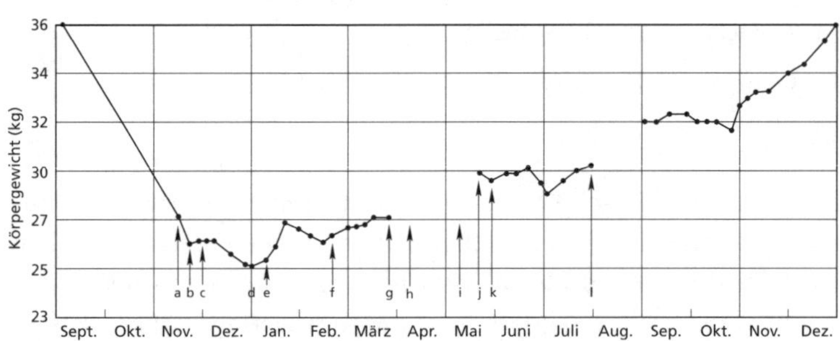

a)	16. Nov.	Untersuchung auf der Kinderstation
b)	23. Nov.	Einweisung ins Krankenhaus
c)	29. Nov.–29. Dez.	Körperliche Untersuchungen
d)	2. Jan.	Psychiatrische Untersuchung; Information der Patientin über den Beginn einer Psychotherapie
e)	9. Jan.	Beginn der Psychotherapie
f)	20. Feb.	Tante zur Entbindung ins Krankenhaus
g)	26. März	Entlassung aus der Klinik
h)	26. März–9. Apr.	Osterferien
i)	6. Apr.	Wiederaufnahme des Schulbesuchs
j)	21. Mai	Wiederaufnahme des wöchentlichen Wiegens
k)	28. Mai	Pfingstferien
l)	30. Juli	Beginn der Sommerferien

Angaben zur Person:
Geburtsdatum: 2. März 1942
Alter bei Überweisung: 13 Jahre, 10 Monate
Größe: 157 cm
Geschätztes Normalgewicht (laut Angaben der Mutter): 36 kg

15. Kapitel
Der Rhythmus der Sicherheit

Und fühlte frei von allen Erdenschranken
Den tiefen Pulsschlag, der die Seele bewegt,

Äonenklang hielt in des Gleichmaß Reihe
Der Zeiten Schritte – der Geschicke Flug –
Des Todes Schläge. Endlich, ach! zerschlug
Ein Zweifel der Entzückung heilige Weihe.

Tennyson, *In Memoriam*, XCIV

Die in diesem Kapitel[1] besprochene erwachsene neurotische Patientin war, wie es schien, eine jener Dauerpatienten, deren Verhalten darauf basierte, ein Ende zu vermeiden. Einsichten aus meiner Arbeit mit autistischen Kindern haben dazu beigetragen, diese Patientin aus den Fesseln ihrer autistischen Praktiken zu befreien und ihr zu fundamentalen Einsichten über sich selbst zu verhelfen, durch die die Beendigung ihrer Therapie in den Bereich des Möglichen und Verantwortbaren rückte.

Es kann nicht ausbleiben, daß die klinische Arbeit, die von Psychopathologien einer so elementaren Stufe wie Kindheitsautismus beeinflußt wird, denjenigen Psychoanalytikern befremdlich erscheinen muß, die im Rahmen der Ich-Psychologie arbeiten. Sie scheint, zumindest in den frühen Stadien, auch ganz anders geartet zu sein als die von Melanie Klein beeinflußte klinische Arbeit. Der Einfluß von Bion und Winnicott auf die Thesen dieses Kapitels ist offensichtlich. Lassen Sie mich nach dieser Einführung nun die Patientin vorstellen, die im Zentrum dieses Kapitels steht. Sie heißt Ariadne.

1 Ursprünglich als Vortrag auf einer Konferenz der Continuing Education Seminars of Los Angeles in Paris gehalten.

Die Patientin

Ariadne wurde mir zum ersten Mal im Alter von zehn Jahren wegen Lernschwierigkeiten überwiesen. Ihre Fähigkeit zu lernen verbesserte sich durch die Behandlung soweit, daß sie bessere Noten erhielt, aber ich hatte niemals das Gefühl, mit ihr wirklich in Berührung gekommen zu sein. Mit 13 Jahren ging sie auf ein Internat. Mit 25 kam sie aus eigenem Entschluß wieder zu mir, weil sie einen extrem beunruhigenden Panikanfall erlitten hatte, bei dem sie kalt und steif wie eine Leiche geworden war. Die ganze Nacht über hatte sie ihre Freundin, die bei ihr war, angefleht, sie in eine Nervenklinik zu bringen. Wir richteten es ein, daß sie zweimal wöchentlich zu mir kam.

Nach dreijähriger Behandlung hatte Ariadne den Traum, der Überlegungen auslöste, die ich in diesem Kapitel darlegen möchte. Wir machten uns beide Gedanken über eine Beendigung der Behandlung, doch wir schienen niemals an einen Punkt zu gelangen, wo dies verantwortbar gewesen wäre. Der Traum und die dadurch ausgelösten Erkenntnisse rückten die Beendigung der Therapie in den Bereich des Möglichen.

Der Traum

Den Traum erwähnte Ariadne in einer Sitzung im Anschluß an eine fünfwöchige Unterbrechung, während der wir uns aus verschiedenen Gründen nicht hatten treffen können. In diesem Traum ging Ariadne gut gelaunt auf ein interessantes, stilvolles Haus zu, von dem sie wußte, daß ihre Großeltern und Urgroßeltern dort gelebt hatten, und in dem jetzt ihre Eltern lebten. Doch bevor sie das Haus erreichte, wälzte sich eine gewaltige schwarze Woge über sie und hielt sie fest. Die Wölbung der Woge hatte glänzende schwarze Rippen aus Wasser, in denen ertrinkende Menschen verzweifelt um ihr Leben kämpften, etwa so, wie die Menschen in einem Gemälde von Hieronymus Bosch. Die Woge war so hoch, daß Ariadne kaum den weißen Kamm sehen konnte. Sie hatte entsetzliche Angst, von ihr verschlungen zu werden.

Dieser Traum erinnerte mich an eine Bemerkung, die Ariadne gemacht hatte, als wir beide erkannt hatten, daß wegen meiner Vortragsreisen ins Ausland und ihres Berufslebens eine fünfwöchige

Unterbrechung bevorstand. Sie hatte besorgt gefragt: »Wird das nicht die Kontinuität unterbrechen?«

Als Säugling hatte Ariadne eine übermäßig fürsorgliche Mutter gehabt; der Kummer über den Tod eines kleinen Sohnes zehrte an ihr. Als Folge davon hatten die Mutter und Ariadne eine allzu enge Bindung entwickelt, die den Vater praktisch ausschloß. Ariadne war stark abhängig geblieben von dieser Mutter, der sie als eine stets greifbare Stütze, als Halt und Ankerplatz diente. Diese starke Abhängigkeit war auf mich übertragen worden.

In der Sitzung erinnerte ich Ariadne an ihre Ängste wegen des Zusammenbruchs der Kontinuität infolge der fünfwöchigen Unterbrechung. Ich sagte ihr, daß meiner Meinung nach ihre übermäßige Nähe zur Mutter, als sie ein Baby und kleines Kind war, falsche Hoffnungen geweckt hätte, daß ihr Körper mit dem einer äußeren, allgegenwärtigen Mutter eine Einheit bilde und so niemals an eine Grenze kommen könne. Als sie dann der Tatsache des körperlichen Getrenntseins voneinander nicht länger ausweichen konnte, hätte sie sich in katastropischer Weise enttäuscht gefühlt. Sie hätte erkannt, daß sie sterblich sei, daß ihr Körper zu existieren aufhören könne. Seitdem hätte sie ihr Leben lang versucht, die Vortäuschung körperlicher Einheit mit dieser ewigen Mutter wiederherzustellen. Die Schwierigkeit bestünde aber darin, daß sie immerzu hoffe, daß ich mich als dieses unsterbliche Wesen erweisen würde. Sie versuche, die analytische Situation so zu manipulieren, daß sie diese Überzeugung bestätigte. Sie täte dies, weil ihr ganzes Existenz- und Identitätsgefühl von der körperlichen Einheit mit einem unsterblichen und immerwährenden Wesen abzuhängen scheine.

Die noch nicht lang zurückliegende fünfwöchige Unterbrechung unserer Treffen hätte die niederschmetternde kindliche Erfahrung der Tatsache, daß ihr Körper wirklich von dem der Mutter getrennt sei, wieder hervorgerufen. Es sei möglich, daß der Wechsel aufs Internat, der den Zusammenhang der ersten Analyse unterbrochen hatte, eine ähnliche Wiederholung dessen sei, was sie für eine unheilbare Wunde hielt. (Wie ich weiter unten zeigen zu können hoffe, resultierte dieses Gefühl von Unheilbarkeit aus dem Fehlen eines Vertrauens in die inneren, schöpferischen Heilungskräfte.) Weiter sagte ich in der Sitzung, daß die fünfwöchige Unterbrechung ihr das Gefühl vermittelt hätte, daß ich sie angesichts der gewaltigen schwarzen Woge stürmischer Gefühle, die sie zu überwältigen drohten, im Stich gelassen hätte.

Nach dieser Sitzung erkannte ich, daß Ariadne im Zugehen auf das Haus ihrer Vorfahren sich selbst als Teil einer kontinuierlichen Generationsfolge zu sehen begann. Das hätte eine Entschädigung sein können für die Aufgabe der unrealistischen Idee, daß ihr individueller Körper ewig, und ohne jemals an eine Grenze zu kommen, leben könnte. Doch diese Hinwendung zu einer Betrachtungsweise, in der sie Teil einer biologischen, evolutionären und genealogischen Kontinuität war, wurde abrupt unterbrochen durch das Aufsteigen überwältigender Angst um ihr persönliches Überleben. In den elementaren Tiefen »dachte« Ariadne nicht über den Tod nach; sie erlebte ihn auf sensuelle Weise.

Es handelt sich hier nicht um die Todesdrohung, angesichts deren wir als Menschen immer leben und die wir als eine objektive Tatsache kennen und anerkennen. Es handelt sich vielmehr um das erschreckende Gefühl körperlicher Diskontinuität, das Wut, Kummer und Angst vor einem Ende hervorruft. Der Körper, so scheint es, hört schlagartig auf zu existieren. Das Kind fühlt sich immerwährend in Gefahr. Um überhaupt irgendein Gefühl von Sicherheit zu erlangen, reagiert es mit der Wiedereinführung der Illusion körperlicher Kontinuität mit einem ewigen »Wesen«, das für es alleine da ist. Dieses »Wesen« wird mit dem Vater oder mit anderen Kindern nicht geteilt. Es ist schwer, Worte zur Beschreibung dieses elementaren Phänomens zu finden. Manchmal wird es die »Umweltmutter« genannt, manchmal »Mutter Erde«. Es ist ein »Wesen«, von dem das Kind glaubt, es würde sein Existenzgefühl garantieren. Wir haben es hier mit »Alles-oder-Nichts«-Zuständen zu tun. Alles ist total und ewig. Ariadne war dabei, sich aus diesen einschränkenden autistischen Täuschungen zu befreien. Lassen Sie mich diese realistische Vorwärtsbewegung, die sie als »Rhythmus der Sicherheit« bezeichnete, beschreiben.

Der Rhythmus der Sicherheit

Als ich über die Sitzung mit Ariadne nachdachte, las ich J. Grotsteins Abhandlung über primitive psychische Zustände bei Borderline-Patienten (1980). Mich beeindruckte der folgende Satz: »Der Säugling muß ein Sicherheitsgefühl aus seinem primären Hintergrundobjekt der primären Identifizierung entwickeln.« ›Ja‹, dachte ich, ›was Ariadne fehlt, ist ein primäres Hintergrundobjekt, das Sicherheit gewährt.‹ (Inzwischen habe ich auch Josef Sandlers Aufsatz (1960) über den Hintergrund der Sicherheit gelesen.)

Aber auch Ariadne hatte über das Thema Sicherheit nachgedacht, denn sobald sie auf der Couch lag, sagte sie nachdenklich: »Wissen Sie, ich glaube, ich habe während der letzten Woche einen Rhythmus der Sicherheit entwickelt.« Ich war überrascht und freute mich sowohl über diese Erkenntnis als auch über die Wendung, die sie benutzt hatte, um sie auszudrücken. Ich bat sie, mir mehr darüber zu erzählen. Ariadne erzählte mir einen Traum, den sie nach der Sitzung, in der die schwarze Woge zur Sprache gekommen war, gehabt hatte. Sie hatte sich in einem sehr engen Raum befunden und gedacht: ›Ich muß schnell hier raus!‹ Sie suchte nach einem Ausgang und fand eine Rutsche, die sie hinunterglitt. Aber das Rutschen brachte sie nicht in Sicherheit.

Sie geriet, bildlich gesprochen, vom Regen in die Traufe, denn sie fand sich in einem großen Amphitheater wieder, in dem sich viele äußerst üble Gestalten befanden. Sie sagte sich: »Hier kann ich unmöglich durchgehen.« Doch obwohl sie große Angst hatte, »faßte sie sich ein Herz« – eine signifikante Wendung –, durchquerte das unheilvolle Amphitheater und sagte, auf der anderen Seite angelangt: »Ich habe einen Rhythmus der Sicherheit.« Die Art, wie sie das mir gegenüber sagte, ließ es wie ein Siegeslied klingen. Ich sagte ihr, daß der Mut, sich ihrer Angst zu *stellen*, statt wie üblich »davonzugleiten«, sie in die Lage versetzt habe, sich ihrer inneren Ressourcen bewußt zu werden, die ihr geholfen hatten, damit umzugehen.

Fragen wir an dieser Stelle nach den möglichen Ursprüngen dieses »Rhythmus der Sicherheit«. Als sie das Wort »Rhythmus« verwendete, mußte ich an eine Tonbandaufzeichnung denken, die eine meiner ehemaligen Studentinnen von einem Baby, das in den ersten zwei Lebensmonaten gestillt wurde, angefertigt hatte. Zunächst konnte das Baby den Rhythmus seines eigenen Saugens und Atmens nicht koordinieren, so daß es sich mit den pulsierenden Rhythmen der Milch aus der Mutterbrust synchronisierte. Doch als die Muskelkoordination des Säuglings perfekter wurde und die Mutter ihr Kind besser kennenlernte, paßten sich beide aneinander an. Ein *neuer* Rhythmus entwickelte sich aus den Rhythmen des Säuglings und denen der Mutter. Es war eine gemeinsam vollbrachte »Schöpfung«. Die Studentin kommentierte die Aufnahme so: »Der Mund des Säuglings bildete ein sicheres, hermetisch abgeschlossenes Siegel um die Brustwarze, so daß Mund, Zunge und Brust zusammenarbeiteten und ein synchronisierter Rhythmus zustande kam.«

In den Worten Ariadnes ausgedrückt, entwickelte der Säugling einen »Rhythmus der Sicherheit«. Nach Brazelton interagieren Mutter und Kind so miteinander, daß sie »eine Hülle aus Reziprozität«, wie er es ausdrückt, erzeugen. Glücklicherweise kann diese infantile interaktive Situation infolge der Flexibilität der menschlichen Natur auch in späteren Lebensphasen geschaffen werden. Das trifft insbesondere auf die analytische Situation zu, in der man die Wirkung der »frühkindlichen Übertragung« versteht. Der primitive Geist orientiert sich an Übereinstimmungen, Klangähnlichkeiten und Analogien. In bestimmten Zuständen wird die analytische Erfahrung so tief empfunden, daß sie einem wie das Stillen eines Säuglings vorkommt.

Damit der »Rhythmus der Sicherheit« entstehen konnte, mußte Ariadne erst eine interaktive gegenseitige Beziehung zu mir entwickeln, die tiefe frühkindliche Wurzeln hatte und in der das Vaterelement deutlich in den Blick kam. Psalm 23, der diese elementaren Ebenen behandelt, deutet dieses Vaterelement an, wenn es heißt: »Muß ich auch wandern in finsterem Tal / Ich fürchte kein Unheil … / Dein *Stock* und dein *Stab* geben mir Zuversicht« (Hervorhebung F. T.).

Ariadnes Verhalten, als sie die Wendung »Rhythmus der Sicherheit« gebrauchte, deutet darauf hin, daß sich eine tiefe gegenseitige Beziehung zu mir entwickelte. Es war für sie ungewöhnlich, sich direkt auf ein tiefergehendes Gespräch einzulassen, wie sie es in dieser Sitzung tat. Der Ablauf der meisten früheren Sitzungen bestand darin, mir minuziös zu berichten, was sich seit dem letzten Treffen alles ereignet hatte. Dadurch gewann sie das Gefühl, daß wir uns nicht getrennt hätten und daß unsere körperliche Einheit wiederhergestellt wäre.

Dies bot auch andere Befriedigungen. Ariadne war eine charmante und amüsante Erzählerin, und indem sie so mein Interesse weckte, hoffte sie sicherzustellen, daß ich physisch immer bei ihr sein würde. An dem Tag aber, an dem sie mir von der Entwicklung eines »Rhythmus der Sicherheit« erzählte, entwickelte sich zwischen uns eine reflexive Interaktion, in der sie deutlicher als je zuvor erkannte, daß ich von ihr getrennt und anders war als sie. Zum einen erkannte sie in einer tiefen Weise und nicht nur verbal, daß sich die fünfwöchige Unterbrechung aus unserer gegenseitigen Anpassung an die Gewohnheiten des jeweils anderen ergeben hatte. Wir schufen unter uns die Wendung »adaptive Reziprozität« für diese Art des Aufeinandereingehens. Ariadne erkannte, daß dies etwas ganz anderes war als die ichzentrierten mechanischen Routinen, die sie so hoch geschätzt hatte. Diese hatten darin bestanden, eine mechanische Präzision bei den Sitzungsterminen, pünktliches Eintreffen, Ablauf derselben Prozeduren in den Sitzungen usw. zu erwarten.

Ich hatte sie oft darauf hingewiesen, daß solche Erwartungen der fixen Idee entstammten, daß ich ein Teil ihres Körpers sei, etwa wie ihr eigener Herzschlag. Als Kind und in der Adoleszenz hatte Ariadne romantische Frauenmagazine verschlungen, und sie betrachtete mich als ihren »Herzschlag« für alle Ewigkeit. Diese sentimentale, individualistische und körperzentrierte Vorstellung wurde nun durch einen Rhythmus ersetzt, den wir gemeinsam geschaffen hatten. Es handelte sich um eine gemeinsame Erfahrung. Sie war ein viel wirksamerer Schutz gegen das Unheil, dessen sie sich nun bewußt wurde, als die »glitschigen Ausweichreaktionen«, die vorher ihr Verhalten beherrscht hatten. Der Traum erwies sich als eine Art Parabel über das Umgehen mit dem Bösen.

Verena Crick hat mich auf die Ähnlichkeit zwischen Ariadnes Traum und dem Thema von Mozarts Oper »Die Zauberflöte« hingewiesen, in der Held und Heldin durch das Spiel der Zauberflöte alle sie bedrängenden Gefahren sicher überstehen. Ja, das Auftauchen des unfaßbaren »Rhythmus der Sicherheit« aus berührbaren, sinnlichen, körperlichen Interaktionen zwischen Mutter und Kind ist selbst eine Art von Zauber. Eine solche Verwandlung ist jenseits unseres rationalen Verstehens angesiedelt. Sie ist ein tagtägliches Wunder.

Als Ariadne aus der einschränkenden Kapsel ihres Autismus auftauchte, erkannte sie, wie verletzbar sie war. Sie erkannte ihre Angst davor, von Unheil heimgesucht zu werden. Lassen Sie mich nun die möglichen Ursprünge dieses Unheilsgefühls untersuchen, denen sie sich stellen konnte, nachdem sie mit ihrem »Rhythmus der Sicherheit« in Berührung gekommen war.

Ariadnes Wahrnehmung des Bösen

Die Arbeit mit autistischen Kindern hat mich auf die Tatsache aufmerksam gemacht, daß eine der frühesten Differenzierungen überhaupt die zwischen »sauber« und »schmutzig« ist. Diese Differenzierung scheint von den angeborenen Dispositionen zu Sauberkeit herzurühren, die der Mensch mit der übrigen Tierwelt teilt. Statt der normalen Differenzierungen haben autistische Kinder und Zwangsneurotiker eine starre Aufteilung zwischen »sauber« und »schmutzig« sowie zwischen anderen Befindlichkeiten wie »voll« und »leer«, »naß« und »trocken«, »hart« und »weich«, »hell« und »dunkel«, »stark« und »schwach« usw. entwickelt. Sie haben Angst, daß, wenn sie beide Pole gleichzeitig erleben, der eine Pol den anderen vollständig vernichten könnte. »Trockenheit« etwa könnte »Feuchtigkeit« austrocknen, »Härte« könnte »Weichheit« völlig zerstören, »Dunkelheit« könnte das »Licht« auslöschen, »Schwäche« könnte »Stärke« schwächen usw.

Eine Wörterbuchdefinition für »Rhythmus« lautet wie folgt: »Bewegung oder Sequenz mit einer regulierten Folge von starken und schwachen Elementen, gegensätzlichen oder unterschiedlichen Zuständen.« Es hat den Anschein, als ob ein regulierter Rhythmus – das heißt ein mit anderen Menschen geteilter Rhythmus, der die Grenzen ausschließlich ichzentrierter restriktiver Handlungen sprengt – die Möglichkeit schafft, Gegensätze ohne Gefahr gleichzeitig zu erleben, denn sie können sich modifizieren und verändern. Daraus erwächst ein schöpferischer zwischenmenschlicher Umgang. Nachdem Ariadne den »Rhythmus der Sicherheit« entwickelt hatte, konnte sie die Dinge erkennen, die für sie »böse« waren, weil sie keine Angst mehr zu haben brauchte, daß das »Böse« all das zerstören könnte, was in ihren Augen das »außerordentlich Gute« darstellte. Vorher vermittelten ihr ihre autistischen Praktiken das Gefühl, »gut« zu sein, indem sie den »bösen« Teil ihrer Persönlichkeit verdeckten. Diese Patienten fühlen sich oft wie getünchte Grabmale; um vor der Erkenntnis dieses Trugs zu fliehen, reagieren sie mit naiven, unbesonnenen, zwanghaften Versuchen, »vollkommen ehrlich« zu sein, was zu Problemen im Umgang mit den Menschen ihrer Umgebung führt.

Wenden wir uns nun den Ursprüngen dessen zu, was als »so außerordentlich gut« betrachtet wird. Gemäß den angeborenen Dispositionen zu Sauberkeit glauben sie, daß Sauberkeit »gut« sei, ein Gedanke, der im häuslichen Spruch »Sauberkeit kommt gleich nach Frömmigkeit« seinen Ausdruck findet. Bei Patienten wie Ariadne jedoch wird »Schmutzigsein« mit dem »absoluten Bösen« assoziiert, Sauberkeit mit »absoluter Reinheit«. Wenngleich Ariadne sehr viel Charme besaß, war sie zugleich eine scheinheilige und selbstgefällige Pedantin. Ihre »Ich-bin-etwas-Besseres«-Haltung führte dazu, daß sie von Bekannten als »Frau Vollkommen« betitelt wurde. Diese Vorstellung von sich selbst als rein und vollkommen kam dadurch zustande, daß sie sich von den schmutzigen, übelriechenden, unakzeptablen Teilen ihres Selbst absonderte, die so zum Nicht-Ich wurden. Infolgedessen ist das Amphitheater der Außenwelt, in das Ariadne aus der Beschränkung ihrer autistischen, ichzentrierten Existenz (physisch wie psychisch) »hineingeboren« zu sein glaubt, eine Nicht-Ich-Situation, die mit dem »Bösen« angefüllt worden ist, das ehedem ein Nicht-Ich war. Sie hatte geglaubt, in eine Welt hineingeboren worden zu sein, die ihrem »Weiterexistieren« feindlich gegenüberstand und durch ihre eigenen Nicht-Ich-Projektionen sogar noch »böser« gemacht wurde.

Zudem wird alles, was aus dem Körperinnern stammt, für verunreinigend, verunreinigt und schmutzig gehalten. Geboren zu sein, das heißt, aus dem Innern der Mutter zu stammen, bedeutet demnach für Ariadne »schmutzig« zu sein. Solche Patienten spalten strikt zwischen Körperinnen und Körperaußen. Sie glauben, daß ihr Körperinneres mit dem Gestank und Unrat ihrer unakzeptierten und unakzeptablen erotischen Erregung, mit Wut, Panik und Kummer aufgebläht sei, die sie in sinnlicher Weise als einen irritierenden, gefährlichen Körperstoff erleben, der für alle Zeiten dort bleiben wird. Das kommt teilweise daher, daß das, was sich innen befindet, unsichtbar und folglich unkontrollierbar und gefährlich ist. Sie leben infolgedessen ein irgendwie künstliches Leben. Sie sind ein leerer Schein – ein hohler Trug. Sie richten ihr Leben allein nach der äußeren Erscheinung und nach Körperoberflächen aus, um die innere, unerkennbare Dunkelheit, an der sie verzweifeln, zu vermeiden.

Ich sprach darüber mit Ariadne und bezog mich auf den »explosiven Dreck« ihrer Wutanfälle, die durch die Frustration und Angst der körperlichen Diskontinuität von jenem elementaren Wesen hervorgerufen wurden. Sie hatte sich abgekämpft, um mit diesem Wesen eine immerwährende Einheit zu bilden. Diesen Dreck empfand sie als böse und anrüchig, und er lief ihrer Prüderie gegenüber Körperprozessen zuwider. Ich sagte ihr, sie würde darauf reagieren, indem sie das »schmutzige Böse« ihrer Panik und Wut in anderen Menschen sähe. Nach dieser Deutung hatte Ariadne eine plötzliche Eingebung über die eifersüchtige Selbsttäuschung, unter der sie jahrelang gelitten hatte und bei der es mir bislang nicht gelungen war, ihr zu einer grundsätzlichen Erkenntnis zu verhelfen. Sie sagte: »Ich dachte eben, daß ich vielleicht bei meiner Begeisterung dasselbe tue. Ich ertrage sie nicht, und folglich sehe ich, wie andere Menschen Freude daran haben, und werde neidisch auf sie.« (Diese Erkenntnis ist typisch für die nachdenkliche Interaktion, die diese Sitzung charakterisierte.) Aber warum war Ariadne zu solchen verzweifelten Extremen getrieben worden, zur Spaltung von »Ich« und »Nicht-Ich«?

Spaltungen zwischen »Ich« und »Nicht-Ich«

Autistische Kinder haben mir gezeigt, daß auf elementaren Ebenen die Wut, Panik und Kummer ihrer Wutausbrüche infolge von Frustration und ihre infantile Begeisterung infolge von Befriedigungserlebnissen mit körperlichen Abfuhrvorgängen verbunden sind. (Man erinnert sich an Daisy, die von der »Entladung« »wilder und trauriger« und »glückseliger Gedanken« sprach.) Eine depressive oder unter einer Zwangsneurose leidende Mutter kann solche Entladungen, die sie als anrüchig oder unsauber empfindet, nicht akzeptieren. Infolgedessen sind sie für den Säugling, dessen »Ichheit« in der Entwicklung begriffen und für den die mütterliche Anerkennung wichtig ist, nicht annehmbar. Sie werden als Nicht-Ich erlebt. Der passive Säugling wird häufig zum »ungewöhnlich artigen Baby«, wie es viele Mütter autistischer Kinder ausdrückten. Wie mehrere Autoren festgestellt haben, kann jenen autistischen Kindern, die in der frühen Entwicklungsphase Wutanfälle hatten (oder Krampfanfälle ohne organische Ursache), in der Regel eine günstigere Prognose gestellt werden als solchen, die in der frühen Entwicklungsphase zum Typus der »ungewöhnlich artigen Babys« gehörten.

Diese Spaltung ist auch in einem anderen Bereich des Verhaltens des Patienten aktiv. Sauberkeit wird mit dem Intellekt assoziiert, und weil primitive Emotionen mit Körperentladungen einhergehen, werden sie mit Schmutzigsein assoziiert und als »böse« erlebt. Der peinlichst »saubere« Intellekt wird auf Kosten der »schmutzigen« Gefühle überbewertet. Wie es Sydney Klein ausgedrückt hat: »Je eher der Analytiker den versteckten Teil des Patienten erkennt (damit meint er den autistischen Teil, F. T.), desto geringer wird die Gefahr, daß die Analyse zu einem endlosen intellektuellen Dialog ausufert …« (Klein, S., 1980). Die Anerkennung des versteckten autistischen Teils solcher Patienten versetzt uns in die Lage, ihre tiefverwurzelte Angst vor Gefühlen zu begreifen, und hilft uns auch dabei, uns von ihrem unfruchtbaren Intellektualismus nicht blenden zu lassen. Wenden wir uns nun ihrer Angst vor Emotionen und anderen »nicht greifbaren Dingen« zu.

Die autistische Angst vor dem nicht Faßbaren

Das Sicherheitsgefühl autistischer Kinder beruht auf der Täuschung, die absolute Kontrolle über den Körper der Mutter zu besitzen, den sie als Teil des eigenen Körpers empfinden. Die Manipulation autistischer Objekte trägt zur Aufrechterhaltung dieser Täuschung bei. Es handelt sich dabei nicht um *Symbole* für den Körper der Mutter, sondern um materielle, berührbare Teile des Körpers der Mutter, die die Kinder als Teile des eigenen, beliebig kontrollierbaren Körpers erleben. (In den Worten von Hanna Segal handelt es sich um »symbolische Gleichsetzungen«.) Der Intellekt kann in formalistischer Weise diesem Kontrollieren und Manipulieren dienstbar gemacht werden. Er kann Dinge auf das Maß zurechtstutzen, das das Kind für richtig hält, statt ihm zu helfen, sie so zu sehen, wie sie wirklich sind. Aber Emotionen sind etwas völlig anderes. Sie können nicht wie berührbare körperliche Gegenstände kontrolliert und manipuliert werden. Doch für autistische Kinder erscheint nur das, was in taktiler Weise kontrolliert und manipuliert werden kann, als wirklich und sicher. Infolgedessen werden Gefühlszustände entweder als unwirklich erlebt oder als außerordentlich bösartige und gefährliche Körpersubstanzen. Wenn wir mit solchen Kindern über Gefühle sprechen, wissen sie entweder gar nicht, wovon die Rede ist, oder sie wenden sich ab, weil sie das Gespräch selbst als gefährlich und verunsichernd empfinden. Unter Umständen haben sie das Gefühl, daß wir sie mit gefährlichen Körpersubstanzen bewerfen. Die beruhigenden, bereichernden, nicht greifbaren, Sicherheit bietenden Aspekte von Emotionen sind ihnen unzugänglich.

Genauso verhält es sich mit den beruhigenden, unbegreiflichen Wachstums- und Heilungsprozessen. Sie können weder gesehen, berührt noch manipuliert werden, und folglich glauben sie nicht daran. Solche Kinder glauben, daß sie wachsen können, indem sie zusätzliche Stücke an ihren Körper anheften. Das ist Nachahmung in konkretistischer Art. Da sie glauben, daß sie diese Stücke anderen Körpern wegnehmen, die sie wieder zurückhaben wollen, bringen solche Handlungen entsetzliche Ängste mit sich. Da sie eine große Angst davor haben, Dinge mit sich geschehen zu lassen, die sie nicht unter ihrer Kontrolle haben, ist ihnen die beruhigende Erkenntnis, daß Wachstum ein natürlicher Vorgang sei, der ohne ihr Zutun stattfindet, nicht zugänglich.

In ähnlicher Weise haben autistische Kinder kein beruhigendes Wissen darum, daß in ihnen Heilungsprozesse stattfinden, die mit den therapeutischen Interventionen zusammenarbeiten. Ihre sämtlichen Anstrengungen sind darauf gerichtet, die vielen Löcher und

Wunden, unter denen sie zu leiden scheinen, zu »bedecken« oder »zuzudecken« (um Ausdrücke Daisys zu gebrauchen). Folglich scheint das gesamte Leben solcher Kinder aus manipulativen, körperzentrierten Ausweichmanövern und künstlichen Gebilden zu bestehen, die mit sinnlichen Erfahrungen auf Körperoberflächen in Zusammenhang stehen. Aus den natürlichen, spontanen Prozessen, die ungesehen ablaufen und sich ihrer Kontrolle entziehen, gewinnen sie kein Gefühl von Sicherheit.

Diese Kinder sind nicht nur von den beruhigenden Wachstums- und Heilungsprozessen abgeschnitten, sondern auch von den beruhigenden Unfaßbarkeiten der Phantasien, Erinnerungen und des Denkens. Die Fähigkeit solcher Kinder zu diesen Aktivitäten wird relativ wenig in Anspruch genommen und gebraucht. Wenn wir also mit autistischen Kindern arbeiten, stoßen wir auf Potentiale, die sich nicht haben entfalten können.

Als Ariadnes autistische Beschränkung nachließ, erkannte sie eine weitere beruhigende natürliche Fähigkeit, nämlich ihre Fortpflanzungsfähigkeit. Als sie dies erkannte, wurde ihr Schmerz darüber, nicht ewig und unsterblich zu sein, gemildert. Sie machte mich in folgender Weise darauf aufmerksam: Sie hatte sich eine Theateraufführung eines Untergrundtheaters angesehen. Das Stück mit dem Titel »Aasgeierkultur« hatte einen starken Eindruck bei ihr hinterlassen. Es handelte von Wasserschildkröten, die ihre Eier am Strand ablegten, wo sie sofort von Menschen zerstört wurden. Sie erkannte, daß sie ihre von Zerstörung bedrohten »Eier« geschützt hatte, als sie das Amphitheater durchquerte.

Ariadne erkannte nicht nur, daß sie in der Lage war, Nachkommen zu bekommen, die sie von einer Generation zur nächsten tragen und ihr so zu einer Art von Unsterblichkeit verhelfen konnten, sondern auch, daß diese »Eier« ihre schöpferischen Fähigkeiten darstellten, die von ihrem räuberischen Autismus zerstört wurden. Bis wir dies gemeinsam bearbeitet hatten, war für Ariadne eine Beendigung der Behandlung nicht möglich. Aber wir konnten dies erst durcharbeiten, nachdem ihr Autismus modifiziert worden war und sie authentischere Methoden entwickelt hatte, sich sicher zu fühlen, etwa indem sie erkannte, daß sie Teil eines schöpferischen Prozesses war, der weiterlaufen würde, wenn der Körper der Mutter und ihr eigener Körper aufgehört hatten zu existieren. Um eine Formulierung Marion Milners (1969) zu ergänzen: Nicht nur der Analytiker ist »Diener eines Prozesses«, sondern auch der Patient. Ariadne wurde mehr und mehr in die Lage versetzt, sich von ihrem Leben tragen zu lassen. Sie entwickelte so einen »Rhythmus der Sicherheit«, eine Fähigkeit, von der sie vorher nichts gewußt hatte. Sie lag jenseits ihrer physischen und intellektuellen Kontrolle. Wie Wachstum und Heilung war dieser Prozeß etwas »Gegebenes«. Er trat auf, ohne daß sie dafür Vorkehrungen hätte treffen müssen. Er vermittelte ihr ein stärkeres Sicherheitsgefühl als ihre eigenen kümmerlichen Manöver. Die Möglichkeit, diese schöpferische Fähigkeit zu erkennen, war das Ergebnis eines entscheidenden Durchbruchs in unserer gemeinsamen Arbeit, der sich in folgender Weise ergab.

Der entscheidende Durchbruch

Ungefähr sechs Monate vor den Träumen Ariadnes, die den entscheidenden Schritt nach vorn einleiteten, zu einem Zeitpunkt, als sie darüber verzweifelt war, ob sie jemals so weit sein würde, die Behandlung beenden zu können, begann ich mir Gedanken darüber zu machen, ob sie vielleicht Teile ihres Körpers als autistische Objekte verwendete, wie es mir von den autistischen Kindern vertraut war. Also fragte ich sie geradeheraus, ob sie an den Wangeninnenseiten oder an der Zunge saugte oder sie biß oder ihr Gesäß hin und her bewegte, um die Fäzes im Anus zu spüren. Sie erzählte mir bereitwillig, daß sie seit ihrer Kindheit an den Wangeninnenseiten zu saugen bzw. sie zu beißen pflegte. Solche autistischen Manöver sind versteckt und geheim. Ich hatte Ariadne niemals dabei beobachtet, und sie wäre niemals auf den Gedanken gekommen, mir davon zu berichten, hätte ich sie nicht direkt gefragt.

Ich bearbeitete diese Phänomene in ähnlich direkter Weise, indem ich sagte, daß es wichtig sei zu versuchen, mit diesen Dingen aufzuhören. Ich erklärte ihr, daß sie das tat, um sich vorzutäuschen, daß sie ein leibliches Stück einer ewigen Mutter immer bei sich hätte, um so das Gefühl zu haben, daß ihr Körper mit dem eines unsterblichen Wesens aus Fleisch und Blut eine Einheit bilde, eines Wesens, das ihre Sicherheit und Existenz vollständig garantiere. Dies war ein entscheidender Wendepunkt in der Behandlung Ariadnes und räumte den Weg frei für die Träume, die ihr Gewahrwerden des »Rhythmus der Freiheit« stimulierten. Dies erwuchs in der Tiefe aus ihrer Anerkennung des Lebensrhythmus mit seinen Freuden und seinem Leiden. (Mir fällt in diesem Zusammenhang ein autistisches Kind ein, dem dies am Beispiel der wechselnden Jahreszeiten klar wurde, weil es die Landstraßen entlang zu dem umgebauten Pferdestall ging, den ich als Therapieraum benutzte.) Seither hat mir Ariadne erzählt, daß meine disziplinierende Entschlossenheit, als ich ihr sagte, sie solle mit dem Saugen und Beißen der Wangen Schluß machen, ihr das Gefühl vermittelt hätte, daß ich mir wirklich Gedanken machte, ob sie richtig aufwachsen würde. Jetzt erzählt sie mir hin und wieder, daß sie sich in Streßzeiten dabei ertappt, an den Wangen zu saugen, aber sofort damit aufhört. Liebevolle Strenge wurde jetzt zu einem Bestandteil ihrer Wahrnehmung meiner Person.

Nachdem ich entdeckt hatte, daß Ariadne einen Teil ihres Körpers als autistisches Objekt gebrauchte, konzentrierte ich mich darauf, ihr zu zeigen, wie diese »Techniken« (eine Bezeichnung, die sie selbst dafür einführte) sie daran gehindert hatten, sich mit der unausweichlichen Tatsache des körperlichen Getrenntseins abzufinden. Sie erkannte allmählich, daß ihre manipulativen Techniken sie dazu geführt hatten, sich vorzumachen, daß die Abwesenheit bzw. Trennung von Menschen immer vermeidbar sei. Infolgedessen waren *geistige* Aktivitäten, die die Kluft der Trennung überbrücken – etwa Phantasien, Vorstellungen, Gedanken, Erinnerungen und Metaphern –, stark unterentwickelt. Kein Wunder also, daß sie als Kind wegen Lernschwierigkeiten an mich überwiesen wurde. Bedauerlicherweise verstand ich zu jener Zeit nichts von ihren autistischen Handicaps und konnte ihr folglich nicht in der grundsätzlichen Weise helfen, wie es in der zweiten Analysephase möglich wurde.

Ich bin zu der Erkenntnis gelangt, daß der autistische Persönlichkeitsanteil der Teil ist, der sich gegen die Analyse sperrt. Es handelt sich um den schwer zu handhabenden Teil der frühkindlichen Erfahrung, der nicht »verdaut« werden konnte und versteckt wurde. Er kann in autistischen Objekten und autistischen Formen, aber ebensowohl in idiosynkratischen Bewegungen und Tics verborgen werden. An dieser Stelle muß ich an James Robertsons Film über Laura denken, das zweijährige, sehr beherrschte Mädchen, das durch einen längeren Krankenhausaufenthalt von der Mutter getrennt wurde. Diese »undenkbare« Erfahrung verschloß sie in sich, indem sie den Tic entwickelte, mit der Hand über das Gesicht zu fahren, als würde sie die Tränen wegwischen, die sie nicht weinen konnte. Auf einer komplexeren Ebene zeigt sich dieser versteckte autistische Teil bei Kindern, die von Zungenbrechern, Scherzfragen und Rätseln unverhältnismäßig fasziniert sind. Das war auch charakteristisch für die frühen Kelten, die Daphne Nash am Schluß des 8. Kapitels beschrieb. Es ist der verdrehte Teil des Patienten, der sich unverstanden und unverständig fühlt, weil die körperliche Trennung von der Mutter als eine vernichtende Katastrophe erlebt worden ist.

Autismus ist lebensfeindlich, doch das ist nicht gleichbedeutend mit Tod. Das Sterben ist ein unvermeidbarer Teil des Lebensprozesses. Autistische Techniken sind Reaktionen, die darauf gerichtet sind, das Bewußtsein des »schwarzen Lochs« der Trennung, des Abschiednehmens, des Zuendegehens und schließlich des Todes zu vermeiden. Sie schneiden den Menschen vom Leben ab. Erst die Anerkennung des Faktums des Todes ermöglicht es uns, dem Leben unsere volle Wertschätzung entgegenzubringen. Im zweiten Abschnitt der Behandlung begann Ariadne zu erkennen, daß sie Beendigungen und Abschiede nicht nur als Zurückweisung erlebte (wie das bei normaleren neurotischen Patienten der Fall wäre), sondern als ein gewaltsames Wegreißen ihres Körpers vom Körper eines Wesens, mit dem sie eine Einheit zu bilden geglaubt hatte und das den Bestand ihrer körperlichen Existenz zu garantieren schien. Die durch dieses gewaltsame Auseinanderreißen entstandenen Wunden mußten geheilt werden, bevor sie bereit war, ihren körperlichen Kontakt zu mir zu beenden. Wie de Astis und Giannotti (1980) gezeigt haben, wird in der normalen Entwicklung die Zäsur der Geburt sowohl für die Mutter als auch für das Kind durch die gemeinsame Interaktion geheilt.

Der Autismus war eine Art Gipsverband gewesen, der Ariadnes verwundeten Teil ruhigstellte. Als sie ihre autistischen Praktiken aufgab, begann sie ihre eigenen inneren Heilungskräfte wahrzunehmen sowie die entschlossene, aber behutsame Sorge, die ihr von ihrer Umgebung zuteil wurde. Kurz: Sie wurde sich der »Liebe« bewußt, nicht jener sentimentalen, schwärmerischen Liebe, sondern der Liebe als eine flexible Anpassung an ihre Bedürfnisse, die ihre Quelle in Reflexion hatte, einem Nachdenken, zu dem auch sie fähig wurde. Es wurde ihr möglich, den Schmerz und die Ekstase zu erfahren, ein endlicher und sterblicher Mensch zu sein. Statt ihnen auszuweichen, begann sie sich den Konflikten, Schwierigkeiten und Schmerzen des alltäglichen Lebens zu stellen. Sie sah, daß es dort Glück und Sorge gab und lernte beides zu ertragen, als sie sich ihrer eigenen und meiner Aufrichtigkeit bewußt wurde. Auch ihre mit Schmutz und Unordnung assoziierte Angst vor dem Wahnsinn, gegen die der Autismus ein Schutz gewesen war, wurde abgebaut. Sie fürchtete nicht mehr, daß die »Entladung« primitiver Gefühle die *absolute* Reinheit ihres Körpers verschmutzen oder die absolute Reinheit ihres Geistes trüben könnte. Diese extremen Spaltungen wurden modifiziert, als sie des gemeinsamen integrativen Rhythmus anpassungsfähiger menschlicher Reziprozität gewahr wurde, der sowohl das annehmbare Ich wie auch das unannehmbare Nicht-Ich umschloß.

Um diese Entwicklung überhaupt erst zu ermöglichen, mußte Ariadne entschlossen ermutigt werden, ihr massives Ausweichen vor der Realität aufzugeben. Sie hatte der äußeren Welt ganz konkret ihre eigene engmaschige Konstruktion übergestülpt. Ihre autistischen Kniffe hatten sie unnatürlich, engstirnig und starrr angepaßt bis hin zur Passivität und Furchtsamkeit werden lassen. Aber unter der Oberfläche dieses Fluchtverhaltens glaubte sie, etwas ganz Besonderes zu sein. All dies hatte sie vor den unvermeidlichen Schmerzen, die das Menschsein mit sich bringt, geschützt, aber auch von dem Wissen um die Liebe, wie sie sich in Empathie, Interesse, Aufmerksamkeit, Rücksicht, Mitleid, Sorge und Verständnis äußert, ausgeschlossen, und ihre eigene Liebsesfähigkeit erstickt. Die primitiven, brutalen Seiten ihres Wesens waren unverändert geblieben und hatten sie schockiert, als sie ihnen begegnete.

Schlußfolgerung

Jene glücklichen Menschen, die als Baby die emotionalen Erfahrungen einer rhythmischen, adaptiven Interaktion des Mundes, der von der Brust unterschieden wird, genießen und internalisieren konnten, sind für spätere Erfahrungen wie sexuelle Liebe sowie ästhetische und religiöse Erfahrungen aufgeschlossen. Solchen Menschen dienen diese Lebensbereiche nicht als hohle und stereotype autistische Ausweichmanöver vor den unvermeidlichen Realitäten des menschlichen Lebens. Es sind für sie zutiefst gefühlte Erlebnisse, die auf der intrapsychischen Schöpfung, die Ariadne so treffend den »Rhythmus der Sicherheit« genannt hat, aufbauen, sie bereichern und neu beleben. Diese unfaßbare Schöpfung ist primitiv, aber komplex. Es ist das, was das autistische Kind erreicht haben sollte, doch niemals erreichte.

Die Erfahrung der Brust – oder der Flasche, die im Sinne einer angeborenen Erwartung der Brust erlebt wird – bietet einen Vorgeschmack der unvermeidlichen Lebenssituationen. In der relativ normalen Entwicklung werden sie in der geschützten Situation der *Reverie* primärer Mütterlichkeit gehalten (Bion, 1962a; Winnicott, 1958). Tritt hier eine Störung auf, bleibt das Kind in atavistischen, wilden Ängsten gefangen, die in der Evolution des Menschen einmal eine Rolle gespielt haben, jetzt aber verkümmert sind. In der normalen Entwicklung werden diese wilden Ängste humanisiert und verfeinert durch jene verändernde empathische Gemeinschaft von Mutter und Kind, die die früheste Form von Kommunikation darstellt.

Frühe, fundamentale Prozesse legen die Struktur für spätere Erfahrungen fest. Wenn aus irgendeinem Grund das Ausweichen zur vorherrschenden Reaktionsweise wird, wird es zur Methode, um mit allen später auftauchenden Problemen fertig zu werden. Veränderungen dieser fundamentalen Strukturen zu bewirken ist eine langwierige, mühsame Aufgabe für den Therapeuten wie auch für den Patienten. Aber die Mühe lohnt sich, denn diese Patienten bieten uns neue Zugangsweisen zur Bedeutung jener sprachlosen Unbegreiflichkeiten, die im menschlichen Leben eine so tiefgreifende Bedeutung haben. Sie befreien uns auch vom Jargon und den Klischees, die durch allzu häufigen Gebrauch abgenutzt sind. Sie veranlassen uns, gefühlvollere Ausdrucksweisen zu entwickeln. Die Folge ist eine Stärkung des geistigen und seelischen Lebens des Analytikers wie des Patienten. Die reflexiven Interaktionen, die sich zwischen Ariadne und mir entwickelten, haben bewirkt, daß für uns beide Unsterblichkeit jetzt weniger auf der groben Ebene bloßen körperlichen Überlebens betrachtet wird. Aus diesem Grund habe ich dieses Kapitel als Tribut an Ariadne und jene geheilten autistischen Kinder verfaßt, die wie sie den Mut gefunden haben, sich den Todesängsten zu stellen, die diese hypersensibilisierten Patienten in solch überstarker Intensität erleben.

16. Kapitel
Die Psychotherapie autistischer Zustände

Dann von der Seele warmem Strahl umspielt,
Schmolz des Verstandes halberstarrter Born,
Und einem Mann gleich in heiligem Zorn
Erstand das Herz und sprach: *Ich hab's gefühlt.*

Tennyson, *In Memoriam*, CXXIII

Ich habe in diesem Buch auf die verschiedenen Aspekte des psychotherapeutischen Prozesses bei psychogenem Autismus Bezug genommen. In diesem abschließenden Kapitel wird es nützlich sein, die im Verlauf des Buches entwickelten Erkenntnisse über den psychogenen Autismus zusammenzufassen. Dies wird unseren Versuch erleichtern, eine psychoanalytische Psychotherapie zu entwickeln, die mit dem Wesen des psychogenen Autismus eng in Berührung steht.

Psychoanalyse basierte ursprünglich auf der Erforschung von Patienten, die die grundlegenden Fähigkeiten zu zwischenmenschlichen Beziehungen entwickelt hatten. Infolgedessen ist es unvermeidlich, daß unsere Arbeit mit autistischen Zuständen, die keine solchen Beziehungen zulassen, bestimmte Unterschiede zur Arbeit mit den häufiger vorkommenden beziehungsorientierten Zuständen aufweisen wird. Es ist ein Mangel, daß es in England keine Forschungseinrichtung gibt, die sich mit den psychotherapeutischen Möglichkeiten zur Behandlung dieser Störung befaßt. Das könnte seinen Grund darin haben, daß in den fünfziger Jahren des 20. Jahrhunderts Psychotherapeuten und Psychoanalytiker ungerechtfertigte Ansprüche stellten zugunsten einer Psychotherapieform, die nicht auf einem detaillierten Verständnis dieser Störung beruhte und den Müttern die Schuld zuwies. Ein so simplifizierender Ansatz mußte scheitern, und es ist folglich nur natürlich, daß manche Therapeuten die Psychotherapie autistischer Kinder heutzutage völlig ablehnen. Sie sind zu der Auffassung gelangt, daß alle Arten von Autismus nicht zu behandelnde Zustände darstellen, ferner, daß Autismus sich auf autistische Kinder beschränke. Wenn man sagt, wie dies mein

Anliegen ist, daß ein besseres Verständnis des Wesens jenes Autismus, der im Ursprung psychogen zu sein scheint, *einigen* autistischen Kindern zu normalem Verhalten verhelfen kann, erscheint das solchen Kollegen als unwahrscheinlich, unverständlich und sogar unverantwortlich. Außerdem noch zu sagen, daß solche Arbeit bestimmte neurotische Störungen mit einer versteckten psychogen autistischen Kapsel zu erhellen vermag, erscheint ihnen ungeheuerlich.

Ich für meinen Teil bin mir dessen bewußt, daß es immer einfacher ist, über eine solche Vorgehensweise zu schreiben, als sie in die Tat umzusetzen. Tatsächlich ist sie sehr schwer zu verwirklichen. Es gibt vieles, das wir nicht begreifen. Es handelt sich auch um eine Vorgehensweise, die nicht jeder psychoanalytisch ausgerichtete Psychotherapeut mit seiner Persönlichkeit ohne weiteres vereinbaren kann. Und schließlich stoßen wir auf das Faktum, daß unser Wissen über die psychische Situation eines Patienten im Zustand autistischer Einkapselung auf nachträglichen Einsichten beruht. Erst wenn sie vom lähmenden Einfluß des Autismus befreit sind, können uns solche Patienten erzählen, wie es war.

Manche Analytiker haben mit den Zuständen, die in diesem Kapitel erörtert werden, zu tun gehabt, ohne sie spezifisch mit Autismus in Verbindung zu bringen. Enid Balint zum Beispiel beschreibt in *Über innere Leere* (1963; dt. 1997) einen neurotischen Erwachsenen mit Eigenschaften, die wir heute als autistische Merkmale erkennen würden, und dessen psychische Entwicklung durch die Arbeit mit Mrs. Balint befreit und gefördert wurde. In der klinischen Arbeit mit autistischen Kindern beobachten wir autistische Phänomene jedoch in einem einfachen Kontext, und dies hilft uns bei der Ausarbeitung eines Grundschemas für die psychotherapeutische Behandlung von autistischen Zuständen. Offenbar lassen sich drei überlappende Phasen in der Behandlung des psychogenen Autismus unterscheiden.

1.) Modifizierung der autistischen Barrieren, damit zwischenmenschliche Beziehungen in Gang gesetzt werden können.

2.) Heilung der beschädigten Psyche (*Psycho*therapie kann beginnen).

3.) Psychoanalyse, wie sie üblicherweise praktiziert wird. (Sie braucht hier nicht näher erörtert zu werden, da sie bekannt ist).

Phase 1: Modifizierung der autistischen Barrieren

Die autistische Einkapselung von autistischen Objekten und autistischen Formen: Wenn wir darauf aufmerksam geworden sind, wird der Gebrauch von autistischen Objekten und autistischen Formen bei solchen Patienten sehr offensichtlich; dafür finden sich in diesem Buch zahlreiche Beispiele. Wenn die Patienten später aus den lähmenden Auswirkungen des Autismus auftauchen, erzählen sie uns über ihre Vorstellung, beschädigt zu sein, und wir beginnen zu verstehen, welchen Nutzen diese Praktiken hatten, indem sie sie vor den existentiellen Ängsten zu schützen schienen, die ich in anderen Kapiteln erörtert habe. Als solche üben sie sehr wichtige Funktionen aus und müssen respektiert werden. Aber sie hindern heilende Einflüsse daran, auf die Patienten einzuwirken, und infolgedessen ist es unsere Aufgabe, die Patienten von ihrer Verwendung abzuhalten. Nur indem wir ihre Funktion verstehen, können wir dem Patienten helfen, realistischere und effektivere Schutzmethoden zu finden. Diese autistischen Praktiken hatten zur Folge, daß die Kinder ihre Fähigkeit zur Einfühlung und Phantasie nicht entwickeln konnten. Deshalb ist es wichtig, daß der Therapeut diese Fähigkeiten in ausreichendem Maße besitzt, damit sie sozusagen auf das autistische Kind »abfärben« können.

Alles, was ich bis jetzt in bezug auf autistische Kinder ausgeführt habe, gilt auch für erwachsene Patienten mit einer mutmaßlichen Autismuskapsel, die die psychoanalytische Arbeit behindert. Dr. Nini Ettlinger hatte eine Patientin, die ihren Modeschmuck als autistisches Objekt verwendete (persönliche Mitteilung). Enid Balint beschrieb kürzlich Mr. Smith, einen erwachsenen Patienten, bei dem sie deutliche autistische Merkmale ausmachen konnte. Dieser Patient dämpfte die Einwirkung störender Erlebnisse ab, indem er die Weichheit eines Kissens auf der analytischen Couch verwendete, um autistische Formen zu erzeugen, und die harte Ecke des Kissens als autistisches Objekt benutzte (Balint, E., 1986; dt. 1997). Unsere Erkenntnisse aus der Arbeit mit psychogen autistischen Kindern helfen uns, gerade solche Verhaltensweisen bei erwachsenen Neurotikern zu verstehen.

Wenn sich neurotische Patienten im Griff ihrer versteckten autistischen Kapsel befinden, scheinen sie hart und undurchdringlich zu sein. Sie reden so, als wüßten sie über alles Bescheid, zeigen wenig Respekt für die Erfahrung und die Deutungen des Analytikers. Es scheint, als seien sie unfähig, irgend etwas in sich aufzunehmen. In diesem Zustand nutzen sie geschickt die menschlichen Schwächen des Analytikers aus. Sie tun dies in der zuvorkommendsten Art und Weise, so daß es schwer festzumachen ist. Erst wenn der Therapeut erkennt, daß seine Autorität untergraben worden ist, wird ihm bewußt, was eigentlich gespielt wurde. Kinder tun dies offensichtlicher als erwachsene Patienten, indem sie etwa versuchen, den Therapeuten vom Stuhl zu schieben, oder indem sie sich darauf setzen, wenn er, aus welchem Grund auch immer, frei ist. In diesem Zustand entwickeln sich die Patienten zu »Alleswissern«, die uns unsere Arbeit lehren wollen und sich vor den Kopf gestoßen fühlen, wenn wir die Analyse nicht so durchführen, wie sie es für richtig halten.

Dies alles geschieht mit so viel Charme, daß wir Gefahr laufen, uns genauso davon einlullen zu lassen wie sie selbst durch ihre autistischen Formen. Autistische Patienten machen sich selbst etwas vor, und wenn wir nicht aufpassen, werden sie auch uns täuschen. Eine Analyse auf dieser Basis kann unendlich weitergehen, ohne irgendeine Hoffnung auf einen befriedigenden Abschluß. Schon als Säuglinge haben solche Menschen die Führung übernommen, und im autistischen Zustand sind sie für äußere Einflüsse unzugänglich, die ihre einschmeichelnde Selbstgefälligkeit modifizieren könnten.

Es kommt für sie einer Katastrophe gleich, wenn diese trügerische Selbstgenügsamkeit nicht länger aufrechterhalten werden kann. Sie erleiden einen mehr oder minder schweren Zusammenbruch. Eine meiner Patientinnen beschrieb ihn mit den Worten: »Der Lack ist ab.« Sie machte eine schwere Zeit durch, gelangte aber mit therapeutischer Unterstützung zu reiferen Funktionsweisen. Diese Patientin hat sich gut entwickelt, aber bevor ihr dies gelang, mußte sie durch Phase 2 hindurch mit vielen Rückzügen in das autistische Schneckenhaus. Allmählich sind diese zu einem »reculer pour mieux sauter« geworden. In dieser flexiblen Weise angewandt, kann ein Rückzug eine nützliche Ruhepause werden, bis der Mensch stark genug ist, den entscheidenden Sprung zu wagen.

Das Problem mit rigiden, unflexiblen, dauerhaften Rückzügen

aus dem Alltagsleben besteht darin, daß sie für das Individuum zu einer Falle werden, in der seine Wahrnehmung beschränkt wird und Empfindungen nicht transformiert werden. Wie immer beim Autismus wird eine angeborene Disposition, die nützlich hätte sein können, in einer Weise überstrapaziert, die für die weitere psychische Entwicklung schädlich ist. In solchen autistischen Zuständen wird Zärtlichkeit tabuisiert. Doch wenn die autistische Kapsel aufzubrechen beginnt, erkennen wir die Hypersensibilität, vor der sie Schutz bot. Dies dient uns als Warnung, daß wir sorgfältig, aber entschlossen bei der Modifizierung der autistischen Schutzmechanismen vorgehen müssen. Wenn die Patienten dann auf den Persönlichkeitsanteil treffen, der ein hohler Trug gewesen war, werden sie immer wieder von Verzweiflung erfaßt. Die Modifizierung der autistischen Schutzmaßnahmen ist eine prekäre, aber notwendige Aufgabe.

Modifizierung der autistischen Schutzmechanismen: Diese künstlichen Praktiken haben die natürlichen menschlichen Reaktionsweisen solcher Patienten verschüttet. In autistischen Zuständen glauben die Patienten, daß sie unbelebte Dinge seien, die von bedrohlichen unbelebten Dingen umgeben sind. Um diesen Gefahren zu entfliehen, vergraben sie sich in ihren autistischen Praktiken. Ariadne, die bemerkenswerte neurotische Patientin, die wir im letzten Kapitel kennenlernten, sagte mir einmal: »Wissen Sie, ich glaube, daß ich unter einem Berg von Müll begraben war, als ich zu Ihnen kam, und daß Sie das Flämmchen von Gesundheit darunter entdeckt und es wieder entfacht haben.« Bion wußte, daß dies eine entscheidende Aufgabe des Analytikers ist. Er schrieb: »Ich habe nicht den geringsten Zweifel daran, daß der Analytiker stets darauf bestehen sollte – durch die Art und Weise, wie er den Fall handhabt –, daß er es mit einem geistig gesunden Menschen zu tun hat und erwarten darf, von diesem in geistig mehr oder weniger gesunder Weise aufgenommen zu werden« (Bion, 1977). Gerade die Hinwendung an diesen gesunden Teil des Menschen sowie das eigene gesunde und menschliche Verhalten geben dem Therapeuten eine Methode an die Hand, die autistische Einkapselung zu modifizieren.

Sich durch den Haufen Unsinn, den der Gebrauch autistischer

Objekte und autistischer Formen erzeugt, hindurchzuwühlen, hat eine gewisse Analogie zur Freilegung des Schutthaufens, der beim Erdbeben in Mexiko im vorigen Jahr neugeborene Kinder begrub. Kinderärzte berichteten uns, daß die Säuglinge länger überlebten als ältere Menschen, weil das Neugeborene eine angeborene Fähigkeit besitzt, die physiologischen Vorgänge wie Atmen und Herzschlag zu verlangsamen, und so in der Lage ist, es in diesem Zustand herabgesetzter Reaktionen länger auszuhalten, als wir vielleicht erwarten würden. Die herabgesetzte physiologische Reaktionsfähigkeit hat, wie es scheint, eine gewisse Analogie zu der herabgesetzten psychischen Reaktionsfähigkeit autistischer Kinder. Das Sichhindurchgraben durch den Schutt scheint eine passende Beschreibung für die Arbeit des Therapeuten in der ersten Phase der Behandlung zu sein. Aber wie alle Analogien dürfen wir sie nicht überstrapazieren. Die Kinder überlebten im Schutt bis zu vierzehn Tage. Eine solche zeitliche Grenze für das psychische Überleben kennen wir nicht. Bei manchen Menschen scheint eine psychische Wiederbelebung selbst im fortgeschrittenen Alter möglich zu sein, wie ein älterer Patient, der von Hanna Segal (1958) behandelt wurde, belegt.

Wenn wir uns an den menschlichen, gesunden Teil der Patienten wenden und über ihre Verwendung von autistischen Objekten und Formen sprechen, bieten wir ihnen durch unser Verhalten und unsere Worte etwas Besseres an – nämlich ein konsequentes, aber einfühlendes Verständnis ihrer Schwierigkeiten. Um dies zu erreichen, müssen wir uns in ihre Nöte einfühlen. Aber die Empathie mit Patienten in autistischen Zuständen bedeutet nicht, unsere eigene Gesundheit aufs Spiel zu setzen. Sie bedeutet vielmehr, gemeinsame Berührungspunkte zu entdecken. In den vorangegangenen Kapiteln habe ich versucht, einige der inneren Reaktionen zu beschreiben, die allen Menschen gemeinsam sind. Wir haben gesehen, daß autistische Kinder infolge ihrer eingeschränkten äußeren Erfahrung vorwiegend diesen angeborenen Prädispositionen gemäß handeln; und da diese von äußeren Erfahrungen relativ unberührt bleiben, reagieren diese Kinder in einer übertriebenen und übersensibilisierten Weise.

In einer weniger übertriebenen Weise teilen wir alle diese angeborenen Dispositionen, und folglich können wir uns bis zu einem gewissen Grad mit den Kindern identifizieren. Dieses Buch hat versucht, dem Leser dabei zu helfen. Ich habe angedeutet, daß wir wahrscheinlich alle eine kleine Autismusnische in uns beherbergen. Autistische Kinder gehören ja keiner anderen Spezies an. Es gibt zwischen ihnen und uns viele Berührungspunkte, und wenn eine Berührung zustande kommt, sprechen wir direkt und mit Gefühl zu ihnen, damit sie sich verstanden fühlen können. Allmählich werden sie dadurch ermutigt, die Barrieren, die ihre extremeren autistischen Reaktionsweisen bilden, ein wenig abzubauen.

Dabei erkennen wir, daß der psychogene Autismus eine fundamentale Wahrnehmungsstörung ist. Wir sehen, daß die formbildenden Dispositionen des menschlichen Geistes einen abweichenden und unfruchtbaren Weg eingeschlagen haben. Elementare Formen sind Empfindungskonstellationen. Bei normalem Entwicklungsverlauf werden diese Empfindungsformen mit realen Gegenständen in der Außenwelt assoziiert, wahrscheinlich zuerst mit der Mutterbrust. Diese Transformation von Empfindungen in Begriffe und Perzepte, wenn die formbildenden Dispositionen des menschlichen Geistes mit realen Gegenständen in Zusammenhang gebracht werden, ist bei autistischen Kindern infolge des fehlenden Austauschs mit der Außenwelt behindert. Statt dessen werden reale Gegenstände benutzt, um autistische Objekte und autistische Formen zu erzeugen, die, da sie vom Kind selbst erzeugt wurden, einer Fata Morgana gleichen. Sie haben keine wirkliche Existenz. Patienten in autistischen Zuständen sind in einer nicht mitteilbaren Welt selbstgenerierter taktiler Empfindungen gefangen. Nur das, was berührt und gehandhabt werden kann, erscheint ihnen als wirklich. Psychische Erfahrungen können weder gesehen, berührt noch gehandhabt werden und liegen folglich außerhalb des Blickfeldes dieser Kinder. Daher sind ihnen Erinnerungen, Gedanken, Phantasien, Vorstellungen und Spiel nicht zugänglich. Symbolisierung und Repräsentationen sind ihnen nicht möglich. Es war für John im 4. Kapitel ein gewaltiger Schritt nach vorn, als er die Mutterbrust repräsentierte, indem er zwei Buntstifte zu einem Kreuz zusammenlegte und dabei das Wort »Brust« aussprach.

Wir haben auch gesehen, daß ein wichtiger Grund dafür, daß

sie die Außenwelt aussperren, der ist, daß sie als besonders sensible Kinder aus verschiedenen Gründen geglaubt hatten, daß ihre Annäherungsversuche von der stillenden Mutter zurückgewiesen worden sind. Das hat ein schmerzliches Bewußtsein ihres Getrenntseins von der Mutter hervorgerufen, die für sie der erste Repräsentant der Außenwelt ist. Darauf reagierten sie, indem sie jede weitere Wiederholung dieses Bewußtseins vermieden. Das scheint der Grund zu sein, warum sie es vermeiden, Menschen direkt anzuschauen. Patienten in autistischen Zuständen nehmen Dinge meist peripher wahr, zum Beispiel, indem sie auf den Tonfall achten anstatt auf das, was ihnen gesagt wird. Bei erwachsenen Neurotikern reagiert der autistische Teil in ausweichender Weise und vermeidet den direkten Kontakt zu Menschen. Sie nähern sich allem und jedem auf Umwegen – ein Patient beispielsweise mußte immer einer gewaltigen Umweg zur Praxis seines Therapeuten machen, statt den kurzen, direkten Weg zu wählen, auf dem er viel schneller ans Ziel gekommen wäre. Wenn Ariadne Geschichten erzählte, schweifte sie immer wieder vom Thema ab, bevor sie zum eigentlichen Kern der Sache kam. Aus diesem Grund, glaube ich, wissen diese Patienten Direktheit bei ihrem Analytiker zu schätzen.

Es hat keinen Sinn, kleine Kinder dazu bewegen zu wollen, Menschen anzuschauen, solange sie keine eigene Motivation dazu entwickelt haben. Eine solche Motivation haben sie aber so lange nicht, bis ihre Angst, Menschen direkt anzuschauen, bis zu einem gewissen Grad bearbeitet und verstanden worden ist. John zum Beispiel sagte, er hätte Angst vor dem »schwarzen Loch« in der Augenmitte fremder Menschen. Andere Kinder aber glauben, daß Augen gefährliche Dinge tun können. Für sie sind »schneidende Blicke«, »durchbohrende Blicke« oder »tödliche Blicke« nicht bloß Redewendungen; sie glauben, daß Blicke wirklich töten können, und schauen deshalb nicht hin. Für sie ist die Außenwelt, wie wir gesehen haben, voll ungemilderter wilder Schrecken, und folglich haben sie sie ausgeschlossen. Sie haben sich in die eigenen Empfindungen eingehüllt. Diese können erst durch Wahrnehmungen transformiert werden, wenn die Ängste mit Hilfe einer verständnisvollen und aufnahmefähigen Person verarbeitet worden sind.

Andererseits bedeutet dies nicht, daß wir solchen Patienten gegenüber nachgiebig sein sollten. Ich habe festgestellt, daß wir strenger und aktiver sein müssen, als dies in einer psychoanalytischen Psychotherapie allgemein üblich ist. Wie es ein Drogenabhängiger einmal formulierte: »Eltern müssen in ihrer Liebe streng sein.« Bei Patienten, die sozusagen vom Autismus abhängig geworden sind, muß sich der Therapeut genauso verhalten. In meiner Arbeit mit Ariadne beispielsweise wies ich sie entschlossen an, zu versuchen, mit dem Saugen ihrer Wangentaschen aufzuhören. Ich verknüpfte das mit einer Deutung, in der ich begründete, warum sie aufhören sollte, sich vorzumachen, daß sie eine »Mutter« aus Fleisch und Blut, die die Kontinuität ihrer Existenz für alle Zeiten sicherte, immer und allzeit zu ihren Diensten bei sich hätte. Selbstverständlich sollte eine aktive Intervention dieser Art stets mit einer Erklärung verbunden werden, warum die schädliche Verhaltensweise aufgegeben werden sollte. Solche Anweisungen funktionieren nur, wenn das therapeutische Bündnis sicher verankert ist. Ariadne war viele Jahre in der zweiten Behandlungsphase, aber versteckte Autismuspartikel klebten an ihr wie kleine Stückchen Eierschale. Die Genesung vom Autismus ist kein geradliniger Vorgang, der ein für allemal stattfände.

Als ich in verschiedenen psychoanalytischen Instituten Vorträge über den Verlauf der Behandlung Ariadnes hielt, gab es stets lebhafte Diskussionen über mein direktes Verhalten. Solches Verhalten des Therapeuten läuft der üblichen psychoanalytischen Praxis, die aktive Einmischungen ins Leben des Patienten meidet, entgegen. Doch nichtsymbolische autistische Zustände unterscheiden sich von allen anderen, die wir kennen. Autistisches Verhalten spielt sich auf einer beinahe reflexhaften psychochemischen Ebene ab. Gefangen in einem ursprünglichen rabenschwarzen Trotz, haben solche Patienten einen unfruchtbaren und selbstzerstörerischen Weg der Beziehungslosigkeit eingeschlagen. Irgend etwas Einschneidendes muß geschehen, soll ihnen geholfen werden, sich in richtiger Weise auf die »Brust« zu beziehen – das heißt, sie zur Vernunft zu bringen. Indem ich Ariadne sagte, sie solle mit dem Beißen der Wangeninnenseite aufhören, verhielt ich mich genauso wie eine fürsorgliche Mutter, die ein impulsives Kind daran hindert, auf eine vielbefahrene Straße zu laufen.

Nach dem Verzicht auf solche Eigenheiten werden gewöhnlich Gefühle freigesetzt, die vorher durch die autistischen Verhaltensweisen ausgeblendet wurden. Der Therapeut muß hierfür sensibilisiert sein, damit er sie unter seine therapeutische Kontrolle bringen kann.

Für den Patienten in diesem Zustand ist es eine Erleichterung, wenn sich der Therapeut für das Leben stark macht. Meiner Ansicht nach sollten wir dies bei Patienten, die ein starkes »Streben« haben, »zur Ruhe der anorganischen Welt zurückzukehren«, wie Freud sagte (1920g, GW 13, S. 40, 68), immer tun, da der Selbstmord für diese Patienten der letzte Schritt ist, um sich von scheinbar undenkbaren und unlösbaren Schwierigkeiten zu befreien. Ich glaube, daß wir uns in allem, was wir unternehmen, für die Seite des Lebens und der Hoffnung stark machen müssen. Zu wissen, wie und wann entschlossene Führung zu geben ist, gehört zur Kunst der Psychotherapie.

Die väterliche Autorität: Eine weitere Lektion, die ich in meiner Arbeit mit autistischen Zuständen gelernt habe, ist, daß es wichtig ist zu verhindern, daß die Autorität des Therapeuten untergraben wird. Wie wir in den vorangegangenen Kapiteln gesehen haben, haben diese Patienten häufig eine Mutter gehabt, deren Selbstvertrauen in verschiedenster Weise geschwächt war, und einen Vater, dessen Gegenwart aus verschiedenen Gründen nicht in ausreichendem Maße gespürt wurde. Die Kinder mußten mit mehr fertig werden, als ihre unterentwickelten psychischen Fähigkeiten verkraften konnten. In ihrer Naivität gefangen, glaubten sie, stark und unverletzbar sein zu müssen. Sie sind auch zu viel sich selbst überlassen worden, ohne hinreichende Unterstützung und Leitung durch eine erfahrene und selbstbewußte Autorität. Johns Material im 4. Kapitel deutet darauf hin, daß er das »Vati«-Element in seiner Pflege unterminiert und weggesprengt hatte. Dies war mit dem assoziiert worden, was er den »Knopf« nannte, das heißt, mit »Nippel-Zunge«-Erlebnissen an der Brust. Die klinische Arbeit weist überzeugend darauf hin, daß die »Nippel-Zunge«-Kombination mit der Härte des »Vaters« assoziiert wird, mit der Autorität, die die Impulsivität der Kinder reguliert. Diese Autorität erlaubt es ihnen nicht, sich überall durchzusetzen, und konfrontiert sie so mit der Realität ihrer Abhängigkeit von anderen Menschen. Autistischen Kindern wurde erlaubt zu glauben, daß sie ihre Welt beliebig gestalten können, daß Menschen wie Modelliermasse in ihren Händen seien. Infolgedessen haben sie ihre Verbindung mit der »Brust« zerstört, jener ersten Bekanntschaft mit der Außenwelt, mit all der Anpassung und all dem Sich-Einstellen, das diese Verbindung impliziert. In impotenter Wut haben sie das »Ding«, das sie teilen müssen, das nicht nur für sie alleine da ist, weggesprengt. Sie haben niemals die Erfahrung gemacht, ein gewöhnliches Mitglied einer gewöhnlichen Familie zu sein. Wie John, der sagte: »Mache eine größere Brust!«, suchen sie fortwährend nach dem undefinierbaren »Extrahäppchen«, das sie außergewöhnlich machen soll. Der disziplinierenden väterlichen Autorität, die ihnen Grenzen setzt, haben sie eine Absage erteilt.

In einem Aufsatz über die »fehlende väterliche Dimension« bietet Phil Mollon ein anschauliches klinisches Beispiel, das die Katastrophe verdeutlicht, die folgt, wenn die väterliche Autorität nicht in ausreichendem Maße anerkannt wird. Das Material stammt von einer Patientin, Frau D., die, in der Terminologie dieses Buches, offensichtlich eine stark wirksame autistische Kapsel besaß. Ihre autistische Einkapselung wurde brüchig, als sie sich zum ersten Mal auf die Couch legte. Mollon berichtet wie folgt: »Sobald Frau D. auf der Couch lag, zeigte sich ihre Abhängigkeit und Verletzlichkeit noch deutlicher, und sie begann davon zu sprechen, in welchem furchtbar ausgehungerten und desorganisierten Zustand sie sich befände, und betonte insbesondere ihr Gefühl, kein Zentrum zu besitzen. Sie zeigte auf ein Bild, das in meinem Zimmer hing – ein abstraktes Gemälde, das sie als sehr bruchstückhaft empfand –, und sagte: ›Ich fühle mich wie das Gemälde dort, ohne Kern – es sieht aus, als wäre es von jemandem gemalt worden, der nicht ganz beisammen war.‹ Daraufhin lachte sie und sagte: ›Das haben Sie nicht selbst gemalt, oder etwa doch?‹ Ich sagte ihr, daß sie sich meiner Ansicht nach wie ein panisches, innerlich auseinanderfallendes Baby fühle, das mit einer ›Mutter-Therapeutin‹ konfrontiert sei, die nicht ganz beisammen zu sein schien –, und daß sie sich nach einer harten Brustwarze sehne, einem Kern, an dem sie sich orientieren und organisieren könnte.

Diese Deutung schien sie erheblich zu beruhigen. Ich zitiere sie hier, weil ich glaube, daß der von ihr gesuchte Kern eine fundamentale und konkrete Metapher sein könnte für die väterliche Funktion, die nötig ist, um Grenzen und Organisation zu bieten« (Mollon, 1985).

W. B. Yeats hat die demoralisierenden Auswirkungen dieses Fehlens eines zentralen Persönlichkeitskerns beschrieben. In *The Second Coming* (1962, S. 99) heißt es: »Alles fällt auseinander, das Zentrum hält nicht zusammen; / Schiere Anarchie beherrscht die Welt, / Blutige Tränen sind unser Los ...«

Johns Material zeigt uns, daß der »Vati«-Knopf den zentralen Kern darstellt, der verlorengegangen ist. Ariadne fand diesen Kern, als sie ihren »Rhythmus der Sicherheit« entwickelte. Um diese Entwicklung zu ermöglichen, war es notwendig, daß die Patientin um das berührbare, sinnlich erregende Objekt trauerte, das sie als Teil ihres Körpers angesehen hatte und das verlorengegangen war. Dieses Trauern verankert es als eine schöpferische geistige Vorstellung, die sie zusammenhielt und mit anderen Menschen verband. Um dies zu ermöglichen, müssen sie die Enttäuschung ertragen, daß alle Dinge ein Ende haben und daß gewöhnliche Menschen, sie eingeschlossen, ebenfalls endlich sind.

Die Fähigkeit zu trauern: Johns Material zeigte überzeugend, daß erst nach der Bearbeitung primitiver Trauerprozesse der »Knopf« zu einer psychischen Vorstellung werden konnte, die schöpferische kognitive und emotionale Prozesse auslöste. Das klinische Material von Ariadne machte deutlich, daß dies bei Erwachsenen ein langwieriger und langgezogener Prozeß sein kann. Ausreichend Zeit ist nötig, wenn die Trauer in zufriedenstellender Weise in die Persönlichkeit integriert werden soll. Es fällt solchen Patienten schwer, die unrealistische Idee aufzugeben, daß sie durch die illusorische, kontinuierliche fleischliche Verbindung mit einem ewigen, nur für sie vorhandenen »Wesen« ewig leben könnten. Erst als Ariadne auf diese autistische Idee zu verzichten in der Lage war, konnte ihr »Rhythmus der Sicherheit« allmählich etabliert werden. Vorher hatten ihre heimlichen autistischen Praktiken diese Entwicklung verhindert. Sie selbst sagte, daß sie meine entschlossene Intervention als Zeichen für authentische Sorge um ihr Wohlergehen erlebt hätte. Das räumte den Weg frei für die Träume, die es ihr ermöglichten, sich den Ängsten zu *stellen*, statt ihnen auszuweichen, und für die Einleitung der Beendigung der Behandlung. Dies setzte voraus, daß sie auf meine körperliche Gegenwart verzichten und ich für sie zu einer psychischen Ressource werden konnte.

Daß sie bereit ist, die Beendigung in Angriff zu nehmen, kündigte sich in einem kürzlich stattfindenden Gespräch mit mir an. Eine siebenwöchige Unterbrechung ihrer inzwischen einmal monatlichen Besuchsroutine stand kurz bevor. Sie hatte die Wahl zwischen einer dreiwöchigen und einer siebenwöchigen Unterbrechung, da der Tag ihres monatlichen Besuchs nicht frei war. Nach einigem Überlegen blickte sie mit einem amüsierten Lächeln auf und sagte: »Sollen wir mutig sein und sieben Wochen probieren?« Für diese vorsichtige und ängstliche Person war dies ein gewaltiger Fortschritt. Aber bis ihr dies möglich war, mußte eine ungeheure Menge psychischer Arbeit geleistet werden.

Psychische Arbeit: Die Arbeit mit psychogen autistischen Kindern und neurotischen Patienten mit einer psychogen autistischen Kapsel veranlaßt mich, Murray Jacksons (1985) Überzeugung zu zitieren, daß »manche Psychosen … zeigen, daß das Ich nicht immer infolge einer biologischen Beeinträchtigung und psychosozialen Belastung auseinanderfällt, sondern durch Kräfte innerhalb der Persönlichkeit zerstört oder fragmentiert wird, die das Vergessen dem Schmerz oder die Verwirrtheit der Depression vorziehen …« (siehe auch Ogden, 1980; Rosenfeld, H., 1971). Die Form der hier beschriebenen Psychotherapie orientiert sich an der Erforschung der Psyche.

Diese Patienten benötigen Zeit und Entlastung von übermäßigem Druck. Wir selbst müssen warten können, damit auch sie lernen können zu warten. Doch zur angemessenen Zeit müssen wir auch erkennen, daß sie bereit sind, den Druck aktiver Intervention zu ertragen; nur so können wir ihnen helfen, ihre »Umwege« zu verlassen und sich mutig auf die Hauptstraße zu begeben, die sie mit gewöhnlichen erdgebundenen Menschen teilen. Dazu müssen sie ihre Trauer um ein sinnlich wunderschönes Objekt verarbeiten, das ihnen nicht als fester Bestandteil an ihrem Körper befestigt werden kann. Wenn sie dies tun, wird ihr Leben von einer ästhetischen Vision erleuchtet, wie sie Dave auf den Felsen erlebte. Es handelt sich nicht um eine flüchtige, esoterische, ästhetische Vision, die so zerbrechlich wäre wie die Faszination des autistischen Kindes angesichts seiner selbsterzeugten, schillernden Speichelblase. Es handelt sich vielmehr um eine robuste, zwischenmenschliche Freude an der Schönheit des Lebens, die die Realität von Häßlichkeit und dem Bösen keineswegs ignoriert. Um dies zu ermöglichen, muß man sich Ängsten offen stellen; doch illusorischen Schrecken ist schwieriger ins Angesicht zu schauen als tatsächlichen. Durch solchen Mut wird das psychische Leben von einer bedrückenden Last befreit, die es tatsächlich vernichten kann.

Die zerstörerischen Auswirkungen des psychogenen Autismus: Der psychogene Autismus behindert nicht nur das emotionale und intellektuelle Leben, sondern verhindert auch die Ausbildung eines Moralgefühls. Dies ist nicht überraschend. Schon John Bowlbys Forschungen über verwahrloste Jugendliche haben gezeigt, daß die räumliche Trennung von der Mutter in den ersten Lebensjahren wahrscheinlich eine »affektlose Persönlichkeit« zur Folge haben wird (Bowlby, 1973). Autistische Kinder haben eine psychische Trennung von der Mutter erlebt. Ihre daraus resultierende Tendenz wurde mir durch einen Aufsatz der französischen Psychoanalytikerin Janine Chasseguet-Smirgel zu Bewußtsein gebracht.

In ihrem Aufsatz beschreibt Chasseguet-Smirgel die Perversion im alltäglichen Sinne, ohne sie auf sexuelle Abweichungen einzuschränken, wie dies in der psychoanalytischen Literatur zumeist der Fall ist. Als herausragendes Beispiel für die Perversion in diesem allgemeinen Sinn analysiert Chasseguet-Smirgel den Charakter und die Werke von de Sade (1983). Obgleich sie das Wort »Autismus« nicht verwendet, gilt alles, was sie über die Perversion sagt, gleichermaßen für das unechte und täuschende Verhalten, das für den Autismus charakteristisch ist. Sie führt beispielsweise an: die analen Präokkupiertheiten, das Vermeiden von Zärtlichkeit, die Verletzbarkeit und Hilflosigkeit, die Pseudounabhängigkeit, die Undifferenziertheit und

Verschmelzung, das Vermeiden von Unterschieden und Gegensätzen, die Nichtanerkennung der Mutter und der Familienbindungen. Auch brutale Roheit fehlt nicht. In *Justine* läßt de Sade einen seiner Charaktere sprechen: »Die Kreatur, die ich vernichte, ist meine Mutter.« Später ist vom »Zerreißen der Brust, die mich stillte«, die Rede (1967, S. 2099 f.).

Einhergehend mit der Modifizierung des Autismus bringen die Patienten, die hier im Mittelpunkt stehen, solche primitive Roheit zum Ausdruck. Bei autistischen Kindern ist sie durch den Gebrauch von harten autistischen Objekten und weichen autistischen Formen in den Hintergrund gedrängt worden. Die weichen autistischen Formen haben die mütterlichen Funktionen ersetzt, die harten autistischen Objekte die väterlichen. Bei erwachsenen Neurotikern mit einer Autismuskapsel werden psychopathische Tendenzen häufig durch zwangsneurotische Reaktionsbildungen verdeckt, die zu selbstgefälligem Verhalten und Entwertungen führen. Bei solchen Patienten – autistischen Kindern wie erwachsenen Neurotikern – wird diese Fähigkeit zur Grausamkeit oft gegen sie selbst gerichtet, indem sie sich schneiden und verletzen, ihre kreativen Regungen im Keim ersticken oder, im schlimmsten Fall, Selbstmord begehen.

Die Fähigkeit dieser Patienten zur Grausamkeit wird oft übersehen. In der Psychotherapie ist es wichtig, nicht mitzuspielen, wenn sie diesen Aspekt ihrer Persönlichkeit »verdecken« wollen. Es ist lebenswichtig, daß wir uns der ungemilderten atavistischen Roheit bewußt bleiben, die niemals durch liebende Interaktionen mit der stillenden Mutter modifiziert worden ist. Autistische Kinder haben die »Brust-Mutter« fast vollständig abgelehnt, und neurotische Patienten mit einer Autismuskapsel besitzen einen Persönlichkeitsteil, der sich gewalttätig von ihr abgewendet hat. Allen heilenden Annäherungen dieser Mutter, so zaghaft sie vielleicht gewesen sind, wurde eine Absage erteilt, genauso wie sie in ihrem frühen schmerzlichen Bewußtsein der Trennung von der Mutter geglaubt hatten, von ihr abgewiesen worden zu sein.

Es gibt einen unberechenbaren, gefühllosen Persönlichkeitsanteil. Er ist gefährlich, weil er oft mit großem Charme verbunden ist. Ein wichtiger Bestandteil der ersten Therapiephase besteht darin, solche

Patienten zu ermutigen, von ihren geheimen autistischen Praktiken abzulassen, um eine direkte Beziehung mit dem Leben und seinen Wechselfällen (der »Brust« in der frühen Kindheit) aufzunehmen sowie Überzeugungen und einen Sinn für Ziele zu entwickeln. In der psychoanalytischen Therapie geschieht dies durch die infantile Übertragung. Durch dieses Medium reagieren die Patienten auf den Therapeuten als die »Brust« der ersten Lebensmonate und werden in die Lage versetzt, ihren trotzigen Zorn über deren Unzulänglichkeiten zu ihren eigenen anspruchsvollen Erwartungen in Beziehung zu setzen. Diese perfektionistischen Erwartungen sind im Verlauf der Jahre immer übertriebener geworden, und die Patienten haben über ihre Enttäuschungen nachgegrübelt. Kein Therapeut, und sei er noch so tüchtig, könnte ihnen gerecht werden. Sie haben also ausreichende Gelegenheit, mit ihrer Desillusionierung über die Unzulänglichkeiten der Menschen fertig zu werden.

Wie wir an Ariadnes Reaktionen gesehen haben, scheint die Außenwelt, gemessen an ihren perfektionistischen, puristischen Erwartungen, verunreinigt zu sein. Sie haben sich angesichts dieser scheinbaren Verschmutzung zurückgezogen. Ihnen zu einem robusteren Zugang zum Leben zu verhelfen ist ein Teil der Kunst der Psychotherapie. Es hat wenig Sinn, solche Menschen wie kostbares Meißner Porzellan zu behandeln. Sie versuchen oft, uns in diese Richtung zu beeinflussen, aber wir dürfen dabei nicht mitspielen. Sie haben viele Stärken, die sie noch gar nicht entdeckt haben, und wir müssen ihnen helfen, mit ihnen in Berührung zu kommen. Dies findet in jeder Phase der Psychotherapie statt. Kehren wir an dieser Stelle zur ersten Phase zurück, in der es darum geht, den Autismus zu modifizieren. Es ist hilfreich zu wissen, welche Art von Körperbild solche Patienten in einem autistischen Zustand haben.

Das autistische Körperbild: In der ersten Behandlungsphase lernen wir einen Patienten kennen, der vor Schreck »aus der Haut gefahren« ist und sich hautlos und entkörperlicht fühlt. Die Haut ist durch den »Panzer« seiner autistischen Praktiken ersetzt worden, die ihm helfen, sich geschützt zu fühlen vor der panischen Angst zu fallen, sich aufzulösen, zu zerfließen, das sinnliche Objekt als Teil des Körpers, das ewige Kontinuität gewährleistet, zu verlieren usw. Im 12. Kapitel lernten wir die erwachsene neurotische Patientin kennen, die glaubte, daß dieser hautlose Teil ihres Selbst in einer Walnußschale lebte. Zu Beginn seiner Psychotherapie bei Dr. Maiello schwebte Antonio (13. Kapitel) in einem entkörperlichten Zustand umher. Zunächst müssen diese Patienten in eine entschlossene, selbstbewußte, verständnisvolle Sorge »eingehüllt« werden, damit sie darauf vertrauen können, daß es ungefährlich ist, ihren leeren, gepanzerten oder entkörperlichten Zustand aufzugeben.

In ihrem autistischen Zustand glauben solche Patienten, »hauchdünn« zu sein. Sie differenzieren nicht zwischen Innen und Außen, sondern richten ihr Leben nach Oberflächen und oberflächlichen Erscheinungen aus. Sie haben kein Bewußtsein ihres eigenen Innern. Wie wir bei Peter gesehen haben (6. Kapitel), befand sich da, wo sein Bauch hätte sein müssen, eine Lücke. Sydney Klein (1980), der über erwachsene Neurotiker mit manifesten autistischen Phänomenen schreibt, führt aus, daß sie »dünne und flache Gefühle« haben. Die Arbeit mit autistischen Kindern zeigt, daß sie in einer flachen, zweidimensionalen Welt leben. Ein autistischer Junge beispielsweise, der von einem Bild fasziniert war, das an der Wand des Behandlungszimmers hing, ging zum Bild und drehte es um, um nachzuschauen, was sich hinter den Hügeln auf dem Bild verberge. Ein anderes Kind drehte ein Blatt, auf dem die Vorderseite eines Hauses gezeichnet war, um, damit es auf der anderen Seite die Rückseite des Hauses zeichnen konnte.

Wie es Ted Hughes in *Crow* sagt (6. Kapitel), glauben solche Patienten, daß ihr »Körper unterbrochen« sei. In ihrer Körperwahrnehmung fehlt das Mittelstück, der Teil, wo Dinge aufbewahrt und verdaut werden können, der die oberen und unteren Teile verbinden könnte und Körper dreidimensional werden läßt. Wie wir gesehen haben, sind autistische Objekte und autistische Formen zweidimensional. Es war der *Eindruck*, den sie auf Körperoberflächen hinterließen, dem Beachtung geschenkt wurde. Als reale dreidimensionale Gegenstände der Außenwelt waren sie bedeutungslos. Das Auftauchen der geometrischen Figuren Kreis und Dreieck leitete das dreidimensionale Bewußtsein ein. Sie besaßen ein Innen und ein Außen. Sie konnten etwas in sich enthalten und waren in dieser Hinsicht etwas ganz anderes als Zickzacklinien oder Kritzeleien mit Kurven. Wenn elementare Empfindungsformen mit objektiven geometrischen Figuren assoziiert werden, die »Container« sind, und wenn sie mit realen, dreidimensionalen Gegenständen der Außenwelt verknüpft werden, dann können sich allmählich Wahrnehmungen und Begriffe entwickeln. Dies leitet über zu Phase 2 des psychotherapeutischen Prozesses.

Phase 2: Heilung der geschädigten Psyche

Die Körpervorstellung in diesem Stadium: Zerbricht die autistische Schale durch das auftauchende, den Autismus zerschmetternde Bewußtsein, dann kommt eine hilflose Kreatur zum Vorschein, die glaubt, daß ihr ein lebenswichtiger Teil fehle. Bis zu diesem Punkt hatte sich das verletzbare Geschöpf durch die Einhüllung in die eigenen Körperempfindungen geschützt gefühlt. Diese beschützten es gegen die Verwirrung und Unordnung des Wahnsinns. Wenn Patienten aus dem Autismus auftauchen, erkennen wir ihre Angst vor dem Wahnsinn. Der Eintritt in diese 2. Phase erhöhter Wahrnehmung führt zu einem schmerzlichen Zustand treibhausartiger Hypersensibilität, in dem sie glauben, ohne Haut zu sein. Sie erleben ferner Zustände eisiger Klarheit. Damit verbunden ist ein Gefühl des Auftauens. Anne Brontë bringt dies deutlich zum Ausdruck, wenn sie sagt:

> »Entsetzlich ist der Einhalt, stark der Schmerz,
> Wenn das Ohr zu hören, das Auge zu sehen beginnt;
> Wenn der Puls zu schlagen und das Gehirn wieder zu denken beginnt;
> Wenn die Seele das Fleisch spürt, und das Fleisch die Kette.«
> *Über das Werden*, Gedichte

Heilungsprozesse: Nachdem die autistischen Schutzmechanismen brüchig geworden sind, besteht die Reaktion darauf darin, zu glauben, im Körper des Therapeuten (der Mutter der infantilen Übertragung) eingehüllt zu sein. Margaret Mahler bezeichnet diese Einhüllung als »Symbiose«. Es ist ein Zustand, in dem die projektive Identifizierung, wie sie von Melanie Klein beschrieben wurde, aktiv ist. Steve (12. Kapitel) ist ein Beispiel hierfür. Nach eineinhalb Jahren Therapie zeichnete er ein rotes Oval, in dem zwei Figuren enthalten waren, ein kleineres Oval und ein Kreis. Seiner Psychotherapeutin, Madame Cauquil zufolge, deuteten diese beiden Behältnisse innerhalb eines größeren darauf hin, daß Steve glaubte, gemeinsam mit seiner Therapeutin in einem gemeinsamen Milieu gehalten zu werden. In diesem Kontext des »Zusammenseins« konnte Steve ein Identitätsgefühl entwickeln und zu denken beginnen. In diesem Stadium glauben autistische Kinder, daß die Existenz des einen von der faktischen körperlichen Gegenwart des anderen abhinge. Folglich sind Trennungen äußerst schmerzvoll und beängstigend.

Bion hat Melanie Kleins Begriff der projektiven Identifizierung erweitert und gezeigt, daß sie die Entwicklung des Denkens fördert. Das Kind projiziert einen Schrei, einen Wutanfall oder eine andere impulsive Aktivität, die Mutter identifiziert sich empathisch damit und versteht es. Sie reagiert angemessen. Anstatt explosive Projektionen zu verwenden, beginnt das Kind allmählich, die Spannung auszuhalten und die Aktion zu verzögern. Das ist die Basis des Denkens. Aber dies ist nur möglich, wenn die Projektionen des Aäuglings nicht unbeachtet ins Leere laufen; sie dürfen auch nicht einfach auf das Kind zurückprallen wie von einer Mauer. Die Mutter gibt nicht unbedingt nach, sondern reagiert in einer angemessenen Form.

Es ist mein Eindruck, daß die Prozesse der empathischen Interaktion (projektive Identifizierung) wichtig sind für die in Phase 2 stattfindende Heilung. Der Therapeut hat jetzt ein Inneres. Geschädigte Patienten glauben, daß die geschädigten Teile im »Bauch-Geist« des Therapeuten aufbewahrt werden können, damit die damit verbundenen Ängste »verdaut« werden können, bis sie selbst in der Lage sind, sie »zu verdauen«. In Phase 2 ist die empathische »Verdauung« die wichtigste Rolle des Therapeuten im Heilungsprozeß. Aber es ist wichtig, daß wir dem Patienten diesen Dienst nicht auch dann erweisen, wenn er selbst dazu in der Lage ist. Unsere ganze Arbeit muß darauf zielen, daß er dies lernt, indem er heilende psychische Vorstellungen entwickelt, unter denen die ästhetischen Vorstellungen eine sehr wichtige Rolle spielen.

Die Tatsache, daß der Schaden häufig ein illusorischer ist, hat zur

Folge, daß er sehr hartnäckig und schwer zu behandeln ist. Bei Patienten mit einer wirklichen körperlichen Schädigung, die während der Geburt oder später aufgetreten ist, können sich Gefühle in bezug auf die illusorische Schädigung mit solchen vermischen, die sich auf die tatsächliche Beeinträchtigung beziehen. Es ist schwierig, mit beiden Situationen umzugehen. Der Therapeut und der Patient brauchen beide Geduld, um diese Fäden durchzuarbeiten und zu entwirren.

Auch wenn der Patient in Phase 2 ein Identitätsgefühl zu entwikkeln beginnt, ist dieses keineswegs stabil. Es beruht auf der Illusion, in der Haut des Therapeuten zu leben (als wäre sie die Haut der Mutter). Das Ziel besteht darin, solchen Patienten zu helfen, das Gefühl zu entwickeln, selbst im Besitz einer intakten Haut zu sein. Wie wir bei Steve und Jean im 12. Kapitel gesehen haben, können ihnen Unterbrechungen in der Behandlung das Gefühl geben, daß es auch Lücken in der Einhüllung durch die Haut der »Therapeutin-Mutter« gibt und daß sie, wie durch ein Leck, daraus wegfließen würden. Dies kann sie veranlassen, eine eigene Haut zu bilden, es kann sie aber auch zurücktreiben in den psychogenen Autismus, der sie mit einer künstlichen, schwielenähnlichen Haut zu bedecken scheint.

Phase 2 ist eine verwirrende Phase, weil es ein ständiges Zurückfallen gibt aus dem Zustand, in dem sich der Patient menschlich und lebendig fühlt, in den leblosen hohlen Trug des Autismus. In der interaktiven Koexistenz der Phase 2, in der eine Heilung in den Bereich des Möglichen rückt, gibt es ein aufdämmerndes Wissen um den Unterschied von Ich und Nicht-Ich, aber das Nicht-Ich kann mitunter derart unerträglich sein, daß es ausgeblendet wird. Doch allmählich wirken der Gebrauch von Übergangsobjekten und Übergangshandlungen diesem Ausblenden entgegen (Winnicott, 1958). Diese schützen das Kind vor allzu schmerzvollen Erfahrungen des harten Nicht-Ich. Wir können dies bei Sam im 9. Kapitel sehen. Wenn er an seinem Schal saugte, gab ihm dies die Empfindung eines wohltuenden Kreises. Sein Daumen dagegen vermittelte ihm die »böse« Empfindung eines Dreiecks mit spitzen Winkeln. Das war das harte Nicht-Ich, das nicht so geformt werden konnte, wie er wollte und es erwartet hatte. Der Therapeut muß solche Patienten konsequent ermuntigen, den harten Nicht-Ich-Anteil zu »verdauen«.

Wenn sie sich über das harte Nicht-Ich, das sich nicht ihrer Kontrolle fügt, sondern im Gegenteil unerwartete Dinge tut und Schocks verursacht, aufregen, sind sie bereits ein gutes Stück auf dem Weg der Genesung vorangekommen. All die unbewußten Phantasien, die Melanie Klein beschrieben hat, werden in dieser Phase wirksam. In der unbewußten Phantasie wird das Körperinnere der Mutter angegriffen und repariert. Diese unsichtbaren Innenräume regen auch die Phantasie an. Maiellos Patient Antonio ist hierfür ein Beispiel (13. Kapitel). Er phantasierte über die wunderschönen Maiello-Dinge, die er sich in den Räumen vorstellte, deren Türen verschlossen waren. Da ihm Frau Maiello dabei half, seine Frustrationen hierüber zu ertragen, konnten sich Phantasien entwickeln. Das Phantasieren ist ein heilender psychischer Vorgang. Es hilft, die durch Frustration und Enttäuschung gerissenen Wunden zu heilen.

Psychosomatische Krankheiten: Wenn Patienten in ihrem autistischen Schutzbereich eingeschlossen sind, ziehen sie sich, wenn überhaupt, nur selten körperliche Erkrankungen zu. Wenn sie aus dem Autismus auftauchen und ihre Verletzbarkeit freigelegt wird, bekommen autistische Kinder die üblichen ansteckenden Kinderkrankheiten. Erwachsene neurotische Patienten werden körperlich krank. Wenn sie ihre autistischen Schutzmechanismen verlieren, scheinen sie neben der psychotherapeutischen auch medizinische Hilfe zu benötigen. Dies könnte darauf hinweisen, wie Grotstein (1983) anführt, daß es sich beim psychogenen Autismus um eine psychosomatische Krankheit in *statu nascendi* handelt. O'Gormon (1967) hat auf die Rolle hormoneller Faktoren hingewiesen. Als Psychotherapeutin habe ich allerdings mein Augenmerk auf rein psychologische Faktoren gerichtet. Auch Sydney Klein konzentriert sich auf solche, wenn er eine Patientin mit einer Dermoidzyste beschreibt, die operativ entfernt werden mußte. Sowohl Klein als auch die Patientin sahen darin die körperliche Umsetzung eines verkapselten autistischen Teils ihrer Persönlichkeit, von dem sie ebenfalls abgeschnitten werden mußte. Eine andere Patientin entwickelte eine entzündete Eierstockzyste. Klein betrachtete diese Zysten als die autistischen Teile des Selbst, die auf somatischer Ebene verkapselt worden waren. Joyce McDougall (1980), eine französische Psychoanalytikerin, die sich sehr intensiv mit psychosomatischen Krankheiten befaßt hat, spricht von einem »Roboter«-Teil der Persönlichkeit, der solchen Erkrankungen zugrunde liegt. Sie verwendet zwar nicht den Ausdruck »Autismus«, aber sie ist sich offensichtlich des »Strebens zurück zur anorganischen Welt« bewußt, wie es Freud ausdrückte (1920g, GW 13, S. 68).

Es ist interessant, daß wir an vielen Stellen der Autismusforschung auf Freud verwiesen werden. Neben dem »Streben der Rückkehr zur anorganischen Welt« erkennen wir die verheerenden Auswirkungen jener begrabenen Traumata, auf die uns Freud aufmerksam gemacht hat, wenngleich die infantilen illusionären Traumata, die in der Entwicklung des psychogenen Autismus von Bedeutung sind, früher stattfinden als die, von denen Freud sprach. In seinem *Bruchstück einer Hysterie-Analyse* (1905e) erkannte Freud auch die Bedeutung der Brustwarze an; danach wurde sie nahezu schzig Jahre lang in der psychoanalytischen Literatur ignoriert, bis Meltzer (1963) und Bradley (1973) sich wieder für ihre Bedeutung interessierten.

Der Wert der Erforschung des psychogenen Autismus: Abgesehen davon, daß sie uns in die Lage versetzen, mit psychogen autistischen Kindern so in Berührung zu kommen, daß manchen von ihnen zu einem normaleren Verhalten verholfen werden kann, versprechen die Erkenntnisse aus der Erforschung des psychogenen Autismus, unser Wissen über bestimmte neurotische Störungen zu vertiefen. Sydney Klein schreibt dazu: »Meinem Eindruck nach wird durch die Anerkennung der Existenz des eingekapselten Persönlichkeitsteils die Dauer der Analyse beträchtlich verkürzt; vor allem aber verhindert sie möglicherweise weitere Zusammenbrüche im späteren Leben. Dies wurde mir klar, als ich mehrere Patienten behandelte, die in früheren Lebensabschnitten analysiert worden waren und die im Zuge ihres Älterwerdens sehr schwere Störungen entwickelten.

Es gibt noch einen weiteren Aspekt, der für die aufgewendete Mühe der Beobachtung dieser Patienten – ja, aller Patienten – entschädigt, nämlich das ständige Oszillieren beispielsweise zwischen Zuständen der Omnipotenz und solchen der Hilflosigkeit ...«

In diesem Zusammenhang beschreibt S. Klein eine manische Patientin, die als »Schutz vor Leeregefühlen unaufhörlich redete«. Es scheint mir, daß solches Reden auch ein Versuch der Patientin gewesen sein könnte, sich durch die Panikzustände, wie sie in anderen Kapiteln des Buches beschrieben worden sind, »hindurchzureden«.

Die sogenannten »Panikzustände« bei ansonsten normalen Menschen sind denen sehr ähnlich, die psychogen autistische Kinder erleben, wenn sie aus ihrer autistischen Einkapselung auftauchen. Diese Einkapselung diente ihnen als Schutz vor solcher Panik. Neurotische Patienten in panischen Zuständen klagen über Atemnot, oder sie haben das Gefühl, den Boden unter den Füßen zu verlieren, daß ihnen eine Katastrophe bevorstünde, oder sie fühlen sich entsetzlich ermattet. Sie finden es oft hilfreich, sich durch solche Panikzustände hindurchzureden oder einen Gesprächspartner zu haben. Die »talking-cure«, wie eine von Breuers Patientinnen die Psychoanalyse bezeichnete, scheint ganz gewiß relevant zu sein, um die Panikzustände des psychogenen Autismus zu mildern, sowohl bei autistischen Kindern als auch bei erwachsenen neurotischen Patienten mit einer Autismuskapsel. Erkenntnisse aus der Psychotherapie psychogen autistischer Kinder versprechen einen Beitrag zu leisten zu unserem Wissen über solche Panikzustände. Wie an verschiedenen Stellen in diesem Buch angedeutet wurde, versprechen sie auch unser Verständnis psychosomatischer Krankheiten, psychopathischer Persönlichkeiten, Suchtkrankheiten, Hysterie, bestimmter Phobien und zyklothymer Zustände zu vertiefen.

Meiner klinischen Erfahrung nach wird der psychogene Autismus vor allem in Zeiten biologischer Veränderung brüchig, etwa in der Pubertät, nach den Flitterwochen, während der Midlife-crisis, während des Alterns oder bei Todesfällen. Die unmodifizierte Verletzbarkeit, gegen die der Autismus ein Schutz gewesen ist, wird freigelegt. Dies geschieht auch manchmal nach Beendigung einer Analyse. Bei der Arbeit mit erwachsenen Neurotikern mit einer versteckten Autismuskapsel ist es schwierig sicherzustellen, daß der gesamte Autismus von der umsichtigen Aufmerksamkeit des Therapeuten erfaßt worden ist. Patienten stellen manchmal nach Beendigung der Analyse fest, daß es noch unbemerkt gebliebene autistische Residuen gibt, die sie bearbeiten müssen. Oft sind dies Patienten, die als Kleinkinder auf ihre verwirrte Mutter oder auf eine Mutter, die über den Tod eines Kindes trauerte, aufpassen mußten. Gewöhnlich war der Einfluß des Vaters nicht genügend spürbar gewesen. Diese Patienten haben als Kleinkinder nicht trauern können, und diese unvollendete Trauerarbeit kann in vielen Fällen erst geleistet werden, wenn die Behandlung zu Ende ist. Solche Patienten neigen auch dazu, eine Selbstanalyse zu versuchen, um sich den Analytiker zu sparen. Die Folge ist, daß die Wunden der Trennung nicht in dem Maße geheilt wurden, wie dies möglich gewesen wäre. In dieser Lage müssen sie das, was sie in den Ferien und während der Wochenendpausen ihrer Analyse gelernt haben, verwenden, um mit der Trauer fertig zu werden, die sie ergreift, nachdem sie endgültig die körperliche Gegenwart ihres Analytikers verloren haben.

Es mag sein, daß dieser unberechenbare Teil der Persönlichkeit niemals vollständig ausheilt, doch indem wir uns unseren autistischen Bluffs stellen und auf sie verzichten und mit den Möglichkeiten des Lebens in tragfähige kreative Interaktionen eintreten, bereiten wir uns auf die Zäsur des Todes vor und sammeln den nötigen Mut, uns ihr zu stellen.

Abschließende Bemerkungen

Dieses Buch hat versucht, zum psychoanalytischen Verständnis der Psychopathologie und Entwicklung autistischer Zustände beizutragen. Ein einfacher, fast umgangssprachlicher Stil ist verwendet worden, da er mir für die grundlegenden Sachverhalte, die zur Sprache gekommen sind, am geeignetsten erschien. Fachausdrücke wurden auf ein Minimum reduziert.

Ich habe im direkten Umgang mit autistischen Kindern sehr viel gelernt. Dabei ist mir klar geworden, daß autistische Patienten in einer Kette von psychophysischen Reaktionen eingefangen sind, aus denen sie nicht entfliehen zu können glauben. Ihnen dabei zu helfen, sich zu befreien, ist für alle Beteiligten ein mühsamer und schmerzlicher Prozeß. Wenn wir mit autistischen Kindern arbeiten, dürfen wir in den Eltern, die bereits sehr viel gelitten haben, keine falschen Hoffnungen wecken. In diesem Buch habe ich einige der Schwierigkeiten, aber auch einige der Möglichkeiten einer Psychotherapie von sorgfältig ausgewählten und zumeist sehr jungen autistischen Kindern beschrieben. Ich habe auch versucht, auf jene erwachsenen neurotischen Patienten ein Licht zu werfen, deren geistiges und emotionales Leben durch autistische Barrieren, die sich in der frühen Kindheit entwickelt haben, behindert worden ist.

Psychotherapie ist eine wissenschaftliche Kunst. Wissenschaft ist die Erforschung der Regelmäßigkeiten in jenem Netzwerk von Aufeinanderfolge und Assoziation, das wir Kausalität nennen. Eben sie erforschen wir, wenn wir mit unseren Patienten arbeiten. Wissenschaftlich ist unser Bemühen, die Natur der Störung zu verstehen, mit der wir es zu tun haben (wenngleich nicht ganz in der Weise der Naturwissenschaften), und künstlerisch sind wir, wenn wir mit unseren Patienten »mitschwingen«, um ihnen dabei zu helfen, sich zu verändern. Indem wir dies tun, sind wir ihnen gegenüber anspruchsvoll und taktvoll zugleich.

Ich habe versucht, dem Leser diese Verbindung von Wissenschaft und Kunst durch die Anlage dieses Buches zu vermitteln.

Es gibt ein Sprichwort, wonach es besser sei, eine kleine Kerze anzuzünden als fortzufahren, auf die Dunkelheit zu fluchen. Es ist mein Privileg gewesen, eine »kleine Kerze anzuzünden«, damit sie ihr Licht auf das dunkle Szenarium des psychogenen Autismus werfen kann. Angesichts der Vorteile, die ich genoß, und der Möglichkeiten, die mir zur Verfügung standen, wäre es eine berufliche Pflichtverletzung gewesen, den Versuch zu unterlassen.

Danksagung

Bis auf drei sind alle in diesem Buch zusammengestellten Aufsätze nach der Veröffentlichung meines letzten Buches, *Autistische Zustände bei Kindern*, verfaßt worden. Die Einladung, vor einem aufgeschlossenen Publikum zu sprechen, inspiriert unausweichlich neue Gedankengänge. Meine Dankbarkeit gilt daher den verschiedenen Organisationen, die mich in ihrer Mitte freundlich aufgenommen haben. Das Buch verdankt auch jenen Psychoanalytikern und Psychotherapeuten aus England und dem Ausland sehr viel, die mich bei ihrer Arbeit um Rat gebeten und die mir großzügigerweise gestattet haben, ihre Beobachtungsergebnisse auszuwerten. Als sie mir ihre Forschungen anvertrauten, waren sie sich der neuen Ideen oft nicht bewußt, die mich gerade bewegten. Ihre Arbeit und die Diskussionen, die ich mit ihnen führte, bestätigten oder modifizierten meine Einsichten. Ich bin all diesen Menschen dankbar für ihr sorgfältig festgehaltenes Material und für die Diskussionen, die ich mit ihnen führen durfte. Sie sind zu zahlreich, um einzeln erwähnt zu werden, aber sie werden sicherlich wissen, wer gemeint ist, und ich nutze hiermit die Gelegenheit, ihnen meinen Dank auszusprechen.

Wie immer bin ich meinem Mann dankbar für die unbequemen Fragezeichen, die er hinter die Schlußfolgerungen setzte, die ich aus meinen Beobachtungen zog. Sie haben die Tür zu vertiefter Einsicht geöffnet. Solche Rückfragen führen zu gedanklicher Klarheit und helfen einem über die eigenen unvermeidlichen Unzulänglichkeiten hinweg.

Wärmsten Dank schulde ich auch Miriam und Alexander Newman von der Squiggle Foundation, die stets zur Stelle waren, wenn ich in kritischen Situationen Hilfe brauchte. Ich möchte auch meiner Freundin Victoria Hamilton danken, die mir eine komplette Ausgabe von Tennysons *In Memoriam* gab, sowie für all die hilfreichen Diskussionen, die ich mit ihr führte.

Diese Danksagungen wären unvollständig ohne die Erwähnung von Professor Adriano Giannotti, dem Inhaber des Lehrstuhls für Kindheitsneuropsychiatrie am Institut für Kinderneuropsychiatrie der Universität Rom, sowie seinen Mitarbeitern, die mich in den letzten zehn Jahren jährlich als Referentin bei gut besuchten Tagungen wärmstens aufgenommen haben. Die Zusammenarbeit mit diesem gut ausgestatteten Institut, in dem autistische Kinder unter metabolischem, organischem, psychotherapeutischem und lernpädagogischem Gesichtspunkt beobachtet werden, hat mein Wissen über autistische Kinder erweitert. Ich danke Dr. Decobert von der Claparède-Klinik in Paris, Dr. Geneviève Haag, Leni Iselin und Dr. Anik Maufras de Châtellier für ihre Unterstützung und Einladungen über viele Jahre hinweg. Ich danke ferner Dr. Viky Subirana, medizinische Direktorin der Carrilet-Abteilung für autistische Kinder in Barcelona, für ihre freundliche Aufnahme meiner Person und meiner Gedanken. Ich danke auch dem California Institute of the Arts und den Continuing Education Seminars of Los Angeles für ihre Ermutigung sowie für die Videos, die sie von meinen Vorträgen bei ihnen angefertigt haben.

Meine dankbare Anerkennung gebührt den Herausgebern folgender Zeitschriften für die Erlaubnis zum Nachdruck der hier zusammengestellten Beiträge: *International Review of Psycho-Analysis, Journal of Child Psychology and Psychiatry, British Journal of Medical Psychology, Journal of Child Psychotherapy, Patio* und *Topique.*

Ich danke Ann Scott für die sorgfältige und entgegenkommende Edition dieses Buches.

Schließlich bin ich Harry Karnac und Cesare Sacerdoti dankbar, die mich durch die enthusiastische Aufnahme und baldige Veröffentlichung meines Buches ehrten.

Nicht zuletzt möchte ich Audrey Franklin und Mrs. G. Soloman danken, die diese Beiträge so sorgfältig und zügig getippt haben.

Frances Tustin
März 1986

Bibliographie

Alvarez, Al (1963): The Art of Sylvia Plath, Indiana Univ. Press.

Alvarez, Anne (1980): Two regenerative siuations in autism: reclamation and becoming vertebrate, in: J. Child Psychother. 6, S. 69–80.

Anthony, J. (1958): An experimental approach to the psychopathology of childhood: autism, in: Br. J. Med. Psychol. 31, S. 211–225.

Anzieu, D. (1974): Le moi-peau, in: Nouvelle revue de psychanalyse 9, S. 195–208.

Aulangier, P. (1985): Hallucinatory withdrawal. Is it the same thing as autistic withdrawal?, in: Lieux de l'enfance 3, S. 53–59.

Balint, E. (1963): On being empty of oneself, in: Int. J. Psycho-Anal. 44, S. 470–480. (1977): Über innere Leere. In: dies., Bevor Ich war. Imagination und Wahrnehmung in der Psychoanalyse. Übers. von E. Vorspohl. Stuttgart, S. 58–83.

Balint, E. (1986): Memory and consciousness, delivered to the British Psycho-Analytical Society, 15. Jan. 1986. (1997): Erinnerung und Bewußtsein. In: dies., Bevor Ich war. Imagination und Wahrnehmung in der Psychoanalyse. Übers. von E. Vorspohl. Stuttgart, S. 121–139.

Balint, M. (1968): The basic fault. London. (1970): Regression. Therapeutische Aspekte und die Theorie der Grundstörung. Übers. von K. Hügel. Stuttgart.

Barrows, K. (1999): Ghosts in the swamp: some aspects of splitting and their relationship to parental losses. Int. J. Psycho-Anal. 80, S. 549–562.

Bibring, E. (1953): The mechanism of depression, in: Greenacre, P. (Hg.), Affective disorders, New York, S. 13–23. Das Problem der Depression, in: Psyche 6, S. 81–101.

Bick, E. (1968): The experience of the skin in early object relations, in: Int. J. Psycho-Anal. 49, S. 484–486. (1990): Das Hauterleben in frühen Objektbeziehungen. In: Spillius, E. B. (Hg.): Melanie Klein Heute. Band 1, Stuttgart, S. 236–240.

Bion, W. R. (1955): Language and the schizophrenic, in: Klein et al. (Hg.) (s. u.), S. 220–239.

Bion, W. R. (1962a): The psychoanalytical study of thinking, in: Int. J. Psycho-Anal. 43, S. 306–310. (1990): Eine Theorie des Denkens, in: Spillius, E. B. (Hg.) Melanie Klein Heute. Band 1. Übers. von E. Vorspohl. Stuttgart, S. 225–235.

Bion, W. R. (1962b): Learning from experience, London. (1990): Lernen durch Erfahrung. Übers. von E. Krejci. Frankfurt/M.

Bion, W. R. (1977): Seven Servants. Four Works by W. R. Bion, New York.

Biven, B. M. (1982): The role of the skin in normal and abnormal development, in: Int. Rev. Psycho-Anal. 9, S. 205–227.

Bleuler, E. (1913): Autistic thinking, in: Amer. J. Insanity 69. (1919): in: Ders., Das autistisch-undisziplinierte Denken in der Medizin und seine Überwindung, Berlin.

Bower, T. G. R. (1977): A Primer of Infant Development, San Francisco.

Bowlby, J. (1944): Forty-four juvenile thieves: their characters and home life, in: Int. J. Psycho-Anal. 25, S. 1–57 und S. 207–228.

Brontë, A. (1972): Poems, London.

Cauquil, C. (1984): ›Steve‹, case material presented to a conference of psychoanalysts and psychotherapists in Paris, London.

Chasseguet-Smirgel, J. (1983): Perversion and the universal law, in: Int. Rev. Psycho-Anal. 10, S. 293–301.

Chomsky, N., (1968): Language and the Mind, New York. (1970): Sprache und Geist. Mit einem Anhang: Linguistik und Politik. Übers. von A. Kamp, S. Kanngießer, G. Lingrün u. U. Schwarz. Frankfurt/M.

De Astis, G. & Giannotti, A. (1980): Birth and autism: some considerations about the early mother-child relationship (in Englisch unveröffentlicht).

De Astis, G. & Giannotti, A. (1985): Dentition: a fundamental element in normal and pathological development, in: Br. J. Psychother.

Eliot, T. S. (1974): Collected Poems, London. (1972): Gesammelte Gedichte 1909–1962. Hg. von E. Hesse. Frankfurt/M.

Erikson, E. (1951): Childhood and Society, New York. (1971): Kindheit und Gesellschaft. Übers. von M. von Eckardt-Jaffé. Stuttgart.

Fordham, M. (1976): The Self and Autism, London.

Freud, S. (1905): Bruchstück einer Hysterie-Analyse. G.W. Bd. 5, S. 161.

Freud, S. (1911): Formulierungen über die zwei Prinzipien des psychischen Geschehens. G.W. Bd. 8, S. 229–238.

Freud, S. (1914): Zur Einführung des Narzißmus. G.W. Bd. 10, S. 137–170.

Freud, S. (1920): Jenseits des Lustprinzips. G.W. Bd. 13, S. 1–69.

Freud, S. (1923): Das Ich und das Es. G.W. Bd. 13, S. 235 ff.

Freud, S. (1925): Die Verneinung. G.W. Bd. 14, S. 9–15.

Freud, S. (1926a): Hemmung, Symptom und Angst. G.W. Bd. 14, S. 113–205

Frith, U. (1985): Does the autistic child have a »theory of mind«?, in: Cognition 21, S. 37–46.

Furneaux, B. & Roberts, B. (1977): Autistic Children, London.

Gaddini, E. (1969): On imitation, in: Int. J. Psycho-Anal. 50, S. 475–484. (1998): Über die Imitation. In: ders.: »Das Ich ist vor allem ein körperliches«. Beiträge zur Psychoanalyse der ersten Strukturen. Übers. von A. Jappe. Tübingen, S. 77–100.

Gaddini, R. (1978): Transitional object origins and the psychosomatic symptoms, in: Grolnick, S. A.; Barkin, L. und Muensterberger, W. (Hg.), Between Reality and Fantasy. Transitional Objects and Phenomena, New York.

Gaddini, R. & Gaddini, E. (1959): Rumination in infancy, in: Jessner, L. & Pavenstedt, E. (Hg.), Dynamic Psychopathology in Childhood, New York, London; S. 166–185. (1998): Die frühkindliche Rumination. In: Gaddini, E.: »Das Ich ist vor allem ein körperliches«. Beiträge zur Psychoanalyse der ersten Strukturen. Übers. von A. Jappe. Tübingen, S. 52–76.
Gerö, G. (1953): An equivalent of depression: anorexia, in: P. Greenacre (Hg.), S. 117–139.
Golding, W. (1956): Pincher Martin, London. (1993): Pincher Martin. Leipzig.
Greenacre, P. (1970): Fetish objects, in: Int. J. Psycho-Anal. 51, S. 447–456.
Greenacre, P. (Hg.) (1953): Affective Disorders, New York.
Greene, G. (1971): A Sort of Life, Bodley Head. (2004): Eine Art Leben. Zsolnay Verlag.
Greene, J. (1980): Dead Man's Fall, Bodley Head.
Grotstein, J. S. (1980): Primitive mental states, in: Contemporary Psychoanalysis 16, S. 479–546.
Grotstein, J. S. (1983): Review of Tustin's Autistic States in Children, in: Int. Rev. Psycho-Anal. 10, S. 491–498.
Grotstein, J. S. (Hg.) (1983): Do I Dare Disturb the Universe? A Memorial to Wilfred R. Bion, London.
Gull, W. W. (1983): Anorexia nervosa, in: Medical Times and Gazette 2, S. 534.
Haag, G. (1983): The mother and the baby in the two halves of the body, Second World Congress of Infant Psychiatry, Cannes.
Hobson, P. (1986): The autistic child's appraisal of expressions of emotion, in: J. Child Psychol. and Psychiatry 27, S. 321–342.
Hobson, P. (1993): Autism and the Development of Mind. Hove, Sussex & Hillsdale, NJ.
Hughes, T. (1970): Wodwo, London.
Hughes, T. (1972): Crow, London. (2001): Krähe. Aus dem Leben und den Gesängen der Krähe. Übers. von E. Schenkel. Stuttgart.
Isaacs, S. (1952): The nature and function of phantasy, in: Klein, M. et. al. (Hg.), S. 67–121. (2000): Wesen und Funktion der Phantasie. In: King, P. & Steiner, R. (Hg.): Die Freud/Klein Kontroversen 1941–1945. Erster Band. Übers. von H. Brühmann. Stuttgart, S. 365–428.
Jackson, M. (1985): A psychoanalytical approach to the assessment of a psychotic patient, in: Psychoanal. Psychotherapy 1, S. 11–22.
James, M. (1960): Premature ego development. Some observations on disturbances in the first three months of life, in: Int. J. Psycho-Anal. 41, S. 228–294.
Kanner, L. (1943): Autistic disturbances of affective contact, in: Nervous Child 2, S. 217–250.
Khan, M. M. R. (1986): The concept of cumulative trauma, in: Kohon (Hg.), S. 101–116.

Klein, M. (1930a): Die Bedeutung der Symbolbildung für die Ich-Entwicklung. In: Gesammelte Schriften, Bd. 1, Teil 1. Hg. von R. Cycon. Stuttgart-Bad Cannstatt, S. 347–368.

Klein, M. (1930b): Die psychotherapeutische Behandlung von Psychosen. Übers. von E. Vorspohl. In: Gesammelte Schriften, Bd. 1, Teil 1. Hg. von R. Cycon. Stuttgart-Bad Cannstatt, S. 369–374.

Klein, M.; Heimann, P.; Isaacs, S. & Riviere, J. (1952): Developments in Psycho-Analysis, London.

Klein, M.; Heimann, P. & Money-Kyrle, R. E. (Hg.) (1955): New Directions in Psychoanalysis.

Klein, S. (1980): Autistic phenomena in neurotic patients, in: Int. J. Psycho-Anal. 61, S. 395–402.

Kohon, G. (Hg.) (1986): The British School of Psychoanalysis: The Independent Tradition, London.

Kohut, H. (1971): The Analysis of the Self, New York. (1979): Die Heilung des Selbst. Frankfurt/M.

Larkin, P., Gunn, T. & Hughes, T. (1974): Gedichte. Herausgegeben und mit einem Vorwort versehen von Karl Heinz Berger, Berlin.

Lasègue, C. (1873): On hysterical anorexia, in: Medical Times and Gazette 2, S. 265–267.

Lorand, S. (1943): Anorexia nervosa, in: Psychosomatic Medicine 5, S. 282–292.

Lucretius Carus, T. (1950): Of the Nature of Things, London. (1960): Von der Natur der Dinge. Frankfurt/M.

McDougall, J. (1980): Plea for a Measure of Abnormality, New York. (1985): Plädoyer für eine gewisse Anormalität. Übers. von K. Laermann. Frankfurt/M.

McDougall, J. (1986): Theatres of the Mind. London. (1988): Theater der Seele. Übers. von K. Laermann. München, Wien.

McDougall, J. (1989): Theatres of the Body. London. (1991): Theater des Körpers. Übers. von K. Laermann. Weinheim.

MacNeice, L. (1966): Collected Poems, London.

Mahler, M. (1958): Autism and symbiosis – two extreme disturbances of identity, in: Int. J. Psycho-Anal. 39, S. 77–83.

Mahler, M. (1961): On sadness and grief in infancy and childhood: loss and restoration of the symbiotic love object, in: Psychoanal. Study Child 16, S. 332–351. (1992): Über Traurigkeit und Kummer bei Säuglingen und Kleinkindern: Verlust und Wiederherstellung des symbiotischen Liebesobjekts, in: dies., Studien über die drei ersten Lebensjahre. Übers. von H. Weller, S. 272 ff., Frankfurt/M.

Maiello, S. (1982): Le prime esperienze della spazio in bambini autistico, in: Quaderni di Psicoterapie Infantile 6, S. 85–99.

Medawar, P. (1979): Advice to a Young Scientist, London.

Meltzer, D. (1963): A contribution to the metapsychology of manic depressive states, in: Int. J. Psycho-Anal. 44, S. 73–96.
Meltzer, D.; Hoxter, S.; Weddell, D. & Wittenberg, I. (1975): Explorations in Autism. Strath Tay.
Meltzoff A. & Barton, R. (1979): Intermodal matching by human neonates, in: Nature 282 S. 403–404.
Miller, J. (1981): The Human Body (BBC-Fernsehserie).
Milner, M. (1956a): The sense in nonsense: Freud and Blake's ›Job‹, in: The New Era (Journal of New Education Fellowship) 37, S. 1–11.
Milner, M. (1956b): Video-Vorführung (Squiggle Foundation London).
Milner, M. (1969): The Hands of the Living God. London.
Mitrani, J. L. (1993): Unmentalized experience in the etiology and treatment of psychosomatic asthma. Contemporary Psychoanalysis 29, S. 314–342.
Mollon, P. (1985): The non-mirroring mother and the missing paternal dimension in a case of narcissistic disturbance, in: Psychoanalytic Psychotherapy 1, S. 35–47.
Munrow, D. (1950): Discord and resolution (unveröffentlicht).
Ogden, T. H. (1980): The nature of schizophrenic conflict, in: Int. J. Psycho-Anal. 61, S. 513–533.
O'Gormon, G. (1967): The Nature of Childhood Autism, London.
Olin, R. (1975): Differentiating the psychotic child from the mentally retarded child, in: Minnesota Medicine 58, S. 489–492.
Park, D. & Youderian, P. (1974): Light and number: ordering principles in the world of the autistic child, in: Autism and Schizophrenia 4, S. 313–323.
Piaget, J. (1954): The development of object concept, in: The Construction of Reality in the Child, New York, S. 3–96. (1975): Der Aufbau der Wirklichkeit beim Kinde. Gesammelte Werke, Studienausgabe Bd. 2, Stuttgart.
Piggott, L. R. (1979): Overview of selected basic research in autism, in: J. Autism and Developmental Disorders 9, S. 199–219.
Plath, S. (1963): Ariel, New York. (1993): Ariel. Frankfurt/M.
Rahman, L.; Richardson, H. B. & Ripley, H. F. (1939): Anorexia nervosa with psychiatric observations, in: Psychosomatic Medicine 1, S. 336–365.
Rank, B., McNaughton, D. (1950): A clinical contribution to ego development, in: Psychoanal. Study Child 5, S. 53–65.
Rank, B. & Putnam, M. (1953): James Jackson Putnam Children's Center (unveröffentlichter Forschungsbericht).
Ricks, D. (1975): Vocal communication in preverbal, normal and autistic children, in: O'Connor, N. (Hg.), Language, Cognitive Defects and Retardation.
Riley, C. (1993): Review of F. Tustin, Autistic States in Children, revised edition (1992), in: Winnicott Studies 8.
Rosenfeld, D. (1981): The notion of a psychotic body image in neurotic and psychotic patients (Int. Psychoanal. Congress, Finland).

Rosenfeld, D. (1986): Identification and its vicissitudes in relation to the Nazi phenomenon, in: Int. J. Psycho-Anal. 67, S. 53–64.
Rosenfeld, H. (1971): The relationship between psychosomatic symptoms and latent psychotic states (unveröffentlicht).
Rubinfine, D. L. (1962): Maternal stimulation, psychic structure and early object relations, in: Psychoanal. Study Child 17, S. 265–283.
Sade, Marquis de (1967): Marquis de Sade: Oeuvres complètes, Paris. (1969): Gesammelte Werke. München.
Sandler, J. (1957): The background of safety, in: Int. J. Psycho-Anal. 41, S. 352–356.
Sartre, J.-P. (1957): Being and Nothingness. (1993): Das Sein und das Nichts. Übers. von H. Schöneberg und T. König. Reinbek.
Schilder, P. (1935): The Image and Appearance of the Human Body.
Scott, W. C. M. (1948): Notes on the psychopathology of anorexia nervosa, in: Br. J. Med. Psychol. 21, S. 241–247.
Segal, H. (1957): Notes on symbol formation, in: Int. J. Psycho-Anal. 38, S. 391–397. (1995): Bemerkungen zur Symbolbildung. In: Spillius, E. B.: Melanie Klein Heute. Bd 1. Übers. von E. Vorspohl. Stuttgart, S. 202–224.
Segal, H. (1958): Fear of death. Notes on the analysis of an old man, in: Int. J. Psycho-Anal. 39, S. 178–181. (1992): Angst vor dem Tod: Anmerkungen zur Analyse eines alten Mannes. In: dies.: Wahnvorstellung und künstlerische Kreativität. Übers. von A. Lösch. Stuttgart, S. 219–230.
Spensley, S. (1985a): Cognitive defect mindlessness and psychotic depression, in: J. Child Psychother. 11, S. 33–50.
Spensley, S. (1985b): Mentally ill or mentally handicapped? A longitudinal study of severe learning disorder, in: Psychoanalytic Psychotherapy 1, S. 55–70.
Spitz, R. (1960): The Primal Cavity – A Contribution to the Genesis of Perception and its Role for Psychoanalytic Theory, in: Psychoanal. Study Child 10, S. 215–240. (1955/56): Die Urhöhle, in: Psyche 9, S. 641–667.
Spitz, R. (1963): Life and the dialogue, in: Gaskill, H. S. (Hg.), Counterpoint, New York, S. 154–176.
Stern, D. (1986): The Interpersonal World of the Infant, New York. (1992): Die Lebenserfahrung des Säuglings. Stuttgart.
Stroh, G. (1974): Psychotic Children, in: Barker, P. A. (Hg.), The Residential Psychiatric Treatment of Children, London.
Sylvester, E. (1945): Analysis of psychogenic anorexia in a four-year old, in: Psychoanal. Study Child 1, S. 167–189.
Tennyson, A. (1874): In Memoriam. Zum Gedächtnis. Übers. von Agnes v. Bohlen, Berlin.
Tischler, S. (1979): Being with a psychotic child: a psychoanalytical approach to the problems of parents of psychotic children, in: Int. J. Psycho-Anal. 60, S. 29–38.

Trevarthen, C. (1979): Instincts for human understanding and for cultural co-operation: Their development in infancy, in: Human Ethology: Claims and Limits of a New Discipline, Cambridge.
Tustin, F. (1966): A significant element in the development of autism. J. Child Psychol. and Psychiatry 7.
Tustin, F. (1972): Autism and Childhood Psychosis, London.
Tustin, F. (1978): Psychotic elements in the neurotic disorders of childhood, in: J. Child Psychother. 4, S. 5–18.
Tustin, F. (1981a): Autistic States in Children, London. (1989): Autistische Zustände bei Kindern. Übers. von H. Brühmann. Stuttgart.
Tustin, F. (1981b): Psychological birth and psychological catastrophe, in: Grotstein, J. S. (Hg.): Do I Dare Disturb the Universe? London, S. 181–197.
Tustin, F. (1994): The perpetuation of an error. J. Child Psychother. 20, S. 3–23.
Tustin, F. (1994): The perpetuation of an error, in: J. Child Psychother. (1996): Die Zementierung eines Irrtums. Übers. von A. Perner. Arbeitshefte Kinderpsychoanalyse 22/23. Schwerpunktthema: Zugänge zum Autismus.
Waller, J. V.; Kaufman, M. R. & Deutsch, F. (1940): Anorexia nervosa: a psychosomatic entity, in: Psychosomatic Medicine 2, S. 3–16.
von Weizsäcker, V. (1986): Über Träume bei sogenannter endogener Magersucht. In: ders., Gesammelte Schriften 6. Psychosomatische Medizin. Hg. von P. Achilles et al. Frankfurt/M., S. 342–360.
Whan, M. (1980): Lethe, time and forgetting (unveröffentlicht).
Winnicott, D. W. (1958): Collected Papers. Through Paediatrics to Psychoanalysis, London. (1983): Von der Kinderheilkunde zur Psychoanalyse. Übers. von G. Theusner-Stampa. Frankfurt/M.
Winnicott, D. W. (1960): Ego distortion in terms of true and false self, in: The Maturational Processes and the Facilitating Environment, S. 140–152. (1974): Reifungsprozesse und fördernde Umwelt. Übers. von G. Theusner-Stampa. München.
Winnicott, D. W. (1974): Fear of breakdown, in: Kohon (Hg.), S. 173–182.
Yeats, W. B. (1962): Selected Poetry, London.

VERÖFFENTLICHUNGEN
DES KLEIN SEMINARS SALZBURG
Herausgegeben von Karl und Ruth Mätzler

Band 1:
Karl und Ruth Mätzler (Hg.)
Sexualität in der kleinianischen Psychoanalyse

191 Seiten · € 18,00 · ISBN 3-89295-753-3

Vor hundert Jahren erschienen Freuds „Drei Abhandlungen zur Sexualtheorie" und sorgten mit revolutionären Thesen für großes Aufsehen, das bis zur erbitterten Ablehnung reichte. Der erste Band der *Veröffentlichungen des Klein Seminars Salzburg* nimmt dieses Jubiläum daher zum Anlaß, die Frage nach dem Stellenwert der Sexualität in der kleinianischen Psychoanalyse neu zu stellen. Die hier versammelten Arbeiten befassen sich sowohl mit allgemeinen Themen wie der weiblichen Sexualität oder der Entwicklung der Geschlechtsidentität als auch mit speziellen Aspekten der Perversion, der Homosexualität oder der sexuellen Störungen.

Inhalt

---

edition diskord
Schwärzlocher Str. 104 B
72070 Tübingen

KINDER- UND JUGENDLICHENANALYSE
Europäische Texte

Herausgegeben von Barbara Strehlow

Band 1:

Margaret Rustin / Emanuela Quagliata (Hg.)
Der Anfang
Klinische Erstkontakte mit Kindern und Jugendlichen
240 Seiten · € 18,00 · ISBN 3-89295-754-1

Je jünger die Patienten, desto komplexer sind die Fragestellungen, die in den ersten Kontakten mit der Familie beantwortet werden müssen. Geht es um eine tiefgreifende Erkrankung oder nur um eine begrenzte Störung; wieviel professionelle Hilfe ist notwendig und wieweit kann man auf entwicklungsimmanente Kräfte bauen; welche Profession ist am dringlichsten gefragt: Psychotherapeuten, Ärzte, Sozialpädagogen, Pädagogen; wieviel und welche Hilfe kann eine Familie verwenden? Die Beiträge dieses in der Tradition der Londoner Tavistock Clinic stehenden Bandes haben eine doppelte Basis: zum einen fußen sie auf dezidiert psychoanalytischen Erkenntnissen aus klinischer Forschung und Lehre, zum anderen auf den Gegebenheiten eines multiprofessionellen Teams, das der Komplexität der Fragestellungen gerecht zu werden versucht.

Die Herausgeberinnen

Emanuela Quagliata ist Kinderpsychotherapeutin, Psychoanalytikerin und Mitglied der italienischen Vereinigung für psychoanalytische Kinderpsychotherapie.

Margaret Rustin ist Fachärztin für Psychotherapie, Studienleiterin der kinderpsychotherapeutischen Ausbildung und Direktorin der Abteilung für Kinderpsychotherapie an der Tavistock Clinic in London.

Barbara Strehlow, die Herausgeberin von *Kinder- und Jugendlichenanalyse. Europäische Texte* ist Analytische Kinder- und Jugendlichenpsychotherapeutin (VAKJP; aff. M. DPV) und Dozentin / Supervisorin am Ausbildungsinstitut in Hamburg.

---

edition diskord
Schwärzlocher Str. 104 B
72070 Tübingen